BORN TO RUN

BORN TO RUN

BRUCE SPRINGSTEEN

Traduit de l'américain
par Nicolas Richard

ALBIN MICHEL

22, rue Huyghens, 75014 Paris
www.albin-michel.fr
pour la traduction française

Édition originale américaine parue sous le titre :
BORN TO RUN

Photo licensing : Crystal Singh-Hawthorne
Maquette intérieure : Ruth Lee-Mui
Maquette cahier photos : Michelle Holme

Composition : IGS-CP – Impression : CPI Blackprint en août 2016
ISBN : 978-2-226-32502-0 – N° d'édition : 22260/01
Dépôt légal : septembre 2016 – Imprimé en Espagne

Pour Patti, Evan, Jess et Sam

AVANT-PROPOS

Dans la ville balnéaire d'où je viens, avec son *boardwalk*, tout est un peu en toc. Moi, c'est pareil. À vingt ans, loin d'être un rebelle qui risquait sa vie au volant, je jouais de la guitare dans les rues d'Asbury Park et déjà j'avais obtenu une place de choix parmi ceux qui « mentent » pour servir la vérité… les artistes, avec un petit a. Mais j'avais quatre atouts dans mon jeu : la jeunesse, une expérience de presque dix ans à jouer dans les bars dans toutes les conditions, une bonne bande de musiciens qui avaient grandi là, habitués à mon style sur scène… et une histoire à raconter.

Ce livre est à la fois la suite de cette histoire et une enquête sur ses origines. J'ai pris comme paramètres les événements de ma vie qui ont, je crois, façonné cette histoire et ma musique. Dans la rue, les fans me demandent souvent : « Comment tu fais ? » Je vais tenter d'éclairer un peu le comment et, plus important, le pourquoi.

Kit de survie rock'n'roll

Patrimoine génétique, prédispositions, apprentissage du métier, élaboration d'une philosophie artistique à laquelle être fidèle, désir brut de... gloire ?... d'amour ?... d'admiration ?... d'attention... de femmes ?... de sexe ?... et... ah ouais, bien sûr... de pognon. Ensuite... si vous voulez vraiment aller au fond du fond... un feu intérieur... qui fait rage... qui brûle... sans jamais s'arrêter.

Voilà ce qui peut s'avérer utile si tu es amené à te présenter devant quatre-vingt mille (ou quatre-vingts) fans de rock'n'roll qui hurlent en attendant que tu leur fasses ton tour de magie. En attendant que tu sortes quelque chose de ton chapeau, que tu crées quelque chose de toutes pièces, quelque chose qui, avant que les fidèles se rassemblent, n'était qu'une rumeur alimentée par quelques chansons.

Je suis ici pour fournir la preuve que ce « nous » toujours insaisissable, jamais complètement crédible, existe bel et bien. C'est ça mon tour de magie. Et comme pour tout bon tour, il faut commencer par planter le décor. Et donc...

LIVRE UN

GROWIN' UP

UN
MA RUE

J'ai dix ans et je connais chaque fissure, chaque aspérité et chaque lézarde des trottoirs défoncés de Randolph Street, ma rue. C'est là que, l'après-midi, je suis Hannibal traversant les Alpes, un GI acculé à un combat musclé en montagne ou d'innombrables cow-boys héroïques arpentant les chemins rocailleux de la Sierra Nevada. Je suis à plat ventre sur la pierre, à côté de minuscules fourmilières qui surgissent comme des volcans aux points de jonction de la terre et du bitume, et mon monde s'étend à l'infini… ou du moins jusqu'à la maison de Peter McDermott, à l'angle de Lincoln et Randolph, un pâté de maisons plus loin.

Dans ces rues on m'a promené en landau, j'ai fait mes premiers pas, mon grand-père m'a appris le vélo, je me suis battu pour la première fois et j'ai échappé à des raclées. J'ai apprécié la valeur des vraies amitiés et le réconfort qu'elles peuvent apporter, j'ai connu mes premiers émois sexuels et, les soirs d'avant la climatisation, j'ai observé les voisins installés sur leurs porches pour discuter à la fraîche.

C'est là que lors d'épiques tournois de «balle au caniveau» j'ai fait rebondir la première d'une longue série de balles Pinky en caoutchouc contre le bord aigu de mon trottoir. J'ai escaladé des tas de neige sale que les chasse-neige de nuit avaient repoussés de part et d'autre de la rue, et j'ai marché sur les congères, d'un carrefour à l'autre, en Edmund Hillary du New Jersey. Ma sœur et moi, comme des badauds à la fête foraine, on allait regarder ce qui se passait à l'intérieur de l'église à côté de chez nous, derrière ses énormes portes en bois, témoins du sempiternel défilé des baptêmes, des mariages et des obsèques. Je suivais mon grand-père, un beau type, élégant bien que dépenaillé, qui marchait d'un pas chancelant, le bras gauche paralysé contre sa poitrine, faisant un peu d'«exercice» après une attaque dévastatrice dont il ne s'était jamais tout à fait remis.

Dans notre jardin, tout près de notre porche, se dresse le plus grand arbre de la ville, un impressionnant hêtre pourpre. Son empire au-dessus de notre maison est tel que si la foudre frappait au bon endroit, on serait tous morts, écrasés comme des escargots sous le petit doigt de Dieu. Les soirs où gronde l'orage, lorsque la foudre fait virer au bleu cobalt la chambre de la famille, j'observe ses bras immenses qui bougent et s'animent dans le vent et les éclairs blancs : allongé, je reste éveillé, à me faire du mouron pour mon ami le monstre, dehors. Les jours de soleil, ses racines sont un fort pour mes soldats, un corral pour mes chevaux et une deuxième maison pour moi. J'ai l'insigne honneur d'être le premier du pâté de maisons à oser grimper sur ses plus hautes branches. Là, je m'évade, j'échappe à tout ce qui se passe en dessous. J'erre pendant des heures parmi ses branches, les voix de mes copains me parviennent d'en bas, assourdies, alors que, du trottoir, ils essayent de suivre ma progression. Sous ses branches assoupies, les paisibles soirées d'été, on s'assoit, mes potes et moi, comme la cavalerie à la tombée du jour, en attendant que retentissent les clochettes de la camionnette du glacier ambulant, avant d'aller nous coucher. J'entends la voix de ma grand-mère qui me dit de rentrer, dernier son d'une longue journée. Je monte sur le porche, nos fenêtres s'enflamment dans le crépuscule ; j'ouvre la lourde porte d'entrée, puis la referme derrière moi, et pendant une heure ou deux, devant le poêle à mazout, à côté de mon grand-père dans son gros fauteuil, on reste devant le petit écran de la télé noir et blanc qui illumine la pièce, projette ses spectres aux murs et au plafond. Puis je m'endors, enveloppé dans le plus formidable et le plus triste des sanctuaires que j'aie jamais connus : la maison de mes grands-parents.

C'est là que je vis avec ma sœur, Virginia, qui a un an de moins que moi, mes parents, Adele et Douglas Springsteen, mes grands-parents, Fred et Alice, et mon chien Saddle. On habite, littéralement, dans le giron de l'Église catholique, entre le presbytère du curé, le couvent des nonnes, l'église Sainte-Rose-de-Lima et l'école primaire, le tout à un jet de ballon d'un champ d'herbe grasse.

Dieu a beau nous dominer, ici, Il est entouré d'hommes – de fous, pour être précis. Ma famille occupe cinq maisons qui se déploient en L à l'angle de l'église en brique rouge. Nous sommes quatre maisons d'Irlandais *old school*, les gens qui m'ont élevé – les McNicholas, les O'Hagan, les Farrell – et, de l'autre côté de la rue, un avant-poste isolé d'Italiens qui ont mis leur grain de sel dans mon éducation, les Sorrentino et les Zerilli, originaires de Sorrente, en Italie, passés par Brooklyn après Ellis Island. Ici habitent la mère de ma mère, Adelina Rosa Zerilli, la sœur aînée de ma mère, Dora, le mari de Dora, Warren (un Irlandais, évidemment), et leur fille Margaret, l'aînée de mes cousins. Margaret et mon cousin Frank sont d'excellents danseurs de jitterbug, ils participent à des championnats et remportent des concours et des trophées tout au long du Jersey Shore.

Les deux clans ne sont pas en mauvais termes, mais le fait est qu'ils ne traversent pas souvent la rue pour se voir.

La maison où je vis avec mes grands-parents appartient à « Nana », mon arrière-grand-mère McNicholas, la mère de ma grand-mère, toujours bon pied bon œil, qui habite un peu plus loin dans la rue. On m'a dit que la première messe et les premières funérailles de notre ville s'étaient tenues dans notre salle de séjour. On vit ici sous l'œil insistant de la sœur aînée de mon père, ma tante Virginia, morte à l'âge de cinq ans, fauchée par un camion alors qu'elle passait en tricycle devant la station-service au coin de la rue. Sa présence plane, soufflant un air fantomatique dans la pièce, illuminant de sa malheureuse destinée nos réunions familiales. Son portrait couleur sépia, suranné, montre une petite fille vêtue d'une robe démodée en lin blanc, dont le regard, apparemment bienveillant, dit en fait à la lueur des événements : « Attention ! le monde est un endroit dangereux et impitoyable qui vous fera tomber de votre tricycle et vous enverra dans les noires profondeurs de l'inconnu, et seules les malheureuses âmes fourvoyées vous pleureront. » Ce message fort et clair n'a pas échappé à sa mère, ma grand-mère. Elle a passé deux ans au lit après la mort de sa fille – deux ans pendant lesquels mon père, dont elle ne s'occupait pas et qui était atteint de rachitisme, a vécu chez d'autres membres de la famille, à la périphérie de la ville, tandis qu'elle essayait de reprendre du poil de la bête.

Le temps a passé ; mon père a quitté l'école à seize ans pour travailler comme apprenti à la fabrique de tapis Karagheusian, qui faisait un boucan pas possible, avec des métiers à tisser assourdissants implantés de part et d'autre de Center Street, dans un quartier de la ville appelé Texas.

À dix-huit ans, il est parti à la guerre, s'est embarqué à New York à bord du *Queen Mary*. Il a été conducteur de camions pendant la bataille des Ardennes, a vu le peu du monde qu'il lui serait donné de voir puis il est rentré chez lui. Il jouait au billard, très bien, et gagnait de l'argent comme ça. Il a rencontré ma mère, il en est tombé amoureux et lui a promis que, si elle l'épousait, il se trouverait un vrai boulot (attention danger !). Il a travaillé à la chaîne avec son cousin David Cashion, alias Dim, à l'usine Ford Motor d'Edison, et c'est alors que je suis arrivé.

Pour ma grand-mère, j'étais le premier-né de son fils unique, et le premier bébé de la maison depuis la mort de sa fille. Ma naissance lui apportant une nouvelle raison de vivre, elle a farouchement jeté son dévolu sur moi. Avec pour mission ultime de me protéger du monde intérieur et du monde extérieur. Malheureusement, sa dévotion aveugle et monomaniaque allait créer d'énormes tensions avec mon père et une grande confusion au sein de la famille. De quoi tous nous faire plonger.

Lorsqu'il pleut, l'humidité enveloppe notre ville d'une odeur de marc de café qui provient de l'usine Nescafé, à la lisière est. Je n'aime pas le café mais j'apprécie cette odeur. Elle est réconfortante ; elle réunit les habitants en faisant partager à tous une même expérience sensorielle ; et puis c'est une activité industrielle bénéfique, tout comme la fabrique de tapis dont le bruit nous casse les oreilles, elle procure du travail et témoigne de la vitalité de notre ville. Ici – ça s'entend, ça se sent – on vit sa vie, on souffre, on a de menus plaisirs, on joue au base-ball, on meurt, on fait l'amour, on a des enfants, on se saoule les soirs de printemps et on fait de son mieux pour tenir à distance les démons qui cherchent à nous détruire, à détruire nos foyers, nos familles, notre cité.

On habite tous à l'ombre du clocher, là où tout se joue, tous tortueusement bénis dans la miséricorde de Dieu – dans cette ville électrique, stupéfiante, qui génère des émeutes raciales et déteste les excentriques, cette ville qui vous secoue l'âme, vous fait l'amour et fout la trouille, cette ville qui vous brise le cœur : Freehold, New Jersey.

Et maintenant, que la messe commence…

DEUX
MA MAISON

C'est jeudi soir, le soir des poubelles. On est mobilisés, sur le pied de guerre. On monte dans la berline de 1940 de mon grand-père, en attendant de nous déployer pour fouiller dans tous les tas d'ordures qui débordent des trottoirs de notre ville. D'abord Brinckerhoff Avenue – c'est là qu'il y a de l'argent et que les poubelles sont les plus opulentes. Nous, on est là pour vos radios, n'importe quelle radio, quel que soit son état. On les récupère parmi vos déchets, on les flanque dans le coffre et on les rapporte chez nous, à la « remise » en bois, non chauffée, de deux mètres sur deux, dans un minuscule recoin de notre maison. Ici, été comme hiver, la magie opère. Ici, dans cette pièce qui déborde de fils électriques et de tubes électroniques, je resterai studieusement assis à côté de mon grand-père. Pendant qu'il traficote les fils, soude et remplace les tubes défectueux, on guette ensemble le moment crucial : cet instant où le chuchotement du souffle, le magnifique grésillement des parasites et le superbe rougeoiement solaire de l'électricité vont de nouveau affluer dans les carcasses mortes des transistors sauvés du rebut.

Ici, dans l'atelier de mon grand-père, la résurrection est une réalité. Le silence du vide va s'estomper, pour laisser place aux voix lointaines et crépitantes des prêcheurs du dimanche, aux baratins publicitaires, à la musique des big bands, aux débuts du rock'n'roll et aux feuilletons radiophoniques. C'est le son du monde extérieur qui s'efforce de parvenir jusqu'à nous, qui vient nous chercher dans notre petite ville et, surtout, nous tirer de notre univers hermétiquement scellé du 87 Randolph Street. Une fois revenus à la vie, tous les articles seront revendus pour cinq dollars dans les campements des ouvriers agricoles qui viennent travailler l'été dans la commune limitrophe. Voilà l'Homme radio. C'est sous ce nom que mon grand-père est connu parmi la population migrante noire, originaire en grande majorité du Sud, qui chaque saison revient en bus pour les récoltes du comté rural de Monmouth. Sur les chemins de terre menant aux cabanes, où persistent des conditions de vie dignes de la Grande Dépression, ma mère accompagne mon grand-père, diminué depuis sa dernière attaque ; il vient faire des affaires avec les Noirs dans leurs campements. Je suis allé avec eux une fois et j'ai eu une trouille bleue, cerné au crépuscule de visages noirs épuisés, éreintés. Les relations entre les différentes populations, qui n'ont jamais été excellentes à Freehold, déboucheront dix ans plus tard sur des émeutes et des fusillades, mais pour l'instant c'est un calme silencieux empreint de malaise. Je suis simplement le petit-fils, le protégé de l'Homme radio, au milieu de ses clients, et c'est là que ma famille se démène pour joindre les deux bouts.

On vivait quasiment sous le seuil de pauvreté, mais je n'y pensais jamais. On était vêtus, nourris et on avait un lit. Certains de mes amis, blancs ou noirs, étaient moins bien lotis. Mes parents avaient un emploi, ma mère était secrétaire juridique et mon père travaillait chez Ford. Notre maison était vieille et délabrée, chauffée par un unique poêle à mazout. À l'étage, où dormait ma famille, les matins d'hiver, au réveil, on voyait la buée s'échapper de nos bouches. Un de mes plus anciens souvenirs de jeunesse est l'odeur de mazout quand mon grand-père rechargeait le poêle. On faisait à manger sur le poêle à charbon de la cuisine ; petit, je déchargeais mon pistolet à eau sur la plaque brûlante et je regardais la vapeur s'élever. On sortait les cendres par la porte de derrière, puis on les jetait en tas, dehors. Chaque jour, j'allais y jouer et je revenais couvert de poussière grise. On avait un petit réfrigérateur cubique et on a été parmi les premiers de toute la ville à posséder un téléviseur. Dans une vie antérieure, avant ma naissance, mon grand-père avait été le propriétaire de Springsteen Brothers Electrical Shop. Si bien que lorsque les téléviseurs furent commercialisés, notre foyer fut un des premiers équipés. Ma mère m'a raconté que tous les voisins de la rue défilaient à la maison pour admirer le nouveau miracle et regarder Milton Berle, Kate Smith et *Your Hit Parade* ou voir les catcheurs comme Bruno Sammartino se battre contre Haystacks Calhoun. À six ans, je connaissais par cœur l'hymne de Kate Smith « When the Moon Comes Over the Mountain ».

Dans cette maison, en vertu de l'ordre de naissance et des circonstances, j'ai été tout à la fois un seigneur, un roi et un messie. Comme j'étais le premier de ses petits-enfants, ma grand-mère s'est focalisée totalement sur moi, pour compenser la mort de ma tante Virginia. Rien ne m'était interdit. C'était une liberté effroyable pour un jeune garçon et j'en ai profité au maximum. À cinq ou six ans, je pouvais veiller jusqu'à trois heures du matin et dormir jusqu'à trois heures de l'après-midi. Je regardais la télé jusqu'à la fin des programmes, et je me retrouvais tout seul devant la mire. Je mangeais ce que je voulais, quand je voulais. Je m'éloignais insensiblement de mes parents, et ma mère, dans sa confusion et son désir d'avoir la paix, cédait à l'emprise de ma grand-mère. Petit tyran timide, je constatais que les règles ne s'appliquaient qu'au reste du monde, du moins jusqu'au retour de mon père à la maison. Il arpentait la cuisine d'un air renfrogné, en monarque détrôné par son fils aîné à l'instigation de sa mère. Notre maison en ruine ainsi que mes propres excentricités et mon formidable pouvoir, malgré mon jeune âge, me faisaient pourtant honte et m'embarrassaient. Je voyais bien que les autres fonctionnaient selon des règles différentes et les copains du quartier ne manquaient pas de se moquer de mon comportement. J'adorais mon statut, mais je savais qu'il n'était pas normal.

Lorsque j'ai été en âge d'aller à l'école et qu'il a fallu que je me plie à des horaires, j'ai été pris d'une rage intérieure qui ne m'a pratiquement pas quitté de toute ma scolarité. Ma mère savait qu'il était bien trop tard pour remettre les pendules à l'heure mais il faut bien dire, pour lui rendre justice, qu'elle a tenté de me récupérer. Elle nous a fait déménager de chez ma grand-mère et on s'est installés dans une petite maison mitoyenne, tout en longueur, au 39 ½ Institute Street. Pas d'eau chaude, quatre pièces minuscules, à quatre rues de chez mes grands-parents. Puis elle a essayé de m'inculquer le respect de limites normales. Rien à faire. Pour moi, ces quatre rues de distance valaient un million de kilomètres. Je hurlais de colère, furieux de ce que j'avais perdu, et je saisissais la moindre occasion de retourner dormir chez mes grands-parents. C'était là-bas ma vraie maison, et j'avais l'impression que c'étaient eux mes vrais parents. Je ne pouvais pas et ne voulais pas en partir.

Il n'y avait désormais plus qu'une seule pièce fonctionnelle chez eux, la salle de séjour. Séparé par un rideau, le reste de l'habitation était à l'abandon et tombait en ruine, littéralement ; on allait se soulager dans un cabinet de toilette glacial, plein de courants d'air, et on n'avait rien pour se laver. Mes grands-parents vivaient à présent dans des conditions d'hygiène déplorables, qui aujourd'hui me choqueraient. Je me souviens d'avoir été effrayé et gêné par les sous-vêtements souillés de ma grand-mère, qui venaient d'être lavés et séchaient sur le fil à linge, dans le jardin, symboles de cette intimité déplacée, tant physique qu'affective, qui faisait de cette bicoque un lieu si déroutant et si fascinant. Mais je les aimais et j'aimais cette maison. Ma grand-mère dormait sur un canapé à ressorts usé jusqu'à la trame, avec moi bordé à ses côtés, tandis que mon grand-père avait un petit lit de camp à l'autre bout de la pièce. C'était tout. Voilà à quoi aboutissait l'absence de limites de mon enfance. Voilà où il fallait que je sois pour me sentir chez moi, en sécurité, aimé.

Le pouvoir atrocement hypnotique de cette baraque et de ses habitants ne me quitterait jamais. Je le revisite en rêve aujourd'hui, j'y retourne sans cesse, je veux y revenir. J'y éprouvais un sentiment de sécurité ultime, tout était permis, c'était le royaume d'un amour terrible, inoubliable et infini. Ça m'a à la fois détruit et façonné. Détruit dans la mesure où, ma vie durant, je devrais me battre pour me créer des limites qui me permettraient une certaine normalité dans mes relations avec les autres et dans mon existence. Et façonné, d'un autre côté, car ça me pousserait à rechercher toute ma vie un endroit « singulier », tout en alimentant l'acharnement dont je ferais preuve dans ma musique. L'effort d'une vie pour reconstruire mon temple de sécurité sur les braises de ma mémoire et de ma nostalgie.

Pour l'amour de ma grand-mère, j'ai abandonné mes parents, ma sœur et une bonne partie du monde. Puis ce monde s'est effondré. Mes grands-parents sont tombés malades. Toute la famille s'est de nouveau regroupée pour s'installer dans une autre maison mitoyenne, au 68 South Street. Bientôt, ma jeune sœur Pam allait naître, mon grand-père mourir et ma grand-mère être rongée par le cancer ; ma maison, mon jardin, mon arbre, ma terre, mon sanctuaire seraient condamnés et le terrain vendu pour devenir un parking de l'église catholique Sainte-Rose-de-Lima.

TROIS
L'ÉGLISE

On avait tout un circuit à vélo, on contournait l'église et le presbytère, puis retour en longeant le couvent, sur la magnifique allée en ardoise d'un bleu fané. Les ardoises irrégulières faisaient vibrer les guidons, créant une sorte de pulsation rythmique dans les mains – vlam, bam, bam, bam… – puis on arrivait sur le béton, et c'était reparti pour un tour, à entrer et sortir de l'enceinte de Sainte-Rose. Des fenêtres du couvent, les bonnes sœurs nous ordonnaient en râlant de rentrer chez nous, on évitait les chats errants qui se baladaient entre la cave de l'église et la salle de séjour à la maison. Mon grand-père, qui n'avait maintenant plus grand-chose à faire, passait son temps à courtiser patiemment ces créatures sauvages pour qu'elles viennent de notre côté du jardin. Il arrivait à approcher et caresser des chats qui refusaient de frayer avec tout autre être humain. Mais à quel prix parfois. Un soir, il est rentré avec au bras une égratignure de trente centimètres que lui avait infligée un chaton manifestement pas tout à fait prêt à recevoir son affection.

Tandis que les chats allaient et venaient entre notre maison et l'église, pour nous c'était l'école, la maison, la messe, puis de nouveau l'école ; une existence inextricablement liée à celle de l'église. Au début, les prêtres et les nonnes n'étaient que des visages sympathiques qui se penchaient sur nos landaus, tout sourire et plaisant mystère, mais une fois en âge d'aller à l'école, j'ai été initié aux sombres arcanes de la communion. Il y avait l'encens, des hommes crucifiés, le dogme appris par cœur au terme de terribles efforts, les stations du chemin de croix du Christ (les devoirs à faire à la maison !), les hommes et les femmes vêtus de noir, le confessionnal et son rideau, la fenêtre à glissière, le visage ombrageux du prêtre et l'énumération des transgressions enfantines. Quand je pense aux heures que j'ai passées à piocher dans la liste de péchés acceptables que je pouvais débiter à la commande… Il fallait qu'ils soient assez moches pour être crédibles… mais pas trop graves (le meilleur était à venir). Quel péché avait-on pu commettre lorsqu'on était au cours élémentaire ? Les perpétuelles confessions à Sainte-Rose-de-Lima, du lundi au dimanche, allaient finir par m'épuiser et me donner sacrément envie de… décamper. Mais pour aller où ? Il n'y a pas d'échappatoire. C'est ici que j'habite. On habite tous ici. Toute ma tribu. On s'est échoués à ce coin de rue qui ressemble à une île déserte, on est tous dans le même bateau. Un bateau dont j'ai appris, par mes professeurs de catéchisme, qu'il est éternellement en mer ; la mort et le jour du Jugement attendent le lot des passagers pour les départager, tandis que notre vaisseau vogue d'une écluse métaphysique à une autre, dérivant en une sainte confusion.

Et donc… je me construis un univers alternatif. Un univers de résistance enfantine, de refus intérieur passif, ma défense contre le « système », ce monde où je ne suis pas reconnu pour ce que je suis, au sens où ma grand-mère et moi on l'entend, à savoir un enfant-roi perdu, quotidiennement exilé malgré lui de son empire – la maison de ma grand-mère ! Pour ces imbéciles, je ne suis qu'un môme gâté qui refuse de s'adapter à ce à quoi il faudra bien en définitive s'adapter, au royaume-théiste-sans-véritable-preuve-tangible du C'EST COMME ÇA PARCE QUE C'EST COMME ÇA. Le problème, c'est que je sais que dalle, et je me fiche complètement de la façon dont « doivent être les choses ». Moi, je viens d'une contrée exotique qui s'appelle LES CHOSES TELLES QUE JE LES AIME. Ça se trouve juste au bout de la rue. Décrétons que c'en est fini pour aujourd'hui et rentrons À LA MAISON !

J'ai beau y mettre du mien, j'ai beau faire de terribles efforts, l'organisation des « choses telles qu'elles sont censées être » m'échappe. J'essaye désespérément de me fondre dans le moule, mais l'univers que je me suis créé, grâce à la liberté démesurée dont j'ai bénéficié de la part de mes grands-parents, a fait de moi un rebelle involontaire, un asocial bizarre, une chochotte inadaptée. Je suis aliénant, aliéné, et socialement sans domicile… J'ai sept ans.

Les garçons de ma classe sont pour l'essentiel de bons gars. Certains, toutefois, sont grossiers, destructeurs, méchants. C'est là que je vais avoir droit aux brimades que tous les aspirants rock stars doivent endurer dans un silence à vif, humiliant, bouillonnant, là, dans la fameuse solitude de la cour de récréation, « appuyé contre le grillage tandis que le monde tourne autour de vous, sans vous et vous rejette », carburant essentiel pour le feu à venir. Bientôt, tout ça brûlera et le monde sera cul par-dessus tête… mais pas encore.

Les filles, d'un autre côté, surprises de trouver parmi eux ce qui semble être un rêveur au cœur tendre, s'aventurent sur le territoire de grand-mère et commencent à s'occuper de moi. Je me constitue un petit harem qui me lace les chaussures, remonte la fermeture éclair de mon blouson, me couvre d'attentions. Le genre de cour dont tous les fils à maman italiens savent s'entourer. Du coup, le fait d'être rejeté par les garçons est un gage de sensibilité et peut être utilisé comme un atout de choix pour prétendre aux avantages annexes de la situation. Bien entendu, quelques années plus tard, je tomberai de mon piédestal et deviendrai un doux paumé de plus.

Les nonnes et les prêtres eux-mêmes sont des créatures d'une grande autorité et d'un mystère sexuel insondable. Étant à la fois nos voisins de chair et de sang et notre passerelle locale vers l'au-delà, ils exercent une influence déterminante sur notre existence au quotidien. Aussi bien dans notre vie au jour le jour qu'en tant qu'êtres détachés des contingences, ils sont dans le quartier les gardiens d'un monde sombre et béatifique que je crains et auquel j'aspire en même temps. Un monde où tout ce que l'on a est en péril, un monde empli de la félicité inconnue de la résurrection, de l'éternité et des feux sans fin de la perdition, d'une torture charnelle excitante, d'immaculées conceptions et de miracles. Un monde où les hommes se métamorphosent en dieux et les dieux en diables – pour de vrai. J'avais vu des dieux se transformer en diables à la maison, j'avais vu le visage possessif de Satan. Quand mon pauvre paternel, dans une furie alimentée par l'alcool, cassait tout à la maison au milieu de la nuit, nous collant à tous une trouille bleue, j'avais senti cette force ultime des ténèbres nous rendre visite sous la forme d'un père aux abois… menace physique, chaos affectif et pouvoir de *ne pas* aimer.

Dans les années 1950, les bonnes sœurs de Sainte-Rose avaient parfois des manières brutales. Une fois, pour je ne sais plus quelle bêtise, j'ai été expulsé de la classe de quatrième et renvoyé au cours préparatoire. On m'a fait asseoir derrière un petit CP et on m'a laissé mariner. J'étais content d'avoir l'après-midi tranquille. J'ai contemplé, au mur, un rayon de soleil qui se reflétait sur le bouton de manchette de je ne sais qui. J'ai suivi en rêvassant le trait de lumière qui arrivait de l'autre côté de la fenêtre et remontait vers le plafond. Soudain, la bonne sœur a dit à son exécuteur des basses œuvres, un petit gros assis au milieu du premier rang : « Montre à notre visiteur ce qu'on fait, dans cette classe, à ceux qui ne suivent pas. » Le gamin s'est levé, est venu se camper devant moi et, sans trahir la moindre émotion, sans cligner des yeux, m'a collé une terrible gifle. Le claquement a retenti dans toute la salle. Je n'y croyais pas. J'étais secoué, tout rouge et humilié.

Durant ma scolarité à l'école primaire, on m'a tapé sur les doigts, étranglé en tirant sur ma cravate ; cogné sur la tête, enfermé dans l'obscurité d'un réduit et enfoncé dans une poubelle en me disant que c'est là que je méritais d'être. Tout cela était monnaie courante pour une école catholique des années 1950. Il n'empêche, j'en ai gardé un sale goût dans la bouche et ça m'a éloigné de ma religion pour de bon.

À l'école, même si vous n'aviez pas physiquement été touché, le catholicisme s'infiltrait en vous et vous pénétrait jusqu'à la moelle. J'étais un enfant de chœur qui se réveillait à l'heure indue de quatre heures du matin et se hâtait dans les rues glaciales pour revêtir son aube, dans le silence de la sacristie, et accomplir le rituel sur la terre ferme de Dieu, l'autel de Sainte-Rose, où aucune personne extérieure à l'église n'avait accès. Là, je humais les fumées d'encens tout en assistant le prêtre bougon de quatre-vingts ans devant un public attentif de parents, de nonnes et de pécheurs matinaux. Ne connaissant pas les gestes rituels et n'apprenant pas les formules en latin, j'étais tellement incompétent aux yeux de notre prêtre qu'un jour, à la messe de six heures du matin, il m'a attrapé par les épaules et m'a traîné sous les yeux de l'assemblée choquée, jusqu'à l'autel où il m'a allongé face contre terre. Plus tard dans l'après-midi, ma maîtresse de CM2, sœur Charles Marie, qui avait assisté à mon humiliation, est venue me voir dans la cour et m'a tendu une petite médaille sainte. Ce geste de gentillesse, je ne l'ai jamais oublié. Au fil des ans, en tant qu'élève à Sainte-Rose, j'ai éprouvé la pression physique et affective du catholicisme. Le jour de la remise des diplômes, à la fin du collège, je suis parti en me disant : « Plus jamais. » J'étais libre, libre, libre enfin. Et j'y ai cru... un temps. Toutefois, avec l'âge, j'ai constaté chez moi certains modes de pensée, certains types de réactions, de comportements. J'en suis arrivé à comprendre avec regret et perplexité qu'à partir du moment où l'on a été catholique, on le restera toujours. Alors j'ai cessé de me faire des illusions. Je pratique rarement, mais je sais que quelque part – au fond de moi – je fais encore partie de l'équipe.

C'est le monde où je suis allé puiser pour commencer à chanter. Dans le catholicisme existaient la poésie, le danger et les ténèbres qui reflétaient mon imagination et mon moi intérieur. J'ai découvert un pays d'une beauté grandiose et âpre, peuplé d'histoires fantastiques, de châtiments inimaginables et de récompenses infinies, un lieu glorieux et pathétique pour lequel j'étais modelé ou bien dans lequel je trouvais parfaitement ma place. Ce lieu-là a, toute ma vie, cheminé à mes côtés comme un rêve éveillé. Aussi, en tant que jeune adulte, j'ai essayé d'y comprendre quelque chose. J'ai tâché de relever ses défis car il y a *effectivement* des âmes en perdition et un royaume d'amour à conquérir. J'ai recueilli ce que j'avais absorbé au contact des vies misérables de ma famille, de mes amis et de mes voisins. J'ai transformé tout ça en un matériau que je pouvais façonner, que je pouvais comprendre, dans lequel je pouvais même trouver la foi. Aussi bizarre que cela puisse paraître, j'ai une relation « personnelle » avec Jésus. Il demeure l'un de mes pères, même si, comme avec mon propre père, je ne crois plus en son pouvoir divin. Je crois profondément en son amour, en sa capacité à sauver... mais pas à damner. Restons-en là.

Tel que je vois les choses, nous avons croqué la pomme ; Adam, Ève et Jésus le rebelle dans toute sa gloire, de même que Satan, font tous partie du plan divin pour faire de nous des hommes et des femmes, pour nous offrir les précieux dons de la terre, de la poussière, de la sueur, du sang, du sexe, du péché, de la bonté, de la liberté, de la captivité, de l'amour, de la peur, de la vie, de la mort… notre humanité et un monde à nous.

La cloche de l'église retentit. On sort de nos maisons et notre clan se regroupe pour défiler dans les rues. Quelqu'un se marie, est mort ou vient de naître. Sur le bord de l'allée qui mène à la porte de l'église, ma sœur et moi, on ramasse les fleurs tombées ou le riz qui a été jeté, et on les met dans des sacs en papier pour un autre jour, où on les fera pleuvoir sur de parfaits inconnus. Ma mère est tout excitée, son visage rayonne. La musique de l'orgue s'élève et les portes en bois de l'église s'ouvrent sur les jeunes mariés. J'entends ma mère soupirer : « Oh, la robe… la belle robe… » Le bouquet est lancé. L'avenir est dit. La jeune mariée et son héros disparaissent dans leur longue limousine noire, celle qui vous dépose au commencement de votre vie. L'autre est juste au coin, elle attend le moment – un jour de larmes – où elle vous fera parcourir le bref trajet entre Throckmorton Street et le cimetière de Sainte-Rose, aux confins de la ville. Et là, les dimanches de printemps, rendant visite aux ossements, aux cercueils et aux tas de terre, on court ma sœur et moi, on joue joyeusement parmi les pierres tombales. Quand on revient à l'église, le mariage est terminé et je prends la main de ma sœur. À neuf et dix ans, on a tout vu des dizaines de fois. Riz ou fleurs, arrivée ou départ, paradis ou enfer, ici, à l'angle de Randolph et McLean, et tout ça dans la même journée.

QUATRE

LES ITALIENS

C'est une énergie d'une puissance atomique qui jaillit en flux ininterrompu de la bouche et du corps minuscules de Dora Kirby, d'Eda Urbellis et d'Adele Springsteen. Deux cent soixante ans à elles trois, ma mère et ses deux sœurs ont vécu les meilleurs et les pires moments de leur vie dans les cris, les rires, les pleurs et les danses. Ça n'arrête jamais. Leur folie marxienne (tendance Groucho) confine à un état d'hystérie tout juste contrôlé. D'une certaine manière, ça les a rendues non seulement presque immortelles mais triomphantes. Toutes les trois tombées amoureuses d'Irlandais, elles ont toutes les trois survécu à leur mari, à la guerre, aux tragédies, à la quasi-pauvreté et sont restées indomptables, invaincues et résolument optimistes. Ce sont LES PLUS GRANDES. Trois mini-Mohamed Ali, prises dans les cordes, à encaisser les coups.

Ici, sur le Jersey Shore, il est fréquent que les Italiens et les Irlandais sympathisent et s'accouplent. Spring Lake fait partie de la région surnommée la Riviera irlandaise. Ici, n'importe quel dimanche d'été, on peut voir des filles à la peau claire et tachée de son siffler des bières en devenant rouge écrevisse dans le ressac écumant, non loin des bâtisses victoriennes qui confèrent encore du style et un certain cachet à leur communauté. À quelques kilomètres au nord se trouve Long Branch, naguère ville d'Anthony Russo – alias Little Pussy, le voisin, à Deal, de ma femme Patti Scialfa –, et QG de la mafia du Central Jersey. Ses plages grouillent de jolies filles à la peau mate, de maris bedonnants ; l'accent épais de mes frères et sœurs italiens flotte dans l'air avec la fumée de cigare. Pour un casting de la série *Les Soprano*, inutile d'aller chercher plus loin.

Mon arrière-grand-père était surnommé le Hollandais et j'imagine que c'était un descendant de ces Néerlandais tranquillement venus de New Amsterdam, sans savoir où ils mettaient les pieds. Springsteen, notre nom, est d'origine hollandaise, mais c'est ici que les sangs irlandais et italien se sont mêlés. Pourquoi ? Avant que les Mexicains et les Afro-Américains viennent faire les récoltes sur les terres du comté de Monmouth, les Italiens étaient dans les champs avec les Irlandais et travaillaient à leurs côtés dans l'élevage des chevaux. Récemment, j'ai demandé à ma mère comment ses sœurs et elle s'étaient débrouillées pour toutes finir avec des Irlandais. Elle m'a répondu : « Les Italiens étaient trop tyranniques. On en avait assez des tyrans domestiques. On n'avait pas envie de tomber sous le joug d'hommes autoritaires. » Évidemment qu'elles n'en avaient pas envie. S'il devait y avoir de la tyrannie à la maison, c'étaient les filles Zerilli qui tiendraient les rênes… mais en toute discrétion. « Papa voulait trois garçons, m'a raconté ma tante Eda, sauf qu'à la place il a eu trois filles, alors il nous a élevées comme des garçons. » Ce qui, j'imagine, explique en partie les choses.

Quand j'étais petit, je revenais épuisé et les oreilles sifflantes des dîners chez ma tante Dora. Pour un simple repas, tu mettais ta vie en péril. On se faisait littéralement gaver, ça chantait et ça hurlait à vous péter les tympans et on dansait jusqu'à s'écrouler. Aujourd'hui qu'elles vont toutes les trois sur leurs quatre-vingt-dix ans, ça continue. D'où tiennent-elles ça ? Quelle est la source de leur énergie, d'un tel enthousiasme ? Quel pouvoir a été capté dans l'espace pour être réinjecté dans leurs minuscules corps d'Italiennes ? Qui a initié tout cela ?

Il s'appelait Anthony Alexander Andrew Zerilli. Il est arrivé en Amérique à l'âge de douze ans, au tournant du XXe siècle, en provenance de Vico Equense, dans le sud de l'Italie, à un jet de pierre de Naples ; il s'est installé à San Francisco, puis s'est rendu dans l'est du pays, a décroché un diplôme du City College avant de devenir avocat au 303 West Forty-Second Street, à New York. C'était mon grand-père. Il a servi dans la marine, a eu trois femmes, a passé trois ans à la prison de Sing Sing pour détournement de fonds (il aurait porté le chapeau pour un parent). Il a fini au sommet d'une verdoyante et gracieuse colline à Englishtown, New Jersey. Il avait un peu d'argent. J'ai quelques photos de ma mère et de sa famille, tous en habits blancs impeccables à Newport, Rhode Island, dans les années 1930. Il a fait faillite en prison. Sa femme, sans doute un peu dérangée, est retournée à Brooklyn et y a disparu, abandonnant à la ferme maman et ses sœurs, qui étaient alors encore adolescentes ; elles y ont vécu seules et ont dû se prendre en charge.

Quand j'étais môme, cette modeste ferme était à mes yeux un manoir en haut d'une colline, une citadelle de richesse et de culture. Mon grand-père avait des tableaux, de belles toiles. Il faisait collection d'œuvres religieuses, de vêtements et de meubles anciens. Il avait un piano dans sa salle de séjour. Il voyageait, semblait avoir vu le monde et avoir mené sans doute une existence un peu dissolue. Les cheveux gris, de profonds cernes noirs creusés sous ses yeux marron, c'était un homme de petite taille à la voix tonitruante de baryton, une voix qui précipitait sur toi la crainte de Dieu. Il trônait souvent, tel un prince italien, sur une chaise majestueuse dans son antre. Sa troisième femme, Fifi, tricotait à l'autre bout de la pièce. Dans des tenues moulantes, maquillée, parfumée au point de le faire tourner de l'œil, elle me plantait sur la joue à chacune de nos visites un énorme baiser barbouillé de rouge à lèvres qui me donnait un coup de chaud. C'est alors que, du trône, me parvenait le « Br » de mon prénom roulé lancé à la cantonade, appuyé d'un « a » qui l'amplifiait, surfant longtemps sur le « u » avant d'effleurer, mais à peine, le « ce » : « BAAAARRRRUUUUUUUUUUUUCE… Viens par ici ! » Je savais ce qui allait suivre. Dans une main, il tenait un dollar. Je recevais un dollar chaque dimanche, mais il fallait le mériter. Je devais endurer ce qui se cachait dans l'autre main : le « pincement de la mort ». Tu tendais la main pour t'emparer du dollar, il t'attrapait avec l'autre main, te pinçait la joue entre le pouce et la première articulation de l'index. Un pincement d'abord incroyablement fort, qui faisait monter les larmes aux yeux, suivi d'un lent mouvement de torsion vers le haut, avant de passer à une secousse circulaire vers le bas, en sens inverse. (Je braille rien que d'y penser.) Puis il me relâchait et, d'un grand geste du bras, s'écartait et reculait d'un pas, pour finir d'un claquement de doigts, ponctué d'un rire chaleureux. « BAAAARRRRUUUUUUUUUUUCE… Qu'est-ce qui t'arrive ? » Puis, le dollar.

Au repas dominical, entouré de sa cour, il hurlait, donnait des ordres, discutait à tue-tête des événements de la journée. Un vrai show. Certains auraient pu le trouver outrancier, mais pour moi ce petit monsieur italien était un *géant* ! Il y avait là de la grandeur, de l'importance, il ne faisait pas partie de la tribu des mâles passifs-agressifs à la dérive qui peuplaient ma vie. C'était une force de la nature napolitaine ! Il y avait eu des petites complications, et alors ? Il y a toujours des complications dans la vie, et si on avait des désirs, si on avait vraiment envie de quelque chose, mieux valait être prêt. Prêt à dire clairement ce qu'on voulait, pas question de baisser les bras parce qu'« on » ne vous faisait pas de cadeau. Il fallait prendre des risques… et payer. Son amour de la vie, son charisme, son engagement au présent et sa façon de régner sur la famille ont fait de lui une figure masculine unique dans ma vie. Il était excitant, effrayant, théâtral, il avait tendance à se vanter, à chanter ses propres louanges… comme une rock star ! Mais une fois qu'on quittait sa maison au sommet de la colline, dès qu'on reprenait la route, dans ma famille, LES FEMMES GOUVERNAIENT LE MONDE ! Elles accordaient aux hommes l'illusion d'être aux commandes, mais on voyait tout de suite qu'ils n'étaient pas à la hauteur. Les Irlandais avaient besoin de MAMA ! Anthony, lui, au sommet de sa colline, avait besoin de Fifi, une MAMA SEXY ! Grosse différence.

Anthony s'était séparé d'Adelina Rosa, qu'il avait épousée dans le cadre d'un mariage arrangé, alors qu'ils avaient l'un et l'autre vingt et quelques années. Jeune fille, elle avait été envoyée de Sorrente en Amérique, une promise au sens de l'Ancien Monde. Elle a vécu plus de quatre-vingts ans aux États-Unis et n'a jamais prononcé une phrase en anglais. Lorsqu'on entrait dans sa chambre, on entrait dans la vieille Italie. Le chapelet, les odeurs, les objets religieux, les courtepointes, le soleil au crépuscule reflétant un autre lieu et un autre temps. Elle a joué, malheureusement, j'en suis sûr, le rôle de la Madone par rapport aux autres amoureuses d'Anthony.

Ma grand-mère a énormément souffert du divorce, ne s'est jamais remariée et, dans l'ensemble, frayait peu avec le monde. Anthony et elle ne restaient jamais longtemps dans la même pièce, que ce soit aux enterrements, aux mariages ou aux réunions de famille. Tous les dimanches après l'église, lorsque je rendais visite à ma tante Dora, elle était là avec sa résille et ses châles, dégageant une odeur exotique, préparant de délicieux plats italiens. Elle m'accueillait, me souriait, me serrait dans ses bras et m'embrassait, murmurant des bénédictions en italien. Et puis un jour, là-haut sur la colline, Fifi est morte.

Et, soixante ans après leur divorce, Anthony et Adelina se sont rabibochés. Soixante ans plus tard ! Ils ont vécu ensemble dans leur « demeure » pendant dix ans, jusqu'à la mort d'Anthony. Après la mort de mon grand-père, l'été, je venais à vélo de Colts Neck jusqu'à Englishtown pour rendre visite à Adelina. Elle était habituellement là, seule ; on s'installait dans la cuisine et on discutait dans un sabir où s'entremêlaient du mauvais anglais et du mauvais italien. Elle prétendait s'être remise avec le vieil Anthony uniquement pour protéger l'héritage de ses enfants… peut-être bien. Elle est morte paisiblement, encore vive d'esprit à l'âge de cent un ans, après avoir connu l'invention de l'automobile, de l'avion et les premiers pas de l'homme sur la lune.

Dans la maison d'Anthony et Adelina, en haut de la colline, rien n'a bougé pendant vingt-cinq ans. Lorsque j'en ai arpenté les pièces, à l'âge de cinquante ans, tout était exactement comme à l'époque où j'en avais huit. Pour les sœurs Zerilli, c'était une terre sacrée. Finalement, mon cousin Frank, le champion de jitterbug, qui m'a appris mes premiers accords à la guitare et dont le fils Frank Jr a joué avec moi dans le Sessions Band, y a emménagé avec sa famille. La maison est à nouveau pleine d'enfants et de parfums de cuisine italienne.

Le pouvoir du « pincement de la mort » a été transmis à ma tante Dora, qui en a développé une version toute personnelle : l'« étranglement maléfique ». Cette petite bonne femme de quatre-vingt-dix ans, un mètre cinquante-sept, aurait pu vous briser la nuque, façon coup du lapin, ou coller une dérouillée à Randy Savage, alias Macho Man, si le catcheur avait eu la folle idée de se baisser pour l'embrasser. Certes je ne redoute plus les

« pincements de la mort » de Big Daddy ; pourtant, souvent le soir, sur le coup de huit heures et demie, Anthony est vivant… lorsque les lumières dans la salle s'éteignent. Lorsque les rideaux des loges s'ouvrent et que j'entends un interminable mugissement : BAAAARRRRUUUUUUUUCE…

Travail, foi, famille : c'est le credo italien que je tiens de ma mère et ses sœurs. Elles le vivent au quotidien. Elles y croient. Elles y croient, alors même que ces principes les ont terriblement déçues. Elles les prêchent, mais jamais à grands cris, persuadées que c'est tout ce que l'on a entre la vie, l'amour et le vide qui dévore maris, enfants, parents et amis. Il y a de la force, de la peur et une joie désespérée dans cet esprit déterminé, dans cette approche, qui a naturellement imprégné mon travail. Nous autres Italiens on pousse jusqu'à la limite ; on tient bon au-delà du possible, on s'arc-boute, on résiste jusqu'à l'épuisement ; on gesticule, on hurle, on rit à n'en plus pouvoir, jusqu'au bout. C'est la religion des sœurs Zerilli, transmise par les dures leçons de Papa et la grâce de Dieu, et que nous bénissons chaque jour.

CINQ
LES IRLANDAIS

Dans ma famille, il y avait des tantes qui hurlaient aux réunions familiales, des cousins qui ont quitté l'école en sixième, sont retournés à la maison et n'en sont plus jamais ressortis et des hommes qui s'arrachaient les poils et les cheveux, laissant de grandes plaques chauves – tout cela concentré sur un demi-pâté de maisons. Quand il y avait de l'orage, ma grand-mère me prenait par la main et m'emmenait chez ma tante Jane, après l'église. Des femmes s'y réunissaient et leur magie noire commençait. On murmurait des prières, tous arrosés d'eau bénite par tante Jane qui agitait sa fiole. À chaque nouvel éclair, le niveau sonore de ce chuchotement hystérique montait d'un cran, jusqu'à ce que Dieu lui-même semble sur le point de faire exploser notre repaire. On se racontait des légendes de gens frappés par la foudre. Quelqu'un avait fait l'erreur de me dire que c'était dans une voiture qu'on était le plus en sécurité quand il y avait de l'orage, grâce aux pneus en caoutchouc. Après ça, au premier coup de tonnerre, je braillais tant que mes parents ne m'avaient pas emmené dans la voiture jusqu'à la fin de la tempête. D'où le fait que j'ai écrit sur les voitures toute ma vie. Quand j'étais gosse, tout cela était simplement mystérieux, gênant et ordinaire à la fois. C'était comme ça. J'aimais ces gens.

Ma famille a été durement éprouvée. Bien des tares coulent dans les veines de ceux des miens originaires de l'île d'Émeraude. Mon arrière-arrière-grand-mère Ann Garrity a quitté l'Irlande en 1852, à l'âge de quatorze ans, avec ses deux sœurs alors âgées de douze et dix ans. Cinq ans après la Grande Famine qui dévasta une grande partie de l'Irlande, elles se sont installées à Freehold. J'ignore où cela a commencé, mais une forte prédisposition à la maladie mentale menace ceux qui sont ici, elle s'abat apparemment au hasard sur un cousin, une tante, un fils, une grand-mère et, malheureusement, mon père.

Je n'ai pas été tout à fait honnête avec mon père dans mes chansons ; j'ai fait de lui l'archétype du parent autoritaire et négligent. C'était une façon de présenter notre relation sous un angle inspiré d'*À l'est d'Éden*, une façon de rendre plus « universelle » l'expérience de mon enfance. Notre histoire est bien plus compliquée. Non pas dans les détails de ce qui s'est passé mais dans le pourquoi de tout ça.

Mon père

Pour un enfant, les bars de Freehold étaient des citadelles de mystère, emplies d'une magie vicieuse, d'incertitude et d'une sourde violence. Arrêtés un soir à un feu rouge sur Throckmorton Street, ma sœur et moi, on a été témoins d'une rixe entre deux hommes, sur le trottoir, devant un bar local – une baston à mort, semblait-il. Les deux types avaient la chemise déchirée, des gars autour d'eux poussaient des cris ; un des deux, assis sur la poitrine de l'autre, le tenait d'une main par les cheveux et lui assenait de vilains coups de poing en pleine figure. Le type à terre avait la bouche en sang et tentait désespérément de se défendre. « Ne regardez pas », a dit notre mère. Le feu est passé au vert et elle a démarré.

Lorsqu'on franchissait le seuil d'un bar, dans ma ville natale, on pénétrait dans le royaume mystique des hommes. Les rares soirs où ma mère appelait mon père pour qu'il rentre à la maison, on traversait lentement la ville en voiture jusqu'à l'unique porte éclairée qu'elle me montrait du doigt en disant : « Entre et va chercher ton père. » Pénétrer dans le sanctuaire public de mon père m'emplissait à la fois d'excitation et de crainte. J'avais l'autorisation de ma mère pour accomplir l'impensable : arracher mon paternel à son espace sacré. Je poussais la porte, me faufilais entre les hommes qui me toisaient en se dirigeant vers la sortie. Je leur arrivais au mieux à la taille, si bien que, sitôt dans le bar, j'avais l'impression d'être Jack ayant escaladé quelque sombre haricot magique, pour me retrouver dans un territoire peuplé de géants que je connaissais mais qui m'effrayaient. Sur la gauche, tout le long du mur, une série de box pour rendez-vous secrets d'amants en goguette, de couples qui faisaient équipe pour s'enivrer. Sur la droite, des tabourets sur lesquels se dressait une barricade de larges épaules de travailleurs. Au tonnerre de murmures se mêlaient le tintement des verres et le rire perturbant des adultes – dont très, très peu de femmes. Je me tenais là, absorbant l'odeur de bière, d'alcool fort, de blues et d'after-shave ; rien dans mon univers domestique ne ressemblait à ça. C'était le royaume de la Schlitz et de la Pabst Blue Ribbon, avec l'estampille du ruban bleu sur le bec verseur de la pompe à bière, tandis que l'élixir doré coulait onctueusement dans les verres inclinés qui étaient ensuite posés avec un claquement sec sur le comptoir en bois. Et donc j'étais là, petit rappel de ce que bon nombre de ces hommes tâchaient d'oublier lorsqu'ils venaient ici : le travail, les responsabilités, la famille, les bienfaits et les fardeaux de la vie adulte. Rétrospectivement, je me dis qu'il y avait là à la fois des types ordinaires qui voulaient simplement décompresser un peu en fin de semaine, et une poignée d'autres, animés de sentiments plus violents, qui ne savaient pas s'arrêter.

Quelqu'un finissait par remarquer la présence d'un petit intrus parmi eux et m'emmenait avec une certaine perplexité jusqu'à mon père. De mon poste d'observation, je distinguais un tabouret de bar, des chaussures noires, des chaussettes blanches, un pantalon de travail, des hanches, de puissantes jambes, une ceinture porte-outils, puis le visage, légèrement livide et bouffi par l'alcool, qui me toisait à travers la fumée de cigarette. Alors je prononçais la sempiternelle formule : « Maman veut que tu rentres à la maison. » Pas de présentation aux copains, pas d'affectueuse tape sur la tête, pas d'intonation douce ou de cheveux ébouriffés, uniquement : « Sors, j'arrive. » Je suivais mes miettes de pain jusqu'à la porte du bar, je me retrouvais dans l'air frais du soir de ma ville natale, si accueillante et si hostile à la fois. Je m'avançais jusqu'au bord du trottoir, grimpais sur la banquette arrière et affranchissais ma mère : « Il arrive. »

Mon père ne m'avait pas trop à la bonne. Petit, je pensais que les hommes étaient tous comme ça : distants, peu communicatifs, emportés par les courants du monde des adultes. Enfant, on ne remet pas en question les choix de ses parents. On les accepte. Ils sont justifiés par le statut divin que confère le fait d'être parent. Si on ne t'adresse pas la parole, c'est que tu ne mérites pas qu'on te consacre du temps. Si on ne t'offre ni amour ni affection, c'est que tu ne le mérites pas. Si on t'ignore, c'est que tu n'existes pas. Ton comportement est la seule carte que tu puisses jouer dans l'espoir de modifier celui de tes parents. Peut-être faut-il que tu sois plus fort, plus dur, plus athlétique, plus intelligent – quelqu'un de mieux, en un sens… qui sait ? Un soir, mon père m'a donné une petite leçon de boxe dans le séjour. J'étais flatté, excité de l'attention qu'il me prodiguait, j'étais impatient d'apprendre. Les choses se passaient bien. Jusqu'à ce qu'il me donne plusieurs coups, paumes ouvertes, en pleine figure, qui ont claqué un peu trop fort. Ça me brûlait. Il ne m'avait pas blessé, mais il avait dépassé les bornes. Je savais que ça signifiait quelque chose. On était entrés dans une zone infernale, au-delà des rapports entre un père et son fils. Je sentais ce qui se disait : j'étais un intrus, un étranger, un concurrent à la maison et une terrible déception. J'en ai eu le cœur brisé et je me suis effondré. Il est parti, dégoûté.

Quand mon père me regardait, il ne voyait pas ce qu'il avait besoin de voir. Tel était mon crime. Bobby Duncan, mon meilleur copain dans le quartier, allait avec son pater tous les samedis soir au Wall Stadium pour les courses de stock-cars. À cinq heures pétantes, quoi qu'on soit en train de faire, on arrêtait tout, et à six heures, juste après le dîner, il dévalait les marches de son perron, à deux maisons de chez nous, la chemise repassée, le cheveu gominé, suivi de son père. Ils montaient tous les deux dans la Ford et partaient au Wall Stadium, ce paradis du pneu qui crisse et du moteur qui rugit, où les familles sympathisaient tout en s'extasiant devant les casse-cou de la région, au volant de voitures en acier américain, bricolées maison, qui tournaient en cercles fous ou se rentraient dedans lors du Demolition Derby hebdomadaire. Pour participer, il suffisait d'avoir un casque de football américain, une ceinture de sécurité et un véhicule que vous n'aviez pas peur d'abîmer, et vous pouviez prendre place parmi les heureux élus… Le Wall Stadium, ce cercle d'amour enfumé où brûlait le caoutchouc, où les familles se retrouvaient pour un objectif commun et où les choses étaient conformes aux desseins de Dieu. Moi, j'étais exclu de l'amour de mon père ET du paradis des grosses cylindrées.

Malheureusement, l'envie qu'éprouvait mon père d'établir le contact avec moi venait presque systématiquement après le rituel nocturne du « sacro-saint pack de six ». Une bière après l'autre dans l'obscurité de notre cuisine. C'était toujours à ce moment-là qu'il voulait me voir et c'était toujours la même chose. Quelques instants, il jouait au papa soucieux de mon bien-être, puis il en venait au fait : l'hostilité et la colère noire que lui inspirait son fils, le seul autre homme de la maison. Dommage. Il m'aimait, mais il ne me supportait pas. Il avait le sentiment qu'on était en compétition pour l'affection de ma mère. Et c'était bien le cas. Il voyait également en moi trop de celui qu'il était *en réalité*. Mon paternel était bâti comme un taureau, toujours en habits de travail ; il était fort, physiquement impressionnant. Vers la fin de sa vie, il a repoussé la mort à plusieurs reprises. Mais tout au fond de lui, au-delà de sa rage, il abritait une douceur, une timidité et une sorte d'insécurité rêveuse. Autant de traits de personnalité que moi j'affichais ostensiblement, et ce reflet de lui-même chez son garçon avait pour lui quelque chose de repoussant. Ça le fichait en rogne, cette douceur, cette « mollesse ». Et la mollesse, il détestait ça. Évidemment, lui-même avait grandi dans un cocon : un fils à maman, exactement comme moi.

Un soir, à la table de la cuisine, sur la fin de sa vie, alors qu'il n'était pas en forme, il m'a raconté que sa mère était venue le tirer d'une bagarre dans la cour de l'école et l'avait ramené de force à la maison. Il m'a raconté cette humiliation et m'a confié, des larmes dans les yeux : « J'étais en train de le battre… J'étais en train de gagner. » Il ne comprenait toujours pas que sa mère n'aurait pas supporté qu'il lui arrive quelque chose. Il était le seul enfant vivant qui lui restait. Ma grand-mère, dans sa confusion mentale, ne se rendait pas compte que son amour brut exclusif détruisait les hommes qu'elle élevait. J'ai dit à mon père que je le comprenais, qu'on avait été élevés tous les deux par la même femme, au cours des années les plus décisives de nos vies respectives, qu'on avait souffert des mêmes hontes. Quoi qu'il en soit, à l'époque où notre relation était particulièrement houleuse, ces choses-là restaient mystérieuses et creusaient un passif de souffrance et d'incompréhension.

En 1962 est née ma jeune sœur Pam. J'avais douze ans. Ma mère en avait trente-six. C'était un âge assez avancé, à l'époque, pour une grossesse. Ce fut merveilleux. Ma mère était un miracle. J'adorais les vêtements de maternité ; ma sœur Virginia et moi, on s'installait dans la salle de séjour, on posait les mains sur son gros ventre, en guettant les coups de pied du bébé. Toute la maison était excitée à la perspective de cette naissance et la famille en a été ressoudée. Quand ma mère est allée accoucher, mon père a pris l'intendance en main, cramant nos petits déjeuners et se chargeant de nous habiller pour l'école (c'est ainsi que je me suis retrouvé avec le chemisier de ma mère, sous les hurlements de rire de ma sœur). La maison s'est illuminée à l'arrivée de Pam. Les enfants sont porteurs de grâce, de patience, de transcendance, ils incarnent une seconde chance, un nouveau départ, ils raniment l'amour enfoui dans votre cœur et sous votre toit. Les enfants, c'est Dieu qui vous offre une partie gratuite. La relation avec mon père pendant mon adolescence ne s'est pas améliorée pour autant, mais ma vie était toujours éclairée par la présence de ma petite sœur Pam, preuve vivante de l'amour au sein de notre famille. Elle m'enchantait. J'étais si heureux qu'elle soit là. Je changeais ses couches, la berçais pour qu'elle s'endorme, je me ruais à son chevet si elle pleurait, je la prenais dans mes bras, et aujourd'hui notre lien est toujours aussi fort.

Ma grand-mère, alors très malade, dormait dans la pièce à côté de la mienne. Un soir, alors que Pam avait trois ans, elle est sortie de la chambre de mes parents et, pour la seule fois de sa jeune vie, a grimpé dans le lit de ma grand-mère. Elle a dormi là toute la nuit. Au matin, ma mère est venue voir comment allait ma grand-mère ; elle ne bougeait plus. Lorsque je suis rentré de l'école ce jour-là, mon monde s'est effondré. Les pleurs et le chagrin ne suffisaient pas. Je voulais mourir. J'avais besoin de la rejoindre là où elle était. J'avais beau être déjà adolescent, je ne pouvais pas imaginer un monde sans elle. C'était un trou noir, une apocalypse : plus rien n'avait de sens, la vie s'était volatilisée. Mon existence s'était vidée. Le monde était une imposture, une ombre. Ce qui m'a sauvé, c'est ma petite frangine et mon intérêt naissant pour la musique.

Et là, les choses sont devenues bizarres. Le désespoir habituellement silencieux de mon père a viré au délire paranoïaque. J'avais un ami russe que mon père prenait pour un espion. On vivait à une rue du quartier portoricain et mon père était persuadé que ma mère avait un amant. Un jour, alors que je rentrais de l'école, il a fondu en larmes à la table de la cuisine. Il m'a dit qu'il avait besoin de parler à quelqu'un. Il n'avait personne. À quarante-cinq ans, il n'avait pas d'amis et éprouvait un tel sentiment d'insécurité que j'étais le seul autre homme qu'il tolérait sous son toit. Il m'a tout déballé. Ça m'a choqué, j'en ai conçu à la fois du malaise et une étrange euphorie. Il se dévoilait devant moi, me montrait à quel point il allait mal. Ce fut l'un des jours les plus formidables de mon adolescence. Il avait besoin d'un ami « viril » et j'étais alors pour lui le seul à pouvoir remplir ce rôle. Je l'ai réconforté du mieux que j'ai pu. Je n'avais que seize ans, on était l'un et l'autre submergés. Je lui ai dit que j'étais sûr qu'il se trompait, que l'amour et le dévouement de ma mère pour lui étaient absolus. C'était le cas, mais la réalité lui échappait et il était inconsolable. Plus tard ce soir-là, j'en ai parlé à ma mère et il a fallu se rendre à l'évidence : mon père était véritablement malade.

Les choses ont été compliquées par d'étranges événements qui ont eu lieu autour de chez nous. Un samedi soir, quelques secondes après que j'étais allé me coucher, un coup de feu a été tiré à travers la lucarne de notre porte d'entrée, faisant un trou parfaitement net dans le verre. La police montait et descendait constamment l'allée de notre garage et mon père nous a confié qu'il avait eu des problèmes avec le syndicat, au boulot. Tout cela a alimenté nos fantasmes paranoïaques, créant une atmosphère de malaise terrible à la maison.

Ma sœur Virginia est tombée enceinte à dix-sept ans, et personne ne s'est rendu compte de rien avant qu'elle en soit à six mois de grossesse ! En terminale quand elle a laissé tomber le lycée, elle a suivi des cours par correspondance et épousé son petit ami, Mickey Shave, qui était le père de l'enfant. De prime abord, Mickey était un loubard grande gueule et bagarreur, un blouson noir de Lakewood, mais il s'est révélé finalement un type épatant. Il faisait du rodéo de compétition et a tourné sur le circuit du Jersey au Texas à la fin des années 1960. (La plupart des gens l'ignorent, mais le New Jersey, avec Cowtown, est le berceau du festival du rodéo qui a tourné le plus grand nombre d'années consécutives aux États-Unis. Il y a dans la partie méridionale de l'État bien plus de cow-boys qu'on ne pourrait l'imaginer.) Conséquence, mon inébranlable sœur est descendue s'installer dans le sud, à Lakewood, a eu un fils magnifique et a commencé à mener la vie simple de nos parents.

Virginia, qui n'avait jamais fait bouillir d'eau, jamais fait la vaisselle ni passé la serpillière, s'est endurcie. Elle avait une âme, elle avait pour elle l'intelligence, l'humour et la beauté. En quelques mois, sa vie a basculé. Elle a rejoint les rangs des prolos irlandais purs et durs. Mickey a travaillé sur des chantiers, il a souffert de la récession à la fin des années 1970, lorsque le bâtiment a été en crise dans le Central Jersey, il a perdu son boulot et a dû prendre un emploi de concierge au lycée local. Ma sœur était vendeuse au K-Mart. Ils ont élevé deux garçons adorables et une fille superbe et ils ont désormais une ribambelle de petits-enfants. Très jeune, et en se débrouillant seule, Virginia a trouvé en elle la force que ma mère et ses sœurs ont toujours eue. Elle est devenue une incarnation vivante de l'âme du New Jersey. J'ai écrit « The River » en son honneur et en l'honneur de mon beau-frère.

SIX
MA MÈRE

Je me réveille dans la lueur de l'aube en entendant des pas sur le palier devant ma chambre. Une porte grince, ouverture du robinet, un son aigu, l'eau se met à couler, je l'entends circuler dans les tuyaux du mur entre ma chambre et notre salle de bain, puis fermeture du robinet, silence, un cliquetis, le bruit du plastique sur la porcelaine, la trousse à maquillage de ma mère sur le lavabo, un instant suspendu… puis le froufrou des vêtements devant la glace, à la dernière minute. C'est la bande-son qui accueille chaque matin mon adolescence au 68 South Street : les bruits que fait ma mère en se préparant avant d'aller au travail, avant de se présenter au monde, au monde extérieur, qu'elle respecte et où elle sait qu'elle a des fonctions à assumer. Pour un enfant, ce sont les sonorités du mystère, du rituel et du réconfort. Je les entends encore.

Ma première chambre à coucher était au premier étage, à l'arrière de notre maison, au-dessus de la cuisine. Je n'avais qu'à me retourner langoureusement sur la droite dans mon lit et, en regardant par la fenêtre, j'avais une vue parfaite sur mon père dans le jardin, les matins où il faisait moins dix : allongé sur le sol gelé, il pestait sous un de nos vieux tacots qu'il espérait faire redémarrer… Ma chambre n'était pas chauffée, mais il y avait une petite grille en fer au sol, que je pouvais ouvrir et fermer, au-dessus du poêle de la cuisine contre le mur ouest. Comme la physique nous l'a enseigné, la chaleur monte. Alléluia ! Pendant nos premières années à South Street, ces quatre brûleurs ont été ma seule source de chaleur et mon unique salut durant bon nombre d'hivers du New Jersey. Une voix qui m'appelle, deux blanches, ça monte d'un cran, une ronde, un appel que j'entends par la grille : « Bruce, debout. » Sur un ton dénué de toute musicalité, j'implore : « Allume le poêle. » Dix minutes plus tard, dans une odeur de petit déjeuner, l'atmosphère est un peu moins glaciale et je sors de mon lit pour affronter le matin hostile. Ça changera après le décès de ma grand-mère, morte à côté de ma petite sœur, dans la chambre contiguë. À seize ans, je serai habité d'une mélancolie noire dont jamais je n'aurais soupçonné l'existence. Mais… j'hériterai de la fameuse chambre – de sa chaleur et de la symphonie matinale de ma mère se préparant avant d'aller bosser.

Je me lève assez facilement. Si je n'émerge pas vite, ma mère me jette un verre d'eau glacée, technique qu'elle a mise au point pour sortir mon père du lit et l'envoyer au boulot. Ma sœur Virginia et moi, on est à la table de la cuisine, toasts, œufs, Sugar Pops ; je saupoudre les céréales de sucre puis on sort en vitesse de la maison. Un baiser et nous voilà partis pour l'école, ployant sous nos cartables remplis de livres, les talons de ma mère cliquetant dans l'autre sens, vers le centre-ville.

Elle va au bureau, toujours fidèle au poste, elle n'est jamais malade, jamais déprimée, ne se plaint jamais. Le travail ne semble pas être un fardeau pour elle, plutôt une source d'énergie et de plaisir. Elle remonte Main

Street et, d'un pas leste, franchit les portes vitrées de Lawyers Title Inc. Elle s'avance dans le couloir jusqu'à son bureau, là-bas dans le fond, à proximité de celui de M. Farrell. Ma mère est secrétaire juridique. M. Farrell est son patron, il dirige le cabinet. Elle est secrétaire *numero uno* !

Enfant, je me régale de mes visites à son travail. Quand je passe la porte, je suis accueilli par le sourire de la réceptionniste. Elle appelle ma mère et je suis autorisé à m'avancer dans le couloir. Les parfums, le crissement des chemisiers amidonnés, le chuintement des jupes et des bas des secrétaires qui sortent de leurs box pour me saluer – je suis exactement à la hauteur de leurs seins et je feins l'innocence tandis qu'elles me serrent dans leurs bras et déposent des baisers sur le sommet de ma tête. Je traverse cette pluie de plaisantes attentions, dans une transe parfumée, je suis salué par Philly, la reine de beauté de Lawyers Title, belle à tomber. Me voilà tout timide et incapable de prononcer un mot jusqu'à ce que ma mère arrive à ma rescousse, puis on passe quelques minutes ensemble, et j'admire sa dextérité à la machine à écrire. Tic-tic, tac-tac, tic-tic, le timbre ferme de la machine lorsque la marge approche, le ramené de charriot d'un geste élégant et le crépitement des doigts qui reprennent la correspondance vitale de Lawyers Title Inc. C'est suivi d'une leçon sur le papier et d'un cours accéléré sur la manière de se débarrasser des taches d'encre indésirables sous mes yeux fascinés. Ce sont des choses importantes ! L'activité de Lawyers Title – essentielle à la bonne marche de notre ville – a été momentanément interrompue pour moi !

De temps en temps, il me sera même donné de voir le Grand Patron en personne ; ma mère et moi, on entre dans le bureau lambrissé où M. Farrell m'ébouriffe les cheveux d'un geste sévère, me dit quelques mots gentils avant de renvoyer le privilégié que je suis. Certains jours, à dix-sept heures précises, je retrouve ma mère à la fermeture et nous sommes parmi les derniers à partir. Le bâtiment est vide, les tubes au néon sont éteints, les box déserts, le soleil du soir transperce les portes de verre et se reflète sur le lino de l'entrée, comme si l'immeuble lui-même se détendait en silence après une journée studieuse au service de notre ville. Les hauts talons de ma mère claquent dans le couloir déserté, et on sort dans la rue. Elle marche à grandes enjambées qui imposent le respect ; je suis fier, elle est fière. C'est un monde merveilleux, un sentiment merveilleux. On est des membres séduisants et responsables de cette petite communauté, on prend notre devoir à cœur et on accomplit ce qui doit l'être. On a une place ici, une raison d'ouvrir les yeux le matin au lever du jour et de croquer cette vie stable et convenable.

Honnêteté, fiabilité, professionnalisme, gentillesse, compassion, savoir-vivre, prévenance, fierté, honneur, amour, confiance en et fidélité à sa famille, capacité de s'investir, joie dans son travail, soif de vie sans jamais baisser les bras, voilà quelques-unes des valeurs que ma mère m'a inculquées et que je m'efforce de mettre en pratique. Au-delà de tout ça, elle a été ma protectrice, s'interposant littéralement entre mon père et moi les soirs où il faisait une de ses crises. Elle rusait, criait, suppliait et ordonnait que ces accès de rage cessent… et moi je la protégeais. Une nuit où mon père était une fois de plus rentré d'une soirée minable à la taverne, je les ai entendus se disputer violemment dans la cuisine. J'étais allongé dans mon lit : j'avais peur pour elle et pour moi. Je ne devais pas avoir plus de neuf ou dix ans, mais je suis sorti de ma chambre et j'ai descendu l'escalier avec ma batte de base-ball. Sur le seuil de la cuisine, j'ai vu mon père de dos, qui criait après ma mère, à quelques centimètres de son visage. Je lui ai hurlé d'arrêter. Et là, j'ai abattu ma batte en plein milieu de ses larges épaules ; ça a fait un bruit sourd, suivi d'un grand silence. Il s'est retourné, il avait le visage écarlate, comme à chaque fois qu'il revenait du bar ; l'instant s'est étiré en longueur, puis il a éclaté de rire. Fin de l'engueulade. C'est devenu une de ses histoires préférées et par la suite il me répéterait : « Ne laisse personne faire de mal à ta maman. »

Mère à vingt-trois ans, elle avait connu au début des années difficiles – elle avait cédé bien trop de terrain à ma grand-mère –, mais à partir du moment où j'ai eu six, sept ans, sans ma mère, rien n'aurait été possible. Ni famille, ni stabilité, ni vie. Elle ne pouvait pas soigner mon père ni le quitter, mais elle a fait tout le reste. Ma mère était un mystère. À elle qui était issue d'une famille relativement aisée et habituée à une vie facile, le mariage avait apporté une existence de quasi-pauvreté et de servitude. Mes tantes m'ont dit une fois que quand elle était petite, on la surnommait Queenie – Petite Reine – tant elle était gâtée. Elle ne levait jamais le petit doigt... Hein ? On parle bien de la même femme ? Si c'est le cas, cette femme-là, je ne l'ai jamais connue. Ma famille paternelle la traitait comme une domestique. Plutôt que de déranger mon père assis à fumer à la table de la cuisine, mes grands-parents demandaient à ma mère d'aller acheter du fioul pour le poêle, de prendre la voiture et de les accompagner, eux ou d'autres membres de la famille, ici ou là – et elle le faisait. Elle était à leur service. Elle est la seule personne que ma grand-mère autorisait à lui faire sa toilette lors des derniers mois de sa vie. C'est aussi ma mère qui sauvait constamment la mise à mon père, et faisait bouillir la marmite les si nombreuses fois où, déprimé, il n'arrivait tout simplement pas à sortir du lit. Elle a passé sa vie à ça. Toute sa vie. Sans jamais aucun répit : il y avait toujours un chagrin de plus, une corvée de plus. Comment exprimait-elle sa frustration ? En appréciant l'amour et le foyer qu'elle avait, en se montrant douce et tendre avec ses enfants et en travaillant toujours plus. Pourquoi une telle pénitence ? Quel bénéfice tirait-elle de tout ça ? Sa famille ? Était-ce de l'expiation ? Elle était fille de parents divorcés, de l'abandon, de la prison ; elle aimait mon père, et peut-être cela lui suffisait-il d'avoir la sécurité d'un homme qui ne la quitterait pas, qui ne pouvait pas la quitter. Il n'empêche, elle le payait cher.

Chez nous, pas d'amis à la maison, pas de restaurants, ni de sorties en ville. Mon père n'avait ni l'envie, ni l'argent, ni la santé pour une vie sociale normale de couple marié. Je n'ai jamais mis les pieds dans un restaurant avant l'âge de vingt-cinq ans et, au début, le moindre lycéen serveur dans n'importe quel *diner* minable m'intimidait. L'amour fort et l'attrait qui existaient entre mes parents en même temps que le gouffre impressionnant entre leurs personnalités ont toujours été un mystère pour moi. Ma mère lisait des romans sentimentaux et se délectait des hits radio à la mode. Mon père allait jusqu'à m'expliquer que les chansons d'amour à la radio participaient d'un stratagème du gouvernement pour pousser les gens à se marier et à payer des impôts. Ma mère et ses deux sœurs ont gardé une foi totale dans l'humanité ; ce sont des créatures sociables qui seraient capables de tenir une joyeuse conversation avec un manche à balai. Mon père était un misanthrope qui fuyait le plus possible le genre humain. Au bar, je le retrouvais souvent assis seul au bout du comptoir. Pour lui, le monde était plein d'escrocs prêts à vous piquer votre pognon. « Il n'y a pas de gens honnêtes, et puis de toute façon, qu'est-ce que ça peut foutre ? »

Ma mère me couvrait d'affection. L'amour que mon père ne me prodiguait pas, elle essayait de me le rendre au centuple, et peut-être cherchait-elle aussi l'amour que mon père ne lui accordait pas. Tout ce que je sais c'est qu'elle protégeait mes arrières. Lorsque je me suis fait embarquer par les flics pour toutes sortes de délits mineurs, c'est toujours elle qui est venue me chercher pour me ramener à la maison. Elle a assisté à je ne sais combien de mes matchs de base-ball, aussi bien les fois où j'ai été minable que l'unique saison où j'ai eu une illumination et où j'ai été bon, au gant et à la batte, avec mon nom dans les journaux, et tout. Elle m'a acheté ma première guitare électrique, m'a encouragé dans la musique et m'a félicité pour mes premières compositions. Elle a été un vrai parent, et c'est exactement ce dont j'avais besoin, car mon monde était sur le point d'exploser.

SEPT

LE BIG BANG (HAVE YOU HEARD THE NEWS ?)

Au commencement, la terre connut une période de ténèbres. Il y avait Noël et les anniversaires, mais au-delà, tout n'était que vide autoritaire, noir et sans fin. Nulle perspective excitante, nul moment mémorable auquel repenser, pas d'avenir, pas d'histoire. Un enfant n'avait d'autre espoir que de prendre son mal en patience jusqu'aux grandes vacances.

Puis, en un instant de lumière, aussi aveuglant que l'univers engendrant un milliard de nouveaux soleils, il y eut l'espoir, le sexe, le rythme, l'excitation, des possibilités, une nouvelle façon de voir, de sentir, de penser, de considérer son corps, de se peigner, de s'habiller, de se déplacer et de vivre. Une joyeuse revendication, un défi, un moyen de sortir de ce monde qui tournait le dos à la vie, de sortir de cette petite ville où l'on s'ennuyait à mourir, où tous les gens que j'aimais et craignais étaient enterrés vivants à côté de moi.

LES BARRICADES ONT ÉTÉ PRISES D'ASSAUT !! UN HYMNE À LA LIBERTÉ VIENT D'ÊTRE CHANTÉ !! LES CLOCHES DE LA LIBERTÉ ONT RETENTI !! UN HÉROS EST NÉ. L'ANCIEN RÉGIME VIENT D'ÊTRE RENVERSÉ ! Les voilà enfin contestés, les professeurs, les parents, tous ces imbéciles persuadés de savoir COMMENT S'Y PRENDRE – de connaître L'UNIQUE MANIÈRE D'AGIR –, comment vivre sa vie, comment faire les choses, comment devenir un homme ou une femme dignes de ce nom. UN ATOME HUMAIN VIENT DE FENDRE LE MONDE EN DEUX.

La toute petite portion du monde que j'habite alors trébuche sur un moment irréversible. Quelque part entre divers spectacles de variétés, un samedi soir de l'an 1956 de notre ère… LA RÉVOLUTION EST PASSÉE À LA TÉLÉ !! Au nez et à la barbe des gardiens de l'ordre établi qui, s'ils avaient conscience des forces qu'ils sont en train de libérer, appelleraient la Gestapo nationale pour… ARRÊTER TOUT ÇA !! Ou… SE L'ACCAPARER FISSA !! De fait, le maître de cérémonie et arbitre du goût de l'Amérique des années 1950, ED SULLIVAN, ne devait pas initialement laisser ce péquenaud du Sud, sexuellement dépravé, souiller la conscience américaine et la scène de son émission de télé. Mais une fois le génie sorti de la bouteille à la télévision… CE SERAIT FINI ! LA NATION ALLAIT PLIER !… Et nous, la populace, les petites gens, les marginalisés, LES MÔMES, on en voudrait PLUS. Plus de vie, plus d'amour, plus de sexe, plus de confiance, plus d'espoir, plus d'action, plus de vérité, plus de pouvoir, plus de « Descends dans le caniveau, crache-moi dessus, Jésus, montre à mes yeux aveugles comment VOIR »… LA RELIGION DE LA VRAIE VIE !! Mais surtout, on allait vouloir plus de… ROCK'N'ROLL !!

La comédie raffinée, les numéros de cirque à moitié foireux, les chanteurs anémiques, les conneries exsangues (et souvent très chouettes) qui passaient pour du divertissement seraient révélés pour ce qu'ils étaient.

Finalement, l'audimat et l'argent l'ont emporté et Ed (en fait, lors de la première apparition d'Elvis, Charles Laughton remplaçait Ed, après un accident de voiture), s'avança jusqu'au centre de sa scène pour cracher : « Mesdames-messieurs… Elvis Presley. » Soixante-dix millions d'Américains ce soir-là ont été exposés à ce tremblement de terre humain qui se déhanchait. Une nation craintive, protégée d'elle-même par les cameramen de CBS qui avaient pour instruction de filmer le « gamin » uniquement au-dessus de la taille. Pas de plan suggestif ! Pas de plan de l'entrejambe, de trémoussements, d'ondulations, de joyeux coups de boutoir dans le vide. Aucune importance. Tout était là, dans ses yeux, sur son visage, celui d'un Dionysos au juke-box le samedi soir, le sourcil ravageur, avec son groupe. Une émeute a éclaté. Des femmes, des jeunes filles et pas mal d'hommes réclamaient à cor et à cri ce que les caméras refusaient de montrer, ce que leur timidité précisément confirmait et promettait : UN AUTRE MONDE, celui sous la taille et au-dessus du cœur, un monde jusqu'alors rigoureusement refoulé PROUVAIT SON EXISTENCE ! C'était un monde où on était tous ensemble… *tous* ensemble. IL FALLAIT LE STOPPER DANS SA COURSE !

Et bien sûr, en fin de compte, il fut stoppé dans sa course. Mais pas avant que des sommes monumentales aient été engrangées et que le secret ait franchi ses lèvres et ses hanches, à savoir que ça, cette vie, ce « tout ça » n'était qu'un simple château de cartes. Vous, mes amis furibards aux yeux vitreux attablés devant la télé, vous vivez dans LA MATRICE… et tout ce que vous avez à faire pour voir le *vrai* monde, le glorieux royaume de Dieu et de Satan sur terre, tout ce que vous avez à faire pour goûter à la vraie vie, c'est prendre le risque d'être vous-mêmes… oser… regarder… écouter tard le soir tous les DJ aux voix saturées de parasites, qui passent des *race records*, de la musique noire, qui échappent au repérage des grands radars, qui hurlent de leurs timbres métalliques leurs manifestes sur les radios AM, leurs stations remplies de poètes, de génies, de rockeurs, de bluesmen, de prêcheurs, de rois philosophes, qui s'adressent à VOUS… du fin fond de votre âme à vous. Leurs voix chantent : « Écoute… écoute ce que ce monde est en train de te dire, car il en appelle à ton amour, à ta rage, à ta beauté, à ton sexe, à ton énergie, à ta rébellion… car il a besoin de TOI pour se refaire. Pour renaître et devenir autre chose, quelque chose de mieux, peut-être, de plus divin, de plus merveilleux, il a besoin de NOUS. »

Ce monde nouveau est un monde en noir et blanc. Un lieu de liberté où les deux tribus culturellement les plus puissantes de la société américaine trouvent un terrain d'entente, du plaisir et de la joie en présence l'une de l'autre. Où un langage commun est utilisé pour se parler… pour ÊTRE avec l'autre.

C'est un « être humain » qui a proposé ça, qui a contribué à ce que ça se produise, un gosse, un rien du tout, une honte nationale, une plaisanterie, une toquade, un clown, un magicien, un type à guitare, un prophète, un visionnaire ? Des visionnaires, on en trouve à la pelle… Cet homme-là n'a rien *vu* venir… c'est lui qui EST VENU, et sans lui, toi, l'Amérique blanche, tu ne ressemblerais pas à ce que tu es aujourd'hui, tu n'agirais pas et ne penserais pas comme aujourd'hui.

C'était le précurseur d'un vaste changement culturel, une nouvelle sorte d'homme, un humain moderne, brouillant les lignes entre les races et entre les sexes… et qui S'AMUSAIT ! Qui S'AMUSAIT vraiment ! Le bonheur suprême qui bénissait la vie, abattait les murs, changeait les cœurs, ouvrait les esprits, le bonheur suprême d'une existence affranchie, plus libre. L'AMUSEMENT vous attend, messieurs-dames les Américains Moyens, et devinez quoi : c'est votre *droit inaliénable* !

Un homme a accompli ça. Un homme en quête de quelque chose de nouveau. Par sa volonté, il lui a donné vie. Le grand acte d'amour d'Elvis a ébranlé le pays, c'était un premier écho du mouvement pour les droits civiques. Il était de la trempe de ces Américains dont les « désirs » porteraient leurs fruits. C'était un chanteur, un guitariste qui adorait la musique noire : il était conscient de la grande valeur artistique de cette culture, de son importance, de sa puissance, et aspirait à entrer dans son intimité. Il a servi dans l'armée pour son pays. Il a joué dans de mauvais films et dans quelques bons, a gâché son talent, l'a retrouvé, a fait un formidable comeback et, dans la grande tradition américaine, il est mort prématurément et de manière tapageuse. Ce n'était pas un « militant », il ne fut ni John Brown, ni Martin Luther King, ni Malcolm X. C'était un homme de spectacle, un artiste qui a imaginé des mondes, connu un succès phénoménal, puis sombré, mais qui fut une source d'action et d'idées. Des idées qui n'allaient pas tarder à modifier la forme et l'avenir de la nation. Des idées dont l'heure était venue d'éclore, qui nous mettaient au défi de décider si on allait tous participer aux funérailles d'un pays et d'un destin national ou bien danser et accoucher d'un pan nouveau de l'histoire américaine.

J'ignore ce qu'il pensait de la situation raciale. J'ignore s'il avait réfléchi aux implications à plus grande échelle de ses actes. Ce que je sais c'est qu'il a vécu la vie qu'il devait vivre et a fait advenir la vérité qui était en lui et les potentialités qu'il y avait en nous. Combien parmi nous peuvent en dire autant ? Combien peuvent prétendre s'être engagés dans un mouvement d'une telle envergure ? Discrédité, devenu la risée de toute la nation, il a continué de s'accrocher au rêve d'Amérique qu'il avait en tête, et bientôt c'est le chemin qu'on emprunterait... on irait de l'avant à coups de pied, de cris, de lynchages, d'incendies, de bombardements, de sauvetages, de prêches, de combats, de manifestations, de prières, de chants, de haine et d'amour.

Quand ça a été fini, ce soir-là, ces quelques minutes, lorsque l'homme à la guitare a disparu dans un voile de hurlements, je suis resté assis devant la télé, médusé, l'esprit enflammé. J'avais toujours mes deux bras, mes deux jambes, mes deux yeux ; j'étais affreux, mais pour ça, je trouverais bien une solution… alors que me manquait-il ? LA GUITARE !! Il tapait dessus, s'appuyait dessus, dansait avec elle, hurlait dedans, il la baisait, la caressait, la balançait sur ses hanches et, de temps en temps, en jouait, même ! C'était le passe-partout, l'épée dans la pierre, le talisman sacré, le bâton de vertu, le plus grand instrument de séduction que le monde adolescent ait jamais connu, c'était la… la… RÉPONSE à mon aliénation et mon chagrin, c'était une raison de vivre, d'essayer de communiquer avec les autres malheureux pris au piège dans la même grisaille que moi. Et… on en vendait en centre-ville, au magasin Western Auto !

Le lendemain, j'ai convaincu ma mère de m'emmener chez Diehl's Music, sur South Street, à Freehold. Et là, faute d'argent, on a loué une guitare. Je l'ai rapportée à la maison. J'ai ouvert l'étui. J'ai humé le bois (ça reste encore pour moi une des odeurs les plus belles et les plus prometteuses au monde), j'ai senti la magie de l'instrument, son pouvoir caché. Je l'ai tenue dans mes bras, j'ai fait glisser mes doigts le long de ses cordes, j'ai pris entre mes dents le médiator en écaille véritable, j'en ai apprécié le goût, j'ai pris des leçons de musique pendant quelques semaines… et j'ai abandonné. PUTAIN C'ÉTAIT TROP DUR ! Mike Diehl, qui était guitariste et propriétaire de Diehl's Music, ne savait pas du tout comment enseigner le style Elvis à un jeune *shouter* qui voulait chanter le blues de l'école élémentaire. Certes, il connaissait le secret de ces instruments incroyables, mais il passait totalement à côté de leur pouvoir véritable. Lamentablement terre à terre comme tout le monde dans l'Amérique des années 1950, Diehl imposait de « faire vrombir la corde de *si* ». Avec lui, c'était le solfège, et des heures d'une technique prodigieusement ennuyeuse. JE VOULAIS… J'AVAIS BESOIN… QUE ÇA BALANCE ! ET MAINTENANT ! Je ne sais toujours pas lire la musique, et, à l'époque, mes doigts d'adolescent de dix-sept ans n'arrivaient même pas à faire le tour de ce gros manche. Frustré et gêné, j'ai bientôt annoncé à ma mère que ça ne donnait rien. Ça ne rimait à rien de lui faire perdre son argent durement gagné.

Le matin ensoleillé du jour où j'ai rapporté la guitare, je me suis planté devant cinq ou six gars et filles du quartier dans mon jardin. J'ai donné mon premier concert… et mon dernier avant un bon moment. J'ai brandi la guitare, je l'ai secouée, je lui ai hurlé dessus, j'ai tapé dessus, j'ai chanté des imprécations vaudoues, j'ai tout fait sauf en *jouer*… sous leurs rires, et pour leur plus grand amusement. J'étais nul. Ce fut une joyeuse et stupide pantomime. L'après-midi, triste mais un peu soulagé, j'ai rapporté la guitare chez Diehl's Music. C'était fini pour le moment mais, l'espace d'un instant, d'un bref instant, devant ces gamins dans mon jardin… j'avais flairé l'odeur du sang.

HUIT

RADIO DAYS

Ma mère adorait la musique, la musique du Top 40 : la radio était toujours allumée dans la voiture et dans la cuisine, le matin. À partir du moment où Elvis est arrivé, quand on sortait du lit et qu'on descendait au rez-de-chaussée, on était accueillis, ma sœur et moi, par les hits du moment qui se déversaient du petit transistor posé sur notre réfrigérateur. Avec le temps, certaines chansons ont retenu mon attention. Au début, c'étaient les disques fantaisie – « Western Movies » des Olympics, « Along Came Jones » des Coasters –, les fameuses chansons parodiques où les groupes se laissent aller à la comédie rock'n'roll et donnent l'impression de s'amuser, tout simplement. J'ai usé le juke-box du snack-bar à côté de chez nous, y glissant les quantités astronomiques de piécettes de dix cents que ma mère me donnait pour réécouter à l'infini « The Purple People Eater » de Sheb Wooley (*Mr. Purple People Eater, what's your line ?… Eatin' purple people and it sure is fine*). Un été je suis resté éveillé toute une nuit, mon minuscule transistor japonais glissé sous l'oreiller, à compter le nombre de passages de « Does Your Chewing Gum Lose Its Flavor (On the Bedpost Overnight) ? » de Lonnie Donegan.

Les morceaux qui attiraient ma curiosité étaient ceux où les chanteurs semblaient en même temps heureux et tristes. « This Magic Moment », « Saturday Night at the Movies », « Up on the Roof » des Drifters – des chansons qui évoquaient à la fois la joie et la douleur de la vie quotidienne. Cette musique était imprégnée d'une profonde nostalgie, d'un esprit à la fois détendu et transcendant, d'une résignation empreinte de maturité et… d'espoir – l'espoir lié à cette fille, à ce moment, à cet endroit, à cette soirée où tout bascule, où la vie se révèle à vous et où, à votre tour, vous vous révélez. Des morceaux qui chantaient le désir d'un ailleurs, d'un ailleurs à soi… le cinéma, *downtown*, *uptown*, sur le toit, sous les planches de la jetée, dehors au soleil, loin des regards, quelque part au-dessus ou en dessous de la lumière crue du monde adulte. Le monde adulte, repaire de la malhonnêteté, de la tromperie, de la méchanceté, où les gens trimaient comme des esclaves, souffraient, se compromettaient, se faisaient tabasser, se plantaient, mouraient – merci, Seigneur, mais sur ce coup, je vais passer mon tour. Je vais choisir le monde pop. Un monde romantique, métaphorique. Certes, il y a des tragédies (« Teen Angel » !), mais il y a aussi l'immoralité, l'éternelle jeunesse, un week-end de sept jours et pas d'adultes. (*It's Saturday night and I just got paid. I'm a fool about my money, don't try to save*). C'est un paradis de sexe adolescent où l'école est finie pour toujours. Là-bas, même ce grand tragédien de Roy Orbison, un type qui ne pouvait compter que sur sa voix pour éviter l'apocalypse qui le guettait à chaque coin de rue, avait sa « Pretty Woman » et une maison sur le « Blue Bayou ».

Par son esprit, son amour et son affection, ma mère m'a transmis un enthousiasme pour les complexités de la vie, un goût pour la joie et les bons moments et une persévérance pour venir à bout des épreuves. Existe-t-il une chanson plus réconfortante et plus triste que « Good Times » de Sam Cooke ?... Une performance vocale empreinte d'une sorte de connaissance lasse de soi et des us et coutumes du monde... *Get in the groove and let the good times roll... we gonna stay here 'til we soothe our soul... if it takes all night long... all night...* Lentement, les sonorités musicales de la fin des années 1950 et du début des années 1960 m'ont pénétré jusqu'à l'os.

À cette époque, lorsqu'on n'avait pas un rond, l'unique divertissement familial était la virée en voiture. Le carburant était bon marché, trente cents le gallon, et donc mes grands-parents, ma mère, ma sœur et moi on roulait le soir en voiture dans les rues jusqu'aux confins de la commune. C'était notre petit plaisir, notre rituel. Lorsqu'il faisait doux, les fenêtres de l'imposante berline grandes ouvertes, on descendait tout d'abord Main Street, puis on poussait jusqu'à la pointe sud-ouest de la ville, en bordure de la Highway 33, et on faisait halte comme convenu au stand de glaces Jersey Freeze. On sortait d'un bond de la voiture, on marchait jusqu'à la vitre coulissante ; là, on avait le choix entre deux parfums... eh oui, je dis bien deux : vanille et chocolat. Je n'aimais ni l'un ni l'autre mais j'adorais les cônes en gaufrette. Le gars derrière le comptoir, le propriétaire, me mettait de côté les cônes cassés et nous les vendait cinq cents, et souvent il m'en offrait. Ma sœur et moi on s'installait sur le capot de la voiture en une silencieuse extase, l'humidité du New Jersey étouffait tous les sons hormis le chant nocturne des grillons dans la forêt toute proche. L'éclairage jaune était comme une flamme au néon pour les centaines d'insectes qui voletaient en rond. On les regardait bourdonner à l'extérieur des murs blanchis à la chaux du stand de glace, puis on repartait et le gigantesque cône de glace en plâtre de Jersey Freeze, perché en équilibre précaire au sommet du petit bâtiment en parpaings, disparaissait lentement dans notre vitre arrière. On empruntait les petites routes de campagne jusqu'à la limite nord de la commune où la tour de la radio municipale rayait le ciel au-dessus des champs adjacents au monument aux morts de Monmouth. Trois lumières rouge vif s'élevaient le long de sa structure grise en métal. Tandis que notre radio scintillait, comme alimentée par le doo-wop de la fin des années 1950, ce son venu d'ailleurs, ma mère m'expliquait que là, dans les hautes herbes, se tenait un géant invisible avec le ciel noir en toile de fond. Les lumières qui montaient à la verticale n'étaient autres que les boutons rouge vif de son blouson. On terminait toujours notre périple en passant devant les boutons. Mes paupières commençaient à se faire lourdes tandis qu'on reprenait le chemin de la maison et j'aurais pu alors jurer que je distinguais la silhouette sombre de ce géant.

1959, 1960, 1961, 1962, 1963… les magnifiques sonorités de la musique populaire américaine. Le calme avant la tempête de l'assassinat de Kennedy, une Amérique paisible, les complaintes d'amants perdus flottaient au gré des ondes hertziennes. Le week-end, parfois, la virée en voiture nous menait jusqu'à la côte, jusqu'aux attractions de la fête foraine d'Asbury Park ou bien du côté des plages plus calmes de Manasquan. On se garait face à l'eau. Après la table de la cuisine, le Manasquan Inlet, où la rivière se jetait dans l'océan, était l'endroit préféré de mon père. Il pouvait rester assis là pendant des heures, seul, à contempler les bateaux qui revenaient du large. Ma sœur et moi on allait acheter des hot-dogs au Carlson's Corner, on enfilait nos pyjamas sur la plage, enroulés dans une serviette, pendant que ma mère montait la garde. Sur le chemin du retour, on s'arrêtait pour regarder deux longs métrages au Shore Drive-in, puis on s'endormait sur la banquette arrière et, une fois revenus à Freehold, mon père nous portait dans ses bras et nous déposait dans notre lit. Un peu plus âgés, on sautait de rocher en rocher le long de l'obscure jetée du Manasquan qui saillait à l'est, s'enfonçant dans la mer et la nuit. Postés au bout de l'embarcadère, on scrutait le néant noir comme du charbon de l'Atlantique, seulement piqueté des loupiotes des chalutiers partis pour une pêche nocturne qui scintillaient au loin, révélant la ligne d'horizon. On s'avançait jusqu'aux vagues de l'océan qui s'écrasaient en rythme sur la berge, loin derrière nous, et clapotaient contre les rochers jusqu'à nos pieds nus ensablés. On entendait un code en morse, un message qui circulait au-dessus de la vaste étendue sombre de l'eau… les étoiles illuminaient le ciel nocturne au-dessus de nous, on pouvait le sentir… sentir que quelque chose venu d'Angleterre était en train d'arriver.

NEUF
LE SECOND AVÈNEMENT

D'outre-mer, les dieux sont revenus, juste à temps. Sale période à la maison. Mon visage explosait d'acné, et Ed Sullivan, ce vieux salopard, désormais mon héros national, me refaisait le coup : « Mesdames-messieurs, ils nous viennent d'Angleterre... les Beatles !! » Ed n'avait pas son pareil pour prononcer ces mots, *the Beatles*. Il exécutait son moulinet de bras sur le *the*, enchaînait par un *Beat* avec l'accent tonique, et avait déjà fichu le camp au moment de conclure avec le *les*. Le tout déferlant sur moi en une décharge de dix mille volts de pure impatience. Assis le cœur battant, j'ai attendu de voir mes nouveaux sauveurs pour la première fois, et d'entendre les premières notes salvatrices sortir des guitares Rickenbacker, Höfner et Gibson qu'ils tenaient en main. *The Beatles... the Beatles... the Beatles... the Beatles... the Beatles...* un mantra à la *It ain't no sin to be glad you're alive* (C'est pas un péché de se réjouir d'être en vie), le pire nom de groupe et en même temps le plus glorieux de toute l'histoire du rock'n'roll. En 1964, il n'existait pas de formule plus magique en anglais (enfin… à part peut-être : « Oui, tu peux me toucher là »).

Les Beatles. La première fois que je les ai entendus, on était en voiture dans South Street, ma mère et moi, la radio s'est mise à briller davantage sous mes yeux, tâchant de contenir les chœurs de « I Wanna Hold Your Hand ». Pourquoi leur son était-il si différent ? Pourquoi était-il si bon ? Pourquoi étais-je excité à ce point ? Ma mère m'a déposé à la maison, mais j'ai couru jusqu'au bowling de Main Street, où je passais toujours mes premières heures après les cours, penché sur les billards, à siroter un Coca en mangeant une Reese's Peanut Butter Cup. J'ai foncé dans la cabine téléphonique et j'ai appelé Jan Seamen, ma petite copine : « T'as entendu les Beatles ?

– Ouais, ils sont cool… »

Ma halte suivante était Newbury's, le bazar du centre-ville. Passé la porte, immédiatement à droite, un coin minuscule : la section disques. Il n'y avait pas de magasins de disques en ce temps-là, dans un patelin paumé comme le mien. Juste quelques présentoirs à 45 tours, vendus quarante-neuf cents pièce. Il n'y avait pas vraiment d'albums pour moi, juste quelques disques de Mantovani ou de chanteurs grand public, et éventuellement un peu de jazz sur l'étagère du bas, que personne ne regardait jamais. Ça c'était la musique pour « adultes ». Le monde adolescent c'était celui des 45 tours. Une galette de cire avec au milieu un trou d'un demi-dollar de diamètre qui nécessitait un adaptateur en plastique spécial que l'on enfilait sur l'axe central des 33 tours. L'électrophone à la maison proposait encore trois vitesses : soixante-dix-huit, quarante-cinq et trente-trois tours à la minute. Le premier disque que j'ai trouvé était *The Beatles with Tony Sheridan and Guests*. Une arnaque. Les Beatles servaient d'orchestre d'accompagnement à un chanteur dont je n'avais jamais entendu parler, qui interprétait « My

Bonnie». Je l'ai acheté. Et écouté. Ce n'était pas génial, mais il n'y avait pas mieux.

J'y suis retourné tous les jours jusqu'à LA voir. *La* pochette d'album par excellence, la plus grande pochette de tous les temps (ex æquo avec *Highway 61 Revisited*). Il y avait juste marqué : *Meet the Beatles !* (Rencontrez les Beatles !). Exactement ce que je voulais faire. Ces quatre visages à moitié dans l'ombre, un mont Rushmore du rock, et... LES CHEVEUX... LES CHEVEUX.

Ça c'était une surprise, un vrai choc ! On ne pouvait pas les voir à la radio. Il est presque impossible aujourd'hui d'expliquer l'effet de ces CHEVEUX. Les brimades, les insultes, les risques, les rejets et le statut d'outsider qui seraient le lot de ceux qui choisiraient une telle coupe. Plus récemment, il n'y a guère que la révolution punk des années 1970 qui a permis à des mômes de petites villes de déclarer concrètement leur «altérité», leur rébellion. En 1964, Freehold était bourrée de *rednecks*, de ploucs, et ils étaient légion les gars prêts à vous signifier avec leurs poings qu'ils n'étaient pas d'accord avec votre style. J'ignorais les insultes, évitais de mon mieux les confrontations physiques et j'ai fait ce que j'avais à faire. Notre tribu était peu nombreuse, on était peut-être deux ou trois dans tout mon lycée, cependant notre nombre allait croître jusqu'à devenir incommensurable... mais pas avant un certain temps... et en attendant, chaque jour on risquait de se faire casser la gueule. À la maison, cela mettait encore plus d'huile sur le feu entre mon père et moi. Il a commencé par réagir en éclatant de rire. Il trouvait ça drôle. Ensuite, pas si drôle que ça. Puis il s'est mis en colère. Et il a fini par lâcher la question qui lui brûlait les lèvres : «Bruce, tu es pédé ?» Il ne plaisantait pas du tout. Il allait falloir qu'il s'en remette. Mais pour commencer, ça allait salement dégénérer.

Au lycée, je m'en sortais. Je ne me suis retrouvé qu'une seule fois pris dans une bagarre, en rentrant à la maison. J'en avais marre des plaisanteries, alors j'ai coincé un môme à qui j'étais sûr de pouvoir casser la figure dans l'allée du garage d'une maison du quartier. On a bientôt été entourés d'un petit cercle d'amateurs de sensations. Dans un souci d'honnêteté, le gars m'a au préalable annoncé qu'il faisait du karaté. Je me suis dit : « Tu parles. Un mec qui sait faire du karaté en 1966 dans le New Jersey ?... JE DEMANDE À VOIR ! » Je lui ai balancé quelques uppercuts et il m'a cueilli avec un coup parfaitement maîtrisé, du tranchant de la main, en pleine pomme d'Adam... Aaarrrrrgh. J'ai craché. Je n'arrivais plus à parler. Fin du combat. Encore une grande victoire. On a fait le reste du chemin ensemble.

Cet été-là, le temps a passé lentement. Tous les mercredis soir, je m'installais dans ma chambre pour faire le point du Top 20, et si les Beatles n'étaient pas les rois de toutes les radios, ça me rendait dingue. Lorsque « Hello Dolly » a trusté la première place des charts pendant des semaines, j'ai été furax. Je n'avais rien contre Satchmo, un des plus grands musiciens de tous les temps, mais à quatorze ans, j'étais sur une autre planète. Je vivais dans l'attente de la nouvelle chanson des Beatles. Je fouillais tous les kiosques à journaux à la recherche d'un magazine avec une photo d'eux que je n'avais pas encore et je rêvais... rêvais... rêvais... que c'était moi. Avec mes cheveux bouclés d'Italien miraculeusement devenus raides, un visage dépourvu d'acné, vêtu d'un de ces costumes pailletés à la Nehru, me voilà debout dans une paire de bottines Beatles avec talons à la cubaine. Je n'ai pas mis longtemps à piger : en fait, je ne voulais pas « rencontrer les Beatles », je voulais ÊTRE les Beatles.

Comme mon père refusait l'augmentation de notre loyer, on a déménagé au 68 South Street où on a enfin eu… l'eau chaude ! Mais pour l'avoir, on s'est installés dans une maison attenante à une station-service Sinclair. Dans celle d'à côté vivait une famille juive. Ma mère et mon père, qui n'étaient ni racistes ni antisémites, ont tout de même éprouvé le besoin de nous prévenir, ma sœur et moi, que ces gens… NE CROYAIENT PAS EN JÉSUS ! Toute question théologique a été vite écartée lorsque j'ai aperçu mes nouvelles voisines, deux superbes filles voluptueuses, à la bouche pulpeuse, à la peau mate et veloutée et aux seins lourds – *oy* ! Je me suis immédiatement mis à imaginer des nuits torrides sur le porche devant la maison, leur short d'été révélant leurs jambes bronzées, tandis qu'on débattait de Jésus. Personnellement, j'aurais vite renoncé à notre Sauveur depuis deux mille ans pour un baiser, une caresse de mon index sur la cheville couleur café de mes nouvelles voisines. Malheureusement, j'étais timide et elles chastes, encore solidement sous l'emprise de Yahvé et de papa-maman. Un soir que j'abordais effectivement la question de Jésus, ce fut comme si j'avais dit un gros mot. Leurs douces mains plaquées sur leurs lèvres roses, elles ont lâché des gloussements de fillettes rougissantes. Il y aurait pas mal de soirées adolescentes agitées au 68 South Street.

On avait des amis noirs, mais on allait rarement chez eux et ils venaient rarement chez nous. Une cohabitation relativement paisible régnait dans les rues. Les relations entre adultes blancs et noirs étaient cordiales mais distantes. Les gosses jouaient ensemble. Il y avait une bonne dose de racisme ordinaire parmi eux. Les insultes fusaient. Mais les disputes étaient vite oubliées, se soldaient par des excuses ou une brève raclée, selon la gravité de l'offense et l'ambiance de l'après-midi ; ensuite les jeux reprenaient. J'ai rencontré des mômes racistes, des mômes qui avaient appris ça chez eux, près de chez moi, mais il a fallu que je fraye avec la classe moyenne et la classe moyenne supérieure pour rencontrer des gamins qui refusaient de jouer avec des Noirs. Au bas de l'échelle, on était tous mélangés car on habitait à proximité les uns des autres et la nécessité de trouver un partenaire pour une partie de base-ball l'emportait toujours. Le racisme des années 1950 était tellement enraciné dans les mœurs que si un copain noir était exclu d'un match un après-midi chez un de nos potes « bourges », eh bien, c'était comme ça. Personne ne s'en formalisait outre mesure. Le lendemain, la bande habituelle de Noirs et de Blancs se reformait pour jouer et l'incident de la veille était oublié… du moins par nous.

J'étais copain avec les frères Blackwell, Richard et David. David, grand et maigre, était un Noir dégingandé de mon âge, et je traînais assez souvent avec lui. On faisait du vélo, on jouait au ballon, on passait pas mal de temps ensemble. On se bagarrait pour savoir qui était le plus fort. Il m'a collé une ou deux droites en pleine figure et on n'en a plus parlé ; ensuite on a repris nos jeux. Son frère Richard, un peu plus âgé, grand, était un des types les plus cool que j'aie jamais vus. Il avait mis au point un déhanché tout à lui. Sa démarche était une véritable œuvre d'art : un pas en avant, puis il ramenait lentement la jambe arrière, un léger fléchissement au niveau de la hanche, le bras opposé plié à hauteur du coude, le poignet ouvert vers l'extérieur, comme s'il tenait un fume-cigarette ; jamais pressé, il arpentait les rues de Freehold comme un musicien de jazz, le visage dénué d'expression, l'œil tombant. Lorsqu'il parlait, il le faisait lentement, en étirant les mots. Il nous faisait l'honneur de nous consacrer du temps, et on avait l'impression en repartant d'avoir été bénis par le pape de la coolitude.

Les tensions interraciales à Freehold ont fini par exploser et dégénérer en violences. À un moment donné, si tu entrais dans les W-C qui n'étaient pas pour toi, c'était extinction des feux et une dérouillée. Je suis entré un après-midi dans les toilettes du rez-de-chaussée, je me suis avancé jusqu'aux urinoirs à côté d'un copain black et j'ai commencé à parler. Il a alors fixé le mur en disant : « Je peux pas te causer pour l'instant. » J'étais blanc et il était noir ; il y avait une frontière entre nous, même parmi les copains du quartier. On ne communiquerait plus tant que les esprits ne seraient pas apaisés, et ça, ça prendrait un certain temps. Des émeutes ont éclaté en ville. Des insultes ont été échangées entre deux voitures à un feu rouge sur South Street et on a tiré sur une voiture remplie de gamins noirs. Au magasin de sandwichs près de chez moi, il y a eu une manifestation après qu'un vieux Noir a été blessé dans sa chute en se faisant jeter dehors. Je suis resté sur le porche devant chez moi, à deux maisons seulement de l'action, et j'ai vu le propriétaire foncer dans le rassemblement de Noirs, armé d'un hachoir. On lui a retiré le hachoir des mains et c'est un miracle que personne n'ait été tué. Un gars a été pourchassé, acculé sur le porche de la maison à côté de la nôtre et poussé à travers la fenêtre de devant. *The times they are a-changin'*… les temps changeaient, et brutalement.

DIX

LE SHOWMAN (SEIGNEUR DE LA DANSE)

J'ai développé assez tôt mes talents de showman. Avec le sang Zerilli qui coulait dans mes veines, j'étais un cabotin-né. Et donc, pour pouvoir avancer sous le feu des projecteurs avant de savoir faire de la musique, je DANSAIS… enfin, plus ou moins. L'essentiel, c'est que j'étais prêt à risquer de me ridiculiser devant la moitié de la population du quartier (la moitié mâle) car je m'étais rendu compte que l'autre moitié (les filles, donc) se laissait séduire par le gars qui oserait danser avec elles sur autre chose qu'un slow barbant.

Deux fois par mois, le vendredi soir, Sainte-Rose-de-Lima ouvrait la cafétéria du sous-sol et accueillait le bal de la CYO (Catholic Youth Organization), sous haute surveillance, où se retrouvaient des adolescents aux prises avec leurs hormones. Sur la piste de danse, j'avais une longueur d'avance. Je m'étais déjà lancé sur le tapis de la salle de séjour, lors de réunions familiales, pour twister avec ma mère depuis que Chubby Checker avait pulvérisé le hit parade avec sa chanson « The Twist ». (Ma mère nous avait même emmenés au Steel Pier d'Atlantic City voir Chubby « en live », c'est-à-dire, chanter ses succès en playback. Puis on avait parcouru le *boardwalk*, la promenade de planches qui borde la mer, et vu Anita Bryant le même après-midi éclaboussé de soleil.) Je fréquentais aussi la cantine de la YMCA, les vendredis soir, à vingt mètres seulement de ma maison de South Street. C'était un territoire absolument interdit par décret des nonnes, et l'on risquait un long sermon devant toute la classe de quatrième, le lundi matin, si l'information avait fuité que vous vous étiez mêlé aux païens pour vous adonner aux rituels sataniques du week-end.

C'est là, tout en haut, à l'ombre des gradins, que j'ai fait l'expérience de mon premier baiser (Maria Espinosa !), de ma première trique sur la piste de danse (l'histoire n'a pas retenu le nom de l'intéressée, mais ça aurait aussi bien pu être un balai à franges) et de cette atmosphère de salle de basket, avec lumières langoureusement tamisées, métamorphosée pour l'occasion en pays merveilleux au parquet glissant. Avant de me retrouver sur ces mêmes planches avec mon premier groupe les Castiles, paré de ma guitare Epiphone bleu ciel, j'ai dansé avec toutes les filles qui voulaient bien de moi. Souvent, encore horriblement timide, il me fallait attendre les derniers disques pour trouver le cran de me lever, de traverser le no man's land qui séparait le camp des garçons de celui des filles et de poser *la* question. Mais les bons jours, je passais la soirée à danser avec des inconnues de Sainte-Rose, à l'autre bout de la ville (argh, un établissement public !). Qui étaient ces jeunes filles aux jupes moulantes, au regard charbonneux, qui échappaient aux robes-chasubles vertes de Sainte-Rose corsetant les formes naissantes de la population féminine de mon école ? Ici, dans la pénombre, on trouvait des filles dans toute leur gloire parfumée, réunies en petits cercles, chuchotant à voix basse, qui soudain éclataient en discrets gloussements lorsqu'elles zyeutaient les mâles qui, de l'autre côté de la salle, scrutaient le troupeau en vue de faire leur choix. J'étais totalement en dehors des clans. Je ne connaissais pas vraiment les cliques fermées de garçons, et les autres élèves de quatrième de l'école catholique qui osaient venir aux soirées à la YMCA n'étaient pas nombreux. C'est un camarade non religieux du quartier qui m'avait proposé de l'y accompagner pour des parties de basket et de billard, après les cours, dans ce sous-sol qui sentait le renfermé. Mais à partir du moment où, avec mon timide nez romain, j'ai reniflé l'odeur de la cantine (un mélange de transpiration de basket-ball et de sexe sur la piste de danse), plus moyen de faire marche arrière.

C'est là que j'ai dansé en public pour la première fois, et que j'ai fait en clopinant les vingt mètres qui me séparaient de chez moi avec une trique d'enfer après avoir frôlé une jupe en laine. Les chaperons étaient assis dans les gradins, armés de lampes de poche qu'ils braquaient sur vous pendant les slows lorsque les choses menaçaient de prendre une tournure torride. Mais ces surveillants ne pouvaient pas faire grand-chose – essayez d'endiguer des millénaires de tension sexuelle, armé d'une simple lampe de poche. À la fin de la soirée, lorsque « Hey Paula » de Paul and Paula résonnait sur la sono résolument rudimentaire du gymnase, tous les garçons et toutes les filles se lançaient sur la piste de danse dans l'unique but de sentir un corps – n'importe lequel ou presque – contre le sien. Ces étreintes fugitives étaient autant de promesses, un avant-goût de ce qui allait venir.

Lorsque j'ai finalement participé aux bals de la CYO, j'avais déjà acquis quelques bases. La plupart des malheureux mâles catholiques n'avaient pas compris que LES FILLES ADORENT DANSER ! À tel point qu'elles se seraient lancées sur la piste avec le premier abruti capable d'aligner deux ou trois pas de danse. Et cet abruti, c'était MOI ! J'avais mis au point un assortiment de mouvements giratoires fortement inspirés des danses du moment, exagérés à ma manière : le monkey, le twist, le swim, le jerk, le pony, le mashed potato

– je les panachais à ma sauce, ce qui, de temps en temps, me permettait de me retrouver sur la piste avec certaines des plus belles filles de la ville. Cela stupéfiait mes camarades de classe, qui n'avaient jusqu'alors vu en moi qu'un malheureux assis dans son coin au fond de la classe. « Hé, Springy, où t'as appris ça ? » Eh ben, je m'étais entraîné, sérieusement entraîné. Pas seulement avec ma mère et à la YMCA, mais méthodiquement devant la grande glace fixée à la porte de ma chambre. Bien avant que je lui joue de la guitare avec un manche à balai, on avait passé des heures frénétiques à transpirer ensemble, cette glace et moi, à se déhancher au son des derniers tubes. J'avais un petit électrophone, avec un adaptateur pour les 45 tours, qui m'avait rendu de grands services, et j'avais répété le frug, le twist et le jerk comme un forcené. Pour transpirer autant, il me faudrait attendre de chanter « Devil with a Blue Dress On », de nombreuses années plus tard, devant une salle immense remplie de vingt mille fans de rock en délire.

Et donc… le vendredi venu, j'enfilais mon jean cigarette, ma chemise rouge, mes chaussettes rouges assorties et mes pompes noires pointues. J'avais au préalable volé à ma mère quelques épingles à cheveux et dormi avec la frange bien tirée, à la Brian Jones. Je me lissais les cheveux avec un peigne, puis je m'installais sous la lampe à bronzer à dix dollars que ma mère avait achetée au drugstore du coin, pour essayer de faire disparaître mes pires boutons d'acné. Je m'enduisais la peau d'un demi-tube de Clearasil, sortais de ma chambre, descendais les escaliers, passais la porte et j'étais dans la rue. À moi la piste de danse !

ONZE

WORKINGMAN'S BLUES

Mes parents n'avaient pas de quoi m'accorder une deuxième chance pour une guitare, il n'y avait donc qu'une seule chose à faire : trouver un boulot. Par un après-midi d'été, ma mère m'a emmené chez ma tante Dora où, pour cinquante cents de l'heure, j'allais devenir « tondeur de gazon ». Mon oncle Warren est sorti m'expliquer comment faire. Il m'a montré comment fonctionnait la tondeuse, comment couper les haies (ni trop ras ni trop long) et j'ai été embauché. Je suis immédiatement allé en ville au magasin Western Auto, un établissement spécialisé dans les pièces détachées automobiles et les guitares bon marché. Et là, au milieu des carburateurs, des filtres à air et des courroies de ventilateur, étaient suspendues quatre guitares acoustiques, allant de l'injouable à la tout-juste-jouable. J'avais sous les yeux le nirvana, et elles étaient abordables. Enfin, il y en avait une qui l'était. J'ai vu l'étiquette accrochée à un modèle blues, marron, annonçant : « Dix-huit dollars». Dix-huit dollars ? Je n'avais jamais tenu une telle somme au creux de ma main. Jamais.

Au bout d'un moment, je me suis rendu compte que mes «frais de bouche» empiétaient sur les économies que je faisais sur l'argent gagné chez Tante Dora, et qu'il allait falloir que j'augmente la charge de travail. En face de chez ma tante vivait une charmante vieille dame aux cheveux blancs, Mme Ladd. Elle voulait que sa maison soit repeinte et son toit goudronné. Mon grand-père, lorsque son affaire d'électricien avait périclité, était devenu peintre en bâtiment, et j'avais moi-même manié quelquefois le rouleau sur les murs de notre maison. Ça ne pouvait pas être si difficile. J'ai proposé à mon pote Mike Patterson de me donner un coup de main et ensemble, on a terminé vite fait. Mme Ladd achetait la peinture, nous disait ce qu'elle voulait très précisément : les volets en noir et la maison en blanc, point barre. Si elle n'appréciait pas la façon dont le boulot avait été fait, on recommençait. J'ai été obligé de manquer une journée de travail. Mike a dit : «Pas de problème», il bosserait seul ce jour-là. À mon retour, tout un pan de la maison était jaune ! «Mike… Est-ce que tu avais nettoyé les rouleaux ?

– Bah… je croyais… pourtant.» Et on a remis ça. Au final ce n'était pas trop moche, après quoi on est montés sur le toit. Je n'avais jamais goudronné un toit, Mike a donc conduit les opérations. En plein été dans le New Jersey, avec 90 % d'humidité, trente-six degrés à l'ombre, le goudron était pâteux et littéralement bouillant lorsqu'on l'appliquait sous le soleil d'après-midi… l'enfer sur terre.

Mais on est quand même venus à bout de la mission. Avec mes vingt dollars, je suis allé directement au centre-ville. Le vendeur a sorti mon hideux rêve marron de la vitrine, retiré l'étiquette du prix et l'instrument fut à moi. J'ai pris soin de ne pas me faire repérer en rentrant, je ne voulais pas que mes voisins aient vent de mes vaines et irréalistes ambitions. J'ai monté la guitare dans ma chambre et j'ai refermé la porte comme s'il s'agissait d'un accessoire érotique (c'en était un !). Je me suis assis, je l'ai tenue sur mes genoux et j'ai été pris d'une vertigineuse confusion. Par où commencer ? Les cordes étaient épaisses comme des fils téléphoniques, alors je me suis tout simplement mis à faire du bruit, à jouer à l'oreille. Si par hasard je tirais un son qui ressemblait à de la musique, je tâchais de m'en souvenir et de le reproduire. Je me suis concentré essentiellement sur les cordes graves, pour essayer de faire une sorte de rythmique, dong dong. C'était hyper douloureux. Le bout de mes doigts était trop tendre pour les câbles tendus sur cette caisse en bois qui tentait de se faire passer pour un instrument. Je me suis levé, me suis posté devant la glace fixée à la porte de ma chambre, j'ai mis la guitare en bandoulière sur mes hanches et je suis resté là. Pendant les deux semaines suivantes, jusqu'à ce que mes doigts hurlent de douleur, j'ai travaillé tout un non-répertoire à jouer sur une guitare désaccordée. Je me suis convaincu que les choses prenaient tournure, puis le destin et la famille sont intervenus. Ma mère, Virginia et moi on est allés un dimanche rendre visite à notre tante Eda. Son fils Frank était un accordéoniste hors pair, et à chaque fois qu'on allait chez eux, on lui demandait de sortir son instrument pour faire swinguer « Lady of Spain » ou d'autres chants à l'accordéon. (Un noël, inspiré, je me suis essayé à l'accordéon, prouvant du même coup que Danny Federici, le clavier et accordéoniste du E Street Band, n'était pas près de perdre son boulot. Ce truc est injouable.)

Ce dimanche, Frank est entré dans la salle de séjour avec une guitare à la place de son accordéon façon vendeur ambulant de bonbons. Il s'est mis à brailler des succès folk du moment. On était alors en plein boom folk. *Hootenanny* passait en prime time à la télé. Frank s'était mis à fond à la guitare et il en jouait pas mal du tout. Ce week-end-là, il est resté assis par terre dans le séjour, guitare à la main, en tee-shirt blanc, chinos noir et tennis blanches (j'ai trouvé que c'était le look le plus cool du monde et, sitôt rentré à la maison, je me suis empressé de l'imiter). Il s'en sortait bien mieux que moi. Il m'a fait monter dans sa chambre, m'a montré comment accorder la guitare et déchiffrer les tablatures de toute une série de chansons folk américaines, il m'a donné le cahier de tablatures et m'a renvoyé chez moi. J'ai accordé ma guitare du mieux que j'ai pu et je me suis immédiatement rendu compte qu'il allait falloir que je reprenne tout à zéro. Toutes les « chansons » que j'avais jouées sans m'accorder m'apparaissaient à présent pour ce qu'elles étaient réellement : de la merde. Dans le cahier de tablatures j'ai choisi « Greensleeves », j'ai repéré l'accord de *mi* mineur (on n'a besoin que de deux doigts !) et au boulot. C'était un début. Un vrai début. Au cours des mois qui ont suivi, j'ai appris la plupart des accords majeurs et mineurs, j'ai défriché le plus possible de standards folk ; je montrais à ma mère mes progrès, et elle m'encourageait ; puis j'ai ajouté à ma panoplie les accords de *do*, *fa* et *sol* qui me permettaient de jouer « Twist and Shout ». Ce fut ma première chanson de rock'n roll. Et j'ai dit adieu au tondeur de pelouse, l'unique vrai boulot que j'aie eu de toute ma vie. *Well shake it up, baby !*

DOUZE

LÀ OÙ SONT LES GROUPES

Cinq mois plus tard, j'avais tellement besogné ma gratte de chez Western Auto qu'elle avait quasiment rendu l'âme. Mes doigts étaient devenus robustes et calleux. Le bout était dur comme de la carapace de tatou. J'étais prêt à monter d'un cran. Il fallait que je passe à l'électrique. J'ai expliqué à ma mère que pour faire partie d'un groupe et gagner un peu d'argent, bref pour arriver à quelque chose, j'avais besoin d'une guitare électrique. Une fois encore ça allait coûter de l'argent – qu'on n'avait pas. Ce n'était pas avec dix-huit dollars que j'allais réussir à m'en sortir cette fois-ci. Dans ma chambre se trouvait un billard ringard que j'avais eu au Noël précédent, lorsque j'avais encore l'idée de devenir un pro du billard, comme mon père. Je n'étais pas mauvais, à force de jouer dans le sous-sol de la YMCA, lors des soirées à la cantine, mais je n'avais pas réussi à atteindre le niveau de mon père. Il n'empêche, ça restait un bon prétexte pour faire monter mes copines dans ma chambre. Une fois que j'avais réussi à les attirer sur mon lit, je me penchais de temps en temps sur le billard et je frappais dans une bille, histoire de faire plaisir à mon paternel, en bas dans la cuisine. Ma motivation était retombée. Noël arrivait. J'ai passé un marché avec ma mère : si j'arrivais à vendre le billard, elle voulait bien essayer de réunir la différence pour acheter une guitare électrique que j'avais repérée chez Caiazzo Music, sur Center Street. Soixante-neuf dollars avec l'ampli. C'était la moins chère qu'ils avaient, mais c'était toujours un début.

J'ai réussi à vendre mon billard trente-cinq dollars ; un gars l'a attaché sur le toit de sa voiture et est reparti avec. Et donc, la veille de Noël, alors qu'il y avait de la neige fondue partout, je me suis retrouvé avec ma mère à admirer, dans la vitrine de Caiazzo qu'illuminait un rayon de soleil, une guitare Kent à un micro, *made in Japan*. Elle était magnifique, superbe et à un prix abordable. J'avais mes trente-cinq dollars et ma mère avait obtenu la même somme d'une société de financement. Mes parents empruntaient d'une saison sur l'autre, remboursant leurs dettes juste à temps pour pouvoir ensuite réemprunter. Soixante-neuf dollars, ce serait la plus grosse dépense de ma vie et ma mère, une fois de plus, prenait un énorme risque pour moi. On est entrés dans la boutique, M. Caiazzo a sorti l'instrument de la vitrine pour le mettre dans un étui en carton et similicuir, et on est retournés à la maison avec ma première guitare électrique. Dans la salle de séjour j'ai branché mon nouvel ampli. Le petit haut-parleur six pouces s'est mis à vrombir. Il avait un son détestable, avec une distorsion qui rendait toute sonorité méconnaissable, le bouton de volume avait à peu près la taille d'une boîte à pain mais j'étais désormais dans la partie.

Ma guitare était de qualité médiocre mais, comparée à la camelote sur laquelle j'avais joué jusqu'alors, c'était une Cadillac. Les cordes étaient soyeuses, très près du manche, on pouvait en tirer des sons en exerçant une faible pression. Je me suis vite amélioré et bientôt je rejoignais un ami chez lui pour des jam-sessions. Je connaissais un batteur, Donnie Powell. On se retrouvait dans son séjour quand ses parents étaient de sortie et on faisait un de ces boucans… Arriver à jouer un peu était une chose, jouer ensemble en était une autre… un territoire inconnu.

Le morceau sur lequel tout aspirant guitariste faisait ses armes, à l'époque, était « Honky Tonk », de Bill Doggett. C'était incroyablement rudimentaire, à la portée du premier crétin venu, et c'était un hit ! « Honky Tonk » : un concerto blues sur deux cordes, un sale groove poisseux pour strip-teaseuse et, aujourd'hui encore, ça reste un chouette titre. Donnie le batteur me l'a appris et on s'y est tous les deux attelés comme des tâcherons. Des années avant les White Stripes on s'est lancés là-dedans à corps perdu… si ce n'est qu'on était mauvais ! Chanter ?… Chanter dans quoi ? Avec quoi ? On n'avait pas de micro et pas de voix. On faisait juste du raffut, bien en dessous du niveau garage, toute la soirée jusqu'au retour de ses parents.

On s'est baptisés les Merchants. D'autres mômes du quartier sont venus, il y a eu quelques autres répétitions exubérantes et pénibles, et puis plus rien. Je me suis retrouvé de nouveau seul dans ma chambre. Mais… il y avait un gamin dans le quartier qui savait vraiment jouer. Il avait plusieurs années de cours de guitare derrière lui. Son père était un homme d'affaires en vue. Il avait une Gibson – un vrai instrument – et un vrai ampli. Il savait lire la musique. Je suis allé lui parler et je l'ai embauché pour une nouvelle mouture des Merchants, rebaptisés pour l'occasion les Rogues (version Freehold, à ne pas confondre avec la version du Shore composée de véritables musiciens qui, eux, savaient jouer et chanter). Soudain ça a commencé à ressembler un peu à de la musique. Mon ampli ne valait pas un clou, alors il a bien voulu que je me branche au sien. On a même trouvé un bassiste – enfin, quelqu'un qui avait une basse et, plus important, un autre ampli. Il ne savait pas jouer mais il était sympa, c'était un beau gosse italien et, des années plus tard, son amitié m'a littéralement évité de me faire casser la gueule à l'IB Club, un super rade sur la Route 9. En attendant, on branchait nos amplis, on répétait assez régulièrement, avec une idée radicale et rebelle : trouver un chanteur.

Que le spectacle commence

Dans une petite ville du New Jersey, en 1964, personne ne chantait. Il y avait des groupes vocaux avec des orchestres d'accompagnement. Il y avait des groupes sans chanteurs, qui donnaient des concerts exclusivement instrumentaux, inspirés des Ventures, mais il n'existait pas de combo autonome qui jouait et chantait. C'est l'une des révolutions que les Beatles ont apportées en arrivant en Amérique : ils composaient, ils chantaient et ils jouaient leurs chansons. Jusqu'alors, on trouvait dans la set-list typique d'un groupe local « Pipeline » des Chantays, « Sleep Walk » de Santo et Johnny ; « Apache », « Out of Limits », « Penetration », « Haunted Castle » – autant de titres purement instrumentaux. Au début des années 1960, au bal du lycée, un très bon groupe de la ville comme les Chevelles jouait toute la soirée, sans micro, sans qu'un mot soit prononcé, pour un public de danseurs frénétiques. Les Chevelles étaient les rois de la musique instrumentale de notre scène locale (en compétition avec les Victorians, en remontant un peu sur la Route 9). C'étaient de vrais musiciens, profs à l'école de musique de Mike Diehl, ils avaient du bon matos et des costumes assortis.

Un jour, notre jeune combo a eu vent des concerts en matinée au Freehold Elks Club. C'était trente-cinq cents l'entrée et tous les groupes jouaient gratuitement devant un public d'environ soixante-quinze ados du coin. Le spectacle était présenté par un drôle de couple, Bisco Bob et sa femme. Ils proposaient un sacré numéro, limite phénomène de foire, mais durant quelques mois, jusqu'à ce que quelqu'un vole les maracas de Mme Bob, que Bisco pique une crise et enferme tout le monde dans le Elks Club en attendant que quelqu'un sorte une maracas de son cul, c'était un bon plan pour un baptême du feu. Les groupes strictement instrumentaux se plaçaient en cercle et jouaient en se faisant face pendant plusieurs heures.

Aussi anxieux qu'avant un Super Bowl, mes copains et moi on a chargé notre matos dans les voitures de nos parents pour l'acheminer jusqu'au Elks et nous installer. En tant que petits nouveaux, on était programmés en dernier. On a joué nos morceaux ; panique et sueurs froides mises à part, on n'a pas été mauvais. Et puis… on a sorti notre arme secrète : moi *chantant* « Twist and Shout ». J'ai beuglé du début à la fin, j'ai sorti le grand jeu de ma jeune vie en me déhanchant – du moins je l'ai cru sur le coup. Il y avait en guise de sono un énorme microphone à grille, style années 1940, branché aux quelques atroces haut-parleurs du Elks. Caché derrière le gros micro je braillais à tue-tête : *Ahhhh, ahhhhh, ahhhh, ahhhh… well shake it up baby now…* Prestation embarrassante, mais j'en étais plutôt fier. Des gamins ont même dit que ça rendait « super bien ». Moi je trouvais que pratiquement tous les autres sonnaient mieux que nous. Ils avaient du meilleur matos, davantage d'expérience, sauf que… presque aucun ne chantait.

À partir de là, on a été programmés pour jouer au bal du lycée en première partie des Chevelles. Être booké dans son lycée, c'était le concert idéal. Mais c'était risqué pour nous. Ce soir-là, on est allés chez Diehl's Music et on a loué un ampli Gretsch avec réverb ! La réverb, cette chambre d'écho magique qui vous donne immédiatement le son de vos disques préférés et confère un air de professionnalisme à ce que vous faites. Et nous voilà partis au gymnase du lycée régional de Freehold. On allait faire avaler leurs partitions aux Chevelles, les renvoyer à leurs leçons de musique exorbitantes, ils allaient retourner en chialant à l'école de Mike Diehl. On était la « nouvelle vague ». Pas de costumes assortis, pas d'école de musique, on allait juste hurler du blues et envoyer du rock.

Les ennuis ont commencé presque immédiatement. Notre guitariste lead avait oublié sa sangle de guitare, alors il a été obligé de jouer la totalité du set un genou posé sur l'ampli, pour soutenir sa guitare… pas très cool. Et puis notre bassiste était toujours incapable de jouer une seule note sur son instrument, alors il est resté planté là, genou en l'air (lui non plus n'avait pas de sangle) sur son ampli (grâce auquel il avait été intégré au groupe), la basse résolument éteinte pour la soirée. Je braillais dans le micro de la sono du lycée et une bouillie sonore se déversait de quelque part dans les chevrons du gymnase. Pire encore, on était tellement excités d'avoir à disposition cette réverb, mon guitariste lead et moi, qu'on a poussé son effet au maximum, jusqu'à ce que notre son ne soit plus qu'une mélasse frémissante tout en échos, une tempête de sons gluants et brouillons qui semblaient vomis du fin fond d'un océan infesté de dragons. Notre nouvel « effet » réduisait ce qu'on jouait à un gloubiboulga qui n'en finissait pas de se répercuter. (La réverb à fond dans un gymnase de lycée… n'essayez pas, jeunes gens !) La honte, on s'en est immédiatement rendu compte. Je suis resté planté là, tête basse, tout rouge, conscient qu'on avait un son atroce, sans savoir quoi faire pour l'améliorer. Le public s'était agglutiné devant la scène, s'attendant à… quelque chose – il faut dire que ça faisait une semaine qu'on fanfaronnait. Leurs visages étaient éloquents : « Non mais qu'est-ce que c'est que ça ? » Puis les Chevelles sont montés sur scène et ça a cartonné. C'étaient des pros. Ils ont joué de la vraie musique, même si elle était ennuyeuse et cucul. Ils savaient contrôler leurs instruments et se produire en public. Nous on était plantés là à les observer, remis à notre place, tandis que nos plus fidèles potes nous disaient qu'on n'avait « pas été si mauvais ».

Retour à la case départ, sauf que cette fois-ci, je me suis retrouvé tout seul. Peu après le concert, j'ai été informé par mon copain – celui que j'avais fait entrer dans le groupe – que les gars avaient voté pour me virer. Ma guitare était « trop nulle », elle se désaccordait tout le temps, et il a ajouté, comme ça, au passage, qu'il avait vu la même « gratte merdique » à New York, vendue trente dollars. Aïe… ça m'a fait mal. J'ai annoncé ce jour-là à ma mère, en la raccompagnant à pied du travail à la maison, que j'avais été expulsé du groupe, mais je n'ai pas eu le cœur de lui dire pourquoi. Elle avait investi tous ses sous dans cette « gratte merdique », alors j'allais faire en sorte qu'elle sonne.

Dans ma chambre

Ce soir-là, une fois à la maison, j'ai mis sur la platine le deuxième album des Rolling Stones et j'ai appris le solo simple mais génial de Keith Richards dans « It's All Over Now ». J'y ai passé toute la soirée, mais à minuit j'étais capable de sortir une version relativement proche de l'original. Qu'ils aillent se faire foutre, puisque c'est ça, je serais guitariste lead. Pendant les mois qui ont suivi (les années !), j'ai bûché dans mon coin passant toutes mes heures disponibles enfermé à bercer ma Kent, à en pincer et torturer les cordes jusqu'à ce qu'elles cassent, avant de m'écrouler sur mon lit et de m'endormir avec elle dans les bras. Les week-ends, je les passais à la CYO, à la YMCA ou aux bals du lycée. Je ne dansais plus mais, silencieux, impénétrable, bras croisés, concentré sur le guitariste lead du groupe qui jouait, quel qu'il soit, j'observais chaque mouvement de ses doigts. À la fin, lorsque les autres gamins allaient traîner ensemble, se chercher une pizza chez Federici's ou tenter de conclure avec les filles, je me précipitais dans ma chambre, et là, jusqu'à pas d'heure, la guitare débranchée pour ne pas déranger le reste de la maison, j'essayais de jouer tout ce que j'avais mémorisé.

Et bientôt, j'ai commencé à prendre conscience du sentiment de force et de fierté que l'instrument et mon travail me donnaient. J'avais un secret… il y avait *un truc* que j'arrivais à faire, un truc pour lequel peut-être j'étais bon. Je m'endormais le soir avec des rêves de gloire rock… Les Stones sont en concert au palais des congrès d'Asbury Park mais Mick Jagger est malade. Ils ne peuvent pas annuler le concert, il faut quelqu'un pour remplacer Mick, mais qui ? Soudain, un jeune héros se lève, un gamin du coin, parmi le public. Il sait chanter, il a la voix, le look, les mouvements, pas d'acné… et il a un super jeu de guitare. Ça se passe à merveille avec le groupe. Keith sourit et soudain les Stones ne sont plus si pressés d'aller chercher Mick malade, cloué au lit… Comment ça se terminait ? Toujours de la même manière : la foule se déchaînait.

TREIZE

LES CASTILES

J'étais chez moi, South Street, un après-midi, quand on a frappé à la porte. C'était George Theiss, un guitariste-chanteur du coin, qui avait entendu dire par ma sœur que je jouais de la guitare. J'avais déjà vu George au Elks. Il m'a dit qu'un groupe se montait et que les gars cherchaient un guitariste lead. Si j'hésitais à me présenter comme un guitariste lead, je devais reconnaître que j'avais vraiment bossé mon instrument et que je maîtrisais quelques «plans» rudimentaires. On a traversé la ville à pied jusqu'à Center Street pour entrer dans une petite maison mitoyenne, tout en longueur, à quinze mètres de la fabrique de tapis qui déversait par les fenêtres ouvertes son vacarme métal sur métal dans les rues du quartier Texas. C'est là que j'ai mis ma guitare en bandoulière et que j'ai intégré mon premier vrai groupe.

J'y ai rencontré Tex et Marion Vineyard, des amis de George qui avaient décidé d'ouvrir le mètre carré et demi de ce qu'ils appelaient leur salle à manger aux adolescents des alentours qui avaient envie de faire du barouf. C'était un quartier très simple, où Noirs et Blancs, plus ou moins séparés par la fabrique de tapis, traînaient ensemble dans les rues, et où le minuscule appartement de Tex et Marion faisait office de plaque tournante : une espèce de club pour ados du quartier. La trentaine passée, sans enfants, ils accueillaient les mômes « abandonnés » qui n'avaient pas vraiment de vie de famille ou bien cherchaient seulement à sortir de chez eux pour trouver un lieu moins confiné et un peu plus accueillant. Tex était un ouvrier d'humeur changeante, mèche rousse rabattue sur un crâne chauve, grande gueule, lascif, toujours une plaisanterie grivoise à la bouche. Comme mon père, il se départait rarement de son uniforme kaki : pantalon et chemise de travail, avec étui en plastique pour stylos glissé dans la poche, et tout et tout. C'était également un type épatant, affectueux, charitable, un adulte généreux comme j'en avais alors peu rencontré.

Tex et Marion semblaient échoués entre le monde adolescent et la vie adulte, aussi s'étaient-ils concocté quelque part entre les deux un foyer à eux et une vie de parents de substitution. Ils n'étaient pas nos parents, mais ils n'étaient pas non plus nos pairs. Tandis qu'on beuglait toujours plus fort, qu'on faisait hurler nos guitares et exploser la batterie entre les murs de leur petite maison (les voisins n'étaient qu'à quelques centimètres de l'autre côté de la cloison, quelle tolérance !), les Vineyard édictaient les règles et décrétaient ce qui était acceptable et ce qui ne l'était pas. Les répétitions du groupe commençaient à quinze heures trente, juste après les cours, et s'achevaient à dix-huit heures. Tex est devenu notre manager et Marion l'intendante d'une bande de rockeurs prolos inadaptés. Il y avait un petit groupe d'adolescentes (sortez les guitares et elles rappliqueront). Ça flirtait un peu, on écoutait de la musique, et lorsque Tex laissait fuser une de ses allusions ricanantes, Marion le réprimandait d'un « Teeeeeexxxxxxx…

arrête un peu, tu veux ? ». Il y eut quelques baisers, quelques mains tenues, mais pas beaucoup plus, du moins pas dans la maison. George, qui ressemblait à la fois à Elvis et à Paul McCartney (le King ET un des Beatles, coup double !), était notre Don Juan en résidence et se débrouillait parfaitement bien sur ce plan. Nous, on s'en tirait comme on pouvait, mais ce qui comptait avant tout c'était la musique.

Dans le groupe il y avait donc George, moi, le batteur Bart Haynes, le bassiste Frank Marziotti et une ribambelle de gars qui se sont succédé pour taper comme des sourds sur un tambourin. Pour le rôle de chanteur principal, il y avait peu de candidats crédibles dans le coin, à l'époque, car il fallait véritablement avoir le sens du rythme et une voix. On n'était tous que des blancs-becs dépourvus de groove et faiblards au chant, mais hé, ça n'arrêtait pas les Stones, et les Stones étaient notre Saint-Graal, la quintessence du cool. On avait besoin d'un Mick, d'un leader. Alors on a d'abord opté pour le type le plus coriace qu'on connaissait et on l'a mis au micro. Incapable de chanter une note, il était visiblement mal à l'aise au fur et à mesure qu'on réduisait ses prérogatives, jusqu'à ce qu'il ne soit plus chargé que du halètement suggestif sur le fameux passage de « You Turn Me On » de Ian Whitcomb. Voilà un gars dont la mission dans le groupe consistait uniquement désormais à souffler fort dans le micro ! On savait tous qu'il ne faisait pas l'affaire et on a tiré à la courte paille pour savoir lequel d'entre nous allait lui annoncer la mauvaise nouvelle… et se faire casser la figure. Hé… mais attendez, c'est à ça que sert un manager ! On a donc confié la mission à Tex. Et notre « chanteur » est parti calmement, en poussant un soupir de soulagement. Après lui, on a choisi le plus beau gosse des environs, le type qui avait la coupe de cheveux la plus cool du bahut. Il avait une super dégaine sur scène et jouait pas mal du tambourin, mais… ne savait pas chanter. George était encore le meilleur de nous tous au chant. Il avait une vraie voix et du charisme, et il faisait très bien l'affaire. J'étais quant à moi considéré comme une catastrophe devant un micro, et Tex n'arrêtait pas de se moquer de ma voix ; des années plus tard, après des millions d'albums vendus, je suis retourné le voir et il m'a répété avec un sourire narquois : « Tu ne sais toujours pas chanter. C'est George le chanteur. »

Tex a été mon premier père de substitution. Il dégageait de l'amour à sa manière tordue. Mais, plus important, il vous acceptait tel que vous étiez. Il chérissait et encourageait vos dons, il vous prenait pour celui que vous étiez et mettait au service de vos rêves son temps, son énergie, son argent et sa grande Cadillac noire pour trimbaler le matériel. Un jour, on était tous devant la vitrine de Caiazzo's Music, en train de baver devant un nouveau micro Shure. Caiazzo's se trouvait juste à côté de Ring's Barber Shop, à six, sept mètres de la porte d'entrée des Vineyard, sur le trottoir d'en face ; le soir, quand on était assis sur le minuscule porche de Tex, les vitrines de Ciazzo's étincelaient avec leurs batteries blanc nacré, les guitares à paillettes métalliques et des amplis assez puissants pour réveiller ce bled pourri, abruti de sommeil. Tex était assis, en silence, sa cigarette se consumait, et soudain il s'est écrié : « Et merde, quand je toucherai ma paye vendredi, on rapportera ce petit bijou à la maison », et c'est ce qu'il a fait. Ensuite, tel un père tout fier face à ses « gars » assemblés comme des jeunes coqs autour du micro flambant neuf, il a dit : « Bon sang… ce nouveau Shure, sûr qu'il sonne bien ! »

Des gens comme Tex et Marion, il y en avait dans tous les États-Unis, de vrais héros du rock'n'roll restés dans l'ombre, qui faisaient de la place dans leurs maisons et dans leurs vies pour transbahuter le matos, acheter des guitares, dégager leurs sous-sols, leurs garages pour les séances de répétition ; ils créaient une passerelle de compréhension entre deux mondes en conflit, celui des ados et celui des adultes. Ils finançaient la vie de leurs mômes et y prenaient part. Sans des gens comme eux, les sous-sols, les garages, les Elks Club et autres salles des Veterans of Foreign Wars seraient restés vides et les jeunes rêveurs malingres et mal dans leur peau n'auraient eu nulle part où aller pour apprendre à se métamorphoser en stars du rock.

Notre premier concert

Les Castiles devaient leur nom à une marque de shampooing que George Theiss utilisait. C'était un nom qui collait bien à l'époque. On y sentait certes encore quelque réminiscence des groupes de doo-wop des années 1950, mais il ferait bien l'affaire pour nous porter au Walhalla du skiffle rock blues dont on s'inspirait. Notre set-list était un mélange de hits pop, de R&B et d'instrumentaux à la guitare ; on avait aussi une version de « In the Mood » de Glenn Miller que nous avait apprise Frank Marziotti pour élargir notre répertoire. On glissait même ici et là un ou deux titres originaux.

Notre premier concert a eu lieu à l'Angle-Inn, le parc de mobil-homes sur la Route 33, juste à l'est du Shore Drive-in. À l'occasion d'un grand barbecue organisé pour les résidents, un après-midi d'été. On s'est installés à l'ombre, sous l'avancée d'un petit garage, et on s'est retrouvés devant un public d'une cinquantaine de personnes. Notre matériel était pour le moins primitif : la batterie de Bart, quelques amplis et un micro branché sur une des entrées de nos amplis guitares. En première partie, il y avait un groupe local de country dont la chanteuse, une fillette de six, sept ans, juchée sur un tabouret, reprenait des chansons de Patsy Cline devant un gros micro spécial radio. Ils étaient assez bons… et avaient un certain sens de la compétition. Lorsqu'on a commencé à jouer, ça les a vraiment mis en rogne que le public réagisse bien. Des gens se sont mis à danser, ce qui est toujours bon signe. Notre chanteur a susurré ses halètements sur « You Turn Me On », provoquant chez George et moi une crise de fou rire, et lorsqu'on a terminé avec – je vous le donne en mille – « Twist and Shout », ce fut l'émeute, version bonne franquette estivale, dans un parc pour mobil-homes. Un tel succès nous a convaincus qu'on était capables de faire de la musique et d'assurer des concerts. Et aussi qu'il fallait illico virer notre chanteur. Je me rappelle encore le sentiment d'euphorie – on avait réussi à émouvoir des gens, on leur avait apporté de l'énergie et une heure environ de bonne ambiance. On avait créé une magie brute, rudimentaire, bien locale, mais néanmoins efficace…

« Wipe Out »

Frank Marziotti, notre bassiste, était un vétéran de la scène country locale. À moins de trente ans, il ressemblait à un chanteur pour mariages à l'italienne. Il avait des cheveux noirs ondulés peignés en arrière, une vraie trombine de Rital. On aurait dit qu'il sortait juste de sa journée à la chaîne avec mon père, pas qu'il jouait de la basse dans un tout jeune groupe de rock rebelle dans l'âme. Il détonnait pas mal avec nous, question image. Mais il était le seul vrai musicien du groupe. Il m'avait appris plein de trucs style country à la guitare et avait un jeu de basse formidablement onctueux. Le seul problème c'est qu'à chaque concert, on avait droit à la même question : « Pourquoi est-ce que votre père joue avec vous ? » Nous on s'en fichait, mais lui ça commençait à l'ennuyer, alors il s'est éclipsé avec élégance, et le blond Curt Fluhr est venu le remplacer – coupe à la Brian Jones, ampli Vox, *violin bass* Höfner et tout le bazar.

Bart Haynes, notre batteur d'enfer, était impossible à cadrer. Il se disait handicapé mental et répétait à qui voulait l'entendre : « Quel abruti je suis ! » Il savait très bien battre la mesure, avec une particularité étrange : il n'arrivait pas à jouer le fameux roulement de « Wipe Out ». En 1965, « Wipe Out » des Surfaris était le critère absolu pour tous les aspirants batteurs. Cette simple rythmique syncopée jouée sur les toms était considérée comme le top du top. Quand on l'écoute aujourd'hui, il faut bien reconnaître que même s'il est super, c'est un passage à la con. Mais bon… le problème c'est que si un batteur voulait rentrer chez lui la tête haute, à un moment dans la soirée, il devait jouer « Wipe Out ». Et Bart en était incapable. Il avait beau y mettre tout son cœur, ses poignets refusaient tout simplement d'aller au bout de cette rythmique basique. Malgré des bases solides de batterie, il était infoutu d'enchaîner « Wipe Out » ! La soirée avançant, il y avait toujours un batteur jaloux qui d'un coup réclamait : « Jouez-nous "Wipe Out". » Au début, on l'ignorait et Bart lui marmonnait d'aller se faire foutre. Puis… malheur… il était piqué au vif et finissait par lâcher : « Allez-y, envoyez le morceau. » Et donc on se lançait dans « Wipe Out ». Et au moment où le grand break de batterie arrivait… il se plantait, une fois de plus. Ses baguettes claquaient ensemble dans sa main, le simple beat se détraquait, une baguette tombait, son visage devenait alors rouge comme un camion de pompiers, et c'était plié. « Bande d'enfoirés ! »

Bart n'allait pas tarder à ranger ses baguettes une bonne fois pour toutes et s'engager dans les marines. Le dernier après-midi où il est venu nous rejoindre, le visage barré d'un grand rictus niais, il nous a annoncé qu'il partait pour le Vietnam – il a ajouté en rigolant qu'il ne savait même pas où c'était. La veille de son embarquement, il s'est installé une dernière fois à la batterie, en uniforme bleu, dans la salle de séjour de Marion et Tex, et il a retenté un ultime « Wipe Out ». Il a été tué dans la province de Quang Tri, tombé au champ d'honneur. Le premier soldat de Freehold à mourir au Vietnam.

Bart Haynes a été remplacé par Vinnie Manniello, dit Skeebots, un batteur qui swinguait, d'inspiration jazz. Jeune, déjà marié, avec un enfant de « Mme Bots », il a énormément contribué au professionnalisme de notre groupe. À partir de là, on a enchaîné les concerts dans les YMCA, les CYO, les lycées, les patinoires, les pistes de roller, les salles d'anciens combattants, les tremplins, les Elks Club, les inaugurations de supermarchés, les clubs d'officiers, les drive-in, les hôpitaux psychiatriques, les clubs de plage et tout autre endroit qui souhaitait offrir un divertissement pas cher et disposait d'assez de place pour installer cinq musiciens.

À l'est

Freehold se trouvait prise entre deux cliques adolescentes socialement incompatibles. Le secteur des blousons dorés s'étendait à l'est, vers la côte, et le territoire des blousons noirs était au sud, le long de la Route 9. Lorsqu'il y avait un bal, le lycée régional de Freehold était un no man's land où se rassemblaient des bandes : blousons dorés dans un coin, blousons noirs dans un autre, les Blacks encore ailleurs. Il y avait davantage de communication dans les échelons supérieurs, lorsqu'il s'agissait de déclencher ou d'arrêter un affrontement, mais sinon chaque bande était dans son petit monde. Les blousons dorés dansaient sur la pop music, le Top 40, la beach music ; les loubards prenaient d'assaut la piste sur le doo-wop, et les Blacks sur le R&B et la soul. La Motown était la seule force qui apportait un semblant de trêve sur le dance-floor. Lorsque le DJ passait de la Motown, tout le monde dansait ensemble. Mais la fraternité ténue qui régnait alors cessait à la dernière note de la chanson et chacun rejoignait sa bande dans son coin NON attitré du gymnase.

Les blousons dorés, c'était les sportifs, les filles en madras, les pom-pom girls qui iraient à l'université, le contingent légèrement chicos des adolescents qui faisaient la loi dans la plupart des lycées du coin. Je suis sûr que le schéma se perpétue encore aujourd'hui, ce sont les BCBG ou je ne sais comment on les appelle maintenant. Soit on en faisait partie, soit on en était exclu. Moi, je n'en faisais pas du tout partie. Le camp de base du territoire des blousons dorés était le secteur Sea Bright-Middletown-Rumson du Jersey Shore. Il y avait de l'argent là-bas, et on s'arrangeait pour vous le rappeler à la moindre occasion. Lorsqu'on allait à l'est, les chauds après-midi d'août, pour jouer sur leurs plages, on était immédiatement repérés ; on nous faisait sentir sans attendre que là, on n'était plus du même côté de la barrière. Pour accéder à la plage, il fallait passer entre les belles bâtisses de Rumson, le quartier le plus chic et le plus sélect de tout le Central Jersey. Les vieux arbres, les propriétés somptueuses derrière les haies verdoyantes, les portails en fer forgé, tout proclamait : « Tu peux regarder mais tu n'as pas intérêt à toucher. » Lorsqu'on arrivait sur le littoral, à Sea Bright, le front de mer se composait d'une longue bande de beach-clubs privés à la disposition des nantis. Un mur de cabanes de plage et de parkings bloquait l'accès à l'océan qui, a priori, était pourtant à tout le monde. La mer était là, quelque part mais, à moins de tomber sur l'unique plage publique, il fallait payer, et payer cher, pour pouvoir tremper les orteils dans l'eau. Cela dit, ces préados avaient besoin de se divertir en cherchant la bagarre pour foutre la paix à papa-maman qui se saoulaient au martini au bar de la plage. Et donc... l'Orient rencontre l'Occident...

Maintenant qu'on commençait à avoir une petite réputation, on nous faisait venir de nos terrains vagues pour faire le sale boulot.

D'abord, on devait traîner notre matos jusque sur le sable, où une rallonge avait été tirée pour brancher les amplis. Malgré la chaleur suffocante de la mi-août, on avait toute notre panoplie : jeans noirs, bottes Beatles noires, blousons en simili-peau de serpent noirs achetés d'occasion à Englishtown, chemises blanches, cheveux longs (encore une rareté à l'époque) et peau très blanche de gars de l'« intérieur des terres ». Tout le contraire des Beach Boys. Les réactions étaient toujours identiques : les parents étaient amusés mais s'ennuyaient, les filles, curieuses, venaient flirter, et les gars nous étaient hostiles.

Tandis que les jolis corps bronzés de nanas en bikini s'alignaient devant nous, derrière elles s'élevait un grondement émanant des sportifs aux cheveux en brosse. On n'avait qu'une solution : jouer. Jouer jusqu'à ce que ça leur plaise, jusqu'à ce qu'ils entendent les chansons qu'ils aimaient, et surtout, jusqu'à ce qu'ils DANSENT. Il fallait faire en sorte que les filles se mettent à danser ! À partir de là, tout le monde était content, et d'un coup on n'était plus une présence venue d'une autre planète, débarquée de sa fusée, en provenance des territoires blousons noirs, soudain on était juste « dans un groupe ». On savait donc ce qu'on avait à faire et la journée s'achevait habituellement sur une note positive, les gamins venaient nous parler, posaient des questions sur notre accoutrement, nous demandaient d'où on venait (des ténébreuses Terres de l'Intérieur), et de temps en temps un dur à cuire se pointait et tentait de déclencher une bagarre. Ces concerts étaient généralement assez bien organisés, il y avait toujours un maître nageur plus âgé ou un adulte pour surveiller le bon déroulement des festivités et s'assurer que la pression ne montait pas trop. C'est sur le parking qu'il fallait surveiller ses arrières. On se cassait le cul à essayer de faire rentrer tout le matos dans la voiture et là, on entendait : « Qu'est-ce t'as dit ? Répète un peu ce que tu m'as dit, là ?... » Bien sûr, personne n'avait rien dit. On allait juste gentiment se faire envoyer au tapis. Il était grand temps de rentrer au bercail.

Vers le sud

Au sud de Freehold, d'autres défis nous attendaient. Les blousons noirs étaient une véritable mini-secte qui vivait dans son propre monde : blouson-de-cuir, costume-en-synthétique, chaussettes-nylon-adhérentes-transparentes, je-te-botte-le-cul-à-coups-de-pompes-italiennes, banane, et vas-y-que-je-me-pomponne-et-que-je-prends-plus-de-temps-pour-me-préparer-le-matin-que-ma-tatie-Jane, baston-assurée-au-moindre-regard-de-travers, origine-ritale-garantie, rien-à-foutre-de-vous. Mes meilleurs copains étaient pour la plupart des blousons noirs, des *greasers* (ainsi appelés en raison de leur usage massif de produits capillaires et de leur superbe peau italienne huileuse). Il était plus facile de traiter avec eux et de les comprendre que de comprendre les blousons dorés, sauf bien sûr s'ils avaient une dent contre vous. C'étaient des mômes destinés à mener la même vie décente de travailleurs que leurs parents, à reprendre le commerce de leur père, de futurs agriculteurs, de futures femmes au foyer et mères de famille, à condition de passer ces quelques années d'ébullition hormonale sans se faire mal ni faire mal à quelqu'un. S'ils arrivaient à éviter la prison pendant cette brève période, ils viendraient grossir les rangs du bon peuple américain – à réparer des voitures, à trimer dans les usines, à faire pousser de quoi manger et à se battre à la guerre.

Au sud également, en empruntant la Route 9, il y avait Freewood

Acres : le premier lotissement résidentiel qu'aucun de nous ait jamais vu. Ce qui distinguait Freewood Acres, ce n'était pas seulement le fait que c'était la « première » communauté d'habitation planifiée, mais aussi que ses résidents étaient des descendants de Genghis Khan : des Mongols. Il y avait une sacrée trotte jusqu'aux steppes russes mais, grâce à Alexandra Tolstoï, fille de Léon, le célèbre auteur de *Guerre et Paix*, ils étaient arrivés dans ces régions à la fin des années 1940, après la guerre. Alexandra avait en effet une fondation qui les aidait à quitter l'Union soviétique, et donc, persécutés par Staline et farouchement anti-communistes, ils s'étaient installés dans le comté de Monmouth. C'était la Sibérie ou le New Jersey, choix difficile, mais ils avaient échappé aux geôles de Staline et littéralement fini sur la Route 9. Leurs enfants étaient devenus mes camarades au lycée de Freehold.

Les Mongols étaient des Asiatiques physiquement très costauds et cent pour cent blousons noirs. Imaginez l'Asiatique le plus maousse que vous ayez jamais vu, en cuir trois quarts, chemise et pantalon chics, chaussures pointues, avec la banane d'un noir de jais qui fait gagner quatre, cinq centimètres à une carcasse qui tape déjà au-dessus du mètre quatre-vingt-cinq. Les arrière-arrière-grands-parents de ces types avaient chevauché à la rude et conquis le monde, et leurs rejetons du New Jersey donnaient le sentiment que si on les poussait un tout petit peu, ils étaient tout à fait capables de remettre le couvert.

Les blousons noirs s'inspiraient pour leur dégaine des Blacks du lycée, avec qui ils étaient potes, tout en se montrant ouvertement racistes envers eux. Ils étaient ardemment en quête du style *uptown*. La perfection des costumes, les chemises à jabot roses, vert citron et bleu layette, les pantalons remontés bien haut – leur look était recherché, et ils ne plaisantaient pas avec ça : PAS MES CHEVEUX… TOUCHE MES CHEVEUX ET JE TE

PÈTE LA GUEULE. Des gars un peu susceptibles. Les blousons noirs avaient comme chef quelqu'un que j'appellerai « Tony », un parrain d'avant le film du même nom. Il arpentait les couloirs du lycée avec la banane impeccable, noire comme du charbon ; tiré à quatre épingles avec son gilet noir trois quarts et sa bouille de dieu du sexe italien, il était le fantasme vivant de toute pom-pom girl. On aurait dit un roi, c'était le chef du gang local.

En dehors du lycée, on le voyait régulièrement dans les clubs pour ados, brandissant souvent une canne à pommeau argenté – et n'hésitant pas à s'en servir de temps en temps sur quelqu'un. Il passait majestueusement, tel César en son empire, ses chaussures brillant comme un miroir, touchant à peine le sol, entouré de ses sbires silencieux. Partout où il allait, on s'écartait pour lui faire place.

C'est au sud, en territoire *greaser*, qu'on a ensuite fourbi nos armes. Une série de boîtes de nuit et de pizzerias implantées le long de la Route 9 attiraient les ados le week-end. Il y avait d'abord Cavatelli's Pizza, à côté de Lakewood. C'était un petit stand de bord de route dont le propriétaire avait décidé d'arrondir ses fins de semaine en programmant des groupes pour que ça guinche devant sa cahute. L'endroit était géré par un contingent de *greaser girls* à choucroute, rouge à lèvres blanc, peau blanche, paupières lourdement fardées, jupe serrée, soutien-gorge bombardier – pour vous faire une idée, imaginez un croisement des Shangri-Las ou des Ronettes avec Amy Winehouse. La plus influente de ces nanas s'appelait Kathy. Vous arriviez, vous installiez le matos et vous commenciez à jouer… et personne ne bougeait – personne. Pendant une heure, gros malaise, tous les yeux étaient braqués sur Kathy. Et soudain, vous jouiez le bon morceau et elle se levait et commençait à danser, comme en transe, attirant lentement une copine devant les musiciens. Quelques instants plus tard, la piste était bourrée à craquer et la soirée décollait. Le rituel s'est reproduit je ne sais combien de fois. Elle nous aimait bien. On connaissait ses chansons préférées et on en jouait le plus possible. On a fini par être considérés comme un des « groupes de Kathy ». Tout se passait très bien sauf si elle se mettait à vous aimer un peu *trop*. Là, danger. Cavatelli's Pizza avait beau être, dans mon souvenir, un lieu surtout fréquenté par des filles, il y avait toujours des gars qui traînaient à la périphérie et, pour un mot chuchoté, une rumeur, un signe trahissant autre chose que de l'amitié, ça risquait de chauffer pour votre matricule. Le long de la Route 9, pas question d'embrouiller qui que ce soit.

Finalement, on a réussi à se faire programmer à l'IB Club. C'était le centre névralgique, au sud. Un paradis pour blousons noirs. Les meilleurs groupes de doo-wop qui enregistraient venaient y jouer. Nicky Addeo était notre dieu du doo-wop dans le coin, avec une voix de tête qui a fait mouiller plus d'une petite culotte, de quoi coller la chair de poule à Satan en personne. Un grand, un vrai, le roi du public *old school* qui venait à l'IB. Lorsqu'il chantait « Gloria » des Cadillacs, les blousons noirs entraient en communion. La piste de danse était bondée et on n'entendait plus que le frottement des braquemarts contre les bas en nylon bon marché. Le doo-wop était encore la musique de choix auprès du contingent des rockeurs, même en 1966, année de l'Invasion britannique. J'ai chanté je ne sais combien de fois « What's Your Name » et « In the Still of the Night » des Five Satins. Le long de la Route 9, dans les années 1960, il y avait quelques chansons doo-wop incontournables, essentielles à la survie d'un groupe.

Pour les Castiles, c'était un gros truc d'être booké là. Sur la piste de danse, du cuir partout, et on chiadait notre set pour satisfaire le public. La recette c'était doo-wop, soul et Motown. Voilà la musique qui faisait chavirer les *greasers*. Il fallait le romantisme sombre et sanglant du doo-wop, la vérité rêche de la soul et le soupçon d'espoir d'ascension sociale associé à la Motown pour définir ce qu'était la vie des gens qui composaient ce public.

À l'exception de leurs hits du Top 40, les Stones et leurs collègues des années 1960, avec leurs poses bohèmes, n'avaient pas grand rapport avec les préoccupations de ces mômes. Qui pouvait s'offrir ce luxe ? Il fallait avant tout se battre, travailler, protéger ce qui vous appartenait, rester fidèle à votre gang, à votre bande, à votre famille, à votre territoire, à vos frères et vos sœurs blousons noirs et à votre pays. C'est grâce à ça que vous arriveriez à tenir quand tout le reste dégringolerait – quand votre truc serait balayé par la nouvelle tendance à la mode et que votre nana tomberait enceinte, quand votre père se retrouverait en taule ou perdrait son boulot et qu'il vous faudrait aller au turbin. Quand la vie vient frapper à votre porte, c'est le chanteur de doo-wop au cœur brisé qui comprend le regret et le prix de l'amour, c'est le *soul man* habitué à en baver qui comprend ces mots : *I take what I want, i'm a bad go-getter, yeah…* (Je prends ce que je veux, je suis un sale fonceur, ouais…) et ce sont les divas de la Motown, hommes et femmes, qui savent qu'il faut jouer un peu le jeu de l'homme blanc, de l'homme riche. Qu'il faut faire des compromis judicieux sans pour autant vendre son âme au diable, histoire de taper juste un peu plus haut, jusqu'à ce que sonne votre heure, et alors là, c'est *vous* qui fixerez les règles. Voilà le credo de la Route 9, et il valait mieux piger, sinon vous étiez promis à une horrible mort musicale – en risquant en prime de vous faire agresser le samedi soir.

Le jour du Jugement

C'était un samedi soir comme n'importe quel autre, on était programmés à l'IB Club et on avait hâte de donner un concert grandiose. Même si à ce moment-là on se sapait davantage comme un groupe british de R&B (on avait voté à la majorité, contre l'avis de Tex, pour renoncer aux uniformes), on avait établi un bon contact avec le public et les gens du coin nous appréciaient. Tout allait bien, du moment que vous n'approchiez pas leurs nanas. On en était alors à notre troisième chanteur lead, je l'appellerai « Benny », qui était nettement meilleur que ses deux prédécesseurs. Il n'était pas particulièrement beau gosse, il était un peu plus vieux que nous et n'allait plus au lycée, mais il chantait plutôt pas mal. Il traînait en ville, habitait seul, pas loin de chez moi. Dans le quartier, il dégageait une sorte d'aura typique des gars un peu plus âgés, une espèce de sagesse, et donc, de fil en aiguille, il s'était retrouvé sur le devant de la scène à jouer des maracas dans notre groupe.

Le club était plein, six cents personnes peut-être ; dans la salle, que du cuir, bananes et choucroutes à gogo – il y avait assez de graisse dans les cheveux pour faire tourner un garage pendant des années. De la scène, j'ai vu le partage des eaux de la mer Rouge quand Tony est arrivé avec sa bande. C'était le truc habituel, assez amusant à regarder, en fait. Ils se sont infiltrés par la porte de devant, et d'un coup l'ambiance et la température de la pièce ont changé. La soirée pouvait officiellement commencer. Il n'était pas rare que la police de la commune de Howell vienne s'assurer qu'il n'y avait pas de bagarre : pour pas mal de clients, taper un scandale sur la voie publique était une passion et un hobby. Heureusement, aucune embrouille en cours à ce moment-là et tout le monde allait pouvoir rentrer chez soi heureux et en un seul morceau.

Jusqu'à ce que soudain, pendant une pause entre deux sets, le message nous parvienne sur scène : si Benny ne descendait pas se rendre à la bande de Tony, ils viendraient tout casser sur les planches, y compris les musiciens. Hein ? Quoi ?

À Middletown, New Jersey, il y avait deux phénomènes naturels curieux : Gravity Hill, la colline de l'attraction terrestre, et Thrill Hill, la colline du frisson. Le rite de passage classique, lorsqu'on sortait de Freehold en voiture, c'était de se garer au pied de Gravity Hill, et – en raison d'« une particularité topographique » ? des « propriétés magnétiques mystiques de la Terre » ? de la magie du New Jersey ? – une fois que vous aviez coupé le moteur, la voiture semblait remonter la côte en marche arrière. Dans ma Corvette de 1960, j'ai pu impressionner plus d'une nana invitée à une virée nocturne grâce à ce petit tour de magie sur bitume.

Quant à Thrill Hill, c'était simplement un raidillon sévère et mal aplani : lorsqu'on arrivait dessus à une certaine vitesse, la voiture décollait et se retrouvait quelques instants « dans le vide ». Le hic c'était que juste au-dessus du raidillon de Thrill Hill passait un vieux pont ferroviaire suspendu en acier. Tout le challenge consistait à laisser assez d'écart entre le toit de votre voiture et le pont : en décollant trop, vous risquiez de passer un mauvais quart d'heure.

D'après la rumeur locale, Benny était allé un soir sur Thrill Hill. Ils étaient quatre dans la voiture, dont la sœur d'un des amis de Tony. En heurtant la partie basse du pont, il avait, disait-on, gravement blessé les passagers ; lui s'en était tiré avec quelques bobos sans gravité... du moins jusqu'à maintenant. Le frère avait demandé au parrain de rendre justice... et la justice n'allait pas tarder à être rendue. Tout serait réglé ce soir, dans les quelques minutes à venir. Benny a proposé de se livrer à eux. Je ne pense pas qu'il l'ait vraiment pensé et, de toute façon, on ne pouvait pas laisser faire ça. Je connaissais Tony via un ancien copain de groupe, ce qui m'épargnerait peut-être une dérouillée, mais tout le reste – le groupe, le matos, etc. – allait y passer. Il n'y avait qu'une chose à faire – la chose la plus honteuse à laquelle un citoyen de la Route 9 digne de ce nom puisse recourir... appeler les flics. Et fissa ! C'est ce que le gérant du lieu a fait ce soir-là, de notre part. Benny est sorti de scène, puis du bâtiment, escorté par la police, au milieu d'une armée de blousons noirs qui le foudroyaient du regard, puis il est monté dans le véhicule de la police municipale… et on ne l'a plus jamais revu. Il n'a plus rejoué une note avec les Castiles et a définitivement remisé son tambourin.

Au turbin

Les Castiles étaient désormais un combo plutôt bien rodé. On jouait régulièrement dans diverses salles pour des publics variés. Que ce soit au congrès des pompiers ou à l'hôpital psychiatrique Marlboro – où, oui, les patients ont repris tous en chœur le hit des Animals : « We Gotta Get Out of This Place » (Il faut qu'on se tire d'ici). Un soir, on jouait au Surf and Sea Beach Club sur le front de mer, à Sea Bright, en plein territoire blousons dorés. On était programmés en première partie d'un groupe itinérant connu, spécialisé dans les reprises du Top 40. Il y avait quelques formations de ce genre. Des musicos qui n'avaient pas eux-mêmes composé de hits, mais qui jouaient tellement bien le répertoire des succès radio qu'ils arrivaient à tourner en interprétant la musique des autres. L'endroit était bourré à craquer de visages bronzés à l'air revêche, en chinos ou jupes madras. On est montés sur scène et on a commencé à jouer notre mouture récente de blues psychédélique. Très vite j'ai senti quelque chose d'humide. On nous crachait dessus, littéralement, bien avant que ce geste ne devienne une marque de fabrique du mouvement punk. Ils n'étaient que quelques gars à faire ça, mais ça a suffi. On a joué notre set et on est sortis de scène furibards. Un an plus tard, les mêmes nous acclameraient au Teendezvous, un club de Shrewsbury attirant essentiellement un public de blousons dorés, mais la meilleure salle de concert du Shore, avec des nanas qui venaient carrément nous draguer. On allait plusieurs fois revenir victorieusement jouer au Surf and Sea, mais ce soir-là, ça n'a pas été glorieux. On a empoché nos cent dollars et on a repris la route vers l'intérieur des terres pour regagner humblement nos pénates.

J'avais beau avoir des copains blousons dorés rencontrés sur la plage, je crois bien qu'à choisir entre eux et les *greasers*, je me sentais plus d'affinités avec les frangins à banane qui habitaient dans mon secteur. Ils pratiquaient une justice expéditive mais ne vous prenaient pas de haut comme nos cousins de l'est, les buveurs de bière en madras. J'imagine que c'était juste un truc de classes sociales. Je sentais encore ces mollards reçus en pleine figure lorsque je me suis installé à Rumson en 1983, seize ans plus tard. À trente-trois ans, il a quand même fallu que j'inspire un bon coup avant de franchir le seuil de ma nouvelle maison.

On a poursuivi sur notre lancée, on a participé à des tremplins, de temps en temps animé des mariages et on s'est même produits à la Tri-Soul Revue où on était le seul groupe blanc à jouer devant un public cent pour cent noir. La Tri-Soul Revue était organisée au Matawan-Keyport Roller Drome, dont le promoteur était un jeune hipster black. Il aimait ce qu'on faisait et nous programmait. On a aussi joué en première partie des Exciters et été ensuite leur orchestre d'accompagnement. Les Exciters étaient un groupe vocal du début des années 1960, qui avait eu un gros succès avec « Tell Him » ; c'était la première fois qu'on entrait en contact avec des musiciens ayant enregistré un disque. La soirée consistait en un bal avec un DJ passant des disques sur scène et un groupe live (nous). On était installés sur la piste de danse, parmi les danseurs. Les Exciters sont venus nous rejoindre dans les vestiaires du circuit pour patins à roulettes, où les sublimes chanteuses se sont désapées juste devant nous pour enfiler leurs robes moulantes lamé or (crise cardiaque adolescente et paradis rock'n'roll !). Puis elles sont montées sur scène, où elles ont chanté en playback, avant de livrer un show où elles reprenaient les mêmes morceaux en live sur la piste de danse, avec les Castiles en *backing band*. On a terminé notre set, le cœur débordant de soul, de soul et encore de soul. On avait conquis un public black qui se méfiait a priori de ces hippies blancs et on avait honorablement soutenu sur scène les Exciters. L'après-midi, pendant qu'on répétait avec Herb Rooney, leur chanteur et leader, j'avais observé comment il s'y prenait pour diriger une bande d'ados musicalement illettrés, en se mettant à leur niveau jusqu'à ce qu'ils soient capables de jouer pour son groupe. On est rentrés ce soir-là à la maison en ajoutant un trophée de plus à notre tableau de chasse : on avait honnêtement accompli notre mission, pris une leçon et joué pour un public difficile qui aurait facilement pu réagir autrement.

Ma guitare Kent avait depuis longtemps été remplacée par une Epiphone solid body bleu canard – un vrai instrument. Epiphone, une filiale de Gibson, fabriquait de bonnes guitares à des tarifs un peu inférieurs à ceux de la marque mère, de renommée mondiale. La mienne m'avait été gentiment cédée par une légende locale, Ray Cichon, le guitariste lead des Motifs, le premier vrai groupe de rock que j'aie jamais vu.

Les Motifs

Walter et Ray Cichon étaient deux frères de la commune de Howell, dans le New Jersey. Ray était si grand qu'il était toujours voûté, soit sur sa guitare, qu'il portait sanglée haut sur la poitrine, soit au-dessus de vous, à vous postillonner à la figure quand il parlait. Il avait une mèche rebelle que la gomina n'arrivait pas complètement à plaquer et quand il se penchait sur sa guitare, elle se libérait et lui tombait en cascade sur l'oreille, comme Jerry Lee Lewis lorsqu'il se mettait à taper des pieds sur son piano. C'était une grande présence inhabituelle debout au centre de son groupe. Il semblait toujours un peu mal à l'aise avec son corps, comme le sont parfois ces grands échalas qui n'ont pas l'air de s'être vraiment habitués à leur taille. Il n'y avait jamais tout à fait assez de place pour Ray Cichon. Il fallait toujours qu'il se cogne ou renverse quelque chose. On sentait chez lui une sorte de tendre folie et c'était un guitariste farouche qui vous arrachait les tripes et médusait la communauté locale par son intensité et sa fluidité.

Ray m'a beaucoup appris. On avait vu les Motifs aux bals du lycée. Ils sidéraient le public par leur théâtralité, leur dextérité musicale et leur sombre présence scénique. Ils ont tellement volé la vedette aux Chevelles lorsqu'ils ont fait leur première partie que les autres ont soudain paru douloureusement *old school* et ont quasiment raccroché les gants. Les Motifs n'étaient pas des voyous en âge d'aller au lycée, c'étaient des types qui faisaient de la musique. Lorsque Ray est entré la première fois chez les Vineyard, à la demande de Tex, on n'en croyait pas nos yeux. Voir Jimi Hendrix lui-même ne m'aurait pas davantage scotché. Big Ray était là, dans notre quartier, en chair et en os, honorant de sa présence notre humble espace de répétition-salle de séjour (où il tenait à peine), faisant partager sa grande connaissance de la guitare à des morveux indignes comme nous, qui rêvions de faire de la musique. Ray maîtrisait tous les riffs que le génial Jimmy McCarty jouait dans les hits des grandioses Detroit Wheels, le groupe de Mitch Ryder, et il les détaillait pour nous à la note près. Les mains de Ray étaient gigantesques et se déplaçaient sans effort sur le manche, en une gymnastique physiquement impossible à réaliser pour moi. Quand il jouait, ses articulations devenaient grosses comme des billes et le son qui sortait de son ampli Ampeg me gonflait à bloc d'espoir et de motivation. Le plus choquant c'est qu'en dehors des moments où il hantait mon Olympe personnel, éconduisant tout autre prétendant croyant connaître un ou deux riffs à la guitare, Ray était vendeur de chaussures ! Je suis allé le voir une fois dans son magasin, et cette vision incongrue – Big Ray Cichon, ce dieu de la guitare, mon voisin, sa grande carcasse ratatinée sur un minuscule tabouret de chausseur, essayant de faire rentrer le pied d'une vieille fille dans un 38 – a été pour moi insupportable. Il était là, souriant, gentil et poli comme toujours, à sortir des boîtes de pompes, me demandant quand je retournerais chez Tex, parce qu'il comptait y repasser pour me montrer quelques trucs à la guitare.

Ray demeure un de mes grands héros à la guitare, pas seulement pour ses qualités de musicien, pas seulement parce qu'il était présent, disponible, une icône locale à portée de main, mais parce que c'était un homme, un vrai, qui avait une vie, qui prenait le temps de transmettre ce qu'il savait à une bande de gamins pas nécessairement prometteurs. Ce n'était pas un génie de la guitare distant mais un type du quartier, qui ne cachait ni ses excentricités ni ses manies, qui vous faisait sentir qu'avec un peu d'aide, des conseils de temps en temps et le travail nécessaire, vous pouviez devenir exceptionnel.

Walter Cichon, c'était tout à fait autre chose. Jamais on n'avait vu des cheveux ou des poils aussi longs sur un homme ou sur une bête. La première vraie star que j'ai pu approcher. Un véritable animal rock'n'roll pure race – il en avait l'attitude, le côté sexuel, l'âpreté et la sensualité brute – fichant la trouille à nous tous qui entrions en contact avec lui tout en nous galvanisant. Walter n'était *pas* un gars comme on en croise tous les jours ; lui, c'était complètement l'inverse. Paupières tombantes, peau mate, il était parfait à la manière imparfaite d'un Brando. Il menait les Motifs tel un roi asiatique perdu. Nous, on était les suppliants à ses pieds, on était là pour admirer l'indifférence impitoyable et nonchalante avec laquelle il se tenait devant son micro, à marmonner les paroles du canon secret du vaudou R&B selon les Motifs. Un chaman, un rebelle, un mystique du New Jersey, quelqu'un qu'on ne pouvait tout à fait croire venu sur terre de la même manière que les autres humains.

Il m'a fallu un cran pas possible pour oser m'approcher de Walter, un soir, après le concert, et bredouiller : « Euh, vous avez été géniaux... » Walter était en train de ranger son kit de percussions, et il a grommelé je ne sais quoi avant de s'en aller. Il était la preuve vivante que la perle rare pouvait exister dans le Central Jersey. Il vivait comme il le souhaitait. (Personne ne lui faisait la moindre remarque sur ses cheveux longs. La réputation qu'avaient les deux frangins de démarrer au quart de tour décourageait toute velléité de venir les chatouiller.) Walter était la preuve que l'on pouvait planter un drapeau rebelle dans le cœur du bitume estival du Shore et faire en sorte qu'il y reste planté... à condition d'avoir assez d'aplomb et de charisme. À condition d'être assez fort, on pouvait être différent, on pouvait mener sa barque. Les laborieux avec leurs boulots plan-plan, les conformistes, les étudiants qui dépendaient de l'argent de papa-maman, tous ceux-là n'avaient qu'à aller se faire voir. On pouvait être celui qu'on avait envie d'être et merde à ceux qui n'étaient pas contents. Lorsqu'on arrivait à passer la barrière du personnage, Walter avait autant les pieds sur terre que Ray et il pouvait se révéler aussi drôle que lui, même s'il n'était jamais tout à fait aussi accessible.

Le troisième membre des Motifs, c'était Vinnie Roslin, leur fougueux et charismatique bassiste. Il rendait le groupe un tout petit peu plus accessible. Il jouait sur une Danelectro Longhorn qui lui tombait à hauteur des genoux, les cheveux jusqu'aux épaules lui masquant la figure, avant que d'un vigoureux mouvement de tête il les rejette en arrière, révélant son sourire lumineux et la joie qu'il éprouvait à jouer. Vinnie viendrait par la suite me rejoindre au sein de Steel Mill. Enfin il y avait Johnny Lewandoski, cheveux blonds lissés en arrière, aussi excellent à la batterie que Ray l'était à la guitare. Techniquement, Johnny a mis la barre très haut pour les années à venir dans notre région, dans un style à la Dino Danelli des Rascals. Ce sont cependant Walter et Ray qui ont eu l'impact le plus fort sur moi et sur notre groupe. À la fois au-dessus de nous et parmi nous, ils nous ont transmis un sens du pouvoir mystique et des potentialités du rock'n'roll. Ce n'étaient pas des géants venus de l'autre côté de l'océan, ils ont montré la voie. Après eux, être un groupe dans la région du Jersey Shore n'aurait plus la même signification. Au-delà de ça, c'étaient des types intègres faisant une musique sans compromission et dont la vie était normale, concevable, à portée de main, tout en leur appartenant à cent pour cent.

Walter et Ray Cichon ont tous deux connu une fin tragique. Walter a été appelé sous les drapeaux, il a servi comme fusilier dans la province de Kon Tum, dans le Sud-Vietnam. Là, le 30 mars 1968, alors que son unité prenait d'assaut une colline, il a été blessé à la tête, et laissé pour mort, tandis que ses camarades étaient contraints de se replier sous le feu ennemi. L'équipe de sauvetage envoyée plus tard sur les lieux a été incapable de le repérer et des rapports ultérieurs ont fait état d'un Américain blessé à la tête, correspondant au signalement de Walter, capturé dans ce secteur à peu près à cette date. Walter fait partie de ces nombreux soldats « portés disparus », dont le corps n'a jamais été retrouvé.

Des années plus tard, Ray, accompagnant un ami qui avait des ennuis avec des petites frappes locales, s'est fait sévèrement tabasser. Il est rentré chez lui et il est mort quelques jours plus tard des suites de ses blessures à la tête. Personne n'a été poursuivi pour ce meurtre. Aujourd'hui encore, leur mort à l'un et l'autre me met en colère : ils étaient nos héros, ils étaient nos amis.

En 1967, alors que je rentrais chez moi sur ma petite Yamaha, une Cadillac de 1963 m'a percuté en pleine jambe. La moto a dérapé sous l'avant de la voiture. J'ai été éjecté (je n'avais pas de casque, il n'était pas obligatoire à l'époque), six, sept mètres plus loin, et je me suis ramassé sur le bitume, à l'angle d'Institute Street et de South Street. Je suis resté sans connaissance une demi-heure, pendant tout le trajet de Freehold à l'hôpital, à Neptune. Aux urgences, il a fallu découper mes vêtements tant ma jambe avait enflé. Pendant ce temps, certains se moquaient de mes cheveux longs. Le lendemain, alors que j'étais dans mon lit d'hôpital, des médecins ont refusé de continuer à me soigner pour mon traumatisme crânien. De retour à la maison, alors que j'étais incapable de bouger, échoué sur le canapé, mon père a fait venir un coiffeur pour qu'il me soulage de mes mèches « indignes ». C'est la goutte d'eau qui a fait déborder le vase : j'ai hurlé en le traitant de tous les noms. C'est la seule fois où j'ai dit à mon père que je le DÉTESTAIS. J'étais blessé et furieux et, comme si ça ne suffisait pas, je n'ai pas pu travailler avec mon groupe de l'été, de crainte que la charge garage rock des Castiles ne crée des complications pour mon traumatisme crânien. L'avocat censé me défendre dans cette affaire, Billy Doyle, qui n'allait pas tarder à devenir le maire de Freehold, était tellement dégoûté par ma dégaine qu'il m'a dit en allant au tribunal qu'à la place du juge il me déclarerait coupable (de quoi ?), avant d'ajouter : « Doug, comment supportes-tu ça ? C'est honteux. » Mon père a secoué la tête et répondu, atterré : « Bill, je n'arrive à rien avec ce môme. » On a gagné le procès.

QUATORZE

DU TEMPS OÙ IL Y AVAIT UN LITTLE STEVEN

Lorsqu'on n'était pas sur scène, on allait aux concerts voir où en était la concurrence. Après l'Invasion britannique, les émissions pour adolescents ont connu un succès immense à la télévision : *Shindig !* avec les Shindogs, parmi lesquels le grand James Burton à la guitare ; *Hullabaloo* qui faisait entrer chaque semaine dans votre vie vos groupes anglais et américains préférés. À la maison, c'était la guerre pour choisir la chaîne, une guerre sans pitié. Mon père, étendu sur le canapé en tee-shirt blanc et pantalon de travail devant son western préféré, hurlait dès que je changeais de chaîne pour voir si mes héros du moment montaient sur la scène du Ed Sullivan Theater.

Hullabaloo avait lancé une franchise de clubs dans tout le pays, occupant des entrepôts ou des supermarchés désertés, y installant ce qu'on n'avait encore jamais vu : des lumières noires (un effet lumineux qui rend phosphorescent tout ce qui est blanc, y compris les dents), quelques grandes affiches et beaucoup de place pour danser. Ils programmaient les meilleurs groupes locaux et les artistes d'envergure nationale en tournée dans la région. À Freehold, dans un supermarché récemment abandonné, j'ai vu le majestueux Screaming Lord Sutch, venu de Grande-Bretagne.

Le premier Hullabaloo Club où on est allés était à Asbury Park. Un soir, avec mon copain Mike Patterson, on a vu sur scène Sonny and the Starfires avec, à la batterie, Vincent Lopez, période pré-Mad Dog. Sonny, bel homme aux cheveux blonds gominés et portant des Ray-Ban, très Chuck Berry et rockabilly blues, savait vraiment ce qu'il faisait. (Il joue encore dans le secteur ces temps-ci, plus cool que jamais.) Le Hullabaloo Club où on a atterri ensuite était à Middletown. En entrant, j'ai aperçu un gars sur scène qui portait une gigantesque cravate à pois allant de sa pomme d'Adam au sol. C'était le chanteur des Shadows qui interprétaient tout en souplesse « Happy Together » des Turtles. Je n'avais jamais entendu parler de lui, mais je l'ai trouvé drôle et le groupe était très soudé. Ils avaient sélectionné avec soin leurs reprises ; leurs arrangements et leurs harmonies vocales étaient d'une précision redoutable.

Au Hullabaloo Club, on jouait toute la soirée, par tranches de cinquante-cinq minutes d'affilée, avant de prendre cinq minutes de pause. Si une bagarre éclatait, il fallait enchaîner sans attendre, jouer pour faire diversion et éviter que ça dégénère en baston générale. Pendant la pause de cinq minutes des Shadows, j'ai été présenté à Steve Van Zandt, leur leader. Les Castiles avaient alors une certaine réputation, et Steve savait qui j'étais ; on a un peu parlé boutique, on a bien sympathisé, puis il est remonté sur scène pour le set suivant. Ainsi a commencé une des plus longues et des plus formidables amitiés de ma vie.

Au fil des années qui ont suivi, chacun de nous est souvent allé voir le concert de l'autre. Je l'ai vu un soir d'été à notre tremplin local, au Arthur

Pryor Band Shell, sur le *boardwalk* d'Asbury Park. Les Shadows faisaient leur gimmick à la Paul Revere and the Raiders, jouant « Kicks », en chino blanc, chemise de smoking blanche et veste noire. Ils ont décroché la première place. On formait à nous deux une amicale d'admiration mutuelle. J'avais enfin rencontré un musicien aussi inspiré par la musique que moi, qui en avait autant besoin que moi, qui respectait le pouvoir de la musique d'une manière qui se situait un cran au-dessus de l'attitude des autres musiciens que j'avais été amené à croiser, quelqu'un que je comprenais et dont je me sentais compris. Entre Steve et moi, dès le début, ça a été cœur à cœur et âme à âme. On avait d'interminables discussions enflammées concernant les plus infimes détails des groupes qu'on aimait. On se plongeait avec minutie dans les arcanes des sons de guitare, du style, de l'image ; l'obsession magnifique qu'il y a à échanger avec quelqu'un aussi monomaniaque et fou que vous l'êtes sur une passion dont on ne se lassait jamais – toutes ces considérations qu'on ne pouvait pas pleinement expliquer aux autres… parce que, comme les Lovin' Spoonful l'ont si parfaitement exprimé, « c'est comme essayer d'expliquer le rock à quelqu'un qui n'y connaît rien »… La magie, vous y croyez ?

Steve et moi, on y croyait à fond et ensemble on s'est créé un monde à nous, cent pour cent rock'n'roll, non stop. Steve habitait à Middletown, une sacrée trotte depuis Freehold pour qui n'était pas motorisé. Lorsqu'il a formé The Source, son nouveau groupe, je suis allé voir les concerts au Teendezvous. Steve était un des premiers adeptes de country rock, il maîtrisait le répertoire des Byrds et des Youngbloods. Lorsqu'il s'est finalement mis à la guitare lead, il est devenu très bon très vite. Les Castiles, pendant ce temps, avaient recruté un organiste, Bobby Alfano, et faisaient des incursions dans le territoire du blues psychédélique de 1967. Steve fut là à nombre de nos concerts et notre amitié n'a fait que croître.

Le Café Wha ?, à Greenwich Village

Les Castiles avaient enregistré un 45 tours dans un petit studio de Bricktown, New Jersey : « That's What You Get for Loving Me », avec en face B « Baby I », deux titres de notre composition. On est sortis du studio cet après-midi-là avec une bande deux pistes et des acétates (des petits disques format 45 tours qui n'étaient bons que pour quelques écoutes). On savait déjà qu'au plan local on ne pouvait rien espérer de plus. On avait fait le tour du secteur, autant pour ce qui concernait notre disque que pour notre « carrière ». On était maintenant des stars locales. Un samedi après-midi qu'on était chez Tex, on a décidé que, pour être repérés, il fallait sortir du New Jersey. Depuis Frank Sinatra, plus personne d'un peu connu ne s'intéressait au Garden State, comme on surnomme notre État, plus personne ne s'aventurait suffisamment au sud de la nationale pour se rendre compte que des gens habitaient là, et qu'on y faisait du rock. On aurait pu jouer dix milliards d'années, même génialement, les autochtones mis à part, personne n'en aurait jamais rien su.

New York City… c'est là que les groupes rencontraient la gloire et la fortune. Tex a passé quelques coups de fil et réussi à nous faire booker au Café Wha ?, à Greenwich Village, pour une audition un samedi en matinée. Une occasion en or ! Peu d'entre nous étaient déjà sortis du New Jersey et on n'avait jamais rien vu de comparable au Village de 1968. On s'est installés sur la minuscule scène dans la cave du Wha ?, face aux rangées de tables noires où des pré-adolescentes sirotaient des boissons non alcoolisées aux noms étranges et aux prix prohibitifs, et on a balancé la sauce. On a été pris. Mais pas payés. La direction était simplement d'accord pour vous *laisser* jouer, pour que vous mettiez un pied à New York dans la « cour des grands », dans l'espoir que quelqu'un d'influent passerait par hasard et déciderait que vous seriez les prochains à cartonner.

Ça n'a pas été le cas pour nous. Notre expérience dans le Village a toutefois été déterminante. Aucun des groupes qu'on a vus ce jour-là n'était célèbre, mais presque tous étaient meilleurs que nous. Il y avait Circus Maximus, avec le jeune Jerry Jeff Walker au chant et à la guitare. Il y avait The Source (version New York City), avec au chant John Hall, du groupe Orleans, futur membre du Congrès, et à la guitare Teddy Speleos qui faisait du Jeff Beck aussi bien que Jeff Beck lui-même. Teddy était absolument exceptionnel. Steve et moi on a fait plusieurs fois le trajet en bus juste pour rester à baver face à sa technique, au son qu'il avait et à sa nonchalance. C'était encore un ado, comme nous, mais, pour Steve et moi, il était devenu un héros incontestable. Jamais on ne pourrait approcher Jeff Beck à moins de quinze mètres, alors que ce môme, il était là, à quelques centimètres de nous ; on le regardait comme les singes fixant le monolithe dans *2001 : l'Odyssée de l'espace*, hypnotisés par son style, sa présence et sa dextérité, qui nous dépassaient. On se précipitait ensuite à la maison, on prenait nos guitares et on se décarcassait pour reproduire un peu de la richesse de distorsion, de l'épaisseur onctueuse des sonorités qu'il parvenait à tirer de sa Telecaster. Malheureusement, les sons qu'on arrachait à nos Telecaster à nous ressemblaient davantage aux hululements aigus et aux crissements métalliques d'un massacre à la tronçonneuse. Bon sang, comment faisait-il ? C'est qu'il SAVAIT s'y prendre, VOILÀ comment il faisait !

Les virées en bus jusqu'à New York ont de plus en plus occupé nos week-ends. Les discussions pendant le trajet pour savoir qui étaient les meilleurs, Led Zeppelin ou le Jeff Beck Group, l'immersion dans la vie du Village, avec les hippies, les gays, les dealers, Washington Square Park

– on savourait la liberté de tout ça, on avait trouvé un vrai foyer loin de chez nous.

À peine un ou deux ans après le passage de Jimi Hendrix au Wha ?, les Castiles y jouaient régulièrement le samedi et le dimanche, non loin des Fugs, sur MacDougal Street. Les Mothers of Invention étaient au coin de la rue, au Warwick Theater. Steve et moi, on a vu Neil Young faire la promotion de son premier album solo, sa fameuse Gibson noire branchée sur un minuscule ampli Fender à faire trembler les murs du Bitter End. Personne ne s'intéressait particulièrement à nous, à l'exception d'une petite bande de jeunes nanas qui faisaient régulièrement le trajet du New Jersey. C'était le vaste monde, le monde libre. À Greenwich Village en 1968, je pouvais fièrement brandir l'étendard de ma singularité, personne ne s'en formalisait. C'était un monde que je pouvais considérer comme le mien, un petit avant-goût de ce que l'avenir me réservait.

J'avais un ami, un très bon guitariste de New York, qui arrondissait ses fins de mois en dealant. Il m'arrivait de temps en temps de passer la nuit dans sa chambre d'hôtel, où des petites pilules de toutes les couleurs étaient répandues comme des Skittles sur la table de chevet… Mais ça ne m'intéressait pas. Dans le New Jersey, les drogues commençaient tout juste à faire partie de la vie lycéenne ; j'avais beau ne pas y toucher moi-même (j'avais trop peur), un ami qui habitait à côté de chez moi fut un des premiers expérimentateurs radicaux de drogues. Une fois, j'ai été convoqué dans le bureau du principal, qui m'a posé plein de questions sur les produits. Franchement je n'y connaissais rien. Compte tenu de l'époque et de mon look, personne ne me croyait lorsque je disais que ce n'était pas du tout mon truc. Qu'est-ce que ça pouvait bien me faire ?

Le jour de la remise des diplômes de fin de terminale approchait et le principal du lycée de Freehold, un type plutôt bien, avec qui mes années de lycée s'étaient passées sans heurt, a pris l'initiative d'annoncer, à l'occasion d'une réunion préparatoire, que me laisser participer à la cérémonie avec la dégaine que j'avais jetterait le discrédit et la honte sur toute la classe. Il a subtilement suggéré que je pouvais peut-être y mettre un peu du mien. Cette fois, je refusai d'être la tête de Turc. Le jour de la remise des diplômes au lycée régional de Freehold, je me suis réveillé à l'aube et, tandis que la maisonnée dormait encore, je me suis habillé, je suis allé à la gare routière et j'ai pris la navette du Lincoln Transit Commuter de six heures, direction New York City. Je suis descendu à Port Authority, j'ai pris le métro jusqu'à la Eighth Street et j'ai émergé dans la lumière matinale de Greenwich Village, en ce mois de juin, libre comme un oiseau. Mon monde. J'en avais fini. Qu'ils se fassent donc leur petite sauterie sans moi.

J'ai passé cette journée à me promener dans le Village, j'ai mangé de la pizza, traîné dans Washington Square, je me suis arrêté au Wha ? où je me suis fait une nouvelle copine. Ma famille a finalement réussi à me joindre en appelant au club par téléphone ; ils m'ont dit qu'ils ne m'en voudraient pas à condition que je rentre tout de suite à la maison. J'ai sauté dans un bus, accompagné de ma nouvelle copine. On est arrivés en début de soirée, des heures après la cérémonie. Mon père est venu m'accueillir à la porte d'entrée ; la maison était pleine de gens de ma famille venus fêter mon diplôme. Il a jeté un coup d'œil à la fille, et hop, on l'a raccompagnée à la gare routière. Puis mon père m'a ordonné d'aller dans ma chambre, et il a dévissé et confisqué mes ampoules, pour me laisser dans le noir à méditer sur ce que j'avais fait. Peu de temps après, ma tante Dora est venue me rendre visite ; elle a essayé de me faire revenir à la raison. Sur le coup, je m'en fichais complètement. J'en avais soupé des études, de la famille et de tout ce cirque minable qu'était Freehold, New Jersey. Une semaine plus tard, l'été arrivant, je suis allé à l'administration du lycée récupérer mon diplôme.

L'été de la drogue

Deux drames se sont produits cet été-là. Le premier, c'est que ma fidèle petite amie m'a largué parce que j'avais recouché avec une ex. Ça m'a brisé le cœur. Immédiatement pris de remords, j'ai passé le reste de l'été à la poursuivre dans les cités balnéaires du Central Jersey. Pris d'une angoisse existentielle, j'ai écumé les clubs pour ados avec mes compagnons de route BCBG, Sunshine Kruger, Bird et Jay. On circulait en Batmobile, une vieille Cadillac noire qui appartenait à un des gars du clan. Sunshine était membre des Pershing Rifles, une formation paramilitaire pour adolescents, où l'on vous apprenait le maniement du fusil à baïonnette – de quoi vous défriser les poils pubiens ! Ils faisaient tourner leurs armes comme des baguettes de majorette et un jour Sunshine s'est tranché le mollet en réalisant une de ses manœuvres en bermuda.

C'étaient mes potes et cet été-là ils m'ont sauvé la vie. On arpentait le Jersey Shore, la capote de la voiture baissée, pour consoler mon égoïste cœur brisé, et ils me déposaient au petit matin à Freehold. Ma maison était fermée à clé, alors j'escaladais le treillis à hauteur de la cuisine jusqu'au toit latéral, je repoussais le ventilateur qui était à la fenêtre de ma chambre… pour me faire accueillir par mon père, en caleçon, sa peau d'Irlandais blanche comme celle d'un ours polaire dans la lumière de l'aube, une ventouse à la main, prêt à démolir le cambrioleur matinal venu lui voler ses richesses. Je collais les stores dans ma chambre de manière à avoir de l'obscurité et je dormais toute la journée puis, le soir venu, je reprenais ma quête fébrile.

J'ai fini par retrouver ma copine un soir du début de l'automne, elle revenait de la plage. Je lui ai proclamé mon amour éternel, lui ai juré que mon rêve était d'aller un jour avec elle à Disneyland, et elle m'a éconduit avec toute la douceur dont elle était capable. Je savais que j'étais foutu. Le jour de la rentrée à l'Institut universitaire de technologie, j'ai refait le coup de la disparition et je suis retourné au Village ; j'ai passé l'après-midi sur un banc à Washington Square Park. Une douce brise d'automne me caressait le visage et la magie a opéré. De retour chez moi, je me suis présenté avec un jour de retard à l'Ocean County College et j'ai tourné le dos à mes années de lycée et à mon blues d'amoureux éperdument malheureux.

Et puis, cet été-là à Freehold, New Jersey, il y a eu la première descente de police pour saisie de drogue. J'étais dans la rue, à côté de ma cabine téléphonique, devant le kiosque à journaux du coin – ma cabine parce que j'y avais passé d'innombrables heures de lycée, sous la neige, la pluie glacée, la bruine et la chaleur étouffante. Chaque soir, c'est là qu'on pouvait me trouver, occupé à dire des mots doux à mon béguin du moment. Mon père refusait qu'on ait le téléphone à la maison. « Pas de téléphone, pas de note de téléphone, disait-il. Pas de téléphone, pas moyen de vous appeler pour faire des heures sup si un des collègues ne s'est pas pointé au boulot. » Une fois mon père campé à la table de la cuisine, mieux valait ne pas déranger les envolées de son imagination, alimentée par la Schaefer.

Bref, ce soir-là, un mec du coin tout maigrichon (appelons-le Eddie) est soudain arrivé en courant. Eddie était un drogué précoce, farouche. Il était tout sec, mais n'en était pas moins gros consommateur d'hallucinogènes. « Je viens de voir à l'instant Mme Bots à l'arrière de la voiture de police avec Baby Bots », il m'a annoncé. Baby Bots était l'enfant qu'elle avait eu avec Vinnie.

« Arrrrrrrête un peu tes connnnnnneries, je lui ai répondu. Tu délires. On n'arrête pas une maman avec son bébé ! » Ce soir-là, les services de police de Freehold ont embarqué plus de la moitié des musiciens des Castiles à l'occasion de la première opération coup-de-poing antidrogue dans notre commune. Ils ont tous été sortis manu militari de chez papa-maman, en pleine nuit. Scandale dans toute la ville. Non seulement l'événement allait marquer les esprits mais ce fut la fin de trois ans formidables pour les Castiles. Notre groupe commençait de toute façon à battre de l'aile. Il y avait de l'eau dans le gaz entre George et moi et la descente a mis un point final à cette aventure. Le chapitre de mon école élémentaire du rock se refermait à jamais. Le groupe avec lequel j'avais fait mes premiers pas, avec lequel j'avais connu ma première gloire locale, avec lequel je m'étais pavané, guitare en bandoulière, était dissous. Il n'y aurait pas de rappel.

QUINZE

EARTH

En 1968, les trios de rock blues psychédélique surpassaient les *beat groups*. Les dieux à l'époque c'étaient les guitaristes. Cream avec Clapton et The Jimi Hendrix Experience connaissaient un formidable succès. De longues jam-sessions intenses, imbibées de blues, étaient à l'ordre du jour, et j'étais prêt. Un ami de Tex, un ancien marine, m'a dit un jour qu'il avait une guitare qui prenait la poussière dans son placard. Il m'a sorti une Gibson hollow body, sans cordes, avec un manche hyperlong. Je l'ai rapportée à la maison, nettoyée, j'y ai mis des cordes. C'était un drôle d'instrument. Mes cordes arrivaient à peine à faire le tour des clés, très grandes, et situées hyper loin sur le manche. Lorsque je l'ai branchée sur mon ampli Danelectro, MAGIE !... Le son épais, trapu de la SG aux couleurs psychédéliques de Clapton m'est revenu en pleine figure. Le son de « Sunshine of Your Love » a englouti mon petit espace de répétition et je me suis retrouvé propulsé à un autre niveau. Personne – *personne* – ici, dans le New Jersey, n'avait un son de guitare pareil. Ma Gibson n'avait qu'un seul micro et les frettes étaient atrocement éloignées les unes des autres, mais le son… le son disait : ÇA DÉPOTE, NON ?

Après les Castiles, j'ai trouvé un bassiste, John Graham, et un batteur, Michael Burke, avec qui j'adorais jouer. Ils maîtrisaient les techniques pour assurer en trio. On a un peu répété et immédiatement commencé à donner des concerts. Dès le début, les gens du coin ont été impressionnés. On était les seuls des environs à avoir un tel son. Et puis on avait le look – moi avec ma coupe afro-italienne et eux avec leurs cheveux aux épaules –, la férocité et un répertoire de standards du modern blues popularisés par Clapton, Hendrix, Beck et consorts. Je prenais mon envol en tant que guitariste ; le concert consistait en une interminable série de longs solos cinglants joués sur ma Gibson miracle. Nous étions les rois du rock sur cette partie du Shore. On s'est adjoint les services de Bobby Alfano à l'orgue, histoire que mes doigts douloureux se reposent un peu par moments et, pendant un certain temps, on a eu un chouette petit groupe.

L'ère psychédélique avait enfin gagné notre région. Le public venait s'asseoir devant nous, façon Bouddha, pendant un set, puis dansait en transe toute la nuit jusqu'à l'oubli. Un soir, un gamin qui en connaissait un rayon question guitares m'a fait comprendre le « miracle » de ma Gibson. Il s'est approché, et m'a félicité d'avoir eu l'idée géniale de mettre des cordes de guitare sur une basse six cordes pour m'en servir comme d'un instrument solo. J'ai hoché la tête avec un air entendu tout en me disant : « Eh merde… c'est une basse six cordes ! » Je faisais des solos de dingue depuis des mois sur une basse ! Pas étonnant que le son soit si épais et les frettes si dures à atteindre. N'empêche, ça marchait !

C'est à peu près à cette période que j'ai commencé à composer quelques morceaux acoustiques. Je m'étais acheté une Ovation douze cordes, acoustique, pour écrire des titres originaux inspirés de Dylan et Donovan, que je finirais par chanter dans les cafés du coin lorsque je ne serais pas en pleine tempête blues. On avait de nouveaux managers, deux étudiants, dont l'un s'était congelé un orteil avant d'en couper le bout pour éviter la conscription. Je me suis dit que c'était pile le genre de motivation qu'il nous fallait, et ils ont commencé à nous payer un peu de matos et à nous trouver des concerts. Ce fut l'occasion de ma première visite chez Manny's Music, à New York, Walhalla de la guitare et patrie des faiseurs de hits. Avec un budget de trois mille dollars alloué par les paternels de nos managers, on est sortis du magasin bardés de matos et prêts à prendre d'assaut les barricades du succès. Une épique soirée de Saint-Valentin à l'Italian American Club de Long Branch a été suivie d'un concert au Diplomat Hotel de Manhattan (où se produiraient bientôt les New York Dolls). On a demandé une participation financière à nos fans et on a affrété un bus qui les a déposés directement sur la piste de danse du Diplomat. Excellent après-midi ! Alors qu'on était en train de ranger notre matériel, j'ai été approché par un certain George, un Grec. Il s'est présenté comme producteur de disques, a dit qu'il se fichait un peu du groupe, mais qu'il adorait ce que je faisais. Il m'a donné sa carte de visite en m'invitant à l'appeler quand je voulais. Enfin un contact avec le vrai *music business*, quelqu'un qui avait réellement vu un studio de l'intérieur et qui était en mesure de faire avancer les choses. C'était plus que de l'excitation que je ressentais : j'étais sur un petit nuage. Ça prouvait que j'étais dans le vrai depuis le début, que ma démarche se tenait. J'en avais la tête qui tournait, tout ça allait peut-être enfin me mener quelque part…

J'ai très vite rappelé George, qui m'a invité chez lui, à New York. Je n'avais jamais rien vu de tel. De vastes fenêtres donnant sur Fifth Avenue, de hauts plafonds avec moulures et boiseries luxueuses et, pour couronner le tout, George avait une splendide petite amie blonde, star d'un soap-opera de l'après-midi. On a enregistré plusieurs de mes chansons sur son magnétophone deux pistes. Tim Buckley était pour moi une grande source d'inspiration à l'époque, d'où mon achat d'une douze cordes, et je faisais tout mon possible pour imiter son timbre de voix et son style d'écriture. Ce soir-là, on est allés à une séance que George produisait. Je me suis assis dans la pénombre d'un vrai studio et j'ai suivi le déroulement d'une véritable session d'enregistrement. En repartant j'ai senti que j'avais un avenir dans la musique.

J'ai revu George assez régulièrement. J'avais quelques problèmes d'emploi du temps, car j'étais encore censé aller en cours. Ma tante Dora m'avait obtenu par piston une place à l'université d'Ocean County et je ne voulais pas tout gâcher. Malheureusement, je ne m'y sentais pas à l'aise. À la fin des années 1960, la contre-culture ne s'était pas vraiment imposée dans le South Jersey. J'étais à nouveau un des rares marginaux dans une zone qui n'en tolérait pas. Le simple fait d'aller en cours et de revenir chez moi était problématique. Pour l'aller, je pouvais monter dans la voiture d'un copain, en participant aux frais d'essence, mais pour le retour, je devais souvent improviser. L'hiver, je grelottais à côté d'un panneau publicitaire sur le bord de la Route 9 verglacée jusqu'à ce qu'un bus apparaisse à l'horizon. Je m'avançais sur le bas-côté, attendais que le chauffeur me repère dans le faisceau de ses phares, puis je lui faisais signe de s'arrêter. Ça marchait une fois sur deux, tout dépendait du conducteur. Plus d'un soir, j'ai eu droit à un non d'une tête aux cheveux coupés bien court et le bus passait son chemin à vive allure.

Souvent je ne pouvais compter que sur mon plus fidèle complice : mon pouce. C'était une longue marche dans le froid, qui n'était pas exempte de dangers. Il arrivait que des voitures ralentissent, comme pour me prendre en stop, puis la portière passager s'ouvrait violemment pour m'envoyer valdinguer dans le fossé. Il ne fallait pas baisser la garde. Je me suis tapé un trajet épique, sur les petites routes entre Tom's River et Lakewood, en compagnie d'un conducteur black bien imbibé qui beuglait et rigolait, une bouteille de Jack coincée entre les cuisses, et qui a fini par me lourder devant la station de bus Greyhound de Lakewood, où j'ai embrassé le bitume.

Mon père venait de temps en temps me chercher, mais c'était encore pire. Furieux d'être dérangé, il roulait à fond les ballons, notre vieille caisse lancée comme une arme de destruction massive. Je ne pouvais rien dire, rien faire – à part me cramponner, terrorisé, en attendant le fatal crissement de tôle qui annoncerait notre fin à tous les deux. On arrivait dans l'allée du garage, il s'arrêtait dans un dérapage et, sans dire un mot, sortait de la voiture en claquant la portière derrière lui. Quand j'entrais dans la maison, je le trouvais déjà assis en train de fumer à la table de la cuisine, comme s'il me voyait pour la première fois de sa vie.

C'était une période de transition. Mes parents voulaient que je poursuive des études et moi je voulais à tout prix éviter de partir à l'armée. On était en 1968, après l'offensive du Têt. C'était le tumulte dans les rues, pas seulement à cause des hippies mais aussi des camionneurs. Avec les infos présentées par l'influent Walter Cronkite, sur CBS, le pays commençait à se faire à l'idée que la partie était perdue au Vietnam. Deux de mes amis proches y avaient été tués et je n'avais pas envie de suivre la même voie.

Un beau jour, à New York, George m'a demandé si j'avais envie de faire de la musique à plein temps. « Ah bah, ouais. » Si j'étais motivé par mes études. « Bah non. » Alors il m'a dit ensuite que je ferais mieux d'arrêter la fac pour me consacrer à devenir celui que je rêvais d'être et à la musique que j'aimais. « Ouais, d'accord, mais la conscription ? » J'avais dix-neuf ans, de la chair à canon de premier choix. Il m'a dit : « Plein de gens arrivent à éviter de partir sous les drapeaux. Laisse-moi faire. Ça peut s'arranger. » Ce soir-là, fort de ma nouvelle résolution, je suis rentré à la maison, j'ai réuni mes parents dans la cuisine, et je leur ai parlé de George et de ce que je voulais faire. Ils hésitaient, pas très convaincus. J'ai entendu leurs arguments sur la nécessité d'avoir un vrai boulot régulier, les mêmes arguments que je donnerais aujourd'hui à mes enfants sur le business de la musique, mais j'étais déterminé. George m'avait donné confiance en moi et je sentais les premières lueurs du succès que je désirais tant. Mes parents ont fini par dire que c'était ma vie et, à contrecœur, ils ont accepté ; ils m'ont souhaité de réussir dans mes projets et *ring-ring goes the bell*, oui oui l'école est finie ! Mes années d'études étaient terminées pour de bon.

Je n'ai plus jamais pu avoir George au téléphone.

Journal d'un insoumis

Désormais musicien à plein temps, je tâchais de mener ma barque, je donnais des concerts et je rapportais à la maison un minimum d'argent. Un matin d'automne, j'ai relevé le couvercle en métal de notre boîte aux lettres et une lettre m'était adressée. Je l'ai ouverte. « Félicitations, vous avez été choisi pour servir votre pays au sein des forces armées des États-Unis. Merci de vous présenter pour l'examen médical à telle date au conseil de révision d'Asbury Park. » Et voilà – ça me pendait au nez. J'ai senti une boule à l'estomac. Je n'étais pas choqué, mais la réalité venait de me donner un méchant coup dans le bide. J'avais été choisi pour jouer un rôle dans l'histoire, malgré moi, juste parce qu'il fallait des corps pour endiguer ce qui était perçu comme la menace communiste en Asie du Sud-Est. Ma première pensée, ça a été de me demander : « C'est la réalité ? Quel rapport avec moi, avec ma vie, avec mes idées ? » La réponse à la première question c'était : « Un peu mon neveu. » La réponse à la deuxième question : « Aucun rapport, rien à voir. » Peut-être était-ce seulement que j'avais peur et que je ne voulais pas mourir. Je n'aurais pas l'occasion de le découvrir car j'ai décidé sur-le-champ que je n'irais pas. Ce qu'il fallait faire – et j'ignorais à l'époque ce que c'était – pour *ne pas* y aller, je le ferais.

J'ai caché la lettre à mes parents. Ils ne pouvaient rien y faire.

Cette affaire ne concernait que moi. J'étais convoqué un mois plus tard, ce qui me laissait un peu de temps pour mener mon enquête. En 1968, plein d'informations circulaient sur les diverses façons d'éviter la conscription. J'avais rencontré des types qui s'étaient gavés jusqu'à devenir énormes, d'autres qui s'étaient affamés au point de devenir squelettiques ou encore étaient allés jusqu'à se couper des doigts ou des orteils. J'avais entendu parler des fils à papa qui se faisaient faire des certificats de complaisance pour ne pas quitter le pays et rester au chaud à la maison. Pour moi, rien d'aussi extravagant. Ironie du sort, Mad Dog Vincent Lopez, Little Vinnie Roslin et moi étions convoqués le même matin au conseil de révision à Newark. Et donc, en frères réfractaires aux armes qu'on était, on a décidé de réfléchir à la question ensemble. Un copain s'était aspergé de lait et ne s'était pas lavé pendant trois jours ; lorsqu'il s'était pointé pour l'examen médical, il puait tellement qu'il avait immédiatement été renvoyé dans ses pénates… Pas mal. Le motif qui semblait le plus convaincant, selon ceux qui avaient réussi à se faire réformer, c'était « inapte pour raisons psychologiques ». Psychologiquement inaptes… bon sang, oui ! *Effectivement*, on n'était psychologiquement pas aptes pour partir à la guerre. Ne restait plus qu'à le leur prouver en nous faisant réformer avec la magnifique mention 1Y, pour instabilité mentale.

La recette fut la suivante :

ÉTAPE 1 : Rendre un formulaire bordélique. Leur faire savoir qu'ils tentent d'intégrer dans l'armée un cinglé pathologique qui pisse au lit, un drogué, un homosexuel, à peine capable d'écrire son nom.

ÉTAPE 2 : Faire en sorte qu'ils y croient. Jouer le gars qui bredouille, bafouille, baragouine un charabia inaudible, le taré sous STP, LSD et tout ce que vous pouvez trouver, du genre rien-à-foutre-des-ordres – un hippie marginal qui présente une menace pour le moral des troupes, réfractaire à la discipline, qui causera bien plus d'ennuis sous les drapeaux qu'ailleurs, une recrue qui ne vaut pas un clou, virez-moi-ce-guignol.

ÉTAPE 3 : Auparavant, s'assurer d'avoir eu un accident de moto suffisamment grave pour avoir provoqué un vrai traumatisme crânien, faisant de vous un élément médicalement à risque sur le champ de bataille. Vous remplissez cette partie du formulaire en y mettant tout votre cœur, vous rentrez chez vous et vous recevez un avis comme quoi vous êtes 4F – physiquement inapte au service militaire. (J'ai tout essayé et, finalement, tel a été le verdict.)

Le matin des trois jours, un car nous a emmenés à Newark, avec pour l'essentiel des jeunes Blacks d'Asbury Park. Presque tout le monde avait un plan. J'étais assis à côté d'un blouson doré blondinet, joueur de football américain, coincé dans un plâtre qui lui prenait un quart du corps, lequel, me confia-t-il, était totalement bidon. Il y avait certains conseils de révision où ces pitreries ne seraient pas passées ; dans le Sud en particulier, on vous aurait envoyé directement au camp d'entraînement. Mais Newark avait la réputation d'être un des centres les moins sévères de tout le pays. J'imagine que c'était vrai. Un pourcentage étonnant des gars qui se trouvaient dans le bus ont été réformés après avoir mis en pratique une variante de la fameuse combine en trois étapes. À la fin de la journée, tous ceux qui avaient rendu fous les militaires de l'US Army arrivaient à une petite table au bout d'un long couloir vide. Le jeune soldat qui y était assis vous regardait avec la tête de celui qui va vous annoncer la pire nouvelle de votre vie. « Je suis au regret de vous faire savoir que vous avez été jugé inapte au service militaire. » Il regardait la paperasse qu'il avait sous les yeux, il ajoutait : « Mais vous pouvez aller voir au bureau d'à côté si vous souhaitez tout de même vous engager pour un service volontaire. » Ce bureau-là était bien vide. Pour vous remercier d'avoir joué le jeu et fait le déplacement, on vous remettait alors un ticket qui vous donnait droit à un repas gratuit, dans une sorte de cantine, deux rues plus loin. On s'y est tous précipités ventre à terre, super heureux. On est entrés dans un charmant *diner* éclairé par la lumière du soleil où on a été accueillis comme des cousins millionnaires perdus de vue. Puis on nous a conduits à une salle humide en sous-sol. Là, à une grande table en bois dur empestant le moisi, en compagnie de mes camarades planqués, j'ai fait à la fois l'un des pires et des meilleurs repas de ma vie.

Le retour en bus fut un chahut sans nom. Les rues estivales de Newark grouillaient d'adorables jeunes Noires et mes frangins d'Asbury Park leur ont bien fait savoir qu'elles ne les laissaient pas indifférents. Pour beaucoup d'appelés, peu d'élus. Les portes du bus se sont ouvertes à la gare d'Asbury Park, et trois réformés sont descendus : Mad Dog, Little Vinnie et moi. On était libérés de nos obligations militaires, on était indemnes, la vie s'ouvrait à nous. Comme le bus repartait, la rue est devenue silencieuse. On avait passé trois pleines journées ensemble. On s'est regardés, vidés, on s'est serré la main et chacun est reparti de son côté.

Je me sentais soulagé et en même temps, j'avais envie de pleurer. J'ai fait en stop les vingt-cinq kilomètres jusqu'à Freehold. Après des jours sans dormir et presque sans manger, épuisé, sur les nerfs, je suis arrivé par le perron de derrière, je suis entré par la cuisine et je me suis approché de mon père. J'ai demandé à ma mère de venir, et j'ai annoncé à mes parents d'où je venais. Je leur ai dit que je leur avais caché la vérité pour ne pas qu'ils s'inquiètent et aussi parce que j'avais honte de leur avouer que mes grands projets musicaux avec George à New York n'avaient rien donné. En apprenant que je venais de me faire réformer, mon père, qui lâchait souvent d'un ton dédaigneux : « J'ai hâte que l'armée s'occupe de toi, tiens », a fait tomber d'une pichenette sa cendre de cigarette, tiré une autre bouffée, puis il a soufflé lentement la fumée et a marmonné : « C'est bien. »

En vieillissant, je me suis parfois demandé qui était parti sous les drapeaux à ma place. Il y a bien eu quelqu'un. Quel destin a-t-il eu ? Est-ce qu'il s'en est tiré ? Je ne le saurai jamais. Plus tard, quand j'ai rencontré Ron Kovic, l'auteur de *Né un 4 juillet*, ou Bobby Muller, un des fondateurs de Vietnam Veterans of America, deux hommes qui sont allés au combat, se sont sacrifiés et sont revenus en chaise roulante, des types qui ont ensuite résolument milité contre la guerre, je me suis senti une vraie responsabilité et une forte connivence. Peut-être était-ce encore une dose de la culpabilité du survivant, ou était-ce juste l'expérience de toute une génération ayant survécu à une guerre qui n'a épargné personne. Ce sont des gars du New Jersey comme eux qui sont allés se battre à ma place. Tout ce que je sais, c'est que lorsque je lis les noms de mes amis sur le mur de Washington DC, je suis content que le mien n'y figure pas, et que ceux de Little Vinnie et Mad Dog n'y figurent pas non plus.

SEIZE
L'UPSTAGE CLUB

La cinquantaine, poivre et sel, barbichette et panse proéminente arborant une ceinture de pirate, bohème et assez préoccupé par le sexe, Tom Potter avait ouvert et gérait le club musical le plus étrange que j'aie jamais vu. Sa femme, Margaret, une esthéticienne à la coupe pixie, sexuellement ambiguë, était chanteuse et guitariste du groupe Margaret and the Distractions. Elle avait un côté jeune mec et je n'ai réalisé qu'elle était une femme que lorsque j'ai vu un petit téton rond sortir de son tee-shirt et se poser sur le bord supérieur de sa guitare Telecaster tandis qu'elle gémissait « Mony Mony » de Tommy James dans la salle du haut de l'Upstage Club. Jamais je n'ai recroisé un assemblage mari-femme plus fabuleusement incongru.

Du crépuscule à l'aube, de vingt heures à cinq heures du matin : tels étaient les horaires de l'Upstage Club sur Cookman Avenue à Asbury Park. Tom fermait la boîte de minuit à une heure, le temps de passer un bon coup de balai, de sortir les ordures et de se préparer pour le reste de la nuit. Ce lieu sans alcool et – théoriquement – sans drogues fut un paradis unique pour les noctambules du Shore de la fin des années 1960. Le club avait deux niveaux : à l'étage la salle réservée aux jam-sessions, en bas le café, avec une déco démente réalisée par Tom lui-même – essentiellement à base de tonnes de peinture luminescente et noire, avec une sirène en papier mâché fluo qui surgissait du plafond. Dans l'enceinte du club, Tom, une sorte d'artiste beatnik autodidacte, régnait en dictateur, en grand manitou, en big boss, qui laissait libre cours à ses impulsions. C'était un type braillard à la voix forte, du style je-vais-te-faire-descendre-l'escalier-sur-la-peau-du-cul-et-te-sortir-d'ici-vite-fait, très rigolo s'il vous avait à la bonne. Très pénible sinon.

Asbury Park n'était pas mon secteur, même si j'y étais venu en visite dans les années 1950 avec mes parents, certains week-ends des vacances. À la fin des années 1960, la splendeur victorienne des lieux s'était estompée pour faire place à une station balnéaire plutôt prolétaire. L'avantage de ce déclin c'est qu'Asbury était devenue une ville plus ouverte. Des bars gays jouxtaient de vieux troquets à l'ancienne et, avant que les émeutes raciales n'éclatent, il y avait un petit côté tout-est-possible. Avec les Castiles on n'avait jamais joué par ici. Ocean Avenue, c'était uniquement des bars et des cafés de plage réservés à la clientèle de plus de vingt et un ans, autorisée à boire – mais on pouvait trouver pour pas cher de fausses pièces d'identité –, et on se serait cru en Floride, dans une réplique de Fort Lauderdale, version prolo et décatie.

La première fois que je suis entré à l'Upstage, personne n'avait jamais entendu parler de moi, personne ne m'avait jamais vu ni entendu jouer. On m'avait dit qu'il y avait moyen d'y faire un bœuf. Outre des horaires étranges, le coup de génie de Tom Potter c'était qu'au bout d'une salle tout en longueur, deux étages au-dessus d'un marchand de chaussures, il avait lui-même construit une petite scène et tapissé le mur du fond d'enceintes dix, douze et quinze pouces. Un véritable, impitoyable et solide « mur de son ». Les têtes d'ampli étaient incrustées dans un petit meuble à vos pieds, si bien que vous n'aviez qu'à apporter votre guitare, vous accroupir et vous brancher. Inutile de se trimbaler autre chose que votre instrument. Cette innovation technique a fait du lieu la Mecque des musiciens de la scène du Shore. Tout groupe qui venait jouer dans le circuit des clubs du Top 40 du New Jersey finissait à l'Upstage : les gars y jouaient jusqu'à l'aube la musique qu'ils aimaient vraiment. L'été, à trois heures du matin, les gens faisaient la queue à l'extérieur pour entrer. C'était une plaque tournante formidable pour les musiciens.

Le premier week-end où j'y suis allé, j'ai vu Dan Federici et Vini Lopez dans un groupe dont Bill Chinnock était le chanteur : le Downtown Tangiers Rock and Roll, Rhythm and Blues Band. Le club était une étuve, un sauna bondé de corps moites, et j'ai immédiatement su que je venais de trouver mon nouveau QG. Quelques semaines plus tard, j'y suis retourné avec ma guitare (thème musical : *Le Bon, la Brute et le Truand*). J'ai attendu. Le club n'était pas encore plein. Quelqu'un m'avait dit qu'il fallait réserver auprès de Tom Potter un créneau pour jammer. Comme on réserve une table de billard. On inscrivait votre nom sur une liste et, disons, de deux à deux heures et demie, c'était à vous de jouer si vous trouviez des musiciens pour monter sur scène avec vous. Lorsque ça a été mon heure, le batteur et le bassiste qui avaient joué juste avant ont bien voulu m'accompagner pendant la demi-heure suivante. J'ai branché ma guitare dans le mur sonore de Tom, je me suis reculé et j'ai attaqué direct avec « Rock Me, Baby », en mettant tout ce que j'avais. Avec tous les effets et l'ingéniosité que je pouvais mobiliser à la guitare du haut de mes dix-huit ans, j'en ai écaillé la peinture ! J'avais déjà une sacrée expérience scénique, mais à Asbury j'étais l'Inconnu, un parfait étranger en train de mettre le feu au club. J'ai regardé les gens se redresser sur leurs sièges, s'avancer et commencer à être plus attentifs. J'ai vu deux gars tirer deux chaises au milieu de la piste de danse et s'installer, bras croisés, l'air de dire : « Vas-y, envoie », et pour envoyer, j'ai envoyé ! Le mur d'enceintes dément vibrait tellement que j'ai eu l'impression que le club allait s'effondrer et qu'on allait tous se retrouver au rez-de-chaussée, dans le magasin de chaussures. Et après cet Armageddon de trente minutes enflammées, je suis sorti de scène.

Je me suis fait quelques nouveaux amis ce soir-là. Les deux gars sur leurs chaises étaient Garry Tallent et Southside Johnny ; en bas, dans le bureau de Tom Potter, j'ai discuté pour la première fois avec un type au visage constellé de taches de rousseur, Danny Federici. Il m'a présenté à sa femme, Flo, mêmes taches de son sur la figure et perruque blonde bouffante. Danny venait de Flemington, New Jersey, c'était déjà le type nonchalant et ahuri au chevet duquel je me tiendrais, après maintes aventures, quarante ans plus tard, lorsqu'il serait sur son lit de mort. En tout cas, ce soir-là, j'ai cartonné. Il y avait beaucoup de très bons guitaristes à Asbury Park – Billy Ryan était un vrai maître du blues ; Ricky Disarno maîtrisait tout Clapton. Ils avaient une excellente technique et une grande dextérité, mais la présence scénique, le chant et l'assurance que m'avait donnés mon expérience avec les Castiles me plaçaient en tête de la meute. J'alpaguais les gens, et je jouais de la guitare comme un démon, les forçant à réagir.

Je n'ai pas tardé à tomber sur Vincent Lopez au rez-de-chaussée, dans la salle qui faisait café. La boule presque à zéro, il a éprouvé le besoin de m'expliquer son look (il sortait de prison) puis m'a demandé si ça m'intéressait d'intégrer son groupe, Speed Limit 25. J'étais libre comme l'air à l'époque, et puis Speed Limit avait bonne réputation à Asbury Park et gagnait de l'argent. Pas négligeable. Comme la scène d'Asbury me plaisait bien, j'ai répondu : « D'accord, voyons voir ce que ça donne. » Quelques répétitions avec les autres membres du groupe n'ont pas donné grand-chose, alors Vini et moi avons décidé de monter un projet à nous : Vini connaissait Danny de Downtown Tangiers, et on s'est donc tous retrouvés, avec le bassiste Little Vinnie Roslin, des Motifs, dans une baraque sur Bay Avenue à Highlands, New Jersey, et on s'est mis au boulot. D'abord sous le nom de Child, puis de Steel Mill, puis du Bruce Springsteen Band, voilà comment s'est constitué le noyau du E Street Band original.

L'existence d'un club tel que l'Upstage était providentielle pour toute la scène musicale locale. J'y ai fait venir Steve Van Zandt. Lui aussi les a médusés. Steve et moi on était les meilleurs chanteurs lead guitaristes du coin et notre présence dans le club a suscité l'émergence de nombreux groupes qui allaient marquer la vie musicale d'Asbury Park. Avec Big Bad Bobby Williams, un batteur catégorie tremblement de terre de cent trente kilos, et Southside Johnny, Steve a lancé le Sundance Blues Band. Steve et Johnny étaient à fond dans le blues, ils ont monté un combo puissant qui a joué sur tout le Shore. Originaire d'Ocean Grove, un bastion méthodiste non loin d'Asbury Park, Southside Johnny était notre roi local du blues, d'où son surnom de « Southside » (le blues étant né au sud du pays). C'était un intello refoulé, un grincheux au cœur tendre, un sentimental légèrement perturbé, mais il était incollable sur les artistes blues et soul, leurs carrières et leurs enregistrements. Issu d'une famille très pointue en musique (ils avaient une méga-collection de disques), il avait grandi avec le R&B et la soul. Tous, on se retrouvait à l'Upstage Club.

Pionniers

À la maison, mon père a finalement décidé qu'il en avait assez. La ville et sa maladie lui rendaient la vie insupportable. Il irait tenter sa chance en Californie. Il aurait voulu qu'on le suive tous, mais il se disait prêt à partir seul s'il le fallait. On ne verrait plus Doug Springsteen traînasser dans les rues de Freehold. Ma sœur Virginia voulait s'installer à Lakewood avec sa nouvelle famille. Moi j'ai décidé de rester à Freehold où je pourrais me débrouiller grâce à ma réputation grandissante parmi les groupes de bars.

Six mois plus tard, en 1969, à l'âge de dix-neuf ans, je regardais partir mes parents et ma petite sœur Pam dans la voiture familiale, une Rambler 1960 dans laquelle ils avaient entassé tous leurs biens. Ils emportaient avec eux trois mille dollars, la totalité de leur fortune. Ils ont passé une nuit dans un motel et deux nuits dans la voiture, parcourant cinq mille kilomètres comme des travailleurs migrants de la côte Est en route pour la terre promise dont rêvait mon père. À l'exception de mon père pendant la guerre, aucun d'entre nous n'avait jamais vécu ailleurs que dans le Central Jersey. Notre unique source d'informations sur la côte Ouest était une de mes amies hippies qui avait dit à mes parents d'aller à Sausalito, une ville attrape-touristes faussement artiste, près de San Francisco. Arrivés là, ils se sont rendu compte que ça n'était pas pour eux. D'après ma mère, ils se sont arrêtés dans une station-service et ont demandé au pompiste : « Ils habitent où, les gens comme nous ? » Le pompiste aurait répondu : « Pour vous, c'est la péninsule », et durant les trente ans qui ont suivi, c'est là qu'ils ont habité. Ils ont refait leur vie à San Mateo dans un petit appartement.

Quand mon père a annoncé son projet de partir pour la Californie, ma sœur Virginia avait dix-sept ans et un nouveau-né, elle était incapable de faire griller un toast et avait épousé depuis peu un casse-cou bagarreur. Moi je vivais avec vingt dollars par semaine, que je gagnais avec mes concerts. Si on choisissait de rester, il faudrait qu'on se débrouille par nous-mêmes. C'est son plus grand regret et la seule chose pour laquelle ma mère éprouve encore de la culpabilité. N'empêche qu'ils sont partis, emmenant ma petite sœur avec eux. Mon père et ma mère étaient unis par un lien inouï. Ils avaient passé un accord bien longtemps auparavant : elle avait son homme, un homme qui jamais ne voudrait la quitter, et lui avait sa femme, une femme qui jamais ne pourrait le quitter. Et ces règles-là étaient plus fortes que tout, plus fortes même que l'amour maternel. S'il fallait partir, eh bien ils partiraient ensemble. Jamais ils ne seraient séparés. Ça avait commencé ainsi, et c'est ainsi que ça s'achèverait. Point barre. Mon père était capable d'attiser chez ma mère, une femme économe et altruiste, une ambivalence à propos de la famille. Sur ce terreau peu charitable se nouent régulièrement des couples improbables. Ils avaient envie qu'on s'en aille avec eux, ils nous ont demandé de les accompagner. Mais eux ne pouvaient pas *rester*.

Et donc on a fait face. Ma sœur est partie pour « Cowtown », l'arrière-pays du South Jersey – et moi, j'ai fait comme si rien de tout ça n'avait grande importance. C'était chacun pour soi – maintenant et à jamais. Affaire entendue. D'un côté j'étais franchement content pour eux, pour mon père. Tire-toi, p'pa ! Dégage de ce trou à rats. Ce bled qui n'a rien apporté de vraiment bon à aucun d'entre nous. Pars en courant s'il le faut. Est-ce que ça peut vraiment être pire ailleurs ? Quelles qu'aient été leurs motivations, sensées ou démentes, qu'ils se soient enfuis ou au contraire soient partis en quête d'autre chose, il a fallu du cran et cet aiguillon de la dernière chance qui fait qu'on croit au lendemain. Je ne pouvais tout simplement pas en vouloir à mon père. Je lui souhaitais que ça se passe bien. Il laisserait derrière lui ce qu'il devait laisser derrière lui. Même si c'étaient ses enfants, même si c'étaient nous ! Ma sœur Virginia, qui vivait une période plus délicate avec ce bébé qui arrivait et cette nouvelle existence qui l'attendait, en a souffert davantage, bien davantage, et je la comprends. Au final, si j'ai eu sur le coup du mal à digérer, j'ai tourné la page et à la vérité, tout ce que je me rappelle c'est surtout mon excitation à la perspective de me retrouver seul. À dix-neuf ans, en fait, j'avais déjà largué les amarres. J'étais dans un autre monde. Et dans cet autre monde, eh bien… il n'y avait pas de parents, pas de maison, que des rêves et de la musique ; comme dans la chanson « Quarter to Three », l'horloge était bloquée, bloquée à jamais sur « trois heures moins le quart ». Les Springsteen de Freehold, New Jersey, étaient devenus une diaspora. Notre foyer n'existait plus.

Vini, Danny et moi, on a repris le bail de l'ancienne maison familiale. Ma deuxième famille succédait à la première. Environ une semaine plus tard nous rejoignait une femme très corpulente et charmante qui se faisait appeler Fat Pat. Elle était dans une mauvaise passe et avait besoin d'être hébergée « pour un petit moment », c'est comme ça qu'elle est entrée dans la famille de Danny. Danny et Flo attendaient un petit Jason. Fat Pat allait bientôt devenir nounou et une seconde maman pour le premier bébé du E Street. Aucun de nous n'avait encore vingt ans. Ajoutez au tableau Bingo, un corniaud déchaîné qui chiait partout et mettait un bordel pas possible dans la maison, et vous comprendrez qu'il n'a pas fallu longtemps pour que ce soit l'apocalypse.

Ce qui avait été mon foyer familial pendant sept ans s'est très vite transformé en une communauté étudiante hippie. La cuisine dont mon père avait fait son sanctuaire était maintenant le QG où se tenaient les réunions de groupe ; la vaisselle sale s'empilait jusqu'à des hauteurs improbables, des boîtes de céréales à moitié vides traînaient partout, bref un boxon quotidien. La chambre où ma grand-mère adorée était morte avait été transformée en « salle radio ». Danny, grand amateur de gadgets, était fan de CB. Pour ceux qui l'ignorent, c'était un système de communication utilisé pour l'essentiel par les routiers afin de signaler aux collègues la localisation des *smokies* (les motards de la police routière), repérer les « pregnant roller skates » (littéralement patins à roulettes enceints), c'est-à-dire les Coccinelle Volkswagen, et envoyer un 10-4 (affirmatif) à tous ceux qui étaient dans un rayon suffisant pour capter. Il existait de gros systèmes à domicile permettant d'échanger avec d'autres solitaires bricolo-folklos dans une zone assez large autour de chez vous. Danny et Mad Dog passaient des heures à discuter avec des mecs de la campagne amateurs de CB. Ces braves types ignoraient qu'ils étaient en communication avec une maison de tarés en plein délire… jusqu'à ce que des amitiés invisibles se nouent, des rendez-vous à l'aveuglette s'organisent, des invitations soient lancées. Et bientôt des tas de fondus de CB venus du fin fond du comté de Monmouth sont venus frapper à notre porte. Ils étaient sidérés en entrant de se rendre compte qu'ils avaient sympathisé à distance avec une tripotée d'hurluberlus hirsutes, ce qui a donné lieu à des soirées bizarres et hilarantes d'échanges interculturels dans la vieille salle de séjour de mes parents (en fin de compte, le lien créé par la CB permettait souvent de passer outre les différences de classes).

Pour se consacrer à la CB, il fallait une grande antenne, de préférence placée en hauteur. Comme Vini et Danny voulaient toucher le contingent le plus large possible de non-initiés, aussi improbables soient-ils, ils sont montés sur le toit de la maison, cassant au passage des fenêtres qui ne seraient pas remplacées et attirant l'attention du voisinage, pour tenter de fixer un bidule qui donnait l'impression qu'on cherchait à communiquer avec des extraterrestres au-delà des anneaux de Saturne. Le dispositif fonctionnait bien et de drôles de zigues venaient frapper à notre porte à toute heure du jour et de la nuit.

À cette période, Vini Mad Dog piquait des crises épiques et soignait déjà à fond son image de « chien fou ». Au cours d'une dispute avec Danny – pour une histoire de droits de radiodiffusion ? de temps d'antenne ? Allez savoir – il a jeté un carton de lait qui est allé exploser contre la porte du frigo. Puis une bagarre a éclaté entre Vini et Shelly, un de nos éphémères locataires, dans l'allée du garage et j'ai dû les séparer sous les yeux de mes voisins de toujours. Finalement, tout le voisinage en a eu marre et, un beau jour, le propriétaire est venu frapper à notre porte ; il nous a expliqué qu'il devait fermer la maison pour « rénovation ». En clair, on était priés de partir. J'y avais passé sept ans avec ma famille. Nous, on avait tenu exactement un mois.

Un soir tard, on a donc fourré toutes nos affaires dans le camion à plateau des années 1940 de notre manager Carl West, dit Tinker, on a posé par-dessus tout ça le canapé de la salle de séjour et on est sortis très lentement de l'allée du garage. Des policiers municipaux ont alors failli contrecarrer le brillant avenir qui nous attendait en nous expliquant qu'un décret interdisait les déménagements la nuit. On a haussé les épaules et ils nous ont regardés déguerpir, probablement bien contents d'être débarrassés de nous. C'était une soirée superbe, douce ; installé sur le vieux canapé, j'admirais les arbres et les étoiles qui défilaient au-dessus de moi, saisi d'une sensation magnifique. Je filais dans les rues de mon enfance, je n'étais plus un triste personnage de mon histoire ou de l'histoire de ma petite ville, je n'étais qu'un observateur de passage, impassible. J'étais frappé par la douce odeur nocturne du chèvrefeuille et j'ai repensé au trésor des bosquets de chèvrefeuille qui poussaient derrière le couvent : on se retrouvait là, ma bande de copains et moi, les monotones après-midi d'été, pour suçoter le jus sucré des petites fleurs. À présent je me sentais grisé par la liberté de ma jeunesse et ma capacité à quitter quelque chose, grisé par mon indifférence nouvelle à l'égard d'un endroit que j'aimais et que je détestais à la fois, où j'avais connu tant de réconfort et tant de souffrances. Tandis que le camion de Tinker glissait dans ces rues qui dissimulaient encore tant de mystères, j'ai éprouvé un sentiment de légèreté, comme si je me détachais du passé, et une étincelle de mon moi futur s'est mise à briller. Ça… tout ça – ma ville, mon héritage familial –, c'était pour l'instant terminé. J'avais dix-neuf ans ; mes parents, injoignables, étaient à des milliers de kilomètres, avec ma petite sœur chérie. Mon autre sœur, la superbe Virginia, s'était repliée au sud de la Route 9, prise par une vie d'adulte que je ne comprenais que très peu et avec laquelle je n'aurais pas de contact avant un bon moment.

Par la suite, j'allais revenir très souvent dans ces rues, y circuler lors d'après-midi ensoleillés d'automne, de soirées d'hiver ou tard certaines nuits d'été, au volant de ma voiture. Je descendais Main Street après minuit, à observer, à attendre que quelque chose bouge. À passer devant des chambres à l'éclairage chaleureux en me demandant laquelle était la mienne. Je poursuivais ma route en longeant la caserne des pompiers, la salle du tribunal vide, l'immeuble de bureaux plongé dans l'obscurité où ma mère avait travaillé, la fabrique de tapis abandonnée, puis Institute Street jusqu'à l'usine Nescafé et le terrain de base-ball, mon hêtre pourpre, toujours debout, dominant l'espace, désormais vide, où se trouvait jadis la maison de mes grands-parents, puis le monument commémoratif aux croix blanches de nos héros tombés à la guerre, à l'extrémité de la ville, et plus loin mes morts au cimetière Sainte-Rose-de-Lima – ma grand-mère, mon grand-père et ma tante Virginia –, puis je repartais dans le noir total par les petites routes du comté de Monmouth. J'ai visité ces lieux encore plus souvent en rêve, je montais sur le porche de la maison de ma grand-mère, j'entrais dans le vestibule, le séjour où parfois mes parents et elle attendaient, alors que d'autres nuits c'était le néant, des chambres vides. J'essayais de sonder, de reconstituer, de comprendre ce qui s'était passé et quelles conséquences cela avait pu avoir sur ma vie actuelle. J'y suis revenu tant de fois, en rêve et hors des rêves, à attendre une nouvelle fin à un livre écrit il y a bien longtemps. J'ai avalé les kilomètres comme si c'étaient eux qui pouvaient réparer les dégâts, écrire une histoire différente, obliger ces rues à livrer leurs secrets si bien gardés. Ce qui était impossible. J'étais le seul à pouvoir faire ça, et j'étais loin d'être prêt. J'allais passer ma vie sur la route à m'enquiller des milliers et des milliers de kilomètres et mon histoire serait toujours la même… L'homme arrive en ville, fait tout péter ; l'homme quitte la ville, sa voiture s'enfonce dans le soir ; fondu au noir. Exactement comme j'aime.

Du perchoir de mon canapé juché sur le camion, je nous ai vus sortir de la ville, tourner à gauche sur la 33, prendre de la vitesse et filer vers la brise de l'océan et les libertés nouvelles du Shore. La nuit chaude sifflait à mes oreilles, je me sentais merveilleusement bien, dangereusement à la dérive, jubilant au point d'en avoir le vertige. Cette ville, ma ville, ne me quitterait jamais et je ne pourrais jamais complètement la quitter, mais plus jamais je n'habiterais Freehold.

DIX-SEPT

TINKER (SURFIN' SAFARI)

Carl Virgil West, alias Tinker, venait de Californie du Sud, avait fait des études d'ingénieur et, fan de surf, s'était retrouvé à travailler pour Challenger Western Surfboards. Arrivé sur la côte Est au début des années 1960, il avait ouvert Challenger Eastern Surfboards dans un bâtiment cubique, au milieu d'une zone industrielle sablonneuse et déserte. On l'appelait Tinker – le « bricolo » – parce qu'il était capable de réparer n'importe quoi. Il rafistolait, bidouillait et remontait absolument n'importe quel engin. Il était aussi du genre à se nourrir de sa chasse ou de sa pêche. Lorsque viendra le Vendredi noir et que l'apocalypse remettra la pendule à l'année zéro, vous n'aurez besoin que d'une seule personne à vos côtés : Tinker ! Je l'ai regardé sublimement remettre en état des voitures et des bateaux entièrement démontés, construire tout un système de chauffage dans le studio de son garage avec juste un tonneau et des canalisations, je l'ai vu concevoir et construire une sono qui allait nous suivre fidèlement sur la route pendant des années. À partir du moment où il passait la tête sous le capot, il était capable de faire redémarrer n'importe quel véhicule, pour aller n'importe où, tout en concoctant les plus chouettes planches de surf du Jersey Shore. Un génie misanthrope. Tinker avait la passion du travail. C'est les gens qu'il ne supportait pas. S'il vous voyait les bras ballants, pour lui, vous étiez un « incapable ». Il avait beau avoir une queue-de-cheval, venir du « Golden State », la Californie, et fumer un joint de temps en temps, Tinker avait pour la philosophie « relax » des hippies une tolérance proche de zéro. De dix ans plus âgé que nous tous, et en bien meilleure forme, il dirigeait sa boîte de planches de surf d'une main de maître, en grand *kahuna* qu'il était. Lorsque vous passiez le pas de sa porte et que vous lui soumettiez une affaire qui prendrait plus de trente secondes de son temps, il vous fourrait d'autorité un balai entre les mains en disant : « Rends-toi donc utile. » Et il ne plaisantait pas. Soit vous passiez le balai, soit vous preniez la porte.

Tinker ne surfait que les plus gros jours de septembre et d'octobre, et uniquement quand il y avait de la tempête, sur une vieille planche artisanale en balsa qui pesait une tonne. Il allait à pied jusqu'au bout de la jetée où d'énormes rouleaux venaient se fracasser, il lançait sa planche à l'eau, plongeait pour la rattraper, et décollait, glissant sur les plus grosses vagues jaillies des profondeurs dantesques de la côte Est. Nous, on était tous sur la plage, à l'admirer en secouant la tête… Sacré Tinker. Il nous préparait pour la révolution, nous faisait tirer à l'arc, porter et charger des pistolets à amorces ; le canon crachait une boule de feu et un éclair terrible quand on tirait dans le noir de notre petit terrain vague. Il disait : « Springsteen – il ne m'a jamais appelé autrement –, Springsteen, tu as les qualités requises, alors fais pas le con comme les autres crétins. » J'avais des qualités et, effectivement, il n'était pas question que je déconne. Pas de drogue, pas d'alcool, les filles… ouais, mais pas au risque de torpiller la musique… et si ça te va pas, dégage ! Pas question de gâcher des jours et des nuits. J'avais vu comment les choses pouvaient dégénérer et je n'avais aucune envie que ça m'arrive. Tinker et moi, on allait s'entendre.

J'ai rencontré Tinker à l'Upstage Club. Il est venu me voir un soir à la fin d'un set, il m'a dit que je jouais rudement bien et qu'il était en contact avec les Quicksilver Messenger Service à San Francisco. Il connaissait James Cotton, le grand bluesman, et croyait savoir que Janis Joplin cherchait un guitariste ; il y avait peut-être moyen que je postule pour son nouveau groupe. Tout ça s'est révélé vrai. Il disposait d'une salle vide dans son bâtiment où on pourrait répéter, et s'il pouvait m'être utile, que je n'hésite pas à aller le voir. C'était un type qui avait un métier, quelques contacts, une assise financière, une personnalité vigoureuse et il s'intéressait à moi. J'étais toujours preneur lorsque se présentait un père de substitution qui m'encourageait à persévérer, alors je me suis accroché à Tinker. Il adorait la musique et savait reconnaître quelqu'un de doué. La seule chose pour laquelle il se montrait indulgent, c'était le talent.

En quittant Freehold, on s'est d'abord installés à Bradley Beach, à quelques rues de l'océan. J'ai passé un été et un automne idylliques à surfer, et Jason Federici, le premier bébé E Street, est né. On était encore des ados. Et les grands gosses qu'on était allaient s'occuper de cet enfant. On l'a tous entouré et traité comme le petit prince qu'il était. Le groupe s'est installé en résidence artistique au fond de la fabrique de planches de surf, dans la salle en béton que Tinker n'utilisait pas, et dont on a fait notre espace de répétition. À Bradley, malheureusement, c'était chaque fois la catastrophe au moment de payer le loyer. Mad Dog et moi, on n'a pas tardé à élire domicile dans le bâtiment (pas de loyer à payer !). Vini dormait sur un matelas dans la salle de bain, la tête à cinq centimètres des toilettes qui gargouillaient. Moi, je dormais dans la suite du maître, trois mètres plus loin, mon matelas dans un coin, celui de Tinker dans un autre, à côté d'un frigo et d'une télé. Au fil des années suivantes, j'allais inhaler assez de fibre de verre pour mettre K-O les cellules cérébrales d'une centaine de gaillards. On était un peu à l'étroit dans nos quartiers, Tinker et moi, notamment quand on recevait nos copines. Promiscuité maximum, intimité zéro. On baisait vite fait et ce n'était pas toujours joli-joli… dans la fabrique de planches de surf, sur le sol en béton, ou à l'extérieur contre un mur de brique, ou dans une pièce tout près d'un autre couple en rut, ou encore – ultime espoir – sur la banquette arrière d'une voiture abandonnée, dans un renfoncement terreux de la zone industrielle. Ce n'était pas le grand confort, mais on se débrouillait.

Vini Lopez a appris à façonner et effiler les nouvelles *shortboards* de Tinker qui fuseraient comme l'éclair sur le ressac trouble du New Jersey. Il finissait de bosser couvert de la tête aux pieds de poudre de fibre de verre, puis il retirait son masque chirurgical et passait dans la salle d'à côté pour la répète du groupe. En cette fin des années 1960, on s'appelait Child et on jouait dans les bars et les boîtes du Shore des titres originaux et quelques reprises. Et c'est tout simplement parce qu'on était bons qu'on trouvait des dates. Le Shore, du nord au sud, était encore le fief des groupes qui reprenaient les succès du Top 40. Il fallait jouer les hits, on n'y coupait pas. On en avait quelques-uns à notre répertoire mais on faisait très peu de compromissions. Enflammer et divertir tout en restant carrés, c'est ça qui nous maintenait en vie.

Dans ma vie de jeune musicien, une vie de bohème que m'imposaient les circonstances, il n'y avait, comme je l'ai dit, ni drogue ni alcool. Un de mes anciens colocataires, un guitariste, mettrait un terme à sa déchéance en se tirant une balle dans la tête ; après une courte existence passée à ingérer des substances chimiques, il avait gâché son talent et fini clodo. J'avais trop vu de gens mentalement délabrés, à la ramasse, et qui ne reviendraient jamais à une vie normale. Alors m'empoisonner l'organisme avec des saloperies, même pas en rêve. J'avais besoin de contrôler ce qui se passait, j'avais besoin de ces limites qui avaient déjà tendance à trop facilement s'estomper. J'avais peur de moi, de ce que je risquais de m'infliger, de faire ou de ce qui risquait de m'arriver. J'avais déjà suffisamment connu le chaos pour ne pas avoir envie de mettre un pied en terre inconnue. Au fil de toutes ces années dans les bars, il n'y avait qu'un ivrogne méchamment allumé pour me faire sortir de mes gonds jusqu'à en venir aux poings. J'avais vu dans quel état se mettait mon père et ça me suffisait amplement. Prendre des stimulants pour m'aider à oublier ou trouver quelque chose ? La musique me défonçait bien assez.

Autour de moi il y avait d'un côté des potes qui touchaient à toutes les substances possibles et de l'autre mon beau-frère qui travaillait sur les chantiers et qui, à part critiquer les chevelus comme moi, n'avait pas la moindre expérience « sixties ». Toute sa vie, il est resté un homme des années 1950 (avec une tolérance bien supérieure). Moi j'étais un faux hippie (l'amour libre, ça m'allait), mais la contre-culture, par définition, se définissait en opposition à l'expérience conservatrice de prolo qui était la mienne. Je me sentais pris entre deux camps, et je ne collais tout à fait ni à l'un ni à l'autre, ou peut-être avais-je ma place dans les deux.

Le dernier des groupes de bars

Le Pandemonium, le tout nouveau club du Shore, avait ouvert à l'angle de Sunset Avenue et de la Route 35, donc juste en bas de la colline sur laquelle se trouvait la fabrique de planches de surf ; on pouvait y aller à pied. On jouait sur une petite scène, juste derrière le bar, seulement séparés des clients par un espace étroit où s'entassaient bouteilles d'alcool fort, réserves de glaçons, pompes à bière et serveurs. Le postérieur de la serveuse (un joli petit cul, ça faisait passer la soirée plus vite), le comptoir, les clients vissés à leur tabouret, les autres agglutinés debout autour du bar, quelques tables et la piste de danse, voilà le panorama qui s'offrait à nous.

Le Pandemonium n'avait pas de gros efforts à faire pour être à la hauteur de son nom. Il attirait une clientèle éclectique venue d'horizons divers, souvent incompatibles. Des routiers qui rentraient chez eux par la Route 35, des étudiants du Monmouth College, des *bennies*, ces touristes en goguette l'été sur le Shore pour le sable et le surf, des hippies attirés par la musique et des piliers de bar de tout acabit se mêlaient dans un cadre pseudo-chic. Pas mal de ces gens étaient sur des planètes culturelles différentes. Vous pouviez aller au Pandemonium pour écouter la musique, être félicité pour un concert que vous aviez donné dernièrement et vous faire emmerder pour la longueur de vos cheveux par un camionneur, un joueur de foot américain BCBG ou un petit mafieux en costard polyester débarqués de Long Branch. C'était habituellement cool… mais pas toujours.

Quand on joue dans un bar à quelques centimètres de la serveuse, on a un point de vue unique sur l'humanité et on assiste à de grands moments. Le schéma était assez souvent le même, seul le timing variait.

Femme + alcool + homme + alcool + deuxième homme
= bagarre.

Je ne sais combien de soirs j'ai été le témoin perplexe de la même scène, avec des variantes : les chaises volent, les coups de poing pleuvent, le sang coule, les femmes hurlent pour la forme et les videurs déboulent. Aussi prévisible qu'un orage qui se prépare. C'était comme ça que certaines nanas prenaient leur pied. Parfois, il y avait moyen de prévenir les videurs à temps et ils arrivaient à calmer les esprits avant la première mandale. Mais souvent ça démarrait de manière aussi soudaine qu'une bourrasque en été et ça se terminait tout aussi brutalement. Scène finale : les videurs sont essoufflés, les mecs ont la chemise trempée et déchirée, il y a des traces de sang un peu partout, la foule ahurie est rassemblée sur le parking sous la lumière des lampadaires, le fameux gyrophare du véhicule de police colore en rouge les visages muets, les flics emmènent les fêtards hirsutes. Circulez, y a rien à voir.

Un pas de géant pour l'humanité

Le 20 juillet 1969, le jour où l'homme a marché sur la lune, on donnait le premier d'une longue semaine de concerts. C'était une occasion en or pour nous et on avait intérêt à ce que ça se passe le mieux possible. Si on arrivait à être bookés régulièrement au Pandemonium, la question de notre survie au jour le jour serait en partie réglée. Du coup on pourrait se concentrer sur la compo, les répétitions et peut-être même enregistrer quelques chansons à nous. Le Pandemonium était géré par un certain Baldy Hushpuppies, un type d'âge moyen, persuadé d'être à la page, chauve – d'où Baldy – et toujours chaussé de Hush Puppies. Mais ce soir-là, il était absent et c'est son fils, Baldy Hushpuppies Junior, qui assurait la soirée. Il se trouve que le groupe devait attaquer son set exactement à l'heure où, pour la première fois, des hommes devaient se poser sur la lune, 10 h 56. Parmi la trentaine de personnes présentes, la moitié voulait qu'on démarre à l'heure habituelle, l'autre tenait à ce qu'on assiste solennellement à ce moment historique crucial. On se mettait à jouer, et une partie du public nous demandait de faire silence car l'instant de l'alunissage approchait ; on s'arrêtait, les autres se plaignaient qu'on ne joue pas.

On s'est finalement dit qu'on en avait rien à cirer de cette histoire d'hommes sur la lune, encore un « truc du pouvoir pour sidérer les masses » ; allez vous faire foutre, Armstrong, Aldrin et Collins, place au rock ! Mad Dog Lopez, Danny et moi on avait envie d'envoyer du lourd. Le bassiste Little Vinnie Roslin, lui, était contre : c'était un fan de technologie, un gars sensible, féru de science ; il nous a traités d'ignares débiles, incapables d'apprécier ce moment historique que nous vivions, puis il a détaché sa basse et est sorti de scène. Il avait raison, mais là, il avait passé les bornes. Il n'y avait qu'une petite télé noir et blanc pour suivre l'événement. Les clients pro-alunissage étaient agglutinés devant, hypnotisés par les images floues transmises à travers l'espace, à plus de trois cent quatre-vingt mille kilomètres de distance. Les partisans du rien-à-cirer-de-l'alunissage étaient juste devant nous, à bouillir sur place.

Finalement, Mad Dog en a eu marre. Il a hurlé dans son micro : « Si quelqu'un n'éteint pas cette putain de télé, je me charge de la latter. » En entendant cette déclaration de guerre, Baldy Hushpuppies Junior s'est empressé de faire le tour du bar pour expliquer à Vini que c'était *sa* télé et qu'il avait intérêt à fermer sa gueule, sinon on allait tous se retrouver dehors sur le cul. Ce n'est pas comme ça qu'on s'adresse à Vini, ça ne lui a jamais plu qu'on lui parle sur ce ton. Vêtu ce soir-là d'une excentrique tunique chinoise et rien d'autre, il s'est levé pour se friter avec BH Junior. On a été virés sur-le-champ. Six soirs bien payés, à deux pas de chez nous, nous passaient sous le nez, comme aspirés sous la tunique de Vini. On a remonté la côte à pied, dégoûtés, en imposant un silence de pénitence à celui qui avait fait foirer tout notre plan. De toute façon, on ne pouvait plus continuer à tourner sur le circuit des bars du Shore. Le business des concerts nous attendait.

DIX-HUIT
STEEL MILL

Quand on a appris qu'une autre formation avait déjà déposé le nom de Child on a organisé un brainstorming un soir à l'Inkwell Coffee House, dans le West End de Long Branch, New Jersey, pour trouver comment baptiser notre groupe. L'Inkwell était une institution du coin où les chevelus étaient bienvenus, à une rue du front de mer de Long Branch. Joe Inkwell, le patron, avait un tempérament de SS ; il vous aurait dépecé sur-le-champ si vous l'aviez regardé de travers. Mais on s'entendait bien, lui et moi, et son troquet était un havre de paix pour les couche-tard de tout poil. Il était aménagé dans un esprit complètement Beat Generation : on pouvait y commander un cheeseburger, flirter avec les serveuses en blue jean et justaucorps noir et passer un peu de temps dans un environnement où l'on pouvait raisonnablement s'estimer à l'abri, protégé, sauf peut-être du proprio. Pour en revenir à notre nom, il me semble que c'est Mad Dog qui a proposé Steel Mill. Ça correspondait à la direction qu'on prenait : un rock lourd, populaire, à base de grosses guitares, influencé par le son du Sud. En ajoutant à notre répertoire une dose de rock progressif, plus tous nos titres originaux, ça donnait STEEL MILL (aciérie)… vous voyez, l'*acier*, STEEL, de même qu'on entendait le *plomb* (LEAD) chez LED ZEPPELIN… du rock primal, torse nu, de métal brut.

On s'est mis à donner de longs concerts avec la grosse guitare en avant et le public a commencé à affluer, à sacrément affluer. D'abord des centaines de personnes, puis des milliers ont répondu présent à nos shows impromptus dans les parcs, à l'arsenal local, sur la grande pelouse ou dans le gymnase de l'université de Monmouth – dans n'importe quel lieu susceptible d'accueillir notre tribu de plus en plus étendue. On est devenus un truc que les gens voulaient voir. Sur scène, c'était du cash et nos chansons étaient assez mémorables pour que le public ait envie de revenir, de les réécouter, de retenir les paroles et de chanter les refrains en chœur. On a commencé à avoir de vrais fans et à les garder.

Tinker nous a emmenés à l'université de Richmond, en Virginie, où il avait quelques contacts. On a donné un concert gratuit dans le parc, histoire que les gens du coin aient une idée de ce qu'on faisait, puis on a été programmés sur le campus. On est devenus incroyablement populaires à Richmond, attirant deux à trois mille spectateurs à chaque concert, alors qu'on n'avait même pas d'album. Nos incantations vaudoues faisaient leur effet au-delà du Garden State ! On a joué en première partie de Grand Funk Railroad à Bricktown, New Jersey, où on a mis le feu, puis on a filé vers le sud pour la première partie de Chicago, Iron Butterfly et finalement de Ike et Tina Turner au mémorial de la guerre de Virginie. Richmond est assez rapidement devenue notre deuxième chez-nous. Il y avait désormais deux villes où on pouvait jouer tous les trimestres ; à raison d'un dollar l'entrée, on revenait à la maison avec des milliers de dollars qui nous permettaient de tenir pendant les périodes de vaches maigres. Le truc, c'est qu'on ne pouvait pas jouer trop souvent au même endroit, et des endroits où ça marchait, on n'en avait que deux ! S'y produire une fois tous les quatre mois, ça faisait déjà beaucoup. On était maintenant trop gros pour les bars, trop petits pour les grandes salles, et donc bizarrement victimes de notre succès local. Des milliers de personnes venaient à nos concerts, mais pour que le public ne se lasse pas et pour ne pas nous dévaluer, il ne fallait pas jouer trop souvent non plus. On a prospecté ailleurs, on a joué en première partie de Roy Orbison à Nashville, Tennessee, à Chapel Hill, en Caroline du Nord, mais c'est grâce à nos fans du New Jersey et de Virginie qu'on pouvait continuer à se payer nos sandwichs mixtes et nos cheeseburgers. Les longues semaines entre les concerts nous laissaient beaucoup de temps pour répéter, nous confortant dans notre position d'authentiques superstars régionales, mais totalement inconnues en dehors de ces deux régions. Alors… que faire ?

À l'ouest, jeune homme

Tinker nous régalait constamment de ses anecdotes sur San Francisco. Hé, on était en 1970. Allons-y et montrons-leur ce qu'on sait faire. Depuis maintenant un an, on tirait notre épingle du jeu aux côtés de groupes d'envergure nationale. On était prêts à se mesurer aux cadors, aux grands noms de San Fran. On n'avait pas froid aux yeux, persuadés de pouvoir imprimer notre marque n'importe où. On était convaincus d'être le secret le mieux gardé du rock, alors on a supplié Tinker de nous emmener au pays des hippies libres. On a conclu un marché : si chacun mettait de côté cent dollars et qu'on déposait nos œuvres pour qu'elles soient protégées, Tinker nous emmènerait sur la côte Pacifique. Danny et moi, on a passé deux heures un soir à la table de la salle à manger et on n'a réussi à retranscrire qu'une seule chanson sur partition. On a fini par se dire : « Et merde, on va mettre plein de notes au pif et puis voilà, Tinker n'en saura jamais rien. » C'est ce qu'on a fait. On a donné un ultime concert à la fabrique de planches de surf pour récolter la mise de fonds initiale, on a construit une sorte de grand coffre en contreplaqué qu'on placerait sur le plateau du camion de Tinker, recouvert d'une bâche goudronnée de l'armée, pour protéger le matos de la pluie, et on prendrait un autre véhicule, un break (celui de Danny), avec des matelas et de l'eau pour les moments de récup. Avec ces deux véhicules, cent dollars chacun et un peu de chance, notre grande traversée durerait trois jours. On avait un concert rémunéré le soir du réveillon, à l'institut Esalen, dans les montagnes de Big Sur, en Californie. Esalen était aux États-Unis la première station thermale qui avait pour vocation le développement personnel. À l'époque, c'était novateur. Pour nous, c'était juste l'occasion de donner un concert payé. On ne savait rien de l'endroit où on mettait les pieds. Hormis Tinker et nos courts séjours dans le Sud-Est, aucun d'entre nous n'était jamais sorti du New Jersey.

La veille de notre départ pour la Californie, Mad Dog et moi on est allés voir *Easy Rider* dans un ciné du quartier. Question adieux, on aurait pu faire mieux. Le périple à travers l'Amérique de Peter Fonda et Dennis Hopper nous a petit à petit collé une trouille terrible. Quand, à la fin du film, Hopper se fait dégommer de sa moto par un péquenaud genre Cro-Magnon, on a commencé à réaliser que des gens comme nous ne seraient peut-être pas accueillis à bras ouverts là-bas. Tinker avait bien sûr réfléchi à la question ; on n'était pas des hippies Peace and Love ; on était armés : on avait nos revolvers à capsule, qui étaient tout à fait légaux, dans la cabine du camion. Et de fait, on allait au-devant de « mauvaises ondes » – un pompiste qui refuserait de nous servir, un restau routier où l'ambiance serait tendue – mais on n'aurait jamais vraiment d'ennuis. Tinker parlait la langue universelle des mécanos. C'est incroyable comme une simple discussion sur les moteurs peut rassembler les gens. On roulait dans un tacot vintage, une vraie curiosité, et les gens étaient intrigués à la fois par le vieux Ford et notre périple fou. Grâce à sa maîtrise laconique de la mystique du carburateur, Tinker aurait été capable d'amadouer le grand manitou du Ku Klux Klan en personne. Le fait que notre pote s'y connaisse en mécanique lui conférait une étrange et puissante confiance en lui qui mettait les gens à l'aise. Si cette approche ne donnait rien, il avait la dégaine du type prêt à vous descendre sans sommation.

Le jour J, le camion était chargé, le break prêt ; j'avais vingt et un ans et on partait pour l'Ouest. L'Ouest… le rêve… La Californie… la musique y était en pleine ébullition. À Haight-Ashbury, San Francisco, il y avait Jefferson Airplane, Grateful Dead et Moby Grape, un de nos groupes préférés, à Steve et moi. L'Ouest… la liberté. Même ma famille y était installée. J'avais entendu parler des déserts, des palmiers, du climat californiens, des îles de Seal Rock, des grands séquoias de Muir Woods, de la baie, du Golden Gate… Lors de nos rares conversations téléphoniques, ma mère m'avait raconté leur nouvelle vie. Cela faisait presque un an que je n'avais pas vu ma petite sœur et mes parents. À l'époque, personne n'avait les moyens de traverser le pays d'une côte à l'autre, que ce soit en bus ou en train – quant à l'avion, je ne connaissais personne qui l'ait déjà pris. Et voilà qu'on était prêts pour le grand départ ! Ce serait à la fois des retrouvailles familiales et une montée en puissance de ma carrière.

Notre mini-caravane de deux véhicules a démarré à l'aube. On a quitté la fabrique de planches de surf, on est sortis de la zone industrielle, on a pris la Route 35 jusqu'à la 33 West, puis l'autoroute à péage du New

Jersey, direction plein sud. Comme c'était l'hiver, on avait choisi cet itinéraire pour éviter le plus possible la neige et le verglas. On était sept : Tinker, Vinnie Roslin, Mad Dog, Danny, un type qui voulait aussi aller sur la côte Ouest, moi et enfin J.T. Woofer, l'être que Tinker préférait au monde : sa chienne. Tinker, J.T. et moi on était dans la cabine du camion à plateau des années 1940 ; le reste de la troupe voyageait dans le break sixties vintage de Danny.

On avait trois jours pour arriver en Californie. Pas de quoi se payer un motel. Pas de matériel de camping. On ne s'arrêterait pas. On se relaierait au volant pour rouler non stop, avec des haltes uniquement pour acheter à manger et faire le plein. Moi, je ne conduisais pas... mais alors pas du tout. Je n'avais pas de voiture, pas le permis ; à vingt et un ans je me déplaçais à vélo ou en stop ; j'étais allé partout en stop depuis l'âge de quinze ans, c'était devenu mon moyen de locomotion privilégié. Quand je dis que je ne conduisais pas, je veux dire par là que JE NE SAVAIS PAS TENIR UN VOLANT. Mon paternel n'avait jamais eu la patience de m'apprendre et, après une séance à se faire bringuebaler sur le parking du Freehold Raceway, Tex lui-même avait levé les mains au ciel et rapidement laissé tomber. Bref, j'étais totalement incapable de conduire une voiture. Je n'étais d'ailleurs pas compté parmi les conducteurs du voyage. C'est pour ça qu'on était contents d'avoir un gars en plus. Faire la course dans la rue comme dans « Racing in the Street », pour moi, ça attendrait quelques années.

Le voyage s'est déroulé sans encombre – jusqu'à ce qu'on arrive à Nashville, Tennessee. J'ignore comment on s'est débrouillés, mais là, J.T., Tink et moi avons perdu de vue le break de Dan Federici, dit le Fantôme – plus tard ils nous diraient qu'ils nous avaient cherchés partout... Énorme problème. Tous les conducteurs étaient avec Danny. Pour arriver en trois jours en Californie, à plus de quatre mille cinq cents kilomètres du New

Jersey, il fallait *impérativement* qu'on roule jour et nuit. On avait encore plusieurs milliers de bornes à parcourir et Tinker avait besoin de se reposer, donc je devais m'y coller. À minuit ce soir-là, Tink m'a tout simplement dit : « J'en peux plus, à ton tour.

– Tu sais bien que je ne conduis pas.

– C'est hyper facile, m'a rétorqué Tink. En plus, on n'a pas le choix, sinon on n'arrivera pas à temps pour le seul concert qu'on a sur la côte Ouest. » Je me suis installé au volant du camion, un monstre difficile à manœuvrer, qui faisait penser à l'un des engins du *Salaire de la peur*, de Clouzot, transportant de la nitroglycérine à travers les jungles d'Amérique centrale. Ce qui s'est passé ensuite n'a vraiment, vraiment pas été beau à voir : après un crissement horrible de l'embrayage, on s'est retrouvés à tanguer d'un côté à l'autre de la route, le matos et tout ce qu'on avait de valeur se baladant latéralement dans le bahut qui avait bien du mal à rester dans sa file. À ce train-là, sûr qu'on allait emplafonner de pauvres innocents…

Mais ça, ce serait pour plus tard. Pour le moment, comme on s'était rendu compte qu'il était impossible que je fasse démarrer le véhicule, Tinker a décidé que c'est lui qui s'en chargerait, il passerait la première et ensuite seulement on changerait de place dans la cabine exiguë, piétinant au passage J.T. qui se mettait à hurler. Bref, je ne prenais le volant qu'une fois la seconde passée et je montais en quatrième tant qu'on était sur l'autoroute. On a parcouru des milliers de kilomètres comme ça, pratiquement tout le reste du trajet. Quand on s'est aperçus qu'on avait perdu de vue le break de Danny, on n'avait pas de plan B, juste une destination commune, on a continué à rouler vers le soleil. Ça n'a pas été un voyage de tout repos pour Carl Virgil West. Pendant sa pause « dodo », en pleine nuit, à travers le désert, j'étais incapable de contrôler mes embardées en travers de la chaussée. Lorsque je me tournais vers lui, je voyais ses yeux écarquillés de peur. Comment lui en vouloir ? On a vraiment eu de la chance que je ne nous tue pas.

Mais j'ai quand même conduit cet engin. Sans permis, sans expérience. Lorsqu'on arrivait à la frontière d'un État, à un péage ou à une station de pesage, je faisais signe à Tinker pour qu'on échange nos places sans arrêter le camion. On a fini par trouver nos marques, mais quand on est arrivés aux cols de montagne, là, ça a été panique à bord. La boîte de vitesses était manuelle et la direction laissait à désirer. Il fallait constamment embrayer, passer la vitesse, embrayer, passer la vitesse, etc. Avec tous ces à-coups le moteur dégustait et je ne faisais rien pour l'épargner ! Toujours est-il que quand on est arrivés en Californie, j'avais appris à conduire. Tinker, lui, n'avait pas fermé l'œil et s'était fait des cheveux blancs.

L'Ouest

Le pays était magnifique. Conduire me rendait euphorique tandis qu'on traversait le désert à l'aube. Les canyons aux ombres bleu foncé et pourpres se découpaient sur le ciel aux couleurs délavées et, derrière nous, on apercevait les silhouettes noires des montagnes. Avec le soleil qui se levait dans notre dos, à l'est, les rouges et les bruns profonds des plaines et des collines s'animaient. Mes paumes sur le volant viraient au blanc sel à cause de la sècheresse ambiante. Le matin drapait la terre d'une couleur pâle, puis venait la lumière crue du soleil de la mi-journée et tout était révélé tandis que l'horizon, dans toute sa pureté, s'écrasait au bout des deux voies de bitume et disparaissait dans… le néant – mon truc préféré. Le soir le soleil rouge vous brûlait les yeux, déversant de l'or sur les montagnes, à l'ouest.

J'avais le sentiment d'être ici chez moi, et ce fut le début de mon histoire d'amour avec le désert.

Et donc, vaillamment, on avançait. On a traversé comme ça le Texas, le Nouveau-Mexique et l'Arizona jusqu'à la frontière californienne, puis on a piqué au nord, en direction des montagnes de Big Sur. On y était presque, mais il nous restait encore à affronter une nuit d'horreur digne d'Halloween. La Highway 1 menant à Big Sur avait été dévastée par une tempête côtière, ce qui arrivait de temps en temps. On s'est arrêtés dans une station-service pour demander conseil sur un itinéraire bis. Tinker a montré sur notre carte routière une ligne fine qui ondulait et demandé au pompiste : « Et par là ? » Le gars a répondu : « C'est pas impossible mais votre camion va pas aimer. » Tinker, avec son goût pervers du défi, n'a entendu que la première partie de la réponse et on a donc décidé de tenter le passage par cette route. Sur les premiers kilomètres s'étirait devant nous une voie magnifique, toute neuve puis, au détour d'un virage en lacet, la route s'est métamorphosée en une piste de terre et de gravillon. Une piste d'enfer, à peine carrossable, avec d'un côté la montagne, dont le conducteur pouvait toucher la paroi en tendant le bras et, côté passager, un précipice sans glissière de sécurité – le vide en guise de tombe. Tinker est devenu silencieux au volant, ses yeux luisaient comme ceux d'un zombie. Sur une cinquantaine de kilomètres, pendant trois heures, en pleine nuit, on a cahoté, glissé et roulé comme on a pu pour franchir ce col de montagne démentiel. J.T. était clouée au plancher, comme si un feu de mortier menaçait sa jeune vie de chienne. La bestiole sentait qu'on était limite et, au bout d'une heure, moi-même j'en avais mal au ventre. Ce qu'on voyait depuis la cabine était tout simplement terrifiant. J'ai fini par me recroqueviller sur le siège et fermer les yeux. Sans pouvoir dormir. Le camion dérapait et faisait des embardées ; de la paroi rocheuse, du gravier tombait sur la cabine, comme de la grêle. Puis on a négocié un dernier virage et d'un coup ça a été fini : la grande route s'ouvrait devant nous ; on a vite rallié Big Sur puis passé les portes de l'institut Esalen. Il faisait nuit, pas le moindre éclairage. Je me suis trouvé dans le noir à descendre tant bien que mal un petit sentier à flanc de montagne, à la recherche de l'endroit où on devait dormir en Californie.

Le palais de Gopher

On était reçus chez Gopher, un ami de Tinker, qui vivait du côté prolétaire d'un ruisseau servant de ligne de démarcation entre les riches d'Esalen – des privilégiés qui passaient leur temps à se regarder le nombril – et le personnel qui travaillait sur place. Ça n'a pas été facile à trouver. Gopher habitait sur un flanc de montagne raide, dans un arbre. Il avait construit sa « maison » autour d'un énorme eucalyptus dont les racines et les branches sortaient du plancher de sa salle de séjour, traversaient un grenier-dortoir et ressortaient par le toit (salut, Big Sur). Il y avait une cheminée, pas de sanitaires, pas d'eau courante. Il fallait grimper à l'arbre pour accéder à la chambre-grenier. C'était l'endroit idéal pour un farfadet mais les pièces miniatures ont vite été saturées une fois que Tink, J.T. et moi, on s'y est installés – sans compter qu'après quelques bruissements de feuillage, on a bientôt vu débarquer le reste de notre équipe : Danny et les deux Vinnie avaient été guidés jusqu'à nous par le son de ma guitare. Enfin réunis, nous avons pu partager le récit de ce voyage à dormir debout avec les autres.

En début de soirée, avant notre arrivée, Gopher, croyant entendre un cambrioleur dans les buissons, avait vidé son fusil dans la nuit, coupant malencontreusement l'électricité pour tout le secteur de montagne. On s'est installés à la lueur du feu de cheminée, comme des hommes de Néandertal, blottis tous ensemble au cœur d'un nouveau monde invisible. Finalement, épuisés, on s'est endormis. Lorsqu'on s'est réveillés à l'aube et qu'on s'est postés à la porte de chez Gopher, on est restés subjugués par le spectacle. Des arbres centenaires, une végétation si luxuriante qu'on se serait perdus en s'éloignant du sentier ne serait-ce que de quelques pas. Un festival de couleurs, des fleurs d'hiver tapissant tout un flanc de montagne verdoyant qui dominait le Pacifique bleu émeraude enflammé par le soleil. Avec un peu de patience, on pouvait apercevoir des baleines souffler leurs jets d'eau au loin. Je ne m'étais jamais retrouvé ainsi en pleine nature et soudain je me sentais tout petit, grisé par une telle puissance. Je me suis approché d'un arbre énorme – jamais vu un truc pareil –, recouvert de ce qui ressemblait à d'étranges feuilles multicolores. Quand je suis arrivé tout près, une myriade de papillons s'est soudain envolée des branches pour aller se perdre dans le bleu foncé du ciel. C'était vraiment un autre monde.

On a vite pigé comment les choses s'organisaient. On était dans le secteur des travailleurs et, en gros, on était censés y rester. Le temps où j'allais moi aussi me mettre à me regarder le nombril n'était pas encore venu et, de l'autre côté du ruisseau, à l'institut, il se passait des choses incompréhensibles pour nous à l'époque. Première scène dont Mad Dog et moi avons été témoins : un groupe de gens pelotonnés sur un drap blanc, au milieu d'une pelouse verte, qui « remontaient au stade amibien ». On a trouvé ça désopilant, Vini et moi, et il ne nous a pas fallu longtemps pour être convaincus, à juste titre ou pas, qu'indépendamment de la beauté du site sévissaient là de bons vieux charlatans dignes des forains du Jersey reconvertis en gourous New Age. Il y avait en tout cas de formidables sources d'eau chaude nichées dans la paroi d'une falaise surplombant la mer. Des sources, un bain froid et tout le monde à poil. Voilà qui semblait bien attirant pour des étrangers ignorants des coutumes de ce monde, pour des petits gars du New Jersey comme nous, et on a passé une bonne partie du temps à faire du gringue aux riches *ladies* et à profiter de la nature revigorante. Quelques gars ont fait « plus ample connaissance » avec des clientes, ce qui a conduit à des va-et-vient nocturnes, sur la pointe des pieds, dans la montagne. Le matin, le personnel nous apportait le petit déjeuner par la porte de service de la cuisine. On passait la journée à explorer les environs et le spectacle farfelu qu'ils offraient, puis on répétait pour notre grand concert du réveillon dans une petite remise près de la mer.

Un après-midi, je me suis enfoncé dans la forêt pour une longue promenade. Je restais sur le chemin pour ne pas me perdre, bientôt guidé par le son d'un roulement de congas au loin. Au bout d'une dizaine de minutes, je suis arrivé dans une clairière, au milieu des bois, où un grand Black mince en tunique africaine, penché sur ses percussions, jouait pour la nature alentour. Quand il a relevé la tête, je me suis retrouvé nez à nez avec Richard Blackwell, mon vieux pote de Freehold, avec qui j'avais grandi. Pour une coïncidence ! Il y a eu un instant « Dr Livingstone, je présume ? ». Ni l'un ni l'autre n'en croyait ses yeux : à cinq mille kilomètres de chez nous, se trouver au même endroit au même moment ! On a décidé que c'était le destin et je lui ai demandé si ça lui disait d'intégrer Steel Mill pour le reste de notre périple sur la côte Ouest. Première étape : la soirée du 31.

Le grand soir venu, à la nuit tombée, ça a été la folie, façon West Coast : des montagnes avoisinantes sont descendus des mamies baba-cool tatouées, de vieux montagnards grisonnants, de jeunes hippies sous acide, parlant des langues inconnues et tout disposés à baiser. Il y avait beaucoup de drogue et le concert a bien sûr décollé pour s'enfoncer dans les enfers de la culture de la défonce californienne. Danses et transes, les autochtones se sont joyeusement mélangés aux clients qui avaient payé pour un séjour nature ici et on a électrisé le public, Richard Blackwell, mon copain de quartier, créant avec Tinker une rythmique implacable aux congas. Ça a duré longtemps et, en gars réglo du New Jersey, c'est à peu près tout le plaisir que j'en ai tiré. Tout le monde te proposait constamment de la drogue, mais j'étais têtu, coincé par mes peurs. Pas question de céder, j'ai joué sans interruption et ça a marché à fond ; à la lueur des feux de joie, les hippies de la montagne, antiques visages aux yeux révulsés, côtoyaient des Américains moyens friqués en quête de renouveau, prêts à payer cher pour un concert qu'ils auraient vu pour deux dollars dans le New Jersey.

Finalement, vers l'aube, ça s'est calmé. Les gens sont remontés dans leurs collines et on s'est posés, épuisés. On les avait divertis et on s'était sacrément éclatés en retour, mais ce n'était pas comme chez nous. Ici la musique participait d'un événement de plus grande ampleur visant à « élever le niveau de conscience ». Le musicien était vu comme un chaman, un médium psychique. Plus mystique que rocker pur et dur ou artiste soul. J'avais le groupe et le savoir-faire pour tirer mon épingle du jeu, mais je n'étais pas certain que ce soit vraiment mon truc.

On est restés quelques jours de plus pour profiter de Big Sur. Le matin de notre départ, je contemplais le Pacifique, assis sur un banc, à côté d'un entrepreneur du Texas entre deux âges, étranger à la culture de la drogue. Venu ici se ressourcer, il était perdu en pays freak. Quand je lui ai demandé pourquoi il était là, il s'est contenté de me répondre : « J'ai gagné beaucoup d'argent et je ne suis pas heureux. » Moi, il me faudrait un certain nombre d'années avant d'être confronté à ce problème, mais sa démarche m'a touché. Il voulait autre chose que ce que ce monde marchand avait à lui offrir. Il était venu jusqu'ici, avait sorti son pognon et avait ouvert son cœur pour essayer de trouver ce qui lui manquait. Je lui ai souhaité d'aboutir dans sa quête en espérant qu'il était entre de bonnes mains.

Quelques heures plus tard, j'étais assis sur un affleurement rocheux verdoyant, au bord de la Highway 1. Sur mes genoux, j'avais mon sac de voyage ; le soleil était haut dans le ciel, l'air était sec et j'observais une petite armée de fourmis défiler entre mes bottes, transportant de la terre vers leur empire à flanc de coteau. Je scrutais la route en direction du nord, j'attendais. L'odeur d'écorce d'eucalyptus et de hautes herbes qui m'enveloppait, cette senteur si typiquement californienne, me rappelait que j'étais un jeune voyageur dans un étrange pays. Ça faisait du bien. Un faucon tournoyait au-dessus de moi dans l'immensité du ciel bleu. Une heure s'est écoulée. Puis une voiture a ralenti, s'est garée sur le bas-côté où j'étais assis. Derrière le pare-brise où se reflétait l'éclat cru du soleil, j'ai aperçu deux larges sourires. Ma mère et mon père venaient accueillir leur fils en terre promise.

La terre promise

La terre d'espoirs et de rêves de mes parents était un petit trois-pièces en haut d'une volée de marches, au cœur d'un lotissement de la banlieue californienne de San Mateo. L'appartement consistait en une cuisine-salle à manger, une chambre à coucher pour mes parents et une plus petite pour ma frangine. Ils en étaient fiers. Ils adoraient la Californie. Ils avaient chacun un boulot, une nouvelle vie. Mon père s'était mis à la peinture d'après chiffres et la maison résonnait des notes revêches que ses grosses paluches tiraient de l'orgue. Ça avait l'air d'aller. Quitter Freehold lui avait fait du bien. Ma mère travaillait de nouveau comme secrétaire juridique dans un cabinet du Hillsdale Shopping Center où elle était respectée et mon père était conducteur de bus à l'aéroport.

J'ai dormi dans le séjour, mangé les bons petits plats de ma mère et je suis allé m'acheter quelques fringues d'occasion dans des magasins associatifs. J'appréciais d'être là, à la maison. Dans le séjour, je regardais la télé pendant que ma petite sœur de huit ans, installée à la table de la cuisine, devant un grand saladier, un mixeur électrique dans les mains, tentait de confectionner un gâteau pour fêter mon retour. Soudain j'ai entendu un cri terrible, comme celui d'un écureuil qui se serait pris la queue dans la tondeuse familiale ; je me suis précipité dans la cuisine. Il y avait de la pâte partout sur les murs, ma petite sœur hurlait et le mixeur tournait encore, collé à la racine de ses cheveux. J'ai mis un peu de temps à comprendre qu'une de ses jolies et longues mèches brunes s'était prise dans le fouet. Le mixeur était alors tombé dans le saladier et vibrait maintenant comme un possédé contre son petit crâne. Un coup sec sur le fil pour débrancher l'appareil, une paire de ciseaux, quelques bisous en rigolant et l'affaire a été réglée.

Bientôt le groupe au grand complet dormirait par terre dans la salle de séjour de mes parents. Quelques nuits seulement. On était là pour que notre groupe soit « découvert » et il allait falloir s'y mettre ; on a donc assez vite fait nos bagages pour se présenter à notre première audition à San Francisco. On s'est garés devant le Family Dog, QG de Quicksilver Messenger Service, une vénérable salle de danse du vieux San Fran, qui cherchait de nouveaux groupes à présenter en lever de rideau de leurs têtes d'affiche. C'est Tinker qui avait réussi à nous dégoter le plan. Je me souviens que quatre groupes auditionnaient en cet après-midi ensoleillé. Les deux premiers n'étaient pas terribles, alors on est montés sur scène en toute confiance et on a bien joué. Pendant une vingtaine de minutes on a interprété les titres qui faisaient de nous des superstars au pays, sans douter un seul instant qu'on pourrait ne pas être sélectionnés. Puis un quatrième groupe a pris la relève. Les gars assuraient. C'était musicalement sophistiqué, ils avaient plusieurs bons chanteurs et de très bonnes chansons. Il leur manquait notre présence scénique mais ça ne semblait pas les préoccuper. Ils jouaient, c'est tout… et très, très bien qui plus est. C'est eux qui ont été pris. Pas nous. Quand on nous a annoncé la nouvelle, les copains se sont tout de suite plaints qu'il y avait eu du favoritisme. Le programmateur ne se rendait pas compte, blablabla…

Ce soir-là, je suis rentré chez mes parents et je suis resté allongé sur mon canapé à gamberger. Les autres avaient été meilleurs que nous et ça faisait longtemps que je n'avais pas vu un groupe meilleur que nous – meilleur que *moi* –, du moins parmi les artistes encore inconnus. Le programmateur avait eu raison. Ma confiance était légèrement ébranlée et j'ai dû me rendre à cette évidence pas très agréable : ici on ne serait pas les vedettes qu'on était chez nous. On allait grossir les rangs de tous ces groupes, très compétents et très créatifs, qui se battaient pour avoir un tout petit morceau du gâteau. Il fallait garder les pieds sur terre. J'étais bon, très bon, mais peut-être pas autant que les gens me le répétaient, peut-être pas aussi bon que je le pensais. Ici, dans cette ville, il y avait des musiciens aussi bons, voire meilleurs. Ça ne m'était pas arrivé depuis un bail, j'allais devoir réajuster ma vision des choses.

Quelques jours plus tard, on a retenté le coup. On a passé une audition au Matrix, un autre club, et cette fois-ci on a été pris. On allait jouer en première partie de Boz Scaggs, Elvin Bishop et Charlie Musselwhite, et récolter notre premier article dithyrambique : dans le *San Francisco Examiner*, signé du fameux critique musical Philip Elwood. Comme il avait plu le jour du concert, l'article était intitulé « Soirée humide avec Steel Mill ». On n'aurait pas pu souhaiter mieux. Phil Elwood écrivait : « Jamais encore je n'avais été aussi surpris par un artiste inconnu. » Ça nous a donné le coup de fouet dont on avait besoin pour impressionner les gens et les journaux chez nous, dans le New Jersey. On avait peut-être un avenir là-bas. L'argent qu'on touchait au Matrix suffisait tout juste à financer les hot-dogs et le péage du Bay Bridge. Point barre. On jouait gratuitement. L'expérience était géniale. On a eu l'occasion de rencontrer des musiciens qui enregistraient vraiment, on a pu discuter avec eux. Comme on jouait en lever de rideau, les gens ne venaient pas pour nous, alors il fallait cravacher pour emporter le morceau, et c'est ce qu'on faisait. Je ne pense pas qu'on ait subjugué qui que ce soit mais, concert après concert, on en a marqué certains. L'étape d'après, ça a été le Walhalla de San Francisco : le Fillmore West de Bill Graham.

Dans le couloir des dieux

Tout le monde était monté sur cette scène – The Band, B.B. King, Aretha, tous les grands groupes de San Francisco – et le mardi soir, le Fillmore West organisait des auditions. On a obtenu de jouer un mardi et c'est donc les nerfs en pelote qu'on est montés sur scène pour leur montrer de quel bois on se chauffait. Cinq ou six groupes jouaient à peu près une heure chacun devant un public assis par terre, qui avait payé l'entrée. Tous les groupes étaient bons – il fallait l'être pour décrocher une audition – mais je n'ai vu personne de très excitant. La plupart se contentaient d'une sorte de bourdonnement monotone, dans le style ultracool typique de San Francisco. Lorsque les tâcherons du New Jersey ont pris la scène, tout a changé. On a envoyé du bois, on a sorti le grand jeu, et les gens se sont levés et ont commencé à hurler. On a terminé sous les acclamations, avec un respect tout neuf. Le programmateur nous a demandé de revenir le mardi suivant.

Plus tard ce même soir, alors que je traînais à discuter avec les gens du coin, savourant autant que je le pouvais ma gloriole West Coast, un autre groupe a mis le feu sur scène jusqu'à la fermeture, Grin, dont le lead guitariste Nils Lofgren branchait sa guitare sur une cabine Leslie pour orgue Hammond. On est rentrés chez nous super joyeux, en comptant déjà les jours qui nous séparaient du mardi suivant. La semaine d'après, on a de nouveau marqué les esprits ; et on nous a proposé d'enregistrer une maquette aux studios Fillmore de Graham. Enfin ! C'est pour ça qu'on avait parcouru cinq mille kilomètres : pour toucher le gros lot.

Par un bel après-midi californien, Steel Mill s'est présenté pour la première fois dans un studio d'enregistrement professionnel. Boiseries, plantes en pots, un lieu de rendez-vous West Coast classique pour rock stars, un de ces endroits où je passerais trop de temps dans les années à venir. Sur cette maquette au studio Fillmore Records de Bill Graham, on a enregistré trois de nos meilleurs titres originaux : « The Judge Song », « Going Back to Georgia » et « The Train Song ». Quand on s'entend pour la première fois sur bande pro, ça file des sueurs froides, on a envie de quitter la pièce par la porte de service. On a toujours un meilleur son dans sa tête que dans la lumière crue de la cabine d'écoute. Là, ton véritable son te tombe dessus comme une enclume. Dans sa tête, on chante toujours un peu mieux, on est toujours un guitariste un peu meilleur et, bien sûr, on est un peu plus beau. La bande et la pellicule se fichent des illusions soigneusement protégées que chacun se construit pour tenir le coup au quotidien. Il faut s'y faire, c'est comme ça. Revoir à la baisse l'idée que j'avais de moi-même allait malheureusement devenir un leitmotiv de notre virée sur la côte Ouest.

On n'irait pas plus loin que l'enregistrement de cette maquette. On nous a proposé une sorte d'avance, mais rien qui laisse entendre qu'on s'intéressait vraiment à nous. Et pourtant, il se passait bel et bien quelque chose. On avait eu droit à une bonne critique. On avait décroché un plan semi-régulier au Matrix, un des clubs en vue de San Francisco. On avait attiré l'attention du Fillmore de Bill Graham et un public peu nombreux mais enthousiaste commençait à venir à nos concerts. Je voyais ma famille de temps en temps, mais je préférais rester au cœur de l'action, avec le groupe, squattant chez les uns et les autres à Berkeley, dans le comté de Marin ou là on voulait bien de moi. J'ai réussi à me faire arrêter alors que je faisais du stop (ma spécialité) sur l'autoroute. J'avais peu d'argent sur moi, pas de pièce d'identité, pas d'adresse officielle. Apparemment c'était suffisant pour qu'ils m'embarquent. Reprenant le rôle qu'elle avait joué plus d'une fois dans le New Jersey, quand je m'étais retrouvé au poste pour divers crimes extrêmement graves – non-paiement du badge qui donnait accès à telle plage privée, auto-stop ou « emprunt » d'une Cadillac au père de ma petit copine –, ma mère est venue me chercher, elle a payé la caution et m'a déposé au Matrix pour le concert du soir. J'étais encore un môme et c'était chouette de la savoir pas loin et de pouvoir compter sur elle, mais il a bientôt fallu se rendre à l'évidence, notre progression se heurtait à un mur : on n'avait pas d'argent, aucun emploi rémunéré, aucune perspective et, contrairement au New Jersey, aucun concert trimestriel pour joindre les deux bouts. Bref, pas de schéma rentable pour retomber sur nos pattes. On ne serait pas plus découverts qu'on ne l'était déjà. Il y avait tout simplement trop de bons groupes, personne ne nous paierait pour nos concerts. J'avais bien fait de laisser mes parents partir et de rester dans le New Jersey. On ne pouvait survivre en tant que musiciens *que* sur notre petit périmètre de la côte Est. Il fallait qu'on rentre, c'est tout.

Tinker a emprunté vite fait de l'argent pour financer le retour et, sans avoir le sentiment d'avoir complètement échoué, sans non plus que ça ait été le succès qu'on avait imaginé, on a fait nos valises. J'ai dit au revoir à mes parents et on a repris la route direction Richmond, Virginie, un des deux endroits où on gagnerait un peu d'argent. Une fois là-bas, on pourrait empocher quelques dollars, puis on reviendrait dans la région du Shore renouer avec notre statut de dieux locaux du rock encore sous-estimés.

Six jours sur la route

Notre caravane de deux véhicules a de nouveau mis le cap au sud. Peu après la sortie de San Francisco, Danny, en se penchant pour bidouiller l'autoradio alors qu'il conduisait, a réussi à faire une embardée, emboutir un panneau « Attention travaux », effrayer les ouvriers qui se sont réfugiés dans les buissons, abîmer notre précieux break et reprendre joyeusement sa route. Ni vu ni connu. On ne tarderait pas à avoir d'autres problèmes. J'étais à l'arrière du break avec J.T., la chienne. On s'est arrêtés dans l'Arizona pour une pause pipi, puis on est remontés dans la voiture. Une heure plus tard, j'ai trouvé qu'il y avait énormément de place sur la banquette arrière… J.T. était restée quelque part au bord de l'autoroute. On a fait signe à Tinker de s'arrêter et on lui a annoncé la nouvelle. Les yeux fixés sur le désert, dégoûté, il a marmonné : « Retournez la chercher. » Deux heures après avoir perdu J.T., nous voilà revenus à ce qu'on croyait être l'endroit de notre pause pipi. Rien… À part un silence tel qu'on entendait le sang circuler dans nos veines dans l'air aride du désert. Le vide… un vide sans bornes. Puis, vers l'ouest, on a aperçu du mouvement à l'horizon. Un être vivant se déplaçait. On est remontés dans la voiture pour parcourir environ huit cents mètres, J.T. était là, courant vers la frontière californienne. On a ouvert la portière et le cabot, fou de joie, haletant et remuant la queue, a sauté sur la banquette arrière, léchant tout ce qu'il y avait à portée de langue. Deux autres heures plus tard, on s'est arrêtés derrière Tinker qui était appuyé contre son camion, en sentinelle sur le bord de la route. D'un bond, J.T. est sortie du break et montée dans la cabine du camion. Impassible, Tink a lâché : « Allons-y. »

À deux jours de Richmond, le break de Danny a rendu l'âme. On n'avait pas les pièces de rechange et malgré tout le génie de Tinker, le moteur n'a pas voulu redémarrer. Bon. On était cinq et on n'avait de la place que pour trois plus la chienne dans la cabine. Alors Tinker a passé une demi-heure à réorganiser l'arrière du plateau, dégageant un espace libre d'à peine soixante centimètres entre le matos et le fond de la caisse en contreplaqué où il était rangé. Deux d'entre nous allaient devoir faire le reste du voyage dans ce réduit.

Sauf qu'on était en plein hiver et qu'il faisait un froid de loup ; il y avait un peu de chauffage dans la cabine mais aucun dans la grande caisse à matos. Je ne sais plus comment ça s'est décidé, toujours est-il que Little Vinnie et moi on est montés à l'arrière et, avec nos gros manteaux, on s'est glissés dans nos sacs de couchage. On était plantés, face à face, dans un espace de soixante centimètres sur deux mètres soixante, dans un froid glacial. On avait un peu d'eau, une lampe de poche… et la présence l'un de l'autre. Sans aucun moyen de communiquer avec la cabine, on était tassés derrière plusieurs tonnes de matos de musique, donc si le camion se retrouvait dans un raidillon et que le poids se déportait… souci. On était d'un côté appuyés contre le contreplaqué de la caisse et, de l'autre, coincés par nos amplis Marshall, notre sort irrémédiablement lié à celui du camion de Tinker. S'il arrivait quoi que ce soit au bahut, on était enfermés à l'intérieur, sans possibilité de sortir. On avait un pot de chambre de fortune et les gars dans la cabine nous avaient promis qu'ils s'arrêteraient toutes les deux heures pour prendre de nos nouvelles. Deux jours ont passé. Mad Dog envoyait quelqu'un d'autre prendre la relève de l'un de nous de temps en temps. Pour Danny, qui avait des problèmes de claustrophobie, se retrouver comme ça enfermé dans le noir n'était pas vraiment l'idéal. Au bout d'un moment, assis dans l'obscurité glaciale, on commençait à gamberger.

Réussie ou pas, cette virée en Californie aurait sur moi un impact durable. J'avais vu du pays. J'avais rencontré des musiciens vraiment talentueux et je ne m'étais pas laissé abattre, mais j'avais toujours à l'esprit le groupe qui avait été choisi à notre place pour jouer au Family Dog. Les mecs avaient un truc que nous on n'avait pas : une certaine sophistication musicale. Ils étaient meilleurs, et ça me contrariait. Ce qui me chiffonnait, ce n'était pas de croiser des gens plus doués que moi ; ça arrive, c'est dans l'ordre des choses. On peut être rapide mais, comme le savent les vieux cowboys, il y a toujours quelqu'un de plus rapide. Si vous êtes meilleur que moi, vous avez droit à mon respect et mon admiration et vous me donnez envie de me dépasser. Donc non, ce n'était pas de ça que j'avais peur.

Je redoutais plutôt de ne pas tirer le maximum de mes capacités, de ne pas avoir une vision assez large ou assez fine de ce dont j'étais capable. C'était une affaire entre moi et moi. Entre moi et mon talent. Je n'étais pas un génie. Il allait falloir que j'utilise au mieux mes capacités – mon astuce, mon niveau musical, mon sens de la scène, mon intelligence, mon cœur, ma volonté – d'un soir à l'autre, que j'aille plus loin, que je bosse plus dur que les autres, juste pour arriver à survivre dans ce monde que j'avais choisi. Assis dans le noir, j'ai su qu'à notre retour, il allait falloir procéder à des changements.

DIX-NEUF

RETOUR AU PAYS

On est arrivés à Richmond épuisés mais contents d'être de nouveau en terrain connu. On a joué, on a été payés. Qu'est-ce que c'est agréable ! On a repris le camion, direction le New Jersey, en héros conquérants, et pour preuve on avait… notre… ARTICLE dans le journal ! On avait été remarqués par le critique musical d'un grand journal comme les coriaces du New Jersey qui allaient apprendre à ces chochottes de la côte Ouest deux trois choses sur LE ROCK ! Les sceptiques n'avaient qu'à lire le papier dans l'*Asbury Park Press* : le récit de notre retour était digne de celui d'Ulysse à Ithaque. Le New Jersey, dont tant de comiques se moquaient à bon compte, avait été un bref instant mis à l'honneur sur la carte du rock'n'roll. Et on n'allait pas s'arrêter là. On a tout de suite donné un concert pour fêter notre retour, j'ai pu mettre un peu d'argent à la banque – enfin, dans une chaussette du tiroir du haut de mon placard, à la fabrique de planches de surf – puis j'ai réfléchi à la manière dont j'allais réorganiser le groupe.

Durant notre safari sur la côte Ouest, les liens s'étaient distendus entre Little Vinnie et le reste du groupe. Ça arrive. Seuls les groupes les plus chanceux restent soudés. Il y avait eu des divergences concernant le temps et l'énergie à investir dans les répétitions. Chacun évolue différemment et deux musiciens n'ont jamais tout à fait la même implication. On peut s'éloigner de la dynamique d'un groupe sans même s'en rendre compte. Vinnie était un type super, un bassiste charismatique et un de mes premiers héros rock au sein des Motifs. Il venait du même coin paumé que moi, du même repaire de blousons noirs, et avait vécu avec intensité notre expérience californienne. Ça n'allait pas être facile de se séparer de lui. Je me suis dégonflé et j'ai laissé Mad Dog lui annoncer la nouvelle. Le Dog étant bien moins sentimental que moi, il a dû y aller franco, sans tourner autour du pot. J'imagine qu'il a juste craché le morceau, en faisant en sorte que Vinnie s'estime heureux de ne pas s'être fait casser la gueule, et qu'il s'est tiré.

Il était grand temps de faire appel à mon vieux compatriote Steve Van Zandt. On était tous deux des meneurs de groupe et des guitaristes lead, et donc, bien que potes, on n'avait jamais joué dans la même formation. Je me disais que Steel Mill s'était forgé une réputation suffisante pour que Steve envisage éventuellement de venir, au moins provisoirement, me donner un coup de main à la basse. On est allés ensemble en voiture dans un magasin de musique où il s'est acheté une basse Ampeg transparente et un ampli. Puis on est retournés directement à la fabrique et on a immédiatement commencé les répétitions, afin que Steve se familiarise avec les chansons originales de notre répertoire. On a goupillé notre coup pour qu'il installe son matos exactement au moment où Little Vinnie venait récupérer le sien. Bien joué. Steve est passé dans la pièce d'à côté. Vinnie nous a couverts d'insultes. On a encaissé, puis on a repris la répète là où on l'avait laissée.

Fort de son jeu de basse et de notre longue amitié, Steve a insufflé un nouvel esprit au groupe.

Émeute rock'n'roll

On est retournés à notre ancien circuit, du New Jersey à Richmond et inversement. À la fin des années 1960 et au début des années 1970, les démêlés avec la police semblaient pratiquement inévitables, ça faisait partie du folklore. Si le concert dépassait de quelques minutes l'heure de fin prévue, on vous envoyait les flics pour faire cesser le boucan. Ça devenait presque la routine. Les policiers s'amassaient derrière la scène, des pourparlers s'engageaient entre les deux parties en présence et, généralement, on trouvait un compromis. Ce que voulaient la plupart des flics c'était faire arrêter le concert, renvoyer les mômes chez eux et retourner manger des beignets tranquilles, mais parfois on tombait sur un os. Quand on jouait avec Steel Mill, en connivence avec notre public, on était les rois, la salle nous appartenait. Elle était notre possession. On n'était pas arrogants pour autant, et généralement on se montrait coopératifs, mais en ce temps-là, les forces culturellement opposées avaient tendance à s'attirer.

À la fin d'une soirée qui s'était passée à merveille, au gymnase de l'université de Richmond, j'ai remarqué une discussion animée dans le local technique. La petite pièce se trouvait à quelques pas derrière le praticable de la batterie. J'ai vu que la discussion s'envenimait entre Billy, notre road-manager, et le chef de la police locale qui se faisaient face dans une sorte de parodie de bagarre à la Abbott et Costello. L'enjeu c'était les commutateurs : quand l'un coupait le courant, l'autre le remettait. Vini Lopez n'était pas du genre à rester les bras croisés lorsqu'on l'interrompait sur scène ; il a sauté de son tabouret et s'est joint à la mêlée. Les intrus en uniforme bleu ont été littéralement repoussés et le concert a repris à grand renfort de déclarations du type « On emmerde le système ». Peu après la fin du concert, en rangeant le matos, on s'est rendu compte que Vini n'était pas dans les parages. On l'a cherché partout, y compris dans les rues alentour, pas de Vini. Un étudiant nous a alors dit qu'il avait vu dix minutes plus tôt des flics entrer discrètement et embarquer un jeune mec menotté qui les insultait. Vini avait été emmené à la prison du comté ; on ne le reverrait pas avant un mois tumultueux.

Faute de disposer de la somme suffisante pour payer sa caution, on n'avait d'autre choix que de donner un concert « Pour la libération de Mad Dog ». Il a eu lieu au centre nautique de Clearwater, à Middletown, New Jersey ; plusieurs milliers de personnes sont venues. On a pris un batteur de Richmond et on a répété à fond avec lui. La soirée a débuté sans histoire, mais les ennuis ont commencé quand le commissariat de Middletown a fait circuler la brigade des stups en civil parmi la foule pour interpeller ceux qui fumaient de l'herbe. Le public, en supériorité numérique, n'avait pas l'intention d'obtempérer et les agents des stups se sont fait jeter tout habillés dans la piscine, au milieu du complexe. La pression a monté et la situation n'a fait qu'empirer quand le commissariat de Middletown a envoyé un bus rempli de flics vêtus de leurs toutes nouvelles tenues du SWAT, venus s'assurer que le concert se terminerait à l'heure dite. On avait coutume de toujours jouer un peu plus longtemps que prévu et, ce soir-là, ça a été perçu comme une provocation criminelle. Le courant a été coupé (sentiment de déjà-vu). Tink, en bricolo de génie, a bidouillé une dérivation pour rétablir le jus. La foule a poussé des hourras. Cette fois, c'était la goutte d'eau qui faisait déborder le vase. Les flics ont fait une entrée fracassante, les matraques sont entrées en action ; certains agents sont montés sur la scène en passant par-devant et s'en sont ostensiblement pris aux musiciens. Un petit mec tout maigre m'enfonçait sa matraque dans le bide en hurlant : « Allez, enfoiré, allez. » Je me suis retourné juste à temps pour voir Danny soulever la tête d'ampli de son gros Marshall qui coûtait une fortune. J'ai aperçu quelques agents s'approcher de la scène par-derrière, puis j'ai vu les amplis de Danny leur dégringoler « accidentellement » dessus. (Question sensation, ça devait à peu près être comme recevoir une caisse de boules de bowling sur le coin de la figure.) Certains se sont retrouvés coincés dessous, avant de réussir à s'échapper en rampant et ficher le camp. Un autre agent est monté d'un bond sur la scène et a immédiatement attrapé Danny par le bras pour essayer de l'embarquer. Flo, la femme de Danny, une pure et dure du New Jersey, s'est interposée et a attrapé son homme par l'autre bras. La scène était digne des films burlesques Keystone : imaginez un jeu de tir à la corde avec, dans le rôle de la corde, Danny écartelé entre sa femme et l'agent de police. Un grand gamin que j'avais déjà vu à plusieurs concerts est monté à son tour sur la scène et s'est approché du flic pour lui crier : *Pig, pig, pig, pig*... – insulte classique contre la police à l'époque. L'agent s'est retourné, il a lâché Danny et sauté de l'estrade pour courir à la poursuite du môme à travers la foule. Dan le Fantôme s'est éclipsé dans la nuit.

Pendant une semaine, les journaux locaux se sont déchaînés sur le thème de LA MÊLÉE ROCK'N'ROLL : des armes et des couteaux avaient été soi-disant retrouvés sous la scène (faux) ; un agent de police avait été agressé avec un ampli (vrai). La Ligue des droits de l'homme est venue sur place enquêter sur d'éventuelles brutalités policières et tout le monde a été content. On s'est tous planqués, sauf que Danny faisait désormais l'objet d'un mandat d'arrêt pour voies de fait sur un représentant de l'ordre. Maintenant, on n'avait plus de batteur et plus d'organiste. Avec l'argent gagné à l'issue du catastrophique fiasco au centre de natation de Middletown, on pouvait payer la caution de Vini pour le faire sortir de la prison où il croupissait en Virginie. Mais Danny ? Pour lui, pas question de se livrer aux autorités, ce qui était compréhensible : le sort que les policiers réservaient aux chevelus du New Jersey dans les années 1960 pouvait être assez sévère ; on avait tous entendu dire qu'il existait une sorte de réduit obscur dans la prison de Freehold où on vous laissait à poil jusqu'à ce que vous acceptiez que le coiffeur de la prison vous fasse la coupe réservée aux taulards. Non, Danny n'aurait probablement pas droit à un traitement respectueux, alors il a décidé de rester en cavale. Problème : il fallait qu'on joue et on était programmés pour un gros concert à l'université de Monmouth d'ici quelques semaines. La date approchant, on a testé plusieurs organistes de remplacement, mais aucun ne correspondait vraiment à nos attentes. Finalement, le Fantôme a annoncé qu'il prendrait le risque de jouer. On s'est dit qu'une fois qu'on serait sur scène, les flics n'oseraient pas l'arrêter devant trois mille hippies en délire.

Le grand soir est arrivé. On n'avait qu'à faire entrer et sortir Danny du gymnase à l'insu des autorités. On s'est installés sur scène, le public est arrivé ; Danny était caché sur la banquette arrière de la voiture d'un copain, garée sur le parking du gymnase, en attendant qu'on lui fasse signe. Le concert devait commencer à huit heures précises. Cinq minutes avant le coup d'envoi, je suis sorti discrètement par la porte de derrière, j'ai tapé à la vitre de la voiture en disant le mot de passe : « C'est l'heure. » Pour seule réponse, j'ai eu droit à : « Je viens pas. » Hein… ? « Je viens pas, a répété Danny. Y a des flics partout. J'en ai vu sur le toit. » J'ai regardé autour de moi, je n'entendais que le chant des grillons dans les arbres alentour. J'ai scruté le toit. Rien. J'ai cherché partout sur le parking. Rien. Danny a fini par baisser la vitre et une odeur à la fois âcre et douce a flotté hors de la bagnole. Danny avait tellement fumé d'herbe qu'il était devenu légèrement parano. Je lui ai expliqué ni une ni deux qu'il allait sortir, que je me chargeais personnellement de sa sécurité, et que tout allait bien se passer. Il a quand même fallu que je le supplie, l'implore et le serine à grand renfort d'arguments pour qu'il finisse par sortir de la voiture. Et on est entrés dans le bâtiment sans que qui que ce soit ne s'interpose.

À la minute où on a passé la porte, Party Petey, un pote de Danny, un autre organiste de la région, a salué son arrivée en hurlant : « Daaaaannnnnyyyyy ! » Le gars s'est fait assommer illico par Mad Dog Lopez, et il a fallu l'enjamber pour accéder à la scène. Le concert a démarré tambour battant avec « The Judge Song ». On était fiers de notre coup et on se félicitait d'avoir réussi à embobiner les flics. Aucun représentant de l'ordre n'oserait arrêter Danny devant le public. En fin de soirée, en signe de solidarité hippie, j'ai fait monter les *brothers and sisters* sur la scène, jusqu'à ce que l'estrade ne soit plus qu'une masse ondulante de regards vitreux et de tee-shirts tie-dye. Danny s'est éclipsé de derrière son orgue, il est sorti par le devant de la scène puis a franchi la porte d'entrée, libre. Le pouvoir au peuple ! Mais à quel prix ! On ne pouvait pas continuer comme ça, alors on a convaincu Danny de se rendre aux autorités la semaine suivante. On a payé sa caution, il y a eu un petit procès et, si je me souviens bien, il n'a pas été inquiété. Fin de l'histoire. Mais j'en avais assez. L'époque hors la loi était révolue.

Steel Mill avec Steve continuait à bien tourner. Pour moi, il y avait bien sûr le plaisir d'être avec mon pote, d'autant qu'en tant que bassiste, il avait un style audacieux et percutant et qu'au plan vocal il apportait de belles harmonies. J'avais toujours douté de moi en tant que chanteur. J'étais conscient d'avoir une texture et une tessiture limitées. J'avais l'impression de ne pas être capable de me plonger à fond dans ce que je chantais. Joe Strummer, Mick Jagger et bien d'autres grands chanteurs rock ou punk n'avaient pas une voix exceptionnelle mais ils s'appropriaient tellement les chansons, les interprétaient tellement avec leurs tripes que ça compensait largement car ils imposaient leur style. Il n'empêche, j'étais persuadé que notre groupe pouvait s'améliorer au plan vocal, et pour cela j'avais l'intention de moins me mettre en avant. Mercy Flight était un groupe génial de Richmond dont le chanteur s'appelait Robbin Thompson. J'estimais que c'était une des plus grandes voix du rock, une voix encore méconnue, quelque part entre John Fogerty et Rod Stewart, à la fois puissante et stylée. Débaucher le meilleur élément d'un groupe, en particulier d'un groupe que vous connaissez, n'est certes pas très courtois, mais ça ne m'a pas trop empêché de dormir. Je voulais qu'on ait le meilleur groupe possible. J'ai fait part de mon projet aux gars de Steel Mill ; ils n'étaient pas persuadés que c'était nécessaire, mais ils m'ont soutenu.

Robbin est venu nous rejoindre et, pour un temps, on a été les Sam & Dave du rock qui bastonne. C'était un bon groupe, mais probablement pas aussi bon que la mouture initiale à quatre. Robbin était un super chanteur, sauf qu'on n'était que quatre, et le fait d'être l'auteur de toutes les chansons me donnait une certaine légitimité pour les interpréter. C'est la leçon que j'en ai tirée, une leçon dont je me souviendrai trente ans plus tard avec le E Street Band.

Artistiquement je me sentais à l'étroit dans le roots'n'boogie mâtiné de rock lourd de Steel Mill. Après avoir écouté Van Morrison et l'album *Mad Dogs and Englishmen* de Joe Cocker, j'avais envie de revenir à mes racines soul. J'ai proposé à Vini Lopez et Steve d'aller de l'avant avec moi, de se lancer dans un truc complètement différent, un groupe de rock'n'soul d'une dizaine de musiciens, cuivres et choristes compris, qui ne jouerait que des titres originaux.

J'avais récemment vu à l'Upstage un jeune clavier black qui m'avait impressionné. À seize ans, il était un des musiciens les plus talentueux que j'avais jamais entendus à Asbury Park. Il y avait un pur génie musical et une présence scénique incroyable chez ce David Sancious. De la graine de star. Une recrue de choix pour mon groupe. En quête d'aventure musicale, David avait eu le courage de franchir les barrières et d'entrer à l'Upstage, un temple du rock blanc. Inversement, c'était une présence totalement nouvelle sur cette scène et qui plaisait beaucoup. En ce temps-là, ceux qui passaient la frontière entre Blancs et Blacks à Asbury n'étaient pas si nombreux. Garry Tallent jouait avec Little Melvin and the Invaders, un groupe de soul black, avec le jeune Clarence Clemons au saxo, dans les clubs noirs aux alentours d'Asbury. J'allais à l'Orchid Lounge sur Springwood Avenue quand s'y produisaient mes groupes soul préférés. Les Blancs à l'Orchid étaient une curiosité mais on les laissait tranquilles. On allait tous acheter nos fringues chez Fisch's, la boutique super branchée de la communauté noire. Avec les émeutes, tout ça a changé. Les deux communautés se sont davantage méfiées l'une de l'autre. Un incendie a entièrement détruit Fisch's si bien que la virée à Springwood devenait moins alléchante. Mais les musiciens en quête de nouveauté semblaient du coup plus enclins à s'aventurer de l'autre côté. David Sancious a intégré mon nouveau Bruce Springsteen Band et j'ai tourné la page de mon époque glorieuse cheveux-longs-et-guitare-en-bandoulière.

VINGT

ENDLESS SUMMER

À la fabrique, la vie continuait. Mad Dog et moi, on avait appris à surfer grâce aux mômes qui venaient faire réparer leur planche et, pendant un certain temps, on s'y est mis sérieusement. Au point de dormir plusieurs nuits sur la plage, au pied des pilotis de North End Beach à Long Branch. Le Surf Shop de Mad John était au-dessus sur l'embarcadère et en cas de pluie, c'est là, à l'intérieur du magasin, qu'on pouvait nous trouver, entassés comme des sardines au milieu des planches avec les autres surfeurs itinérants. Au matin, on émergeait pour se lancer dans le léger ressac du New Jersey – une nouvelle journée de mer et de vagues. On surfait de l'aube au crépuscule et j'ai passé comme ça deux des plus beaux étés de ma vie, sous le signe de la musique, des filles et des vagues, comme dans la chanson. J'avais un *longboard* acheté d'occasion chez Challenger Eastern, avec lequel j'aimais vraiment surfer. Cette planche m'a permis de m'éclater sur les vagues. Lorsque la révolution *shortboard* est arrivée, je me suis senti obligé de prendre une de ces petites fusées de moins de deux mètres de long. Tinker en fabriquait parce que c'était ce que les jeunes surfeurs voulaient, mais lui était un *old-school* pur et dur et ces planches très courtes ne lui avaient jamais plu. La première fois que j'ai pris une vague avec la mienne, j'ai été tellement étonné qu'elle soit si rapide et si facile à manœuvrer qu'elle m'a filé sous les pieds. Waouh, doucement, ma belle ! Au passage je me suis cassé une dent de devant sur la planche, sous les yeux éberlués de Steve Van Zandt resté sur la plage. Je suis remonté sur la terre ferme et j'ai dit à Steve : « Il y a un truc bizarre, y a trop d'air. » Steve me regardait avec des yeux ronds. « Il te manque une dent, celle de devant », il m'a dit. Pour la première fois de ma vie je suis allé chez un dentiste (jusque-là, c'est mon père qui se chargeait de mes « soins » dentaires : une ficelle autour de ma dent branlante, attachée à une poignée de porte, et l'affaire était réglée). Avec une couronne sur ma dent cassée et l'autre dent de devant redressée, j'étais fin prêt pour la gloire.

Plus tard cet automne-là, j'ai failli me noyer pendant un ouragan, un jour où je n'aurais jamais dû me mettre à l'eau. Mad Dog et moi on était restés assis toute la matinée sur la plage, à se demander si on allait surfer ou pas. Finalement, sur le coup de midi, un cow-boy s'est lancé dans les vagues et nous a convaincus de le suivre. On s'amusait bien jusqu'à ce qu'un rouleau monstrueux apparaisse à l'horizon. Je me suis mis à pagayer avec les mains le plus vite possible vers le bord, me redécouvrant du coup une formidable ferveur catholique : « Seigneur, fais que je survive à ce rouleau monstrueux... » Tu parles. Je me suis fait pulvériser sur les rochers de la jetée et de nouveau retourner par deux bombes à l'outside ; ma planche m'a été immédiatement arrachée des mains (à cette époque les leashs n'existaient pas encore). Je m'en suis tiré de justesse en nageant comme j'ai pu, et j'ai rampé sur le sable telle la première créature s'extirpant de la soupe préjurassique, couvert de bleus et courbaturé de partout. Je suis resté un long moment allongé, inspirant par goulées, le cœur battant, remerciant un Dieu en qui je ne croyais pas. *Aloha, Hawaï.* Le pipeline Banzai, ce ne serait jamais pour moi.

À la fabrique, on a fait passer des auditions à des choristes pour le Bruce Springsteen Band, mon nouveau projet. De courageuses jeunes femmes ont répondu à notre petite annonce parue dans l'*Asbury Park Press* – du courage, il en fallait pour venir en voiture dans ce terrain vague en pleine zone industrielle, un vrai paradis pour violeurs, tout ça pour faire entendre son talent vocal. On a eu droit à des pinsons de style Vegas, des chanteuses d'opéra, d'horribles et hilarantes aspirantes pré-karaoké qui ont mis nos bonnes manières et notre self-control à rude épreuve. J'ai même eu au téléphone Patti Scialfa, alors lycéenne, et je lui ai gentiment offert le conseil suivant : notre groupe serait amené à tourner, il était préférable pour une jeune fille de rester au lycée. Finalement, Delores Holmes et Barbara Dinkins, deux chanteuses de gospel black venues des quartiers ouest d'Asbury, se sont révélées correspondre exactement à ce que je cherchais. Les cuivres ont été encore plus compliqués à trouver. On était en pleine ère jazzy et il était difficile de dénicher des musiciens ayant envie de jouer un R&B rudimentaire, sans garantie d'être payés. Une fois le projet monté, on a eu un bon groupe.

J'ai composé « You Mean So Much to Me Baby », qui serait plus tard repris sur le premier album de Southside Johnny, chanté en duo avec Ronnie Spector. On a peut-être donné une douzaine de concerts mais force m'a été de constater qu'un groupe de cette taille n'était pas rentable au stade où on en était. J'ai appris assez tôt que les gens payaient pour un nom qui fonctionnait comme une marque. Steel Mill n'existait plus, pas plus que le pouvoir d'attraction que j'avais pu avoir ces derniers temps. Le Bruce Springsteen Band, même si on précisait dans la promo « ex-Steel Mill », ne déplaçait plus les foules comme mon groupe précédent, d'où des problèmes financiers. J'avais décrété qu'après Steel Mill c'en serait fini de la démocratie et que le groupe porterait mon nom. J'étais le leader, je jouais, je chantais, j'écrivais et composais toutes nos chansons. Si je devais me taper toute la charge de travail, alors autant assumer le pouvoir. Je ne voulais plus de discussions sans fin pour la moindre prise de décision et ne voulais pas non plus qu'il y ait d'ambiguïté sur la direction artistique à suivre. Je voulais avoir la liberté de suivre « ma muse » en évitant toute dispute inutile. Désormais, j'assumerais la pleine responsabilité du projet… encore fallait-il que j'arrive à faire rentrer des ronds.

A posteriori, je pense que c'est là une des meilleures décisions que j'aie prises de ma jeune vie. J'ai toujours considéré que la pérennité du E Street Band – le groupe existe aujourd'hui depuis plus de quarante ans – est due au fait qu'il y a peu, voire pas du tout, de confusion des rôles parmi ses membres. Chacun sait ce qu'il a à faire, connaît sa marge de manœuvre, ses qualités et ses limites. Mes partenaires n'ont pas toujours été satisfaits des décisions que j'ai prises, certaines ont même pu leur déplaire, mais personne n'a remis en question mon droit à les prendre. Comme les choses étaient claires, des liens fondés sur le principe d'un travail collectif se sont créés entre nous, mais c'était mon groupe. J'ai mis en place une dictature bienveillante : tout apport créatif était le bienvenu au sein de la structure que j'avais conçue mais c'était mon nom sur les contrats et les disques. Plus tard, quand des ennuis se présenteraient, ils seraient pour ma pomme. Donc à partir de maintenant, c'est moi qui aurais le dernier mot. Déjà à l'époque des problèmes sont apparus, mais on avait instauré un système relativement clair qui permettait de les contextualiser et de les affronter.

Le premier coup que j'ai reçu en prenant cette décision, ça a été de perdre la majeure partie des fans jusqu'alors attirés par la grosse puissance de Steel Mill et, avec eux, de voir disparaître des rentrées régulières d'argent. Puis l'effectif du Bruce Springsteen Band est passé de neuf à sept lorsqu'on a perdu notre section de cuivres. On a un peu joué dans le Sud, grâce à notre réputation avec Steel Mill, et ça a été l'occasion de se rendre compte qu'il y avait encore des endroits, en 1971, qui n'acceptaient pas qu'on vienne avec nos choristes noires – officiellement, ils n'appréciaient pas trop « ce son » et préféraient quelque chose de « plus rock », comme ce que faisait mon groupe précédent. Lors d'un de nos séjours à Richmond, j'ai reçu un coup de fil d'une des choristes, qui était venue accompagnée de son petit copain craignos. Je suis allé à leur motel, où je l'ai trouvée salement amochée, avec plaie ouverte et l'os à nu ; le gars l'avait tabassée avant de mettre les voiles. On a joué à cinq ce soir-là et on est revenus cahin-caha dans le New Jersey. On avait perdu nos choristes et toutes nos dates prévues.

C'est à peu près à cette période que les tendances misanthropes de Tinker ont découragé la plupart des membres du groupe. Personne à part moi n'était épargné par les copieuses injures que Tinker proférait chaque jour. La rancœur s'est accumulée, des différends sont apparus en rapport avec certaines de ses décisions manageriales. Ajouté à l'usure naturelle de la relation, ça a conduit à mettre un terme à l'activité de Carl West comme manager. Tinker avait beaucoup fait pour moi et ce n'était pas fini. Il existait une véritable amitié entre nous et de vrais amis, ni lui ni moi n'en avions tant que ça. Challenger Eastern, l'entreprise de planches de surf de Wanamassa, n'existait plus et on avait maintenant un nouveau club-house dans un garage de Highlands. Highlands était alors un coupe-gorge, une commune de pêcheurs rustres dans les plaines du Central Jersey, une bande de terre où les homards pullulaient. On avait entièrement aménagé cet espace délabré, monté les murs et assuré l'isolation de notre studio d'enregistrement. L'ensemble était du pur Carl West Production : on-se-branche-sur-le-général-et-ni-vu-ni-connu-je-t'embrouille. On était des fantômes dans le système, une bande de petits gars de la ville qui ne payaient pas d'impôts, vivotaient en se faisant payer au noir, complètement à l'écart des conventions.

Je suis allé voir Tinker au garage, un jour d'automne, pour lui annoncer la nouvelle. Il était sous son camion, à réparer le moteur. « Tink... » J'entends le cliquetis des outils qu'on prend et qu'on pose sur le bitume, mais je ne vois de son corps que les jambes qui dépassent. Puis : « Ouais...

– Les gars ont décidé qu'il était temps qu'on trace de notre côté, on va s'occuper nous-mêmes des affaires pendant un moment, voir comment ça se passe...

– Comme vous voulez... » Silence. Glissement d'outils au sol. Silence de nouveau. Je suis reparti.

Le nouveau son que j'essayais de trouver, un mélange de bon *songwriting* – des compos bien ficelées – et de rock sous influence soul et R&B, deviendrait finalement la base de mes deux premiers disques, *Greetings from Asbury Park, N.J.* et *The Wild, the Innocent and the E Street Shuffle.* Finies, les pitreries guitaristiques. Ce qui m'importait désormais c'est que les gens jouent ensemble et soient au service de la chanson. Je me suis bien vite rendu compte que certes c'était plus satisfaisant au plan personnel et musical, mais beaucoup moins rémunérateur dans le Garden State que du bon vieux rock pur et dur qui bastonne ; et survivre s'est révélé encore plus difficile. Je suis devenu très dépendant des vingt dollars que filait Tom Potter pour la soirée jam à l'Upstage Club, les week-ends. Je pouvais sans problème vivre avec trente ou quarante dollars par semaine. Mais voilà, Tom a décidé de fermer l'Upstage Club pour partir en Floride. Je me suis installé dans l'appartement de Tom et Margaret – enfin, Tom y vivait maintenant tout seul, car le couple s'était entre-temps séparé. C'était d'un triste. Cet endroit hallucinant avait été conçu spécialement pour deux *personnes*, deux personnes adorables mais foldingues : il y avait un étonnant motif récurrent noir et rouge, des milliers de capsules de bouteilles partout, un réfrigérateur entièrement couvert de photos de playmates – la moindre pacotille était recyclée pour créer quelque chose d'inédit dans le style bohème sous acide propre à Tom. L'ensemble faisait penser à la banquette arrière de la Cadillac de Tom Waits. Rétrospectivement, je me dis qu'il s'agissait véritablement de l'œuvre d'un artiste non conformiste. Habiter là, en revanche, c'était autre chose, c'est pourtant ce que deux potes et moi on a fait.

Depuis la séparation, Tom Potter, Tom le fou, la grande gueule, le pirate, le patron de rade qui se foutait du monde entier, était inconsolable. Margaret était partie et ses étranges « attractions » avec elle, et elle ne reviendrait pas. Tout esprit de déconnade avait abandonné Tom. Il était maintenant silencieux, pensif, toujours au bord des larmes. Ce n'était plus que l'ombre triste du Monsieur Loyal qui avait jadis animé les fiestas de la boîte pour ados sans doute la plus déchaînée d'Amérique. Finis, les concours de la minijupe la plus courte. Finies, les sorties du club à l'aube pour aller jusqu'à la jetée en bois pioncer sur la plage. Black Tiny, White Tiny, Big Bad Bobby Williams, Southside, Garry, Steve et moi, Big Danny, Party Petey, les motards hors la loi errants, les préados en goguette, les strip-teaseuses de fin de nuit et les centaines de musiciens du Shore qui affluaient dans cette Mecque, l'été, on allait tous devoir se trouver un nouveau foyer. L'Upstage, où je m'étais forgé mes amitiés musicales les plus solides, le véritable lieu de naissance du E Street Band, n'existait plus.

Le matin où Tom est parti pour la Floride, on s'est retrouvés devant le club, on l'a remercié d'avoir été là quand on avait eu besoin de lui et du joyeux bordel qu'il avait su créer. Après quelques poignées de main et accolades, il est monté dans sa guimbarde et a mis le cap au Sud. Je ne l'ai plus jamais revu.

VINGT ET UN
BEATNIK DE LUXE

Un drugstore au rez-de-chaussée, un salon de beauté entièrement équipé au premier étage, avec deux rangées de casques sèche-cheveux, c'est là que Tom et Margaret avaient à une époque exercé leur métier et c'est là que j'ai écrit une bonne partie de *Greetings from Asbury Park, N.J.* Le logement au deuxième étage avait un grand bow-window qui donnait sur la vitrine du quartier général de l'organisation politico-religieuse Nation of Islam. Tom avait un lit gigantesque sur pilotis qui occupait 80 % de la pièce. S'il avait pu parler, il en aurait eu à raconter, ce paddock. J'avais une chambre dans le fond, qui donnait sur une petite cuisine et un drôle de jardin suspendu. C'était la piaule la plus cool de toute la ville ; on y créchait à trois pour soixante dollars chacun par mois. Ces soixante dollars, il allait être de plus en plus difficile de les gagner.

Maintenant qu'on ne trouvait plus de concerts puisque notre répertoire nous excluait de la scène Top 40 du Shore, il fallait qu'on trouve un autre moyen de gagner de l'argent. Steve et moi, on a eu une idée. On allait prospecter tout Asbury un samedi soir, au moment où la saison estivale battait son plein. Le club qui tournait le moins bien serait celui qu'on démarcherait en premier : on lui ferait notre speech pour qu'il nous programme. On a commencé méthodiquement par le nord de la ville. Sur le coup de minuit, on a poussé la porte du Student Prince, un bar dans le secteur sud qui venait d'être racheté par un maçon de Freehold. Ce soir-là, à part lui, il n'y avait qu'un type égaré sur un tabouret, tout au fond. On s'est dit qu'on avait trouvé. À l'extérieur, Asbury était en pleine ébullition, mais là, c'était le trou noir. Notre proposition était simple : le proprio ne nous verserait pas un rond, on ferait payer un dollar l'entrée, on jouerait notre répertoire, on empocherait les recettes et on rentrerait chez nous. Il n'avait rien à perdre.

On lui a exposé notre plan ; il a réfléchi une minute, avant de demander : « Vous allez jouer quoi ?

– Ce qu'on veut…

– Euh… Je sais pas. » Son rade était vide même en haute saison. Il n'y a rien de plus triste pour un patron de bar sur le Jersey Shore ; c'est comme un coup de poing dans le bide. Et malgré ça, la réticence vis-à-vis de compositions originales était telle dans cette ville – notre ville natale – qu'il ne savait pas ?! Il a tout de même fini par accepter. Le samedi suivant, on s'est pointés tous les cinq, Mad Dog, Steve, Dave Sancious, Garry Tallent et moi. On a fait payer un dollar l'entrée. On a joué devant quinze personnes. Plusieurs sets de cinquante-cinq minutes, de neuf heures à trois heures du matin. On a gagné quinze dollars, trois dollars par tête de pipe, et chacun est rentré au bercail. Avec Steel Mill, il nous arrivait parfois de nous faire trois mille dollars dans la soirée, sans contrat de disque, à raison d'un dollar l'entrée. Une fois les frais remboursés, chaque membre du groupe repartait avec plusieurs centaines de dollars en poche. Vous savez combien de temps on pouvait vivre avec ça en 1971-1972, quand on ne payait pas d'impôts, qu'on n'avait personne à charge ni de loyer à débourser ? Très, très, très longtemps. Et là, je renvoyais mes gars chez eux avec *trois* dollars en poche...

La semaine suivante, on a remis ça. On a joué pour trente amateurs et on s'est fait trente dollars. Six billets chacun. La semaine d'après, ils étaient quatre-vingts, puis cent, puis cent vingt-cinq ; ensuite on a commencé à jouer les vendredis et les samedis, puis les mercredis, les vendredis et les samedis, attirant chaque soir de cent à cent cinquante personnes, la capacité maximum du rade. De quoi gagner notre vie. On avait trouvé un petit noyau de fans qui gravitaient autour de la seule scène indépendante des environs. C'est grâce à eux qu'on s'en est sortis. C'était une petite scène assez cool. Des copains ont commencé à se pointer pour taper le bœuf. Un soir que Danny Federici et Flo étaient là, elle lui a balancé une chope de bière à la figure pour avoir flirté avec une autre nana. Un autre soir, quelqu'un a tiré avec une arme à feu – personne n'a été blessé. C'était comme une soirée à la maison, qui avait lieu trois soirs par semaine pour les gens du quartier, un groupe de gens plutôt dans le coup. Le maçon était content. Le groupe était content. Le public aussi.

C'est d'ailleurs au Student Prince que j'étais le week-end du 15 au 17 août 1969, lorsque cinq cent mille personnes de ma génération ont afflué sur White Lake à Bethel, dans l'État de New York, pour s'affaler dans le champ de Max Yasgur, portant à son paroxysme un phénomène qui montait en puissance depuis déjà quelque temps. Pour moi, ce fut un week-end comme un autre, on jouait comme d'habitude pour des locaux et des potes venus boire un verre. De mon point de vue, ce gros festival organisé dans le nord de l'État de New York paraissait galère, trop d'embouteillages, trop de drogue. Même si sur le coup, en comparaison, ça n'avait l'air de rien, j'étais lancé dans ma propre aventure.

Le Big Man fait son entrée

Je m'intéressais toujours au son rock'n'soul et j'étais toujours à la recherche d'un bon joueur de sax. Je m'étais plongé dans les disques de Gary U.S. Bonds, King Curtis, Junior Walker et Dion et j'adorais les sonorités d'un saxo rock'n'roll qui déchirait. Un certain Cosmo s'est pointé, un jour, un type à la tignasse rousse crêpue, et il a tapé un super bœuf avec nous. Le truc, c'est qu'il avait un caractère limite psychotique, réputé pire que celui de Mad Dog. Avec deux numéros comme ça dans le groupe, on était sûrs de retrouver nos trombines placardées au mur du bureau de poste d'Asbury Park.

Garry a dit qu'il connaissait un certain Clarence Clemons. Il avait joué avec lui dans le groupe de soul Little Melvin and the Invaders, qui tournait dans les clubs blancs d'Asbury et des alentours. Selon lui, Clarence avait un truc magique. Le hic c'est qu'il était introuvable. Par le plus grand des hasards, il jouait au Wonder Bar, dans le secteur nord d'Asbury, un soir qu'on jouait au Student Prince, en zone sud. Il avait entendu parler de moi et s'est pointé avec son instrument voir un peu comment on se débrouillait.

C'était un soir où il faisait sombre et orageux. L'angle Ocean Avenue et Kingsley Street était un no man's land fouetté par la pluie et les rafales, les lampadaires grinçaient dans le vent. La ville était déserte. On était sur scène, on jouait pour quelques clients enthousiastes entrés pour se réchauffer, boire un verre et écouter un peu de musique. Quand le Big Man s'est approché de l'entrée du Prince, un puissant coup de vent a déferlé dans

Ocean Avenue, arrachant de ses gonds la porte du club et l'emportant dans la rue. Un bon présage. J'ai regardé au fond de la salle et j'ai aperçu une grande silhouette noire debout dans la pénombre. Il était là. King Curtis, Junior Walker et tous mes fantasmes rock'n'roll concentrés en une seule personne. Il s'est approché de la scène, a demandé s'il pouvait monter. Il nous a rejoints sur l'estrade, il a pris place à ma droite et quand il a commencé à souffler, j'ai eu l'impression qu'une force de la nature sortait de son saxo. Un son ample, épais et brut, comme je n'en avais encore jamais entendu. Tout de suite ma réaction a été de me dire que c'était ça... c'était ce son-là que je cherchais. Mais ce n'est pas tout : il y a eu une telle alchimie entre nous deux, côte à côte, que j'ai senti que l'avenir était en train de s'écrire. Cette soirée n'a pourtant pas débouché d'emblée sur du concret. Clarence avait des concerts réguliers bookés et je n'avais pour l'instant rien à lui proposer, si bien qu'à la fin de la soirée on a discuté, on s'est mutuellement complimentés en se promettant de garder le contact. J'allais recroiser Clarence sur mon chemin, mais tout d'abord j'avais soixante-dix bornes de mauvaise route à parcourir.

On avait retrouvé un semblant de stabilité. Avec cent cinquante dollars par soir, à raison de trois soirs hebdomadaires, on rapportait chacun quatre-vingt-dix dollars par semaine, selon l'affluence. Largement de quoi vivre, et même de quoi mettre un peu d'argent de côté. À cette période, je suis tombé raide dingue d'une charmante surfeuse, une nana déchaînée qui se droguait, menait la grande vie et ne suivait les règles de personne. Un antidote parfait pour moi qui éprouvais le besoin de toujours vouloir tout régenter. Et elle a inauguré chez moi un goût pour les beautés blondes. Elle était tellement vivante, drôle, et en mille morceaux, impossible de lui résister. En bon catholique, j'ai cru pouvoir être son messie, mais mes espoirs ont vite été anéantis et elle m'a brisé le cœur, ce qui était bien mérité. Elle avait un peu bourlingué, avait fait la traversée jusqu'en Californie et retour, elle connaissait quelques rock stars de seconde zone, les faisait venir pour qu'ils « découvrent » mon groupe, puis couchait avec eux. Dans l'histoire, je m'en tirais avec une poignée de main et un tee-shirt « Vous êtes super, les gars ». Je me suis installé avec elle et sa copine dans un appartement de Long Branch, New Jersey. Pendant que la surfeuse batifolait dans le noir, sa copine m'a expliqué ce qui se passait réellement, elle a consolé mon ego blessé, m'a dit que je méritais mieux et vous pouvez deviner la suite. Elle avait une fillette adorable et j'ai joué au papa un petit bout de temps. C'était mignon, mais on était en réalité un couple de gosses paumés en charge de cette splendide gamine. La seule chose que j'avais gardée de mon enfance, en dépit de tous mes déménagements, c'était mon premier cheval à bascule : un appaloosa en bois, de soixante centimètres de haut, blanc crème avec des taches rouges. Ce jouet que j'adorais, je l'ai offert à cette petite fille.

Toute cette histoire a fini par me rendre tellement dingue que j'ai décidé, dans un état de confusion avancée, de tenter de nouveau ma chance dans l'Ouest, là où rien ne me rappellerait quoi que ce soit. *Sandy, my boardwalk days are through* (Sandy, ma période *boardwalk* est terminée). Ma surfeuse a disparu et sa copine a suivi le cirque Ringling Bros. and Barnum & Bailey. Nos chemins se sont par la suite croisés quelques fois ; des années plus tard, j'ai revu la mère et la fille au Stone Pony, à Asbury Park, toutes les deux très belles. En attendant, avant mon départ du New Jersey, une dernière chose importante m'attendait sur la côte Est.

Rencontre avec Mike

Je traînais avec un ami, Louie Longo, en bordure d'un parc à mobil-homes à Highlands, New Jersey. Tinker habitait une petite maison de l'autre côté de la rue. On était restés amis et on se voyait régulièrement. J'allais le voir sur Main Street au nouvel atelier, construit de nos mains, pendant qu'il concevait des sonos, se nouait d'amitié avec les voisins, les mettait en colère ou les insultait. C'est là qu'il retapait avec amour ses voitures et ses bateaux vintage, montait des combines de plusieurs millions de dollars en douce du fisc et, de manière générale, bricolait. Un beau jour, il s'est garé devant chez Louie alors que j'étais assis sur le perron, à compter les brins d'herbe. « Je vais à New York voir un producteur de disques. Tu devrais venir avec moi et lui jouer quelques chansons. Tu m'accompagnes ? » J'ignore pourquoi, ce jour-là, j'ai hésité. Peut-être que j'étais échaudé après toutes les occasions foireuses qui s'étaient présentées. Ça faisait maintenant plusieurs années que je rencontrais des gens qui auraient pu, dû ou bien voulu nous aider à mettre un pied dans le *music business*, et rien n'avait jamais abouti. Mais… j'avais récemment écrit d'assez bonnes chansons acoustiques et j'étais toujours persuadé d'être un excellent guitariste qui ne demandait qu'à être reconnu. Alors j'ai sauté dans le break de Tinker et nous voilà partis sur la route de brique jaune, direction la Cité d'émeraude, comme dans *Le Magicien d'Oz*.

On s'est garés devant un immeuble de Fifth Avenue et on est montés dans l'ascenseur jusqu'à l'étage de Wes Farrell Music, puis on s'est engagés dans un long couloir assez sombre flanqué de box où travaillaient des auteurs. Devant moi se tenait un homme courtaud d'une trentaine d'années, cheveux noirs, qui a salué Tinker avec un fort accent new-yorkais. Tink m'a présenté Mike Appel, à qui j'ai serré la main. On est entrés dans son bureau, une petite pièce où se trouvaient un piano, un magnétophone, une guitare et deux chaises. Il régnait une austérité digne du Brill Building, dans ce lieu où les auteurs sous contrat avec des éditeurs musicaux passaient leur temps à essayer de trouver aujourd'hui les hits de demain. Dans le cas présent l'éditeur était Wes Farrell. Mike avait participé à l'écriture de « Doesn't Somebody Want to Be Wanted », le succès phénoménal de la Partridge Family. Il m'a sorti d'emblée tout un speech sur ses multiples compétences (éditer, produire, manager) et je lui ai joué quelques chansons qui étaient un avant-goût de celles que j'écrirais pour *Greetings from Asbury Park, N.J.* Mike a exprimé un certain intérêt. Je lui ai expliqué que je partais bientôt en Californie pour ma tournée « Cœur brisé 1971 » ; je reviendrais sans doute un jour, ou jamais. Il m'a donné son numéro en me disant de lui passer un coup de fil si je décidais de revenir.

VINGT-DEUX

CALIFORNIA DREAMIN' (DEUXIÈME PRISE)

Quelques jours avant Noël, avec Tinker, on s'est préparés à retraverser le pays dans son vieux break Ford. Même topo : soixante-douze heures de route, plus de quatre mille cinq cents kilomètres sans dormir, sans pause. En prenant par le sud, on a décidé de faire une halte sur nos bonnes vieilles terres de Richmond, en Virginie. On a terminé dans une boîte de strip-tease, où Tinker a rencontré une danseuse du ventre. Il a décidé de passer la nuit avec elle et moi j'ai dormi chez une vieille copine du coin. Quand on s'est retrouvés à la voiture le lendemain matin, la danseuse du ventre était là, avec ses valises. Elle avait décrété qu'elle en avait marre du Nouveau Sud et qu'elle allait nous accompagner pour rallier l'Ouest nouveau. C'était une nana chouette et ça a été un plaisir de faire le voyage avec elle. Elle avait des amis sur la côte et envisageait d'ouvrir un studio de danse orientale en Californie du Nord, le genre de région où ce type d'activité pouvait décoller. Le voyage s'est passé relativement sans encombre, à l'exception de violentes tempêtes de neige dans les montagnes de l'Ouest. Je n'avais toujours pas le permis mais depuis le temps ce n'était qu'un détail. On est arrivés dans une zone où étaient garées des semi-remorques, moteurs allumés, les chauffeurs endormis dans leurs cabines ; il y avait des kilomètres et des kilomètres de bouchon à cause de la neige et du verglas qui empêchaient de gravir les côtes montagneuses trop raides.

Une nuit, la route a disparu sous nos yeux ; il y avait tellement de neige qu'il était impossible de savoir où se trouvait le bas-côté. Malgré les chaînes aux pneus, on est partis plusieurs fois dans des glissades particulièrement traîtres. Notre danseuse commençait à ne plus être très rassurée, alors on s'est arrêtés. Tinker et moi sommes sortis du véhicule ; on était à un col, en altitude ; aucune autre voiture en vue. Une masse phénoménale de poudreuse tombait du ciel et nous enveloppait. Tout était silencieux, de ce silence propre au désert. Une chute de neige pareille, c'est troublant. Sur la côte Est, lorsqu'il neige, c'est la liberté : pas de travail, pas d'école, le monde ferme sa grande bouche, les rues sales sont recouvertes d'un blanc virginal, comme si toutes vos erreurs pouvaient être effacées par la nature. Vous ne pouvez pas courir, vous ne pouvez que rester tranquille. Vous ouvrez la porte sur un monde sans chemin ; votre vieux sentier, votre histoire disparaissent sous ce manteau de pardon, et vous vous dites que là pourra peut-être se produire quelque chose de nouveau. C'est une illusion, mais qui peut stimuler les zones régénératrices de votre cerveau, vous pousser à vous lancer dans des entreprises plus conformes aux desseins de Dieu et de la nature. Une telle masse de neige en revanche – je veux dire vraiment beaucoup – c'est une autre histoire. Votre sentiment de liberté vire au confinement. Le simple poids de la neige devient existentiel et la menace d'un monde obscur, enfoui, s'installe. J'ai ressenti ça deux fois. La première fois dans l'Idaho, où il est tombé des flocons énormes pendant soixante-douze heures, avec panne de courant générale : plus de lumière, la nuit éternelle, comme si le jour du Jugement dernier était arrivé. La seconde fois ça a été ce soir-là sur l'autoroute en haut du col. Il y avait trop de silence, trop de pesanteur, trop peu de démarcations et plus aucun repère dans l'espace. On n'y voyait plus rien. Le monde avait été aplani, transformé en un immense plateau dont on pouvait facilement tomber, faute d'en voir le bord. Nos préoccupations étaient du coup simplifiées à l'extrême : ça passe ou ça casse. Les premiers cartographes avaient raison : le monde était plat et un mouvement trop à droite ou à gauche pouvait vous faire basculer dans un abîme peuplé de monstres.

On est remontés dans notre cercueil ambulant, Tink a roulé au pas, ravi, en bon misanthrope, à l'idée d'une fin du monde imminente, jusqu'à ce qu'on redescende au pays des vivants, sur des voies moins dangereuses. Le reste du voyage a été jalonné de restaurants, de relais routiers, et agrémenté de récits érotiques de notre passagère tandis que l'autoroute s'étirait à l'infini. On a passé la frontière californienne, Tinker m'a déposé à San Mateo, devant chez mes parents, qui m'ont accueilli en pyjama ; je suis entré, j'ai posé mon sac et je me suis écroulé sur le canapé pour vingt-quatre heures d'un sommeil de plomb.

J'avais prévu d'entamer une nouvelle vie, dans un lieu nouveau, de tourner la page après ma déception amoureuse. J'avais économisé environ trois cents dollars, mon pécule pour « démarrer ». L'urgent était de trouver un club qui me paierait pour jouer. Je me suis vite rendu compte, une fois de plus, que s'il y avait des salles où je pouvais jouer mon répertoire acoustique – des soirées « scène ouverte » –, aucune ne rémunérait vraiment. J'étais de nouveau un parfait inconnu. J'avais laissé derrière moi mon groupe et sa réputation bien installée dans des bars de la côte Est, et je n'étais ici qu'un débutant avec sa guitare et une poignée de chansons. Alors j'ai eu l'idée d'intégrer un groupe un peu établi qui chercherait un chanteur-guitariste capable de chauffer un public. C'est dans cet état d'esprit que j'ai commencé à fréquenter les clubs. Un soir, à San Francisco, je suis tombé sur un très bon groupe de funk et soul qui cassait la baraque. Pendant une pause, je suis allé discuter avec un des musicos, qui m'a signalé qu'ils cherchaient justement un guitariste – le leur s'en allait. Tu parles d'une chance ! Leur style était un peu plus jazzy que le mien, mais je me suis dit que j'allais assurer. On a échangé nos numéros de téléphone et on a fixé une date pour que je vienne jammer avec eux. Un soir de semaine, je me suis garé devant un entrepôt, dans les quartiers sud de San Fran, je suis entré, j'ai salué tout le monde et je me suis branché. On a joué une quarantaine de minutes. Leur musique me poussait un peu dans mes retranchements mais je trouvais que ça se passait plutôt bien. Ils ont fait une pause, se sont réunis dans la salle d'à côté, puis le gars avec qui j'avais discuté au club est sorti pour m'annoncer que je pouvais rentrer chez moi, merci au revoir. Je ne m'étais pas senti rejeté à ce point depuis mon dernier séjour à San Francisco. Je commençais à prendre cette ville en grippe.

J'ai passé les trois semaines suivantes à remuer ciel et terre pour dégoter un endroit où faire de la musique en étant payé. J'ai fini par me dire que j'avais intérêt à carrément monter un groupe, à passer une audition pour me faire programmer quelque part, cartonner dans un club et laisser la nature suivre son cours. Un jour, dans une boutique photo du centre commercial de Hillsdale, j'ai discuté avec le gérant, un jeune gars d'un peu plus de vingt ans. Il m'a dit qu'il jouait de la basse, qu'il avait un petit groupe et qu'il cherchait un guitariste, alors si j'étais partant pour venir jouer avec eux le week-end… Ils étaient basés à San Jose, ce qui faisait tout de même une trotte, mais bon, je commençais à désespérer et mes réserves de cash diminuaient dramatiquement.

Le week-end venu, j'ai emprunté la voiture de mes parents, roulé une heure vers le sud en suivant les indications, et je me suis retrouvé dans une banlieue résidentielle pour classe moyenne, légèrement à la périphérie de la ville. Un décor tout droit sorti de la sitcom *Ozzie and Harriet* : de modestes habitations de style ranch accolées les unes aux autres, avec garage standard pour deux voitures et carré de gazon devant chacune. Arrivé devant celle que je cherchais, j'ai repéré les gars de mon nouveau groupe. La porte du garage était ouverte et j'ai vu mon pote à la basse, secondé à la batterie et à la guitare par deux mômes qui semblaient avoir maximum quatorze ans. Ils étaient disposés en formation classique, face à la rue, quelques amplis autour du batteur qui ressemblait à un Denis la Malice à cheveux longs. C'était vraiment des mômes, des *gamins*, qui débutaient. Des gosses avec des grattes qu'ils avaient sûrement eues pour Noël, offertes par papa-maman. Voilà où j'avais atterri.

J'ai pris ma guitare dans la voiture, je me suis installé et je leur ai sorti le grand jeu tout l'après-midi. Tous les trucs que je connaissais y sont passés, et j'ai réussi à détourner quelques gars de leur tondeuse à gazon et de leur barbecue. J'ai joué comme si j'étais au Madison Square Garden. J'en avais tout simplement besoin. Au crépuscule, j'ai rangé mon matos, je les ai remerciés pour ce bon moment et suis reparti vers le nord, chez mes parents. Je me sentais triste, ridicule et heureux. Je n'y arriverais pas. La Californie n'était pas pour moi. Depuis l'âge de quinze ans, j'avais réussi à gagner un peu d'argent. Depuis que je m'étais mis à la guitare, je n'avais jamais emprunté un centime à mes parents, et il n'était pas question que ça commence maintenant. D'ailleurs ils n'avaient pas d'argent à me prêter – même pas vingt dollars, ni dix. Ma vie ici, ce serait le canapé du salon de mes parents, un oreiller, une couverture et de la petite monnaie. Mon après-midi rock'n'roll avec ces mômes m'avait éclairci les idées. Il fallait que je retourne là où j'étais quelqu'un, un enfant du New Jersey, un *gunsliger* un guitariste autodidacte, le roi des groupes de bars, le héros local d'un petit bled, le gros poisson dans une mare de rien du tout, un type qui gagnait sa vie. Pour l'instant, le seul endroit où mon talent pouvait me permettre de survivre c'était mon petit fief de la côte Est. Soudain mes peines de cœur m'ont paru bien dérisoires et c'est comme ça que je me suis décidé à rentrer au pays.

Le Mexique (la turista ou revanche de Montezuma)

Avant la fin de mon séjour, mon père m'a demandé de l'accompagner pour une virée au Mexique, avec une halte à Long Beach où le *Queen Mary* était à quai. C'était le paquebot à bord duquel il s'était embarqué pendant la seconde guerre mondiale ; il avait envie de le revoir une dernière fois. Son projet était de descendre ensuite jusqu'à Tijuana, d'assister à un match de pelote basque, de faire un peu de tourisme et de retrouver ma mère et ma petite sœur à Disneyland sur le chemin du retour. Avec à l'esprit l'idée de guérir nos vieilles blessures, j'ai accepté et nous sommes partis. Il avait insisté pour qu'on emmène Smokey, le chien de la famille, un croisement de berger allemand et d'allez savoir quoi, qui venait juste de transformer notre Noël en apocalypse. À voir l'état de l'appartement à notre retour de la messe de minuit, on aurait dit que les lutins du père Noël venaient de faire passer à la casserole Rudolph le Petit Renne au nez rouge. Des guirlandes, des boules, du papier cadeau et des rubans étaient éparpillés partout. Le sapin avait été renversé par terre et tous les cadeaux ouverts à coups de crocs. Au beau milieu Smokey, haletant, attendait qu'on le félicite.

Dès le début du voyage, l'ambiance dans la voiture n'a pas été à la hauteur de nos espérances. Chacun faisait de son mieux, mais on se tapait mutuellement sur le système. Notre halte à Long Beach a été un fiasco. J'ai fait ma tête de lard, bougonné pendant toute la visite du *Queen Mary*. Revoir ce bateau était sans doute pour mon père un des moments les plus significatifs de sa vie et j'étais incapable de respecter ça. Je donnerais n'importe quoi aujourd'hui pour pouvoir me balader à nouveau dans ce paquebot avec mon père. Sûr que je profiterais de chaque pas, je serais curieux des moindres détails, tout ouïe, je goûterais chaque mot et chaque souvenir dont il voudrait bien me faire part. Mais à l'époque, j'étais encore trop jeune pour tirer un trait sur le passé, trop jeune pour voir en mon père un homme, et tout simplement honorer son histoire.

On a pris ensuite la route du Mexique, passé la frontière à San Diego et on s'est trouvé un motel à la périphérie de Tijuana. On a enfermé le chien dans la chambre et on est descendus en ville. Après la partie de pelote basque, on a arpenté le quartier touristique, où mon père a acheté une montre à un vendeur ambulant, fier comme Artaban d'avoir fait une super affaire – jusqu'à ce que la montre s'arrête définitivement vingt minutes plus tard. Je me suis fait prendre en photo sur un baudet peint en zèbre, mon père souriant dans la charrette derrière moi. On avait des sombreros sur la tête ; le mien portait l'inscription PANCHO, le sien CISCO. Quand on est revenus au motel, Smokey avait rongé le bas de la porte, qu'il avait transformé en un tas de copeaux et d'échardes ; mon paternel a eu beau râler, il lui a bien fallu rembourser les dégâts. *Adios, Mexico.*

Retour au *norte*. On a retrouvé ma mère et ma frangine à Disneyland, on a passé un après-midi dans « l'endroit le plus joyeux au monde » et on est rentrés en empruntant un énigmatique raccourci suggéré par mon père, qui a ajouté trois heures flippantes, en pleine nuit, à notre périple. Tout le monde était claqué.

Peu après notre retour, Tinker m'a téléphoné pour m'annoncer qu'il repartait sur la côte Est, et je lui ai dit que je l'accompagnais. J'ai embrassé mes parents et ma sœurette, leur ai répété que je les aimais, et puis on est repartis pour soixante-douze heures de route, plus de quatre mille cinq cents kilomètres sans arrêt, jusqu'au New Jersey. D'avoir partagé les mêmes W-C à l'appartement, tout ce que je laissais à mon père c'était des morpions que j'avais chopés je ne sais où. Salut fiston, merci pour le souvenir.

VINGT-TROIS

ICI C'EST UN BAR, BANDE D'IMBÉCILES

À peine revenu, j'ai appris que Steve, Southside et leur Sundance Blues Band étaient programmés au Captain's Garter, à Neptune, New Jersey. J'ai pris ma guitare et j'ai foncé pour me joindre aux festivités. Le club était bondé et on a fait trembler les murs comme au bon vieux temps sous les vivats du public, tout le monde était collé à la scène et à la musique. Une grande soirée. À la fin, j'ai accompagné Steve dans le bureau du manager pour récupérer notre cachet et, bien évidemment, évoquer de prochains concerts. Comme on avait mis le feu à son club, on avait bien l'intention d'être reprogrammés.

Le manager était un jeune homme robuste aux cheveux complètement blancs, vêtu d'un coupe-vent rouge de maître-nageur. Impassible à son bureau, il ne semblait pas particulièrement impressionné. On lui a demandé s'il avait des dates pour nous et il nous a calmement expliqué qu'on n'aurait pas de nouvelle programmation chez lui. Il a reconnu que, oui, il y avait eu beaucoup de public, un public enthousiaste, mais personne n'avait consommé, les gens étaient trop occupés à écouter la musique. Et il a conclu, comme si on n'avait pas remarqué : « Ici, c'est un bar, bande d'imbéciles. » Ils gagnaient de l'argent en vendant des consommations. Les serveurs gagnaient de l'argent grâce aux pourboires. Pas d'alcool vendu, ça voulait dire pas d'argent. Pas d'argent et notre petit monde ici, sur la Route 35, à Neptune, cessait de tourner. Leur business ce n'était pas les concerts et réciproquement, nous, on ne serait pas consultés pour la gestion du Captain's Garter. Voilà comment s'est passée ma première rencontre avec Terry Magovern, manager de bar, maître-nageur et membre des forces spéciales de la marine, un gars qui travaillerait avec moi comme assistant et allait être un ami proche pendant vingt-trois ans. Ce soir-là, il nous a virés.

Plan B (retour à la Cité d'émeraude)

J'avais toujours ma chambre dans l'appart beatnik de Tom Potter, à Asbury, et j'ai décidé que, pour l'instant, ma période groupe-et-concerts-dans-les-bars touchait à sa fin. J'avais besoin de voyager léger et de séduire avec juste ma voix, ma guitare et mes chansons. Voix… guitare… chansons… trois outils. Ma voix ne me vaudrait jamais de prix, mon accompagnement à la guitare acoustique était basique, il me restait donc mes chansons. Il allait falloir que ce soit des feux d'artifice. Je me disais que le monde grouillait de bons guitaristes ; ils étaient nombreux à être de mon niveau voire meilleurs, mais combien existait-il de bons *songwriters* ? Des songwriters avec une voix à eux, une histoire à raconter, capables de vous faire entrer dans un monde qu'ils avaient créé, de vous faire partager leurs obsessions et leurs passions ? Pas beaucoup, quelques-uns tout au plus.

Dylan était le chef de file de cette catégorie de créateurs. Bob Dylan est le père de mon pays. *Highway 61 Revisited* et *Bringing It All Back Home* n'étaient pas seulement deux albums géniaux, c'était la première fois qu'on me donnait une vision fidèle de l'endroit où j'habitais. Les zones d'ombre et de lumière y étaient, le voile de l'illusion et de la tromperie se déchirait. Dylan pourfendait la politesse abrutissante et le train-train quotidien qui masquaient la corruption et la décrépitude. Le monde qu'il décrivait était sous nos yeux, dans ma petite bourgade, et s'étendait au-delà de la télévision qui rayonnait dans nos foyers isolés, mais ce monde continuait de tourner sans autre commentaire, toléré en silence. Dylan m'inspirait et me donnait de l'espoir. Il posait les questions que les autres avaient trop peur de poser, surtout lorsqu'on avait quinze ans : *How does it feel… to be on your own?* (Qu'est-ce que ça fait… d'être tout seul ?) Une brèche sismique s'était ouverte entre les générations et soudain vous vous sentiez orphelin, abandonné dans le courant de l'histoire, votre boussole s'affolait, vous étiez intérieurement sans domicile fixe. Bob, lui, indiquait le nord, il servait de balise pour vous aider à vous repérer à travers cette nouvelle région sauvage que l'Amérique était devenue. En pionnier, Dylan a planté un drapeau, il a écrit des chansons et chanté les paroles qui ont été essentielles, à l'époque, à la survie affective et spirituelle de tant de jeunes Américains.

J'ai eu l'occasion de chanter « The Times They Are A-Changin' » pour Bob quand il a reçu les Kennedy Center Honors. On s'est retrouvés seuls un bref instant dans un petit escalier, il m'a remercié d'être là et m'a dit : « Si je peux faire quoi que ce soit pour toi… » J'ai pensé : « Non mais tu plaisantes ? » Et j'ai répondu : « C'est déjà fait. » En tant que jeune musicien, c'est la direction que je voulais prendre. Je voulais être une voix qui soit le reflet de mon expérience et du monde dans lequel je vivais. Et je savais en 1972 qu'il me faudrait une écriture acérée pour y parvenir, une manière de composer plus personnelle que celle qui avait été la mienne jusque-là. J'avais mis de côté quelques dollars en jouant ici et là depuis mon retour et, pour la première fois de ma vie, j'ai cessé de jouer avec un groupe pour me concentrer sur le *songwriting*. Le soir, dans ma chambre, avec ma guitare, je me suis mis à composer la musique qui constituerait *Greetings from Asbury Park, N.J.*

J'ai appelé Mike Appel. Il se souvenait de moi et m'a dit de venir le voir. J'ai pris le bus pour New York, j'ai retrouvé Mike chez Wes Farrell et je lui ai joué mes nouveaux morceaux. Il m'a dit qu'avec ces chansons, on allait pouvoir frapper à quelques portes. Il était surexcité, comme seul Mike peut l'être : il avait le visage illuminé, les mots sortaient de sa bouche à un rythme affolant, ses mains gesticulaient comme si elles allaient se détacher. En trente secondes il m'a comparé à Dylan, Shakespeare, James Joyce et Bozo le Clown. Avec son enthousiasme, Mike aurait fait bander la moitié d'un cimetière. C'est ce qui m'avait attiré chez lui. Il vous communiquait son excitation, y compris lorsqu'il vous parlait de vous-même. Mike insufflait à toutes ses paroles une conviction de bateleur forain et de prédicateur itinérant, sans modération. C'est un don. Le temps que je sorte de son bureau, mon statut de superstar était réglé. L'étape suivante consistait à faire en sorte que quelqu'un d'autre daigne écouter l'inconnu que j'étais. J'ai continué à composer, continué à venir le voir et j'ai fait la connaissance de Jimmy Cretecos, son associé, une version plus tempérée, plus douce de Mike. On a commencé à travailler ensemble et à enregistrer des maquettes. Je suis allé chez Jimmy à Tuxedo Park. Il avait une femme splendide et un appartement spectaculaire, ultrachic. Pour moi, ces gars avaient réussi. Ils avaient lancé des hits sirupeux mais Mike m'a confié que le plus gros de leurs recettes provenait de la composition de jingles. En l'accompagnant à une de ses séances, je me suis retrouvé à jouer de l'harmonica sur la maquette de la pub Beech-Nut Gum.

Alors qu'on tirait des plans sur la comète et qu'on mettait en place notre stratégie, une dernière chose faisait encore obstacle. Avant qu'il accepte de mettre à mon service ses multiples talents, m'a expliqué Mike, il voulait être couvert. Sous-entendu : par des contrats. Je n'avais jamais signé de contrat de ma vie, je n'y connaissais strictement rien, d'où ma méfiance. J'avais vécu sans rien d'officiel pendant si longtemps. Totalement ignorant des lois, musicales ou autres, je ne connaissais pas d'avocat. J'avais été toute ma vie uniquement payé en liquide et n'avais jamais versé un sou aux impôts, signé un bail ni rempli un formulaire qui m'aurait contraint d'une manière ou d'une autre. Je ne possédais pas de carte de crédit, pas de chéquier, je n'avais que du sonnant et trébuchant dans ma poche. Aucun de mes amis n'avait fréquenté l'université. Mon Asbury Park était un îlot d'inadaptés, de prolos provinciaux. Intelligents mais pas scolaires. Je n'avais jamais rencontré personne qui ait vraiment fait un disque ou signé avec une grosse maison de disques. Je n'avais jamais été en contact avec un homme d'affaires. Je n'avais pas une seule relation dans le milieu professionnel.

Mike m'a expliqué chaque contrat, ce que ça impliquait pour moi et dans quelle mesure on serait protégés. Pour la production : c'était notre contrat d'enregistrement ; j'étais signé chez Laurel Canyon Productions, la société de Mike et Jimmy, qui produirait mes disques et les céderait en licence à une major. Le publishing – Mike et Jimmy seraient mes éditeurs musicaux via Laurel Canyon Publishing, en théorie pour faire en sorte que d'autres artistes reprennent mes chansons ; je recevrais ma moitié en tant qu'auteur-compositeur, mais rien sur la part éditoriale. Pour le management : comme Elvis et le Colonel Parker, le *business model* de Mike, on partagerait toutes les autres recettes cinquante-cinquante. Le problème, c'est que toutes les dépenses seraient prises sur mes recettes. Tout ça était très exagéré de la part de Mike et Jimmy, contreproductif, et ça finirait par occasionner beaucoup de dégâts, mais qu'est-ce que j'en savais à l'époque ?

Dans le fond, Mike me plaisait bien, et je savais qu'il comprenait ce que je voulais faire musicalement. On ne visait pas juste quelques succès discographiques et une poignée de hits, on cherchait à avoir un impact, à exercer une influence, à atteindre le plus haut échelon possible en termes d'enregistrement. On savait tous les deux que la musique rock jouait désormais un rôle culturel décisif. Je voulais entrer en collision avec mon époque et imposer une voix qui aurait un retentissement musical, social et culturel. Mike comprenait mon objectif. Je n'étais pas modeste lorsqu'il s'agissait d'évaluer mon potentiel. Bien sûr, je me trouvais bidon – c'est ça être artiste – mais je pensais aussi qu'il n'y avait pas plus authentique que moi. J'avais un ego colossal, et par des années de concerts, de répétitions et de travail, j'avais affûté mon talent pour réaliser mon ambition. En même temps, j'avais mes doutes et un certain sens de l'humour concernant mon culot et mes prétentions à obtenir une grosse part du gâteau, mais bon sang, c'est ça qui était marrant, et… j'étais taillé pour ce rôle. J'avais ça en moi.

J'aurais fini par signer le caleçon de Mike s'il me l'avait présenté, histoire de mettre un pied à l'étrier. Jamais je n'avais été aussi près d'exercer le métier que je voulais faire. Je le sentais. J'ai passé quelques soirées tout seul à essayer de décrypter les contrats, le jargon juridique. Jules Kurz, l'avocat de Mike, m'a vaguement expliqué les clauses de base, mais j'ai fini par me dire qu'il fallait que je me jette à l'eau. Et merde, si ces papelards incompréhensibles étaient le prix à payer, eh bien, j'allais les signer. Si je me plantais, tous ces trucs vaudraient que dalle. Mais si je cartonnais, alors qu'est-ce que ça pourrait bien faire ? J'aurais obtenu le succès et tout serait réglé. La suite allait me prouver le contraire et quand, bien des années après, je reviendrais dessus, il serait trop tard. Avec crainte, lenteur, réticence, et une grande imprudence, un contrat après l'autre, j'ai signé. J'ai paraphé le dernier, un soir, sur le capot d'une voiture, dans un parking à New York. Marché conclu.

VINGT-QUATRE

LE DÉBUT DE L'ASCENSION

Notre première audition a eu lieu chez Atlantic Records. Tout ce dont je me souviens c'est d'être monté dans un bureau, d'avoir joué devant quelqu'un. Pas intéressé. Ensuite, allez savoir comment, Mike a réussi l'exploit de m'obtenir une audition avec John Hammond. Le légendaire John Hammond qui avait signé Bob Dylan, Aretha Franklin, Billie Holiday – un géant de l'industrie du disque. Je venais juste de finir de lire la biographie de Dylan par Anthony Scaduto et j'allais rencontrer *l'homme* grâce à qui cela avait eu lieu !

La tchatche de Mike Appel était un instrument redoutable lorsqu'il était utilisé à bon escient. Mike aurait pu convaincre Jésus de descendre de la croix, le père Noël d'annuler Noël, Pamela Anderson de ne pas se faire refaire la poitrine. Par le seul pouvoir de sa parole il était parvenu à nous faire quitter la rue pour accéder au sanctuaire du bureau de John Hammond. Un génie du management, je vous dis. Pour vous donner une idée de la façon dont le *music business* a changé depuis, John Hammond, une figure historique dans ce domaine, recevait à l'époque dans son bureau de parfaits inconnus comme nous, tout droit issus des rues de New York ! Je suis sûr que Mike avait dû sortir le grand jeu, mais quand même… John me confierait plus tard que Mikie Harris, son fidèle secrétaire, qui filtrait les entrées et en qui il avait toute confiance, lui avait tout simplement dit après avoir parlé à Mike : « Je pense que vous devriez voir ce type. » C'est comme ça que les portes de l'Eldorado se sont ouvertes pour nous.

Je n'avais pas de guitare acoustique, alors j'en avais emprunté une pas terrible, au manche fissuré, à Vinnie Manniello, dit Skeebots, l'ancien batteur des Castiles. Comme elle n'avait pas d'étui, j'avais dû la porter à l'épaule, style *Macadam cow-boy*, pour venir jusque-là. On se sent un peu bête dans ces cas-là, on passe un peu pour le frimeur capable de se mettre à jouer n'importe où n'importe quand. La guitare à la main, je suis entré avec Mike dans le bureau de John Hammond et je me suis retrouvé face à mon héros de l'industrie musicale, cheveux gris coupés en brosse, lunettes à monture d'écaille, immense sourire, cravate et costume gris. J'aurais pu paniquer, mais j'avais fait un brin de jujitsu mental dans l'ascenseur en me disant : « Je n'ai rien, donc rien à perdre. Et si les choses se goupillent bien, je pourrai en tirer quelque chose. Sinon j'aurai toujours ce que j'avais en entrant dans ce bureau. J'ai ma liberté d'action. Je traverse ce monde en étant moi-même et, quelle que soit l'issue de ce rendez-vous, je serai toujours le même en sortant. » Le temps d'arriver, j'avais presque réussi à me convaincre. Je suis entré tendu mais sûr de moi.

Sans préambule, mon manager s'est laissé aller à chercher inutilement la confrontation, une tendance naturelle chez lui qui, avec le temps, finirait par être pesante. J'estime qu'à partir du moment où une porte est ouverte, on peut cesser de taper dedans à coups de pied. Pas Mike. Lui est entré en roulant des mécaniques. De but en blanc et sans montrer aucune gêne, avant même que je me mette à jouer, il a annoncé à John Hammond de Columbia Records que j'étais sans doute la réincarnation du Christ, de Mahomet et de Bouddha, et qu'il m'avait fait venir pour vérifier si Hammond avait découvert Dylan sur un coup de veine ou s'il avait vraiment de l'oreille. Stratégie intéressante pour s'attirer les bonnes grâces de l'homme qui tenait notre avenir entre ses mains. Mike s'est alors assis sur le rebord de la fenêtre, tout fiérot de son entrée en matière, genre le gars à qui on ne la fait pas, puis il m'a laissé faire mon show, un petit numéro qu'on n'allait pas manquer de refaire par la suite. John me confierait plus tard qu'il était sur ses gardes, prêt à nous jeter, mais finalement il s'est contenté de se caler dans son fauteuil, de mettre ses deux mains derrière sa tête et, tout sourire, il a dit : « Joue-moi quelque chose. » Je me suis assis en face de lui et j'ai joué « Saint in the City ». Une fois la chanson terminée, j'ai levé la tête. Il souriait toujours. « Il faut que tu sois chez Columbia Records », je l'ai entendu dire. Une chanson – voilà tout ce qu'il avait fallu. Mon cœur s'est emballé, de mystérieuses particules dansaient sous ma peau et de lointaines étoiles éclairaient mes extrémités nerveuses.

Il a enchaîné : « C'était magnifique, joue-moi autre chose. » Je lui ai joué « Growin' Up » puis « If I Was the Priest ». Il a adoré l'imagerie catholique, il a fait remarquer que j'avais évité l'écueil des clichés et dit qu'il fallait des arrangements pour faire écouter ça à Clive Davis. Il m'a avoué qu'il avait connu des succès et des échecs avec les artistes qu'il avait signés chez Columbia et que ces temps-ci il lui fallait l'aval de Clive. Puis il a demandé à me voir sur scène le soir même. Avec Mike on a répondu qu'on allait essayer de trouver un club qui accepterait que je joue quelques titres ; on s'est serré la main et on est partis. Une fois sorti de l'immeuble Black Rock de CBS, ça a été l'explosion.

On était montés aux cieux où les dieux nous avaient dit qu'on était du tonnerre et qu'on envoyait des éclairs. Enfin. Après des années à attendre, à batailler pour essayer d'atteindre ce quelque chose qui risquait de ne jamais arriver, c'était parti. Avec la guitare merdique de Skeebots, l'épée vaillamment arrachée au roc, maintenant fièrement posée sur mon épaule, on a fêté ça devant un cheeseburger puis, sur un petit nuage, on a hélé un taxi qui nous a conduits au Village. J'avais vingt-deux ans.

On a commencé par le Bitter End. Pas bon. Le Café au Go Go ? Niet. Mon ancien QG, le Café Wha ?. Fermé. On a fini au Gerde's Folk City, un club en sous-sol dans MacDougal Street. Le manager de l'époque, Sam Hood, un gars qui allait énormément m'aider par la suite quand il s'occuperait du Max's Kansas City sur Union Square, a dit qu'il y avait ce soir-là une scène « ouverte » entre vingt heures et vingt heures trente, je n'avais qu'à en profiter. John Hammond est entré discrètement peu avant vingt heures, il a pris place parmi les six clients max qui étaient là, et le concert a commencé. Jouer sur scène, ça, je savais faire ; raconter des histoires, faire des blagues et interpréter avec émotion les chansons… J'ai joué « Saint in the City », « Growin' Up », « If I Was the Priest », un morceau intitulé « Arabian Nights », plus quelques autres titres, et le concert s'est terminé. John rayonnait. Sur scène, j'assurais.

Les choses commençaient à bouger… lentement. Quelques semaines après la rencontre avec John, il m'a fait entrer dans le bureau de Clive Davis, où j'ai été chaleureusement accueilli. J'ai joué cinq chansons et j'ai été officiellement convié à intégrer la famille Columbia Records. John m'a conduit à leur studio de la Fifty-Second Street et on a fait une maquette, qu'il a produite. C'était la fin du système des studios d'enregistrement dans le style des années 1950. Tout le monde était en costard-cravate, que des types d'âge mûr. L'ingénieur du son, les assistants, ils avaient tous de la bouteille. J'ai chanté une bonne douzaine de chansons au micro dans une pièce très aseptisée. J'ai joué du piano sur quelques autres. Tout était très dépouillé ; c'est comme ça que John avait entendu mes chansons. Quand j'écoute ces démos aujourd'hui, je ne sais pas si j'aurais choisi d'investir des mille et des cents sur le môme que j'étais à l'époque, mais je suis content que lui l'ait fait.

Je vivais alors sur mes économies entreposées dans le « tiroir de ma commode », de quelques dollars de Mike et de la générosité d'inconnus. J'avais une copine adorable qui me donnait de temps en temps un peu d'argent pour manger et, légèrement en parallèle, une autre nana, qui avait son propre commerce et roulait en voiture de sport. Elle était fabuleusement juive, un peu plus âgée que moi, venait parfois me prendre à l'angle de Cookman Avenue et on allait passer la nuit dans son appartement qui dominait les plages d'Asbury Park. Là, il nous arrivait de faire l'amour – on a sans doute battu des records de médiocrité (si une telle chose est possible). C'est elle qui avait toutes les cartes en main, ce qui ne me gênait pas, et on a eu pendant un temps une chouette relation bancale. Ces soirées régulières dans son appartement franchement bourge me changeaient de la vie au rez-de-chaussée à Asbury, c'était un réconfort qui me faisait un bien fou.

Comme mon avance de la maison de disques n'était pas encore tombée, ça a été une période de vaches maigres, sans doute une des pires. Pour la première fois de ma vie, je me suis retrouvé complètement fauché et j'ai dû parfois faire les poubelles pour bouffer. On n'arrivait même plus à réunir les soixante dollars du loyer de l'appart de Tom. Un soir, j'ai appelé Mike pour lui annoncer que j'étais à deux doigts de me retrouver à la rue. Il a dit qu'il pouvait me donner trente-cinq dollars à condition que je vienne les chercher à New York. En fouillant dans le tiroir de mon bureau pour rassembler le plus possible de petites pièces, je me suis rendu compte que j'avais juste de quoi emprunter la Dodge Seneca de ma nana (avec passage des vitesses en appuyant sur des boutons), y mettre un peu d'essence et payer le péage. Budget serré au cent près.

J'ai pris la voiture, mis quelques dollars d'essence et me voilà parti pour New York. Aucun problème jusqu'à ce que j'arrive au Lincoln Tunnel. Là, au guichet du péage, je vois affiché le fameux panneau « Pas de pièces de un penny ». Moi je n'avais que ça. J'ai tendu une pleine poignée de petite monnaie – l'équivalent de mon dernier dollar – à la femme au guichet, qui m'a dit : « Je ne peux pas accepter ça.

– Madame, c'est tout ce que j'ai et je n'ai pas assez d'essence pour rentrer chez moi si vous m'obligez à faire demi-tour. » Je m'en remettais complètement à elle. Elle a fini par céder : « Bon, vous allez attendre ici que je recompte tout. » Et très soigneusement, avec une lenteur délibérée, en faisant crisser mes picaillons sur le comptoir en métal devant elle, elle a recompté mes cent pièces. Puis, le visage impassible, elle a passé la main par la portière côté conducteur en me disant : « Je ne peux pas prendre ça, il va falloir que vous fassiez demi-tour. » Entre le pouce et l'index elle me montrait un penny canadien… un seul. Je suis sorti de la Pontiac dans un concert de klaxons de conducteurs excédés et je me suis mis à passer au peigne fin la voiture pendant que la guichetière me traitait de tous les noms. En 1972, toute voiture digne de ce nom recelait quelque part une petite pièce coincée sous un siège. Après de longues minutes de fouille, j'ai trouvé un cent qui s'était glissé dans un repli de la banquette arrière. Je me suis relevé et je l'ai tendu à la bonne femme tandis que derrière moi un chœur de hurlements furieux venait se mêler à l'opéra sublime et assourdissant des klaxons. Elle s'est contentée de me dire : « Allez-y… mais ne me refaites plus jamais le coup ! » Moralité : dans la vraie vie, avec quatre-dix-neuf cents vous n'arriverez pas à New York ; c'est un dollar ou rien.

J'ai retrouvé Mike, récupéré mes trente-cinq dollars et je suis retourné à la maison. Mes copains n'avaient toujours pas de quoi payer leur part du loyer et on allait bientôt se faire expulser. On a décampé en douce, une nuit, et j'ai dormi sur la plage dans mon sac de couchage avec à côté de moi ma planche de surf et la totalité de mes biens en ce bas monde. Pas top. Le lendemain, en allant à Loch Arbour Beach, mon spot de surf favori, à la pointe nord d'Asbury, je suis passé devant chez un vieux pote. Big Danny Gallagher était encore plus costaud que Clarence Clemons. C'était un géant à la tignasse d'un roux flamboyant – par la suite, il se laisserait pousser une barbe façon patriarche de l'Ancien Testament, qui le ferait ressembler à un personnage du folklore irlandais. Dans sa jeunesse, il avait une sacrée dégaine, et parfois le tempérament qui allait avec. Quand je l'ai vu ce jour-là sur son balcon, il était effondré et paumé : son frère venait de mourir d'une overdose. Il m'a demandé où j'en étais de mon côté et je lui ai dit que je m'étais fait virer de chez Potter. Il m'a immédiatement invité à pieuter chez lui.

C'était un petit appartement à l'étage, juste deux pièces. Dans la chambre, un gigantesque *waterbed* prenait tout l'espace. Et puis il y avait une kitchenette qui communiquait avec la salle de séjour où j'ai élu résidence, par terre, avec mon sac de couchage. C'est là que je vivais pendant l'enregistrement de *Greetings from Asbury Park, N.J.* Je prenais le bus pour New York, je jouais au Max's Kansas City – j'ai joué en première partie de Dave Van Ronk, Biff Rose et Birtha, un des premiers groupes féminins de metal, je touchais quelques dollars et je regagnais la gare routière de Port Authority juste à temps pour attraper le dernier bus à destination d'Asbury Park. Au Max's, où Sam Hood m'avait engagé, j'attirais un chouette public de hipsters : Paul Nelson, le grand compositeur, Paul Williams, le créateur de *Crawdaddy*, le premier magazine de rock vraiment pertinent, et le chanteur folk David Blue, légende vivante du Village. Il est venu se présenter un soir, après un de mes sets, puis m'a escorté jusqu'au Bitter End où on a vu Jackson Browne (en tournée pour son premier album) et Odetta, la grande chanteuse de folk, après un de ses concerts tardifs dans un café des environs. Jackson m'a fait monter sur scène pendant son set, sur les conseils de David Blue, et j'ai joué « Wild Billy's Circus Story ». J'étais jeune, je voyageais léger et j'étais super excité d'être en leur compagnie.

Greetings from Asbury Park, N.J.

On a commencé à enregistrer *Greetings* à Blauvelt, dans l'État de New York, aux Studios 914 de Brooks Arthur, dans une ambiance tendue. À la production : Mike et Jimmy. Mike avait son propre ingénieur du son, Louis Lahav, un ancien parachutiste israélien installé en Amérique, qui s'était acoquiné avec Jimmy et lui. Le premier jour de l'enregistrement de mon premier album, on n'a pas enregistré grand-chose. Mike était en conflit avec l'ingénieur syndiqué de Columbia, qui insistait pour faire son boulot et rester à la console. D'ici quelques années, tout ça changerait : les artistes choisiraient de manière indépendante leurs producteurs et leurs ingénieurs. En 1973 on était à l'aube de cette prise en main artistique, une aube timide, pas encore tout à fait levée sur l'industrie du disque. La tension du début de journée a dégénéré en une série de prises de bec, d'échanges d'injures et de coups de fil furieux ; moi j'attendais. Mike, ridiculement drôle et en mode combatif comme à son habitude, en faisait voir de toutes les couleurs à ce pauvre gars. Finalement, un accord a été trouvé entre le syndicat, la compagnie de disques et Laurel Canyon Productions, la société de Mike et Jimmy : Louis Lahav s'occuperait du son, Mike et Jimmy de la production, moi j'enregistrerais et l'ingénieur du syndicat percevrait 100 % de son salaire en restant assis sur son canapé à lire le journal. *Peace in the valley*, « paix dans la vallée », comme dit le cantique ! Ce serait le même cirque, avec quelques variantes, pour mes trois premiers albums. Le studio se trouvait sur la Route 303, à côté d'un *diner* grec. On ne payait pas cher pour l'enregistrement, on pouvait travailler loin des gros bonnets de l'industrie du disque, qui auraient pu avoir la curiosité de venir voir comment leur argent était dépensé et, dans ce petit restau où on allait manger, j'avais trouvé une muse en la personne d'une serveuse qui avait le corps le plus sublime que j'avais vu depuis ma tante Betty. Bref, tout allait bien.

J'avais convaincu Mike et Jimmy qu'il fallait que j'enregistre avec un groupe. John Hammond, Clive Davis et Columbia croyaient avoir signé un auteur-chanteur-compositeur folk. La cote des *singer-songwriters* était alors au plus haut. Ils étaient partout dans les hit-parades, James Taylor en tête de meute. J'étais engagé chez Columbia, comme Elliott Murphy, John Prine et Loudon Wainwright, dans la catégorie « nouveau Dylan », tous lancés dans une bataille acoustique au top des charts avec nos contemporains. Ce que j'avais en plus de mes petits camarades c'est que je m'étais constitué en secret une bonne expérience rock'n'roll, loin des regards, et devant tous les publics imaginables. J'avais déjà vu le plus dur de ce que la route avait à offrir et j'étais prêt à remettre ça. Ces années à rouler ma bosse allaient m'aider à me distinguer du peloton et contribuer à ce que mes chansons soient entendues.

Ce n'est qu'après l'enregistrement de *Greetings* que Mike Appel m'a vu jouer avec un groupe au complet en public. Mon plus solide allié n'avait pas la moindre idée de ce dont j'étais capable sur les planches, pourtant je l'avais prévenu : « Tu ne comprends pas, mets-moi avec un groupe devant un public et je te casse la baraque. » Lorsqu'on a commencé à tourner pour la promotion de *Greetings*, j'avais à mes côtés Mad Dog, Danny Federici, Garry Tallent et Clarence Clemons. Mike n'était pas idiot. Il a vu notre premier concert et m'a sorti : « Hé, tu sais ce que tu fais, toi. » Jusqu'alors, je pense qu'il avait toléré mes gars en studio juste pour me faire plaisir.

Pour *Greetings*, j'ai réussi à avoir mes potes : Vini Lopez, Davey Sancious et Garry Tallent… avec une brève apparition de Steve Van Zandt dans son propre rôle, secouant la réverb de mon ampli Danelectro pour l'intro de « Lost in the Flood ». Steve devait être sur le disque mais, à titre de concession, j'ai décidé de ne pas utiliser de guitare électrique, vu que j'avais été signé comme auteur-chanteur-compositeur. On a fait tout l'album en trois semaines. La plupart des chansons étaient des sortes d'autobiographies. « Growin' Up », « Does this Bus Stop », « For You », « Lost in the Flood » et « Saint in the City » s'inspiraient de gens, de lieux, de baraques et d'incidents que j'avais connus ou vécus. J'écrivais de manière impressionniste et changeais les noms pour protéger les coupables. L'essentiel pour moi était de créer quelque chose qui me ressemble le plus possible.

On a livré le disque à Columbia. Clive Davis me l'a renvoyé avec ces mots : « Pas de hit. Rien qui puisse passer à la radio. » Je suis allé à la plage et j'ai composé « Spirit in the Night ». De retour à la maison, j'ai sorti mon dictionnaire de rimes et composé « Blinded by the Light », deux des meilleurs morceaux du disque. J'ai réussi à trouver Clarence, qui avait disparu de la circulation depuis la première soirée au Prince, et j'ai pu avoir son sublime saxo sur ces deux derniers titres. Ça faisait carrément la différence. C'était la concrétisation la plus aboutie du son que j'avais en tête pour ce premier album. Ce groupe pré-E Street a fait de son mieux pour créer un son digne du studio tandis que les paroles s'écoulaient en une explosion orageuse, la voix et la musique se carambolant allègrement.

Je n'ai plus jamais réécrit tout à fait dans ce style. Une fois le disque sorti, on n'a pas arrêté de me comparer à Dylan, alors je m'en suis éloigné. Mais les paroles et l'esprit de *Greetings* venaient d'un lieu inconscient. Vos premières chansons émergent d'un moment où vous écrivez sans avoir la certitude d'être un jour entendu. Jusque-là il n'y a que vous et votre musique. Et ça, ça n'arrive qu'une seule fois.

VINGT-CINQ
LOSING MY RELIGION

À vingt-deux ans je n'avais encore jamais bu une goutte d'alcool – pas une. J'avais souvent joué dans des bars et côtoyé l'alcool toute ma vie, mais je n'avais jamais été tenté d'y goûter. L'exemple de mon père avait suffi à me convaincre d'une chose : en buvant il perdait celui qu'il était vraiment ; sa gentillesse et sa bonté – et il n'en manquait pas – se noyaient sous une marée de rage, un auto-apitoiement et une férocité qui transformaient notre maison en un champ de mines où régnaient la peur et l'anxiété. On ne savait jamais à quel moment il allait exploser. Quand j'étais petit, j'étais si nerveux que je me mettais à cligner de l'œil – d'où mon surnom de Blinky à l'école – de manière incontrôlable, des centaines de fois par minute. Je me mordillais nuit et jour les jointures des doigts jusqu'à avoir des durillons gros comme des billes. Non, l'alcool n'était pas pour moi. Mais à présent que mon premier album s'achevait, j'étais tendu à l'idée que mon rêve rock'n'roll se concrétise enfin. Est-ce que j'avais fait un bon disque ? Est-ce que j'allais m'imposer au niveau national ? Étais-je celui que je croyais être, celui que je voulais être ? Franchement, je n'en savais rien, mais je devinais que j'allais bientôt le savoir, et ça m'excitait et m'effrayait à la fois.

J'imagine que ça se voyait sur ma figure. En rentrant à la maison de son boulot sur un chantier, Big Danny m'a regardé un jour en fin d'après-midi et m'a dit : « Tu as une sale tête. Je sais ce qu'il te faut, viens avec moi. » Ce soir-là, on est allés à l'Osprey, un bar de Manasquan, New Jersey, devant lequel j'avais passé je ne sais combien d'après-midi à écouter les groupes qui jouaient à l'intérieur, concentré sur la musique, à fantasmer sur les étudiantes bronzées qui en franchissaient les portes battantes. Les étés 1964, 1965, 1966 et 1967, pratiquement chaque jour, j'avais fait en stop les trente kilomètres entre Freehold et Manasquan, aller et retour. J'avais été pris par des mères inquiètes, des conducteurs ivres, des routiers, des coureurs automobiles pressés de montrer ce que leur bagnole avait sous le capot, des types en voyage d'affaires – une fois seulement un représentant de commerce s'était intéressé à moi de trop près –, des gars qui avaient installé une sono avec chambre d'écho branchée à leur radio AM, des électrophones pour 45 tours encastrés sous le tableau de bord, sur ressorts à côté du levier de vitesse. Bref, tous les bouseux, pécores, bons citoyens responsables et fouteurs de merde du Jersey Shore m'avaient un jour ou l'autre pris en stop. J'adorais l'auto-stop et rencontrer des gens. Ça me manque aujourd'hui.

Donc, adolescent, j'étais resté des centaines d'heures sous un soleil de plomb devant l'Osprey, à écouter la musique, mais je n'y étais jamais entré. À l'époque, je distinguais les ombres à travers les portes-moustiquaires du club, les silhouettes des musiciens installés en plein milieu, dans l'entrée. J'entendais le cliquetis des verres à bière, les rires du public, les conversations tapageuses et le tintement aigu des cymbales du batteur, qui transperçait l'atmosphère des rues de Manasquan, si chaudes en août qu'on aurait pu faire frire un œuf sur le capot d'une voiture. Pendant les pauses, les musiciens au look cool sortaient fumer une cigarette et discuter tranquillement avec ce jeune gars affalé tout l'après-midi contre une voiture garée au bord du trottoir. Ce n'étaient que des musicos de bar qui faisaient leur bout de chemin, mais je *voulais* ce qu'ils avaient, le ticket d'entrée pour ce paradis enfumé qui sentait la bière et la crème solaire Coppertone, juste au-delà de ces portes battantes. Une fois leur pause terminée, je les observais avec envie retourner à l'intérieur et redevenir des silhouettes acclamées par un public hurlant. Dès les premières notes de « What'd I Say » ou d'un autre classique de groupe étudiant, je regagnais mon poste de sentinelle. Le cours reprenait.

En tout cas, ce jour-là, on a poussé les fameuses portes battantes et Big Danny, bide en avant, s'est frayé un chemin jusqu'au comptoir, à quelques mètres seulement du trottoir où j'avais tant appris. Ce soir-là jouaient les Shirelles, à qui on devait des hits épatants comme « Will You Still Love Me Tomorrow » et « Baby It's You »..., mais d'abord on m'a flanqué sous le nez un petit verre plein d'un liquide doré. Danny m'a dit : « Ne sirote pas, ne goûte pas, bois cul sec ! » Ce que j'ai fait. Rien de spécial. On en a rebu un. Lentement j'ai senti l'effet monter : j'étais saoul pour la première fois de ma vie. Une nouvelle tournée et bientôt j'avais l'impression de passer la meilleure soirée du monde. Dire que j'avais la trouille de boire ! Tout allait bien, superbement bien, même. Les anges du mescal qui faisaient la ronde au-dessus de ma tête m'impulsaient joie et vigueur ; le reste, c'était des conneries. Les Shirelles sont arrivées sur scène, en robes à paillettes qui semblaient avoir été peintes sur leur corps. Leur show était génial. J'ai chanté comme un fou, discuté avec de parfaits inconnus – moi, le solitaire ! – et à un moment donné de la soirée, un miracle a eu lieu. J'ai senti un parfum, juste à côté de moi se trouvait une fille magnifique que j'avais l'impression de connaître, cheveux de jais, peau mate. J'ai reconnu une des stars des pom-pom girls de mon ancien lycée de Freehold. Tandis que je continuais à siffler des verres de Jose Cuervo Gold, mon nouveau pote, la discussion a commencé sur le mode comment-tu-vas ? Au fil de la soirée, l'alcool aidant, on s'est mis à parler de plus en plus fort pour s'entendre par-dessus la musique, et j'ai appris qu'elle s'était séparée de son petit copain du lycée, qu'il y avait eu des larmes, que c'était fini. Franchement je m'en fichais, mais j'ai écouté ces confidences comme si on me révélait les secrets des manuscrits de la mer Morte. Tout ce qui m'importait c'étaient ses cheveux, ses lèvres, son tee-shirt, à mesure que l'esprit ténébreux de la tequila faisait son effet sous ma ceinture, ça a été l'heure de la fermeture, les lumières crues ont été rallumées, les videurs ont conduit tout le monde vers la sortie et soudain je me suis retrouvé en train de dire au revoir à… Big Danny ! J'étais dans une voiture qui rentrait à Freehold, le théâtre des péchés de mon enfance, et j'étais prêt à en commettre quelques autres. Sur la banquette arrière, un copain à moi avait opéré un rapprochement avec la copine de ma nana.

Sur l'autoroute, alors qu'on passait à hauteur de Cowboy City – un parc à thème délabré où, l'été, on pouvait tous les après-midi faire des tours de mulet, assister à un hold-up de diligence et à des échanges de coups de feu –, une chanson à l'eau de rose est passée à la radio, une complainte amoureuse cucul qui a tiré des larmes à ma pom-pom girl aux yeux bleu ardoise. Elle m'a confié que c'était leur chanson fétiche. Et moi, étais-je ému aussi ? J'ai commis l'erreur de répondre : « Pas vraiment »… deux secondes après mon pote et moi étions débarqués sur le bas-côté de la Route 33, à quatre heures du matin, tout ça parce qu'un de mes béguins de lycée était en pleine confusion sentimentale.

On a fait au revoir de la main à la bagnole qui s'éloignait, avant de piquer une crise de rire en se roulant dans l'herbe, ronds comme des queues de pelle, devant le grillage du dépôt de munitions navales Earle. On a tendu le pouce – c'était encore l'époque où les automobilistes n'hésitaient pas à s'arrêter en pleine nuit pour faire monter deux types titubant sur le bord de la route –, et bientôt une âme charitable nous a pris pour un trajet euphorique jusqu'à Asbury Park. En me pieutant au petit matin, j'étais persuadé d'avoir passé la meilleure soirée de ma vie. J'y ai cru jusqu'au réveil ; mais là, un mal de crâne horrible, les muscles douloureux, la bouche desséchée : ma première gueule de bois. N'empêche, je ne regrettais pas. Pendant toute une soirée j'avais fait taire cette petite voix intérieure qui me maintenait si fort dans la culpabilité, le doute, l'auto-flagellation. Je me rendais compte aussi que, contrairement à mon père, j'étais plutôt un buveur joyeux, enclin à faire le con et à se laisser tenter par une partie de jambes en l'air, et donc pendant un certain temps, l'alcool a coulé à flots… comme dans la chanson : « Tequila ».

Greetings était terminé. J'avais touché une première partie de l'avance que j'avais malheureusement dû utiliser pour faire sortir Big Danny de prison, suite à une infraction que l'histoire n'a pas retenue. De retour à l'appart, je lui ai fait écouter mon album – c'était le premier à l'entendre. Ça lui a plu ! Mais un truc le chiffonnait : « Où est la guitare ? » J'étais le meilleur guitariste vivant… du comté de Monmouth, et on n'entendait pas de guitare sur mon album ? Par ici, personne ne connaissait ce répertoire tout nouveau et très différent de ce que j'avais pu faire avant. J'avais pris la décision de miser davantage sur l'écriture et la composition de mes chansons, avec le sentiment que c'était ce qu'il y avait de plus caractéristique chez moi. Ici, dans mon secteur, il faudrait plusieurs albums pour que ma petite légion de fans comprenne ce que je voulais faire, mais j'avais enregistré un vrai album, avec une vraie maison de disques, des chansons et une pochette. Du jamais-vu.

Entendu à la radio

Les choses commençaient à se préciser. Un film avait été envoyé à toutes les antennes Columbia des grandes villes : on y voyait Clive Davis lisant les paroles de « Blinded by the Light » comme si c'était du Shakespeare. Malgré ça, *Greetings* ne s'est vendu qu'à vingt-trois mille exemplaires – un échec au regard des critères d'une major, mais un succès phénoménal pour moi. Qui étaient ces inconnus qui achetaient ma musique ?

Un soir, j'étais à un coin de rue, avant un concert dans une fac du Connecticut, lorsqu'une voiture s'est arrêtée au feu rouge, l'autoradio à fond sur « Spirit in the Night ». Mon rêve rock'n'roll le plus fou était devenu réalité. Soudain je faisais partie du train mystérieux de la musique populaire qui m'ensorcelait depuis que, tout petit, je passais dans la berline de mon grand-père devant les « boutons » du géant de la tour de la radio, somnolant aux sons voluptueux du doo-wop. La radio m'avait maintenu en vie et aidé à respirer pendant toute mon adolescence. Pour ma génération, l'idéal c'était quand la musique sortait d'un petit transistor de pacotille. Plus tard, aux sessions d'enregistrement, on prenait dans le studio un de ces petits postes, posé sur la console, et on n'acceptait le mix que s'il sonnait parfaitement sur ce petit appareil. La musique est un rêve fiévreux que l'on partage, une hallucination collective, un secret que vivent des millions de personnes, un chuchotement dans l'oreille de toute l'Amérique. Lorsqu'elle est géniale, la musique subvertit naturellement les messages de contrôle diffusés au quotidien par les autorités constituées, les agences de publicité, les médias grand public, les informations et, de manière générale, les gardiens du statu quo, messages qui abêtissent, gèlent l'âme et nient la vie.

Dans les années 1960, c'est dans les chansons d'artistes comme Bob Dylan, les Kingsmen, James Brown et Curtis Mayfield que mon pays m'est apparu pour la première fois dans son entière vérité. « Like a Rolling Stone » m'a convaincu qu'il était possible de transmettre à des millions de personnes une vision authentique, entière, sans compromission, qui change les esprits, réchauffe les cœurs, apporte un sang nouveau au paysage pop anémié de l'Amérique, une voix qui lance un avertissement et un défi, et devient partie intégrante du dialogue américain. Cette musique parvenait en même temps à émouvoir une nation et à éveiller la conscience d'un jeune gars de quinze ans dans une petite ville du New Jersey. « Like a Rolling Stone » et « Louie Louie » m'ont enseigné que quelqu'un, quelque part, parlait une langue nouvelle, qu'une extase absurde s'était faufilée dans le premier amendement de la Constitution et que tout Américain y avait droit. Tout cela, je l'ai entendu à la radio.

Au coin de cette rue, en entendant les notes de « Spirit in the Night » venir à moi depuis l'autoradio de quelqu'un que je ne connaissais pas, arrêté au feu rouge, j'ai senti qu'enfin j'étais un petit wagon de ce train glorieux. C'était plus qu'excitant. C'était tout ce que je voulais faire : trouver un moyen d'honorer ceux qui m'avaient inspiré, laisser une trace, avoir mon mot à dire et, je l'espérais, inspirer ceux qui reprendraient le flambeau longtemps après notre disparition. On avait beau être jeunes et s'amuser, c'était quelque chose de sérieux, pour nous et, quarante-trois ans plus tard, je ressens la même excitation quand j'entends une de mes chansons à la radio.

VINGT-SIX

LA ROUTE

Greetings from Asbury Park, N.J. est sorti le 5 janvier 1973, accueilli par de nombreuses bonnes critiques et quelques mauvaises. Puis on est partis sur la route. Notre premier *gig* officiel était un concert gratuit dans une université de Pennsylvanie, en première partie de Cheech and Chong ; le duo comique fumeur d'herbe était à son summum et l'auditorium de la fac était bourré à craquer. Le Big Man était là. J'ai pris ma nouvelle guitare, une hybride années 1950 constituée d'un corps de Telecaster et d'un manche d'Esquire que j'avais achetée au magasin Belmar de Phil Petillo pour cent quatre-vingt-cinq dollars. Le coffre en bois était usé, on aurait dit un morceau de la croix de Jésus, mais c'est avec cette guitare que je jouerais pendant quarante ans. La meilleure affaire que j'aie faite de ma vie. Pour le live, on avait réarrangé les titres de manière qu'ils sonnent rock et soul et on s'est bien éclatés pendant vingt-cinq minutes jusqu'à ce qu'on vienne me tapoter le dos, alors que j'étais au piano, pour me chuchoter à l'oreille qu'il fallait qu'on sorte de scène. Fin du show. On est partis sous une belle salve d'applaudissements. Et hop, un concert de fait. Plus que mille un !

Les conditions de tournée n'étaient pas optimales. On était tous les cinq dans la caisse de Vini, à se relayer pour conduire, sauf moi. Je n'avais toujours pas de permis et, au volant, j'étais considéré comme un danger public par le groupe. On roulait, on dormait où on pouvait – dans des hôtels miteux, chez les organisateurs, chez des copines dans toute une série de villes –, on reprenait la route, on jouait, on roulait, on jouait, on roulait... On a fait la première partie de Chuck Berry, de Jerry Lee Lewis, de Sha Na Na, de Brownsville Station, des Persuasions, de Jackson Browne, des Chambers Brothers, des Eagles, de Mountain, de Black Oak Arkansas. On a partagé l'affiche de NRBQ et de Lou Reed et on a enquillé une tournée des stades de treize dates avec le fameux groupe Chicago et sa section de cuivres. Bob Marley and the Wailers ont fait notre première partie (leur première tournée américaine) dans l'exigu Max's Kansas City (cent cinquante places). Sur les scènes de toute l'Amérique on a été acclamés, parfois hués, on a esquivé des frisbees, on a eu droit à des chroniques dithyrambiques et d'autres désastreuses. Mike nous a fait jouer à des événements automobiles et à la prison de Sing Sing. C'était notre boulot quotidien et, en ce qui me concerne, la grande vie. Je ne connaîtrais jamais les heures de bureau, pour moi ce serait toujours un long et souvent difficile week-end de sept jours en roue libre (ouais, tu parles).

C'est vrai que les conditions étaient généralement exécrables, mais comparées à quoi ?! Le pire motel sur la route était toujours un cran au-dessus de chez moi. J'avais vingt-trois ans, je gagnais ma vie avec ma musique ! Hé, les gars, ce n'est pas pour rien qu'on dit JOUER de la musique quand on parle de ce « boulot » ! J'ai assez transpiré sur les scènes du monde entier pour remplir au moins un océan, j'ai repoussé mes limites et celles de mon groupe pendant plus de quarante ans, on continue à le faire, mais c'est toujours du « jeu ». Donc un plaisir et un privilège, parce que c'est vivifiant et joyeux, on transpire, on en sort courbatu, on se casse la voix, on s'éclaircit la tête, on s'épuise, on revitalise son âme, c'est une catharsis. On peut chanter sa misère, la misère du monde, les expériences les plus dévastatrices, mais il y a quelque chose dans la communion des âmes en concert qui chasse le cafard. Quelque chose qui fait entrer le soleil, qui vous aide à respirer, qui vous élève d'une manière impossible à expliquer – il faut en faire l'expérience. C'est une raison de vivre, et c'était pour moi un lien vital avec le reste de l'humanité à cette période délicate. Est-ce que ça peut être dur ?… Ouais. Est-ce que tout le monde est physiquement et psychologiquement taillé pour ça ?… Non. Est-ce qu'il y a des soirs où on a envie de tout lâcher ?… Ouaip. Mais ces soirs-là, à un moment donné, survient quelque chose de magique : le groupe prend son envol, un visage s'éclaire dans le public, quelqu'un, les yeux fermés, reprend en chœur les paroles que vous avez écrites, et soudain vous êtes tous unis par le sentiment des choses qui comptent le plus pour vous. Ou alors… il peut y avoir une femme charmante dans le public – ça marche aussi !

Par ici la monnaie !

On se faisait trente-cinq dollars par semaine, on payait notre loyer et nos factures. C'était le deal – et le seul moyen de pouvoir se permettre de continuer à tourner. On avait un système qui fonctionnait sur l'honneur. Chacun déclarait ses dépenses et on se faisait rembourser. Mais tout le monde n'avait pas les mêmes frais. Certains avaient des pensions alimentaires à verser pour leurs enfants, donc plus besoin d'argent que d'autres. Tout le monde jouait le jeu… du moins dans l'ensemble.

Après Steel Mill, j'avais décidé de travailler avec mon pote Danny Federici. Un gars certes adorable mais usant. Il fallait constamment qu'on s'occupe de lui. Tout ce qui gravitait autour de Danny était généralement foireux. Quoi qu'il en soit, quand il a été question de former un groupe pour faire de la scène, David Sancious n'était pas dispo, or j'avais besoin d'un clavier et Danny était le meilleur que je connaisse. Il jouait magnifiquement ; c'était un authentique musicien folk dont le style venait de ses jeunes années passées à jouer de l'accordéon. Sa main droite était douée d'un lyrisme, d'une fluidité et d'une spontanéité que je n'avais jamais vus chez aucun autre musicien. Comme si ses doigts étaient branchés tout près du cœur. Sa main gauche ne faisait quasiment rien. Son esprit cessait de douter et laissait libre cours à sa musicalité. Les notes s'enchaînaient, merveilleusement choisies et parfaitement placées, avec une liberté qui semblait s'écouler sans effort de son âme. C'était un musicien d'accompagnement impeccable, humble, toujours au service de la chanson, il n'en faisait jamais trop, ne marchait jamais sur les plates-bandes de ses camarades, il trouvait son espace de jeu et l'occupait à la perfection et avec élégance. Si j'avais besoin d'arrondir ce qu'on venait d'enregistrer, je n'avais qu'à envoyer Danny en studio et le laisser jouer. Il faisait mouche à chaque fois.

Le problème c'est que ce gars avait aussi une tendance naturelle à tirer profit de tout système dans lequel il était amené à évoluer… et donc tenter le coup avec ses propres potes lui est venu aussi spontanément que toutes ces notes magnifiquement légères qui naissaient de ses doigts. Son idée : gonfler ses notes de frais pour se faire du bénef. À vingt-trois ans, Danny et moi avions en commun un long passé, parfois houleux. Au cours de nos vies antérieures ensemble, il y avait eu plus d'une prise de bec. Ce qui m'agaçait le plus était de devoir systématiquement être la voix de la modération et de la raison, de toujours devoir faire le médiateur entre limites professionnelles et comportement personnel… « le Papa ». À la fin il faut bien que quelqu'un mette des limites, ce que j'ai fait, et ces limites, il ne les a pas respectées. Alors qu'on ne roulait pas sur l'or, c'est à nous tous qu'il volait de l'argent. Donc, j'ai pris ma voiture, je suis allé chez lui, je lui ai expliqué la vie et j'ai eu droit au classique haussement d'épaules à la Federici ; j'ai balancé un coup de pied dans ses enceintes de luxe et j'ai fichu le camp. Malgré notre amitié, plusieurs affaires de ce genre, voire pires, jalonneraient notre relation pendant les quarante ans à venir.

Ce Noël-là, notre retour dans ma ville natale a été triomphal. La période idéale de l'année pour que le fils prodigue célèbre le retour à ses racines, plein d'humilité, de générosité. Nan… je ne vous ai pas oubliés. On a donné un concert pour fêter les vacances avec les gens du coin à Rova Farms, un club de rencontres russe, dans les faubourgs. Capacité d'accueil : cinq cents personnes. Ce soir-là, ça a été bagarre générale – la seule qui, de toute ma vie dans les bars, m'a véritablement fichu la trouille. Le concert avait bien commencé, aucun problème pendant une heure. Et puis, au moment où on attaquait « Santa Claus Is Coming to Town », la chanson des Crystals qu'on avait apprise pour l'occasion, plusieurs bastons ont éclaté simultanément dans la salle – une histoire de gangs peut-être, je ne me souviens pas. En tout cas, à un moment donné, j'ai vu le barman, debout sur le comptoir, flanquer sans la moindre courtoisie des coups de pied dans la figure de ses clients. Alors que je célébrais l'esprit de Noël, un type a volé par-dessus la rambarde style Far West à l'étage, avant de s'écraser au rez-de-chaussée. Richard Blackwell, aux congas ce soir-là, a sauté de la scène dans le public à la recherche de son frère David, mon copain d'enfance. La police a fini par rappliquer et le concert a été arrêté. Plusieurs blessés ont été évacués en civière ce soir-là, mais, étonnamment, il n'y a eu aucun mort. On a rejoué une demi-heure environ dans un calme sinistre, puis on a souhaité joyeux Noël à tous et salut. Qui a dit qu'on ne pouvait jamais rentrer au bercail ?

VINGT-SEPT

THE WILD, THE INNOCENT AND THE E STREET SHUFFLE

Au début, les tournées s'enchaînaient, personne ne comptait, on jouait et voilà. J'étais sous contrat avec Columbia pour livrer un nouvel album tous les six mois, selon un calendrier typique de l'industrie du disque des années 1950 et 1960, à l'époque où les singles faisaient la loi dans les hit-parades. Puis il y a eu cette période où les artistes sortaient leur single accompagné d'une série de borborygmes en qualifiant ça d'album. Avec l'arrivée de *Sgt. Peppers* les règles ont changé du jour au lendemain. L'opus des Beatles est devenu l'étalon-or en matière d'enregistrement. Tout à coup, on jugeait convenable qu'un artiste sorte un album tous les deux ou trois ans. Des sorties discographiques plus rapprochées ? Risque de surexposition. Mais pas en 1973.

On a fait *Greetings from Asbury Park, N.J.* et *The Wild, the Innocent and the E Street Shuffle* la même année, tout en continuant de donner des concerts. L'enregistrement de *The Wild, the Innocent* nous a pris trois mois aux Studios 914. Mike et Jimmy m'avaient assez vu sur scène pour savoir qu'il était temps de jouer la carte rock'n'roll. David Sancious était de retour au piano, inaugurant notre double attaque aux claviers ; grâce à son jeu magnifique il a grandement contribué à l'excellence de notre équipe en studio et en tournée. On prenait la voiture tous les jours pour aller du Shore à Blauvelt et retour le soir. Richard Blackwell est venu jouer des congas sur « New York City Serenade » et « The E Street Shuffle ». On a fini par des sessions marathons, au point que Clarence et moi on a dormi plusieurs nuits sous une tente dans le petit jardin pour les ultimes overdubs. Sur la fin du mixage, je suis resté debout trois jours d'affilée – sans stimulant. Impossible de garder les yeux ouverts jusqu'à la fin d'une chanson : je piquais du nez au bout de deux minutes, il fallait me réveiller pour que j'approuve le reste du mix.

Le premier titre de mon deuxième disque, « The E Street Shuffle », évoque une communauté mi-réelle, mi-imaginaire. En ce début des années 1970, le blues, le R&B et la soul étaient encore très présents sur le Jersey Shore. Musicalement je suis parti de « The Monkey Time », le hit sixties entraînant de Major Lance, et je me suis vaguement inspiré de personnages d'Asbury Park au tournant de la décennie. Je voulais décrire un quartier, un mode de vie, et je voulais inventer une danse sans imposer de pas précis. Juste la danse qu'on faisait jour et nuit pour tenir le coup.

J'avais vécu à Asbury Park les trois dernières années. J'avais vu la ville devenir le berceau de révoltes interraciales assez graves et, lentement, commencer à péricliter. L'Upstage Club, où j'avais rencontré la plupart des musiciens du E Street Band, avait fermé ses portes depuis belle lurette. Le *boardwalk* était encore fréquenté. Madame Marie, la diseuse de bonne aventure locale, était encore là, mais il n'y avait plus autant de monde. La plupart des vacanciers allaient maintenant au-delà d'Asbury Park, plus au sud sur la côte, dans des secteurs moins agités.

Après mon départ de l'appartement de Potter et mon court séjour chez Big Danny Gallagher, je me suis installé avec une copine rencontrée un matin d'automne alors qu'elle travaillait sur un stand au bout du *boardwalk* d'Asbury Park. Elle était italienne, drôle, un garçon manqué au sourire béat, au regard désinvolte, et elle portait une paire de lunettes de bibliothécaire sexy. Notre garage aménagé en appartement était à cinq minutes d'Asbury, à Bradley Beach. C'est là que j'ai écrit « 4th of July, Asbury Park (Sandy) », un au revoir à ma ville d'adoption et aux années que j'y avais vécues avant d'enregistrer. Sandy était un composite de plusieurs filles que j'avais rencontrées sur le Shore et la ville en décrépitude avec son vieux *boardwalk* servait de métaphore à la fin d'un amour d'été et aux changements qui se produisaient dans ma vie. « Kitty's Back » était une réminiscence d'un rock teinté de jazz que j'avais joué avec certains de mes groupes d'avant. C'était un titre swing bancal, un *shuffle*, du big band distordu. En 1973, il fallait que j'aie des chansons susceptibles de captiver des publics qui ne me connaissaient pas. Quand je jouais en lever de rideau, je n'avais pas beaucoup de temps pour convaincre. J'ai composé quelques longs titres déchaînés – « Thundercrack », « Kitty's Back », « Rosalita » –, tout droit issus du rock progressif, que j'avais écrits pour Steel Mill, et arrangés pour que le groupe et le public soient épuisés et essoufflés à la fin. Au moment où on croyait la chanson terminée, une autre section emmenait la musique encore plus loin. C'était, dans l'esprit, ce que j'avais retenu des finales des grandes revues soul. Je visais une ferveur similaire et je peux vous dire que quand vous quittez la scène après un de ces morceaux de bravoure, on se souvient de vous.

« Wild Billy's Circus Story » était une comédie noire inspirée de mon souvenir des fêtes foraines et du Clyde Beatty-Cole Bros. Circus qui passait chaque été à Freehold quand j'étais môme. Ils s'installaient place des forains, plantaient leurs tentes en face du champ de courses, pas loin de chez moi. J'étais toujours curieux de ce qui se tramait dans les sombres ruelles à l'écart de la grand-place. Lorsque je passais devant, la main bien serrée dans celle de ma mère, je percevais l'envers du décor et son odeur de musc, à l'opposé des lumières et de la vie que je venais de voir juste avant sur la piste centrale. Tout ça paraissait effrayant, moite, secrètement sexuel. J'étais content de ma poupée Kewpie et ma barbe à papa, mais ce n'était pas ça que je voulais, au fond. « Wild Billy » était aussi une chanson sur la séduction et la solitude d'une vie en marge. À vingt-quatre ans j'avais déjà copieusement goûté à ce monde pour le meilleur et pour le pire, et j'avais trouvé la vie que je voulais vivre. Dans « Incident on 57th Street » et « New York City Serenade » je donnais ma vision romantique de New York, qui avait été ma destination depuis mes seize ans lorsque je voulais fuir ma petite ville du New Jersey. « Incident » abordait un thème sur lequel je reviendrais souvent à l'avenir : la quête de rédemption. Durant les vingt années à venir, je travaillerais ce thème comme seul un bon gars élevé dans le catholicisme en était capable.

« Rosalita », mon autobiographie musicale sur le thème comment-se-tirer-de-cette-ville, annonçait *Born to Run*. Adolescent, j'avais eu une copine dont la mère avait menacé de demander une ordonnance du tribunal m'interdisant d'approcher sa fille, à cause de mes origines prolos et de mon allure rebelle (selon les critères de mon bled). La fille était une jolie blonde, c'est la première, me semble-t-il, avec qui j'ai réussi à faire l'amour, après une séance de pelotage chez sa môman (mais vu la confusion sur le champ de bataille, je n'en suis pas absolument certain). J'ai écrit « Rosalita » comme un doigt d'honneur adressé à tous ceux qui attendaient que vous ne vous releviez pas, vous prenaient de haut ou décrétaient que vous n'étiez pas assez bon. C'était une histoire de mon passé qui célébrait aussi mon présent – *The record company, Rosie, just gave me a big advance* (La maison de disques, Rosie, vient de me verser une grosse avance) – tout en regardant vers l'avenir – *Someday we'll look back on this and it will all seem funny* (Un jour on repensera à ça et tout paraîtra drôle). Non pas que tout SERAIT drôle mais tout PARAÎTRAIT drôle. Peut-être un des vers les plus utiles que j'aie jamais écrits.

À l'époque de *The Wild, the Innocent*, je n'avais aucun succès, donc je ne m'inquiétais pas de savoir où j'allais. J'étais dans une sorte de progression, du moins je l'espérais. En tout cas je m'en sortais. Avec un contrat discographique et un groupe pour tourner, j'estimais être mieux loti que la plupart de mes copains, enfermés dans un boulot routinier et ennuyeux, accablés de responsabilités et de factures. J'avais la chance de faire ce que j'aimais le plus au monde. Avec « Rosie » et ses premiers accords sur les chapeaux de roues, mon groupe était prêt à prendre la route sans appréhension – l'appréhension, ce serait pour plus tard.

The Wild, the Innocent and the E Street Shuffle tout juste terminé, on est rentrés épuisés dans le New Jersey. Mike a récupéré les bandes pour les apporter à la maison de disques et on a attendu une réaction qu'on espérait enthousiaste. Ce disque me donnait une satisfaction bien plus grande que *Greetings*. J'avais le sentiment que c'était un bon exemple de ce que je pouvais faire de mon groupe en termes d'enregistrement, de jeu et d'arrangements. Avec « Kitty's Back », « Rosalita », « New York City Serenade » et la semi-autobio de « Sandy », j'étais persuadé qu'on montrait le niveau d'exigence, de plaisir et d'excitation qu'on était capable d'atteindre en studio.

There's gonna be a showdown (Il va y avoir du sport)

John Hammond avait pris sa retraite, Clive Davis n'était plus là. Les pontes de la maison de disques qui m'avaient farouchement soutenu étaient en train de disparaître, laissant un vide immense. À présent toutes sortes de gens les remplaçaient.

J'ai été convoqué pour rencontrer Charles Koppelman, alors directeur artistique, afin qu'on discute de l'album. Apès avoir passé une bonne partie de la face A, il m'a informé que l'album était insortable en l'état. Motif : le jeu des musiciens n'était pas à la hauteur. Il m'a demandé de le retrouver dans un studio Columbia quelques jours plus tard pour que je voie ce que de « vrais » musiciens pourraient faire de ces chansons. Ça partait sans doute d'une bonne intention mais pour moi, pas question : c'était mon groupe, je m'étais engagé vis-à-vis de mes gars, je trouvais que l'album sonnait super bien, j'en étais fier et je voulais qu'il sorte comme ça, point barre. M. Koppelman n'y est pas allé par quatre chemins : si j'insistais pour que le disque sorte tel quel, il aurait droit au minimum de promotion et ne tarderait pas à finir aux oubliettes, et moi avec... Que faire ? J'aimais le disque comme il était, alors je me suis battu pour qu'on ne change rien... avec pour résultat exactement ce que M. Koppelman avait promis.

Lorsqu'on est partis en tournée pour la promotion de *The Wild, the Innocent*, peu de gens savaient que l'album était sorti. Dans une station de radio, au Texas, on m'a dit qu'un des représentants de Columbia, venu faire la promo de plusieurs artistes, leur avait littéralement demandé d'arrêter de passer le mien à l'antenne au prétexte que les chansons étaient « trop longues ». Alors ça, c'était la meilleure ! Ma propre maison de disques faisait en sorte que mes chansons soient *retirées* de la programmation en radio ! Et ce n'était qu'un début. Un bras de fer épique a commencé entre le sergent instructeur Mike Appel et les nouveaux patrons de CBS. En fin d'année, Mike a envoyé à tous les cadres de la boîte des chaussettes remplies de charbon, comme on punit à Noël les gosses qui n'ont pas été gentils. Ho-ho-ho.

Le jour où on a joué au Fat City, un club de Long Island, tous les grands patrons sont venus en rangs serrés voir l'artiste qui se produisait en première partie car ils envisageaient de le signer, puis ils sont sortis comme un seul homme, juste au moment où on est montés sur scène. Là, ça allait vraiment trop loin. Mike s'est posté à la porte et, calepin à la main, il a noté le nom de tous les traîtres au fur et à mesure qu'ils sortaient, en vue de représailles.

Ce que ces gens se disaient, en gros, c'est qu'on allait juste disparaître du tableau, reprendre nos jobs alimentaires, nos études, nous retirer dans les marais du New Jersey. Ils n'avaient pas compris qui on était : des types sans foyer, sans formation ni savoir-faire susceptible de leur assurer une paye en fin de mois dans un cadre conventionnel. On n'avait nulle part où aller… et on adorait la musique. On était venus « vous libérer, vous confisquer », comme dans la chanson « Rosalita » ! Impossible de faire marche arrière. On n'avait pas d'argent et on ne recevait aucun soutien de la maison de disques. C'est vrai que nos rémunérations avaient augmenté, elles étaient passées à cinquante dollars par semaine, puis à soixante-quinze, mais on n'était plus en odeur de sainteté avec la maison de disques. Nos pères spirituels étaient partis. Il y avait maintenant d'autres artistes prometteurs et si on rencontrait le succès maintenant, personne dans l'entreprise n'en tirerait la moindre gloire. Ceux qui auraient pu logiquement s'en attribuer le mérite avaient disparu. En un mot, on était orphelins.

Un disc-jockey m'a sauvé la vie

Dans les années 1950, 1960 et 1970, l'animateur radio (ou disc-jockey) était encore une figure mystérieuse et éphémère. Le nuit, tandis que la ville dormait, il était seul avec pour unique compagnie des rayonnages entiers de la musique la plus grandiose jamais entendue. C'était votre pote. Il vous comprenait. Ensemble vous partagiez le secret des seules choses qui comptaient vraiment dans la vie : la musique. Il vous parlait à l'oreille, excité façon Cousin Brucie qui, à l'antenne de WABC-AM, vous promettait le samedi soir le plus génialissime de votre vie ; ou bien calme et confiant comme pour une séance de spiritisme rock à la manière de Richard Neer ou Alison Steele de WNEW-FM. Ces gens-là étaient des passerelles humaines vous reliant au monde qui se déployait dans votre tête. Ils chroniquaient vos propres changements au fur et à mesure que les disques arrivaient et repartaient, ils étaient une source d'inspiration, vous poussant à écouter telle chanson qui allait changer votre vie. Pour moi ça a été « Hound Dog », « I Want to Hold Your Hand », « Like a Rolling Stone », des morceaux qui mettaient le feu aux ondes et m'encourageaient à abattre les murs de ma petite ville pour rêver en grand. Ou *Astral Weeks*, le disque qui m'a appris à croire en la beauté et la divine bonté de ma station FM locale.

Je me souviens toujours du petit bâtiment en béton qu'on voyait lorsqu'on prenait le New Jersey Turnpike, l'autoroute de New York, juste avant d'arriver, quelque part dans les friches industrielles. Là, au milieu de la puanteur des marécages, il y avait une enseigne très lumineuse. Ce n'était qu'une station-relais, j'imagine, mais à dix, douze ans, je croyais que c'était une vraie radio. Que tous mes présentateurs préférés étaient entassés dans cette guitoune au milieu de nulle part. Et que de là étaient envoyés les sons dont dépendait ma vie. Incroyable ! Ce petit fort de frontière qui paraissait à l'abandon, si loin de la civilisation, était donc le centre du monde qui me tenait tant à cœur ? Bien sûr que oui ! Je rêvais qu'ici, dans les marais du New Jersey, se trouvaient ces hommes et ces femmes formidables qu'on ne connaissait qu'au son de leur voix…

En ce temps où les membres du E Street Band n'étaient encore qu'un groupe de musiciens qui écumait les clubs en essayant de mettre un pied en travers de la porte de l'industrie musicale, j'ai vécu deux expériences radiophoniques différentes. J'ai d'abord passé un après-midi avec le responsable de la promo radio de Boston qui démarchait pour essayer de faire entrer en playlist du Top 40 mon premier single, « Blinded by the Light. » Très intéressant. La première station où on s'est présentés, on ne nous a pas laissés entrer. La deuxième, on a pu voir quelques instants le programmateur : il a posé « Blinded » sur la platine exactement douze secondes, le temps d'entendre : *Madman drummers bummers*…, et zzzzzrrriiippp, le saphir a rayé tout ce qui me tenait à cœur, retiré en un éclair comme par réflexe, puis j'ai entendu : « Il sort quand le nouveau disque de Chicago ? » On a passé le reste de l'après-midi à rouler en voiture en buvant des bières et en racontant des blagues salaces. C'était mal barré pour le Top 40. La deuxième fois, on jouait dans une salle vide au Main Point, à Bryn Mawr, en Pennsylvanie, lorsque David Dye est entré. Il avait une émission sur WMMR, la FM locale de Philadelphie. Après nous avoir vus jouer devant trente personnes, il est venu nous dire à la fin du concert : « J'adore votre groupe. » Ce soir-là, alors qu'on quittait la ville dans notre tour bus, il a passé *Greetings from Asbury Park, N.J.* pour les mélomanes insomniaques. J'ai fini par connaître tous les programmateurs radio de toutes les principales villes rock en Amérique. Dont Ed Sciaky, un super disc-jockey et un fan chez qui je serais souvent hébergé, lorsqu'on aurait un concert dans la « ville de l'amour fraternel ». Tous les vendredis soir, Kid Leo, de Cleveland, célébrait la fin de la semaine de travail avec « Born to Run ». J'appelais souvent Richard Neer au milieu de la nuit quand il était à l'antenne, juste pour taper la discute. J'ai eu bien d'autres relations amicales dans ce milieu. On passait du temps ensemble, on connaissait leurs villes, c'est eux qui montaient sur scène pour présenter les concerts. Grâce à ces passionnés – c'était avant les années 1980, avant les stratégies promo tu-payes-pour-passer qui ont plombé l'industrie –, j'ai sans doute décroché quelques hits que je n'aurais certainement pas eus autrement. Puis s'est installé le principe de la programmation par ordinateur et des playlists nationales, et c'est devenu un autre business. Mais pour revenir à l'époque où on était « presque célèbres », ces hommes et ces femmes nous ont donné beaucoup d'amour et de soutien – une sorte de foyer ou de refuge dont nous et notre musique avions grandement besoin.

Adios, Perro loco

Madman drummers bummers…

Pendant la tournée *The Wild, the Innocent*, on a compris une chose : on avait besoin de quelqu'un de plus solide à la batterie. Vini, alias Mad Dog, était un batteur magnifique à sa manière déjantée. Il avait un style unique, comme en attestent les deux premiers albums. Notre école, ça avait été les traditionnelles séances d'impro à l'Upstage Club. Dans ces premières années, on avait tous le réflexe d'occuper l'espace sonore. Sur nos deux premiers disques, Vini était omniprésent à la batterie mais il savait comment s'y prendre pour que ça fonctionne. Son jeu hyperactif était en phase avec son tempérament et en studio son travail, conjugué à celui de Louis Lahav, a donné lieu à des titres excentriques mais formidablement originaux en termes de rythme.

Le truc c'est que Vini, le gars le plus adorable du monde, était capable en un instant de péter totalement les plombs. Avec le temps, son comportement a fini par user les autres membres du groupe, notamment Danny qui l'avait supporté jusque-là au-delà du stoïcisme. Steve Appel, le jeune frère de Mike, qui donnait un coup de main sur les tournées, s'était pris un coup de poing dans l'œil, de même que pas mal d'autres qui avaient eu le malheur de croiser la route du Mad Dog. Vous vouliez aller boire un verre avec lui ? Bon courage. Un soir, je montais l'escalier d'un bar de plage quand j'ai soudain vu un gars dévaler les marches dans l'autre sens. C'était Vini. Il s'était fait jeter avant même d'avoir réussi à entrer. Heureusement que la présence de Big Danny influait sur l'attitude des uns et des autres, ça nous a plus d'une fois évité des ennuis. Un autre soir, Vini s'est pointé à un concert couvert de bleus et d'égratignures. Il avait ses ennemis. Cette fois-là, un esprit avide de revanche qui savait qu'il rentrait tous les soirs en vélo le long du *boardwalk*, après le concert, à trois heures trente du matin, avait tendu un fil de fer en travers de son chemin à hauteur de roues. Mad Dog avait foncé dessus et été projeté par-dessus son guidon, pour se retrouver le cul couvert d'échardes, de coupures et d'ecchymoses.

Jusqu'au jour où Vini a poussé le bouchon un peu trop loin. Un après-midi, c'est Clarence Clemons qu'il a réussi à mettre hors de lui. Au point que Clemons l'a cloué au sol pour l'étrangler. Puis il a fait tomber une lourde enceinte de chaîne stéréo à quelques centimètres de sa tête, histoire qu'il comprenne bien. Vini est sorti en courant et il a foncé direct jusqu'à mon garage-appartement de Bradley Beach. On aurait dit qu'il venait d'échapper de justesse à la pendaison mais qu'il avait passé quelques instants de trop à se balancer dans le vide, les yeux exorbités, les jambes tremblantes, au bout de la corde. Il m'a montré ses énormes zébrures rouges au cou en hurlant que Clarence avait essayé de le tuer et il a prononcé le fatal ultimatum : « Brucie, c'est lui ou moi. » Pas la meilleure façon de régler ses comptes au sein du E Street, mais c'était mon groupe, ma ville, j'en étais à la fois le maire, le juge, le jury et le shérif, alors je l'ai calmé et je lui ai dit que j'allais essayer d'arranger ça.

Il y a eu des discussions, les uns et les autres ont exposé leurs griefs. Les gars étaient à bout, Mike aussi. Vini a toujours été persuadé qu'on s'était séparés de lui parce qu'il avait été trop franc sur la gestion de nos affaires. Il n'avait peut-être pas tort là-dessus, mais on avait tous une bonne raison de le voir quitter le groupe. Moi essentiellement parce que ma musique était en train de changer et que j'avais besoin d'un batteur plus sophistiqué, doué d'un sens du tempo plus net pour les nouveaux morceaux que j'étais en train de composer. J'aimais Vini et je l'aime toujours, c'est un chouette type, un batteur et un chanteur au style unique, un vrai copain loyal. On avait vécu un paquet de trucs ensemble et il m'avait toujours soutenu à fond. Alors ça a été difficile de se séparer de quelqu'un que j'appréciais tant et avec qui j'avais vécu tant d'aventures. Son jeu a donné à mes deux premiers albums un son magnifique et une excentricité qui colle parfaitement avec l'esprit éclectique des chansons. Il a fait partie du E Street Band à la période la plus difficile du groupe, quand c'était une véritable bande de copains d'Asbury Park, formée de musiciens dont les styles ont émergé directement de la communauté musicale dans laquelle on était nés.

VINGT-HUIT

LE SATELLITE LOUNGE

Pas facile d'annoncer à Vini qu'il quittait le groupe. Je crois que c'est Mike Appel qui s'en est chargé. Le week-end où Vini a été remercié, on était programmés à Fort Dix, au Satellite Lounge, une boîte sympa qui attirait un public local en plus du personnel militaire du South Jersey stationné là. J'avais vu Sam & Dave y donner des concerts épatants. La boîte était gérée par des « amis ». On avait joué dans plusieurs clubs appartenant aux gars du coin et à chaque fois ça s'était bien passé. Le problème c'est que là, on n'avait plus de batteur et qu'on allait être obligés d'annuler. Je l'ai expliqué à Mike, mais il m'a répondu simplement qu'on était « *obligés* de jouer ». Il y avait un problème avec le proprio du Satellite Lounge, alors Mike avait appelé certains de nos autres « amis » à l'Uncle Al's Erlton Lounge, une salle où on nous avait toujours traités comme des rois, pour qu'ils intercèdent en notre faveur. Ce qui n'avait fait qu'envenimer les choses. Mike m'a ensuite résumé brièvement sa conversation avec le propriétaire du

Satellite : « Si vous ne jouez pas, on a vos adresses et on viendra casser des doigts importants. Si vous jouez, ça se passera très bien. » Je me suis dit : « À choisir… » Voilà comment Ernest Carter, dit Boom, un batteur dont j'avais à peine entendu parler et que je n'avais rencontré qu'en coup de vent, s'est retrouvé à jouer avec le groupe ce week-end-là, et sur l'enregistrement le plus significatif que le E Street Band ait jamais fait, et *uniquement* sur celui-là. Boom était l'ami d'enfance de Davey Sancious. Sur un coup de fil de son pote il a rappliqué chez Tinker pour répéter jusqu'à l'aube la totalité de notre set live, il est venu à Fort Dix, où il n'était pas inhabituel de monter sur scène à une ou deux heures du matin, et il s'en est génialement sorti. Boom Carter, bienvenu dans le E Street Band !

Le manager du Satellite a tenu parole : ça s'est *effectivement* super bien passé. À l'époque on était en pleine crise pétrolière et, en tournée, on s'était retrouvés plus d'une fois en panne sèche, coincés des plombes sur le bord de la route, à regarder passer les semi-remorques à quelques centimètres de notre van Econoline. Plusieurs fois on avait même siphonné des réservoirs sur les parkings, mais ce soir-là, alors qu'on rangeait le matos, notre « ami » bienveillant est resté avec nous, tout sourire, le temps que des flics se garent près de notre van, remplissent le réservoir à bloc, avant de nous souhaiter bonne continuation.

Boom s'est révélé être une précieuse recrue. C'était un batteur plus jazzy que ce que j'aurais initialement imaginé, mais à partir du moment où il s'est intégré à la bande, il a apporté un swing vraiment magnifique. Il y avait maintenant dans le groupe trois Blacks et trois Blancs, et le mélange des influences musicales était magique. Davey bien sûr maîtrisait tous les registres, du rock à la soul, mais on percevait de profondes racines jazz et gospel dans son jeu, ce qui le distinguait de la plupart des claviers rock. En combinant folk, rock, jazz et soul, on avait maintenant tout ce qu'il fallait pour se produire partout. Sauf qu'en termes de carrière, les perspectives n'étaient pas roses.

L'avenir est écrit

On avait joué sur plein de campus jusqu'au jour où, coup de bol, on a donné un concert sur un campus fréquenté par le fils d'Irwin Siegelstein, le nouveau patron de Columbia Records, qui venait de la division télévision du groupe. On a passé un super moment mais après, lors d'une interview pour le journal de l'université, je ne me suis pas gêné pour dire ce que je pensais de notre maison de disques qui nous privait de promo. Siegelstein Junior a lu l'article et l'a montré à son père. M. Siegelstein, qui avait le mérite de ne pas laisser croire qu'il y connaissait grand-chose en musique pop, a écouté son fils et on n'a pas tardé à recevoir un coup de fil de Columbia Records pour une invitation à dîner avec son nouveau président. Ce soir-là, on était trois à table, Mike, M. Siegelstein et moi. « Comment peut-on rattraper le coup ? » a demandé le P-DG. Les paroles d'un homme de bon sens, qui avait compris qu'on représentait une certaine valeur pour son entreprise et voulait corriger le tir.

Autre événement de bon augure à peu près à la même période : un type de Boston disait avoir vu l'« avenir du rock'n'roll », et cet avenir c'était… *moi*. Après notre concert au Harvard Square Theatre, en première partie de Bonnie Raitt (bénie soit-elle, c'est une des rares artistes à avoir accepté qu'on fasse plusieurs fois sa première partie à cette époque), le journaliste du *Real Paper* Jon Landau, qui avait la réputation d'avoir souvent la dent dure, a rédigé une des critiques les plus dithyrambiques de tous les temps. Un magnifique article évoquant le pouvoir et la signification du rock'n'roll pour un fan de musique, l'ancrage et la continuité qu'il apporte à nos vies, la communauté qu'il ne peut que contribuer à renforcer et la solitude qu'il soulage. Ce soir-là, au concert de Boston, le groupe avait laissé parler son cœur, et c'était ce que Jon faisait dans son article. Son fameux *I saw rock'n'roll future* s'inscrivait dans une réflexion sur le passé, le présent et le futur de la musique qu'il aimait, sur le pouvoir qu'elle avait jadis eu sur lui, sa capacité à renaître de ses cendres et à libérer une fois de plus cette force dans sa vie. Cette formule à la fois utile et pesante (sur le long terme, plutôt utile, je dirais), connue comme la « citation qui a fait le tour du monde », a toujours été invoquée hors de son contexte, et donc privée de ses charmantes subtilités… Mais qui s'en soucie aujourd'hui ?! Et puis si quelqu'un devait être l'« avenir du rock », pourquoi pas moi ?

Lumière au bout du tunnel

Après notre dîner avec Irwin et la « prophétie » de Monsieur Landau, des pubs pour *The Wild, the Innocent and the E Street Shuffle* ont paru dans les journaux et les principaux magazines, toutes sur le thème j'ai-vu-l'avenir – le mien, du coup, se présentait bien. C'est fou comme les choses peuvent changer du jour au lendemain. La maison de disques était de nouveau derrière nous et les ventes de mes deux albums augmentaient tandis qu'on continuait à tourner, en cassant la baraque chaque soir. Contractuellement je devais sortir un troisième album chez Columbia. À présent qu'on avait abattu toutes nos cartes, la question était la suivante : au-delà des critiques et de mon fan-club, est-ce que j'étais capable de susciter l'intérêt d'un public plus large, des auditeurs qui se trouvaient derrière leurs postes de radio ? Les artistes uniquement suivis par leur fan-club ne restent pas longtemps chez Columbia Records. Si on loupait le disque suivant, notre contrat avec Columbia prendrait fin et on retournerait en deuxième division au milieu des pins du South Jersey. Cet album devait être la concrétisation des espoirs placés en moi. Il fallait qu'il soit épique, extraordinaire, et totalement inédit. On avait déjà fait un sacré bout de chemin, mais le sang que j'avais reniflé dans le jardin de mon grand-père, un matin ensoleillé, je le sentais de nouveau dans l'air. Pour mon nouvel album, j'avais écrit une chanson. Elle s'intitulait « Born to Run ».

LIVRE DEUX

BORN TO RUN

VINGT-NEUF

BORN TO RUN

J'ai écrit « Born to Run » assis sur le bord de mon lit dans une petite maison que je louais depuis peu au 7 ½ West End Court (West Long Branch, New Jersey). J'étais en pleine révision intensive du rock'n'roll des années 1950 et 1960. J'avais un électrophone sur ma table de chevet, je n'avais qu'à me tourner pour poser le saphir sur mon album préféré du moment. La nuit, lumières éteintes, je me laissais emporter par Roy Orbison, Phil Spector ou Duane Eddy au pays des songes. Ces disques-là me parlaient plus que l'essentiel du rock de la fin des années 1960 ou du début des années 1970. Amour, travail, sexe et fun… mon univers sentimental trouvait un écho dans les ténébreuses visions romantiques de Spector et d'Orbison, où l'amour est considéré comme une affaire risquée. Des titres inspirés, superbement ouvragés, servis par des compositions solides, des voix sublimes, de formidables arrangements et des musiciens excellents. Il y avait là un véritable génie du studio, une passion à couper le souffle… ET… c'étaient des hits ! Pas de délire de musicos dans ces chansons. Elles ne vous faisaient pas perdre votre temps avec de complaisants solos de guitare ou d'interminables solos de batterie monolithiques. Il y avait quelque chose de l'opéra, un côté grandiose et luxuriant, mais aussi de la retenue. Cette esthétique me séduisait à l'époque où j'ai entamé la première phase d'écriture de « Born to Run ». Chez Duane Eddy je suis allé chercher ce son de guitare caractéristique, « *Tramps like us…* », puis *ta-ta-ta* cordes pincées. De Roy Orbison j'ai tiré le timbre rond de l'opéra, en jeune émule limité vocalement qui essaye d'imiter son héros. Chez Phil Spector j'ai trouvé l'ambition de façonner un son puissant qui ébranlerait le monde. Je voulais élaborer un disque qui sonne comme le dernier sur terre, le dernier disque qu'on pourrait entendre… le dernier qu'on aurait BESOIN d'entendre. Un boucan glorieux… avant l'apocalypse. Chez Elvis, j'ai capté l'énergie physique. Dylan, bien entendu, imprégnait le concept même du disque, avec cette idée qu'il ne s'agissait pas juste d'écrire au sujet de QUELQUE CHOSE mais d'écrire sur TOUT.

J'ai commencé par le riff de guitare. Trouvez-vous un super riff et c'est parti. Je me suis mis à enchaîner des accords au petit bonheur en marmonnant… et puis : *Tramps like us, baby, we were born to run…* (Les vagabonds comme nous, chérie, on est nés pour courir). C'est tout ce que j'avais. Il me semblait bien avoir déjà vu ou entendu « Born to Run » quelque part. Peut-être une inscription en lettres d'argent sur le capot d'une voiture roulant sur le « circuit », les rues où il fallait se montrer dans Asbury ? Ou dans un de ces films de série B avec plein de bagnoles dont je m'étais gavé au début des années 1960 ? Peut-être que c'était juste dans l'air, flottant dans les embruns et le monoxyde de carbone à l'angle de Kingsley Street et Ocean Avenue, un samedi soir. Peu importe d'où ça venait, je tenais les ingrédients essentiels d'un disque à succès, nouveauté et familiarité, inspirant à l'auditeur à la fois de l'étonnement et la sensation de déjà-entendu. Un énorme hit donne l'impression qu'on le connaît depuis toujours et en même temps qu'on n'a jamais rien entendu de tel.

Ça n'a pas été un morceau facile à écrire. Je l'ai commencé un après-midi et ne l'ai terminé qu'après six mois de tâtonnements et de tribulations. Je voulais faire appel aux images classiques du rock'n'roll, route, bagnoles, nanas... les incontournables. Cette langue avait acquis ses lettres de noblesse avec Chuck Berry, les Beach Boys, Hank Williams et tous les hors-la-loi égarés depuis l'invention de la roue. Mais pour que ces images aient un poids, il allait falloir que j'y injecte de la fraîcheur, quelque chose qui transcende la nostalgie, le sentimentalisme et l'impression de déjà-entendu.

J'étais un enfant de l'Amérique à l'ère de la guerre du Vietnam, des assassinats de Kennedy, Martin Luther King et Malcolm X. Mon pays n'était plus ce territoire innocent qu'il avait été, disait-on, dans les années 1950 d'Eisenhower. Maintenant c'était meurtre politique, injustice économique et racisme institutionnalisé tous azimuts. Autant de points noirs jusqu'alors relégués aux marges de la vie américaine. Il y avait de l'effroi dans l'air – l'impression que les choses risquaient de mal tourner, qu'on n'incarnait plus l'honnêteté et la droiture, que l'idée qu'on se faisait de nous-mêmes avait d'une certaine manière été corrompue, que l'avenir ne serait plus jamais garanti. Les choses étaient désormais ainsi, et si je devais mettre mes personnages sur *cette* route-là, il allait falloir qu'ils trimbalent tout ça avec eux. Voilà ce qui s'imposait, ce que l'époque exigeait.

Pour aller de l'avant, je devrais délibérément assumer le poids de notre passé tourmenté. Rendre des comptes, au plan historique et personnel.

J'ai commencé par enfiler cliché sur cliché, jusqu'à saisir à la fois un morceau de moi-même et de l'époque. *In the day we sweat it out on the streets of a runaway American dream… It's a death trap, it's a suicide rap… I want to guard your dreams and visions… I want to know if love is real… Together, Wendy, we can live with the sadness, I'll love you with all the madness in my soul… Someday… I don't know when, we're gonna get to that place where we really want to go and we'll walk in the sun…* (Pendant la journée on courbe l'échine dans les rues d'un rêve américain enfui… C'est un piège mortel, le suicide assuré… Je veux être le gardien de tes rêves et de tes visions… Je veux savoir si l'amour est réel… Ensemble, Wendy, on vivra dans la tristesse, je t'aimerai avec toute la folie de mon âme… Un jour… je ne sais quand, on ira là où on a vraiment envie d'aller et on marchera au soleil…) Mais en attendant, tout ce qu'on a c'est cette route, ce maintenant qui n'en finit pas, qui est le feu et l'essence du rock'n'roll. *Tramps like us, baby we were born to run…*

Au fil des mois je sentais que l'histoire douloureuse que je voulais raconter s'infiltrait dans mes paroles et, petit à petit, j'ai trouvé des mots que je pourrais chanter sur scène – mon premier, mon dernier et unique critère. Petit à petit… c'est devenu réalité. Et puis elle a été là, la pierre de touche de mon nouvel album, sur fond de vrombissement de bagnoles, dans un décor de film à petit budget qui apportait une touche de crasse et sapait à la perfection les prétentions de la chanson.

Si les paroles étaient écrites, on avait par contre du mal avec l'enregistrement de la batterie et des guitares. On a empilé les pistes d'instruments les unes par-dessus les autres, on les a combinées par section pour les mixer à nouveau avec d'autres, jusqu'à faire tenir nos 72 pistes de débauche rock'n'roll sur les 16 disponibles aux Studios 914. Ce serait l'unique enregistrement de Boom Carter avec le E Street Band – il a bien choisi. Ce serait aussi mon dernier enregistrement avec Davey Sancious. On lui proposerait bientôt un contrat solo chez Columbia et ensemble ils quitteraient le groupe. Juste avant que ça cartonne ! C'est le dernier album qu'on allait faire aux Studios 914 et le seul enregistrement avec juste Mike et moi à la réalisation. À huit heures du matin, crevés après une nuit blanche à essayer d'avoir un mix final, on a entendu l'équipe de la séance suivante taper à la porte qu'on avait fermée à clé. En ce temps-là, les tables de mixage n'étaient pas automatisées ni informatisées. On avait besoin de toutes les mains sur la table ! Notre ingénieur du son, Louis Lahav, suivait de la main gauche les potards de la guitare et de la droite les claviers ; Mike s'occupait sans doute de la voix, des guitares acoustiques du dernier couplet, pendant que je bidouillais par-dessus son épaule pour mettre en avant le solo de saxo au moment où il était à son apogée et puis le riff de guitare du finale. D'une traite, jusqu'au bout, pas de coupe, pas de raccord, pas de montage. Ça tapait et ça hurlait de plus en plus fort à la porte du studio mais on a tenté un dernier mix. Cette fois-ci c'était le bon ; en fait, on était trop épuisés pour le savoir. J'ai rapporté une copie à la maison et je l'ai écoutée en boucle plusieurs matins de suite alors que le soleil illuminait la fenêtre de ma chambre. Ça sonnait super bien. Je rentrais à la maison avec *exactement* l'album que j'avais voulu faire. Ça, ça n'arrive pas souvent.

La maison de disques voulait que les voix soient plus en avant. On a apporté la bande à un studio de New York un soir, et on s'est rendu compte en une demi-heure que c'était impossible. On ne pourrait jamais retrouver un tel équilibre dans le son, on ne pourrait pas retrouver l'intégration musicale à laquelle on était arrivés, le mur enragé de guitares, de claviers et de batterie. Par égard pour les grosses huiles de Columbia, on a quand même écouté d'autres versions qu'on avait conservées des sessions originales. Dans certaines, la voix était effectivement plus en avant, mais ça manquait de… *magie*. Mon idée c'était que le chanteur *devait* avoir l'air de se battre pour se faire entendre d'un monde qui s'en foutait. Non, il n'y avait qu'une seule version qui donnait l'impression qu'un moteur de 747 grondait dans votre séjour, l'univers un bref instant en suspension, en équilibre, tandis que l'accord cosmique retentissait, *gling*. Puis ça démarrait. On tenait le truc. On l'avait. On avait réussi à capter ça une fois… mais une fois suffit.

Boom et Davey étant partis, on a fait passer une petite annonce dans le *Village Voice* pour trouver un batteur et un pianiste. On a testé trente batteurs et trente claviers trente minutes chacun. Certains sont venus à l'audition uniquement pour passer un petit moment avec le groupe. Des mecs se sont pointés avec des batteries à double grosse caisse et ont essayé de se la jouer Ginger Baker pour arriver au bout de « Spirit in the Night ». Un violoniste soi-disant d'avant-garde nous a torturés une demi-heure avec un son atonal style crissement d'ongles sur un tableau noir. Bon ou mauvais, vous aviez droit à votre demi-heure et une poignée de main.

Finalement, Max Weinberg, de South Orange, dans le New Jersey, s'est mis à la batterie tandis que Roy Bittan, de Rockaway Beach, s'installait aux claviers. Deux gars largement au-dessus du lot, qui allaient apporter un professionnalisme nouveau à notre son, que plus tard on emporterait en studio. C'étaient les premiers à intégrer le E Street Band sans être du quartier.

Pendant que « Born to Run » était martelé par les stations de radio FM (on le leur avait envoyé, persuadés que le LP allait suivre dans la foulée, une erreur de taille !), on est retournés en studio. Après plusieurs séances ratées au 914, il fallait se rendre à l'évidence : on n'avançait pas sur le disque. Le problème le plus évident c'est que le matos sur place était à moitié défectueux. Les pédales de piano, les magnétos et divers autres trucs tombaient constamment en rade. Pour l'enregistrement de « Jungleland » par exemple – un de nos classiques sur scène que le groupe maîtrisait sur le bout des doigts –, avec tous les pépins techniques, impossible de créer une montée en puissance, on n'arrivait à rien. Bref, on était le bec dans l'eau, au point mort, et mon « chef-d'œuvre de la dernière chance » n'allait nulle part. On était coincés. On avait besoin d'aide.

TRENTE
JON LANDAU

C'était un soir d'hiver à Cambridge, Massachusetts. Devant Joe's Place, notre salle de concert, tapant des pieds pour me réchauffer, je lisais une critique de notre deuxième album ; le propriétaire du club l'avait scotchée sur la vitre, à l'entrée, dans l'espoir d'attirer du public. Deux types se sont approchés sur ma gauche. Le premier était l'écrivain spécialiste de musique Dave Marsh, l'autre Jon Landau, un gars de vingt-sept ans, auteur de la critique affichée. Il s'est glissé à côté de moi et m'a demandé : « *Whaddaya think ?* » (Qu'est-ce t'en penses ?) C'était la première fois que Jon prononçait ces mots qu'on allait par la suite se répéter dix milliards de fois au fil d'une vie passée à ruminer, à se regarder le nombril, à philosopher, à analyser et à faire de la musique. « Qu'est-ce t'en penses ? » Ces mots allaient accompagner notre amitié pendant quarante ans.

Au cœur du rock, il y aura toujours le même élan primitif. La musique se réinvente constamment sous diverses formes : rockabilly élémentaire, punk, hard soul, rap des débuts… Il n'est pas nécessaire d'intégrer la pensée et la réflexion à cet élan pour faire du grand rock'n'roll. La plupart des moments forts de musique donnent l'impression d'avoir été enfantés dans une explosion de talent brut et d'instinct créatif (pour certains, ça a même été le cas). Mais… si vous voulez briller d'une lumière belle et forte tout en tenant sur la durée, vous ne pourrez pas vous contenter de vous fier à votre instinct initial. Il vous faudra du métier et une intelligence pétrie d'inventivité qui vous permettra d'aller *plus loin* lorsque les choses deviendront plus compliquées. C'est grâce à ça que, avec le temps, vous pourrez continuer à avoir une certaine importance, à produire une musique puissante, et aussi peut-être rester en vie, à la fois artistiquement et littéralement. Il me semblait que l'incapacité de nombreux artistes de rock à survivre à leur date d'expiration, à tenir plus de quelques années après le succès, à faire plus d'une poignée de grands albums, tenait au fait que cet univers attirait avant tout des inadaptés. Des personnalités fortes, sujettes aux addictions, carburant à la compulsion, au narcissisme, à la liberté, la passion, convaincues que la gloire leur était due, tout ça associé à une peur, une rage et une insécurité intérieures. Cocktail dangereux qui peut empêcher la prise de conscience qu'exige une vie sur le terrain, ou du moins rendre réticent à effectuer cette prise de conscience. Une fois que vous vous retrouvez le cul par terre après les premiers coups, vous avez intérêt à avoir de la ressource, parce qu'il va vous en falloir si vous avez l'intention de rester dans le paysage au-delà de votre petit quart d'heure imparti.

Maintenant, les cinq minutes de quelques-uns valent amplement cinquante années de certains autres… et bien sûr on peut concevoir d'être une supernova dans le ciel, de briller et brûler un bref instant, d'avoir des chiffres de ventes qui crèvent le plafond et de mourir jeune, et encore beau, mais je voudrais *quand même* dire quelques mots en faveur de la vie.

Personnellement, j'aime que mes dieux vieillissent, qu'ils aient le poil grisonnant et surtout qu'ils soient *encore là*. Je suis content d'avoir encore Dylan et les Stones, ces pirates toujours d'attaque ; j'aime la puissance en live des Who sur le mode j'espère-vivre-très-vieux-avant-de-crever et le Brando obèse mais fascinant jusqu'au bout – je préfère toutes ces options à la mort. J'aurais voulu voir Michael Jackson encore longtemps sur scène, un Elvis de soixante-dix ans se réinventant et savourant son talent. Qu'aurait tenté Jimi Hendrix avec sa guitare ? Keith Moon, Janis Joplin, Kurt Cobain et tous ceux qui sont morts trop tôt, tous ceux-là ont volé quelque chose à la musique que j'adore ; j'aurais voulu qu'ils vivent, qu'ils profitent du talent qui était le leur et du respect de leur public. Vieillir c'est effrayant mais fascinant, et les grands talents se métamorphosent de manière à la fois étrange et souvent éclairante. Et puis, à ceux dont vous avez reçu tant de joie, de connaissances et d'inspiration, vous souhaitez la vie, le bonheur et la paix. C'est si difficile d'y accéder.

La mort et la jeunesse ont toujours constitué une combinaison enivrante pour les faiseurs de mythes. Et la haine de soi, dangereuse, violente, est depuis longtemps un ingrédient essentiel dans les feux de la transformation. Lorsque le « nouveau moi » s'enflamme et prend vie, ces frères ennemis que sont le contrôle et la démesure entrent immuablement dans la danse. C'est ce qui rend la vie passionnante. La tension entre ces deux forces rend souvent un artiste de scène fascinant à regarder, mais risque aussi d'en faire une croix blanche sur le bas-côté de la route. Un paquet de ceux qui ont pris ce chemin se sont brûlé les ailes, parfois jusqu'à la mort. Le culte de la mort est puissant dans le rock et il fait couler beaucoup d'encre, mais en pratique, l'artiste et ses chansons n'ont pas grand-chose à y gagner. À part une bonne vie gâchée, des enfants abandonnés et un trou de six pieds sous terre. Tirer sa révérence dans un feu d'artifice glorieux, c'est de la connerie, point barre.

Maintenant, si vous n'êtes pas de cette poignée de têtes brûlées de la musique – et je n'en suis pas – vous visez naturellement autre chose. Dans cet univers de l'éphémère, j'étais fait pour durer. J'avais des années d'expérience derrière moi, j'étais physiquement taillé pour tenir le coup et je n'étais pas du genre à vivre sur le fil du rasoir. Curieux de voir ce que je pourrais accomplir au long de toute une vie consacrée à faire de la musique, je me suis dit pour commencer : « Tu vas continuer à respirer. » Dans ce genre de carrière, une foule d'exemples montrent que, qui que vous soyez, ce n'est pas aussi facile que ça en a l'air.

Le roi (« r » minuscule) fait son entrée

Des gens que j'ai rencontrés, Jon Landau était le premier à avoir les mots pour discuter de tout ça. Son amour de la musique et des musiciens était typique du fan pur et dur, mais il possédait aussi une certaine retenue et savait prendre du recul pour analyser précisément ce qu'il aimait. Chez Jon, un élan n'atténuait pas l'autre. Ça lui était naturel et on avait tous les deux foi en une série de valeurs qu'on considérait comme incontournables : le sens de la musique, le métier, la joie que procure un travail assidu et la mise en pratique méthodique de son talent. Ces qualités avaient donné lieu à certains de nos disques favoris : ceux des Muscle Shoals studios, de la Motown et les premiers enregistrements des Beatles montraient à quel point une musique révolutionnaire pouvait découler d'une approche en studio simple mais disciplinée. C'était ça notre objectif, car ça nous ressemblait.

Jon et moi, on a chacun trouvé chez l'autre la passion de la musique et la quête de quelque chose. Jon serait pour moi un ami et un mentor, un esprit bouillonnant qui, je le sentais, contribuerait à booster ma créativité et à approfondir la recherche de vérité que j'essayais d'intégrer à ma musique. Entre nous, on a senti une espèce d'alchimie, de reconnaissance immédiate. Jon était plus cultivé que la plupart de mes potes. Ce qui m'intéressait, c'était d'être super bon dans mon job. Pas bon… *super* bon. Et j'étais prêt à faire ce qu'il fallait pour y arriver. Bien sûr, sans dispositions au départ, vous ne pourrez pas aller très loin uniquement par la force de la volonté. Mais avec du talent, la volonté, l'ambition et la détermination à vous exposer à de nouvelles pensées, à des contre-arguments, à de nouvelles influences consolideront et fortifieront votre travail, vous permettront d'approcher de votre objectif.

Je me souviens des heures passées chez Jon, à New York, au début de notre relation. On parlait musique, on écoutait des disques. Pour moi c'était le même genre de connexion intense qu'avec Steve… mais autrement. En 1974, j'étais un jeune musicien en devenir. Je m'intéressais aux pères fondateurs, à mes frères d'armes, à ceux qui avaient raisonné comme ça avant moi. Jon savait qui ils étaient et où les trouver, dans les livres, au cinéma et dans la musique. Tout ça en toute décontraction, deux amis qui discutaient et lançaient des idées à propos de ce qui les inspirait, les émouvait… des conversations jusqu'au bout de la nuit sur ce qui ouvrait notre horizon et nous donnait envie de vivre. Je m'éloignais de mes deux premiers disques et déjà développais une nouvelle voix. J'avais commencé à épurer mon écriture. Lorsqu'on a commencé à travailler ensemble sur *Born to Run*, Jon a continué sur cette lancée pour la musique. C'était un arrangeur et un réalisateur plein de finesse, particulièrement bon pour donner forme à la colonne vertébrale du disque, la basse et la batterie. Il nous a empêchés de trop en faire et nous a guidés vers un son plus fuselé. J'étais prêt à renoncer à un certain éclectisme, à une certaine imprécision, à notre côté festif, pour asséner un uppercut au bide plus sec. On a simplifié les pistes de base pour pouvoir empiler des couches de son sans sombrer dans le chaos. Ce qui a fait de *Born to Run* un album à la fois imprégné de l'histoire du rock et moderne. On a façonné un rock dense et spectaculaire. *Born to Run* est le plus grand travail de production de Jon sur un de mes plus grands disques.

Au-delà et en deçà de la production, Jon était pour moi le dernier en date de tous les fans, amis et cinglés, à incarner une figure paternelle de substitution. C'était le projet d'une vie, de trouver quelqu'un qui endosserait le rôle de mon paternel porté disparu. Et tant pis si ça représentait un fardeau pour les épaules de celui sur qui ça tomberait : il fallait bien que *quelqu'un* l'endosse. Je pense que Jon avait lui-même besoin d'une relation de ce genre à ce moment-là. Il sortait d'une maladie qui l'avait miné, d'un long séjour à l'hôpital et d'un divorce douloureux. J'étais bon camarade, peut-être l'incarnation d'une part de son rêve de rock et j'ai, à ma manière, contribué à son propre développement. Il avait déjà produit *Back in the USA* de MC5 ; je lui ai offert l'occasion de continuer à mettre en pratique son talent et, en retour, son talent a fait de moi un *songwriter* et un musicien plus efficace, plus pénétrant.

Mon écriture se focalisait sur des questions d'identité – qui je suis, qui on est, c'est quoi et c'est où chez soi, qu'est-ce que c'est qu'être un homme, quelles sont nos libertés et nos responsabilités ? Ça m'intéressait en particulier de savoir ce que signifiait être américain, être ce modeste participant à l'histoire en cette période où l'avenir semblait aussi flou et changeant que la fine ligne de l'horizon. Est-ce qu'un artiste rock pouvait contribuer à sculpter cette ligne, à influer sur sa direction ? Dans quelles proportions ? Avec derrière moi des influences aussi variées et tranchées que Woody Guthrie et Elvis, le Top 40 et Bob Dylan, plus un millier de soirées à jouer dans les bars, j'étais curieux de pousser plus loin pour savoir ce dont j'étais capable et où était ma place.

Avec ma femme Patti, mon groupe et quelques amis proches, Jon est un de ceux auxquels je me suis le plus confié. Quand il y a une véritable complicité, le cœur parle forcément. Il y a de l'amour et du respect dans tout ce que nous faisons ensemble. Ce n'est pas juste du business, ça engage tout ce qu'on est. De manière générale, chaque fois qu'on venait travailler avec moi, je devais m'assurer qu'on le faisait avec son cœur. C'est le cœur qui scellait le marché. C'est pour ça qu'après quarante ans, soir après soir, le E Street Band n'a rien perdu de sa fougue et de sa force de rouleau compresseur. Notre groupe est plus qu'une idée, plus qu'une esthétique. C'est une philosophie, un collectif, avec un code de l'honneur professionnel fondé sur le principe que chacun apporte le meilleur de lui-même, chaque soir, pour rappeler à tous ce qu'il y a de meilleur *en eux*. Que c'est un privilège d'échanger des sourires, d'âme à âme et cœur à cœur avec les gens qui sont devant nous. Que c'est un honneur et une joie de communier en concert avec ceux en qui on a tant investi, ceux qui ont tant investi en nous, nos fans, les étoiles dans le ciel, cet instant, et d'exercer notre métier humblement (ou pas !) comme s'inscrivant dans une longue chaîne ardente dont on est content d'être un petit maillon.

En amont de *The River*

Durant notre quête, Jon est devenu le Clark de l'expédition dont j'étais le Lewis. À l'avenir, nous allions traverser ensemble moult régions sauvages. Il est venu à ma rescousse et m'a conseillé quand manifestement je chancelais un peu trop près de mon précipice favori. Avant Jon, je ne connaissais personne qui ait passé ne serait-ce que trois minutes dans le cabinet d'un psy. J'ai grandi au contact de gens très malades, impénétrables, sujets à de sérieuses dépressions, au comportement aussi perturbant qu'imprévisible. Je savais que c'était un élément clé de ma propre structure mentale. Dans le New Jersey, dans mon milieu, le métier de psychiatre-psychanalyste pourrait aussi bien ne pas exister. Quand j'ai commencé à aller mal et que j'ai touché le fond, Jon m'a conduit vers quelqu'un qui m'a aidé à me ressaisir et qui a modifié le cours de ma vie. Je suis immensément redevable à mon ami pour sa gentillesse, sa générosité et son amitié. Il a fait un sacré bon boulot en tant que manager également. Après tant d'années, on est toujours là. Quand Jon et moi discutons des mesures à prendre, il a toujours deux critères en tête : mon bien-être et mon bonheur (et ensuite la rentabilité de la tournée !). Ces deux choses étaient les réponses que je cherchais depuis longtemps dans les brumes de Freehold, New Jersey. Ce sont les réponses incroyablement compliquées et simples de la paternité et de l'amitié. Les seules qui vaillent.

Naturellement, est venu le jour où cela aussi a changé : je n'ai plus eu besoin d'un père de substitution ou d'un mentor, seulement d'un ami et d'un associé. Jon n'avait plus besoin de l'incarnation unique de son fantasme de rock'n'roll et il a commencé à manager avec succès plusieurs autres artistes. L'âge adulte, ou quelque chose qui y ressemblait atrocement, arrivait. Pendant un moment, durant ces années de transition, il y a eu des tensions et des malentendus entre Jon et moi ; des conversations codées, des coups de fil angoissants, de la colère qui affleurait et de la frustration. Il n'est pas facile d'aller de l'avant ; les gens s'installent dans leurs habitudes, leurs perceptions se figent. La plupart ne tiennent pas le coup. Vingt ans après nos débuts, j'avais changé. Jon aussi avait changé. C'était l'idée. Durant une brève période, on a eu l'impression d'être victimes des promesses qu'on s'était faites. Puis on a pu démêler la situation et on a réglé nos différends, à notre manière, tranquillement, assis au soleil à Los Angeles, en discutant dans mon jardin. *Whadday a think ?* « Qu'est-ce t'en penses ? »

Ensemble nous avions navigué sur la partie de la rivière où les eaux étaient traîtres, la partie que Mike et moi ne pouvions pas faire ensemble, où les courants et le paysage ne seraient plus jamais pareils. En arrivant dans une zone d'eaux plus calmes, j'ai regardé derrière moi dans notre bateau : mon Clark était toujours là. Lui, il avait toujours son Lewis. Nous avions toujours notre pays musical à cartographier, de nombreux kilomètres de frontière à arpenter et de la musique à faire. Maintenant, il est trop tard pour s'arrêter.

TRENTE ET UN

THUNDER ROAD

Tandis que notre session nocturne au 914 patinait, Jon s'est penché vers moi et m'a chuchoté : « Tu es un artiste de première classe, tu devrais être dans un studio de première classe. » Ça, ça me parlait. Mon amitié avec Jon s'était lentement et sûrement renforcée et j'avais décidé de l'inviter au studio pour qu'il m'éclaire peut-être sur les problèmes auxquels on se heurtait. De retour à New York, on est allés casser la croûte tard dans la nuit. On s'est installés côte à côte sur les tabourets d'un petit *diner* et Jon m'a dit : « Si tu as besoin que je fasse quelque chose, je serai content de le faire. » Il semblait avoir une idée claire des étapes par lesquelles passer pour éviter le crash. J'y ai réfléchi. Je suis par nature plutôt replié sur moi-même, je ne laisse pas les gens entrer facilement dans mon intimité. Mais j'ai décidé que là c'était nécessaire et qu'il était l'homme de la situation. Jon me plaisait et j'avais confiance en lui : notre relation de travail était partie de notre amitié musicale ; ce n'était pas un professionnel froid mais un ami qui avait peut-être la compétence pour m'aider à produire un grand disque. J'étais là pour ça.

J'en ai parlé à Mike. Je lui ai expliqué qu'il fallait que ça se fasse. Il n'était pas convaincu, mais devant ma détermination il a accepté. Peu après, on est allés dans les légendaires studios de Record Plant, sur la West Forty-Fourth Street à Manhattan. Le premier soir, un jeune Italien tout maigre s'occupait du magnéto. Son boulot consistait à changer les bandes et à lancer et arrêter l'engin sur ordre de l'ingénieur du son. C'était un New-Yorkais typique, excentrique, drôle, avec de l'arrogance à revendre. Le lendemain soir, il était assis devant la longue table de mixage, il remplaçait Louis Lahav. Jon estimait qu'on avait besoin d'un nouvel ingé son – en accord avec Mike. J'ai demandé à Jon s'il pensait que ce gamin allait faire l'affaire. « Je pense que oui », il m'a répondu. Voilà comment Jimmy Iovine, imposteur brillant, jeune assistant de studio qui connaîtrait une des plus sidérantes trajectoires que j'aie jamais vues (il serait bientôt un des plus grands nababs de l'industrie du disque, avant de devenir une vedette de l'émission télé *American Idol*), est devenu l'ingénieur du son du disque le plus important de ma vie.

Jon était venu aux répétitions dans le New Jersey et, ensemble, on avait commencé à éditer certains de nos longs arrangements tortueux. On avait envie de s'en éloigner. Il m'a aidé à réduire la durée des chansons pour obtenir un impact maximum. Il m'a fait comprendre qu'une chanson ne gagnait pas toujours à s'étirer en longueur, ni à être ultracourte d'ailleurs, mais j'ai attrapé le virus et Jon a dû m'arrêter avant que je sabre l'intro et le finale, devenus incontournables, de « Backstreets ». Il avait toujours un avis mesuré : Qu'est-ce qui nous donnerait le maximum d'efficacité ? Les arrangements ont commencé à prendre forme et quand on est arrivés à Record Plant pour enregistrer, soudain c'était devenu de la musique.

J'avais vaguement imaginé l'album *Born to Run* comme une série de vignettes qui racontent chronologiquement une longue journée et une soirée d'été. Ça commence avec l'harmonica au petit matin de « Thunder Road ». On fait la connaissance des personnages principaux de l'album et de l'idée centrale : « T'es prêt à tenter ta chance ? » *The screen door slams, Mary's dress sways* (La porte-moustiquaire claque, la robe de Mary virevolte) – bonne entrée en matière, à partir de là on peut aller n'importe où. *We're pulling out of here to win* (On se tire d'ici pour gagner) – c'est sur ces mots que la chanson se termine. D'emblée on sait ce qui est en jeu et on place la barre assez haut pour l'action à venir. Puis retentit la conclusion de Clarence au saxophone, un son qui s'élève et annonce la route. Mesdames et messieurs, voici le Big Man ! « Thunder Road » est suivi de « Tenth Avenue Freeze-Out », l'histoire d'un groupe de rock'n'soul et de leur bringue de rue. C'est l'unique apparition de Steve Van Zandt sur *Born to Run*. Pour l'occasion, il a rassemblé une section de cuivres avec les meilleurs jazzmen new-yorkais, dont les Brecker Brothers et David Sanborn (ils devaient tous penser : « Non mais c'est qui ce taré avec son marcel et son chapeau de paille ? »), et, à leur grande consternation, il les a enquiquinés jusqu'à ce qu'ils couinent correctement une soul primitive de *boardwalk*. Sur les chapeaux de roues on fonce dans « Night », puis c'est le piano majestueux, l'orgue et les amitiés brisées de « Backstreets » : *We swore forever friends*... (On avait juré d'être amis pour la vie...).

La face B commence par le grondement grand écran de « Born to Run », placé en plein cœur du disque, servant d'axe à tout le reste. Puis la rythmique à la Bo Diddley de « She's the One » (composée de manière à ce que je puisse entendre Clemons balancer son solo par-dessus), on passe à la trompette de Michael Brecker tandis que tombe le crépuscule et on s'engage dans le tunnel pour « Meeting Across the River ». À partir de là, c'est la nuit sur la ville, le champ de bataille spirituel de « Jungleland » et le groupe d'enchaîner les mouvements musicaux. Et puis le plus grand moment enregistré de Clarence… Ce solo… Un dernier reflux et : *The poets down here don't write nothing at all, they just stand back and let it all be…* (Les poètes par ici écrivent que dalle, ils se contentent de prendre du recul et de laisser les choses se faire), mon finale vocal, le gémissement du gars qui s'est pris un couteau dans le dos, le dernier son qu'on entend, qui parachève le tout en une sanglante gloire lyrique.

À la fin du disque, les amants de « Thunder Road » et leur optimisme du début ont été mis à rude épreuve par les rues de ma ville digne d'un film noir. Ils sont abandonnés aux caprices du destin, dans un pays où règne l'ambivalence et où demain rime avec incertain. Il y avait dans ces chansons l'amorce des personnages dont je tracerais les vies tout au long de mon œuvre (parallèlement aux questions sur lesquelles j'écrirais – *I want to know if love is real*) dans les quatre décennies à venir. C'était l'album où je tournais la page sur mes définitions adolescentes de l'amour et de la liberté ; à partir de maintenant, ce serait bien plus compliqué. *Born to Run* marquait la ligne de démarcation.

Après un sprint de trois jours soit soixante-douze heures, en travaillant simultanément dans trois studios – Clarence et moi on terminait phrase par phrase le solo de saxo de « Jungleland » dans l'un, pendant qu'on mixait « Thunder Road » dans un autre et que je chantais « Backstreets » dans un troisième, alors que le groupe répétait dans un local à part, à l'étage –, on a réussi à achever l'album qui allait faire parler de nous le jour même où la tournée *Born to Run* commençait. Normalement ce n'est pas comme ça que ça se passe. Habituellement, le disque est prêt des mois avant qu'on parte sur la route et il sort au début de la tournée. Le problème c'est qu'on avait pris du retard. Après trois jours sans dormir, on s'est affalés un petit matin dans les voitures qui nous emmenaient à Providence, Rhode Island… pour monter sur scène.

Et pourtant, j'ai encore tergiversé plusieurs mois avec l'album. Je l'ai refusé, je me suis opposé à ce qu'il sorte et j'ai fini par le balancer dans une piscine d'hôtel sous les yeux d'un Jimmy Iovine paniqué. Il avait apporté le master terminé pour qu'on l'écoute en pleine tournée, sauf que pour ça il fallait qu'on descende dans un magasin de hi-fi, et qu'on supplie le patron d'accepter qu'on utilise une de ses chaînes stéréo. Je suis resté dans le fond du magasin tout le temps du disque, à me triturer les méninges alors que Jimmy épiait les moindres expressions de mon visage, l'air de dire : « Je t'en prie, dis oui, finissons-en. » Jimmy, Jon et Mike devenaient dingues, mais je ne pouvais tout simplement pas le sortir. Parce que je n'entendais que ce que je percevais comme des défauts : un gros son rock ampoulé, un chant style Jersey-Pavarotti-via-Roy-Orbison – les éléments mêmes qui donnaient en fait au disque sa beauté, sa force et sa magie. C'était un vrai casse-tête ; apparemment il n'y avait pas moyen d'avoir l'un sans l'autre. Jon m'a patiemment expliqué que les voies de l'« art » étaient souvent impénétrables. Ce qui fait qu'un truc est grandiose peut aussi être une de ses faiblesses, comme pour les gens. Et j'ai lâché.

TRENTE-DEUX
JACKPOT

Le 25 août 1975, tous les as sont sortis, les sept se sont alignés et une interminable et sonore rivière d'argent a ruisselé de la bouche d'un des bandits manchots du rock'n'roll – JACKPOT ! Bingo ! En plein dans le mille. J'étais à la fois aux anges et extrêmement méfiant. Globalement optimiste mais personnellement pessimiste, j'étais persuadé que le jackpot viendrait avec son redoutable frère jumeau, les ennuis, la malédiction du Gitan, le *malocchio*, le mauvais œil, la poisse. J'avais raison. Ça allait faire un peu beaucoup à gérer pour un gars de vingt-cinq ans.

Premier défi : répondre aux magazines *Time* et *Newsweek* qui voulaient que je sois en couverture. J'ai hésité parce qu'à l'époque, les divertissements populaires, en particulier les rockeurs, ne faisaient pas la une de ce que l'on considérait être la presse sérieuse. La culture médiatique du milieu des années 1970 était très différente de celle d'aujourd'hui. D'abord, personne ne parlait de médias. Il n'y avait pas Internet, pas d'*Entertainment*

Tonight, pas de joyeux talk-shows, pas de chaîne E !, pas de MTV, pas de TMZ.com, pas de câble, pas de télé satellite. Il y avait des journaux classiques et sur les grandes chaînes télévisées, à dix-neuf heures, des vieux messieurs en costard rapportaient les événements du jour. Il y avait des tabloïds, mais ils se fichaient totalement des va-nu-pieds du rock'n'roll. Ce qui les intéressait surtout, c'était de connaître les dernières frasques d'Elizabeth Taylor et de Richard Burton, et de savoir qui Frank Sinatra tringlait. *Time* et *Newsweek* étaient des magazines prestigieux, mais on commençait à sentir dans l'air le parfum de la culture pop à venir (et la fin de l'influence déterminante de ces magazines). Les médias modernes, avec tout leur battage et leurs débordements, étaient juste au coin de la rue.

J'avais le choix : pas d'interview, pas de couv ; je leur donnais une interview et je me retrouvais en couv… des deux magazines. J'avais beau être jeune, j'avais eu mon lot d'obscurité. Je ne connaissais que trop bien les occasions manquées, les déceptions, les kilomètres parcourus et le coup de l'artiste-qui-a-failli-être-découvert. . . C'ÉTAIT PAS LE MOMENT DE S'EFFONDRER ! J'étais réticent – et je le resterais –, mais cette fois-ci je ne voulais pas louper le coche. Pas question que je me retrouve quarante ans plus tard, dans mon rocking-chair, à ruminer les j'aurais-pu, j'aurais-dû, j'aurais-pas-cru. Je pensais à mon père pleurnichant dans son nuage de fumée de cigarette : « J'aurais pu accepter ce job avec la compagnie du téléphone, mais il aurait fallu que je voyage… », lui qui, à la place, avait choisi l'option lumières éteintes dans la cuisine, blues, bière et ressentiment contre sa famille qui l'avait soi-disant empêché de faire ce qu'il aurait pu faire. Un homme fichu.

Ça me terrifiait, mais en fin de compte mon ego, mon ambition et ma trouille de laisser passer ma chance l'ont emporté sur mes doutes. J'ai appelé Mike : « Envoie la presse. »

Ramdam médiatique

Quand le battage a commencé, j'étais sur une chaise longue au Sunset Marquis, un hôtel de Los Angeles célèbre parmi les rockeurs rebelles. Lorsque les magazines ont paru en kiosque, on était sur la côte Ouest pour jouer au Roxy, sur Sunset Strip. Ces concerts devaient être le moment fort de notre tournée sur la côte Pacifique, après le tapage qu'on avait fait sur la côte Est.

C'est au Bottom Line à New York qu'on s'était imposés. Pendant cinq soirs, à raison de deux concerts par soir, on avait tout donné sur la scène minuscule du 15 West Fourth Street. Ces shows avaient tout changé, le groupe repoussait ses limites tandis que je paradais entre les tables, laissant derrière moi une traînée de poudre : il se passait quelque chose. Oui, on a eu nos détracteurs – et si vous n'étiez pas convaincu par ces concerts, vous risquiez de ne pas vous laisser convaincre avant un certain temps –, mais au sein du groupe et dans la rue on sentait que le truc était en train de décoller. Plus que déterminants, ces concerts new-yorkais avaient marqué une sorte de résurrection pour nous. Depuis, quelque chose de neuf s'était emparé du groupe. De même que « Born to Run » nous avait imposés sur disque, ces concerts-là nous avaient imposés sur scène : on vous attrapait par le colbac, on vous secouait, on vous réveillait, c'était tout ou rien.

À Los Angeles, la première vision que j'ai eue, ç'a été Steve Van Zandt, sourire jusqu'aux oreilles, cavalant vers la piscine journaux à la main – comme s'il était en retard dans sa tournée de Middletown, New Jersey – et lançant le *Time* et *Newsweek* à tous les adorateurs du soleil de Sin City situés sur sa trajectoire. Il m'en a donné deux. « C'est pas génial ? » En me voyant en une je me suis dit : « Oh la vache » et je me suis tout de suite retiré dans ma chambre. J'étais super *mal à l'aise* mais, pauvre petit chose, qu'est-ce que je pouvais faire ? Comme le dit Hyman Roth dans *Le Parrain 2* : « C'est le business qu'on a choisi ! » Bien entendu, j'avais nourri mon ambivalence ; elle me rendait heureux et me permettait de nier que je l'avais cherché avec une certaine crédibilité, me garantissant l'illusion de rester en retrait par rapport à mes ambitions voraces. Mais… c'était la voie que j'avais choisie… ce que j'avais depuis toujours en ligne de mire… LA CÉLÉBRITÉ… Rien à voir avec un concert trois fois par semaine au bar du coin, je n'étais plus un guerrier musical du week-end, ni l'idole secrète d'une poignée d'étudiants… Là c'était LA CÉLÉBRITÉ ! L'IMPACT, LES HITS, LA GLOIRE, L'ARGENT, LES FEMMES, LA RECONNAISSANCE ET LA LIBERTÉ de vivre comme je voulais, de repousser les limites et de voir où ça me mènerait.

Je ne pouvais plus faire demi-tour, juste aller de l'avant. Il fallait simplement que je sois assez bon, aussi bon que je l'avais promis, aussi bon que je pensais l'être, pour que tout ça ait un sens. Avec cette effervescence nouvelle autour de moi, c'est paradoxalement en moi que le trouble était le plus grand, un vrai feu d'artifice. Surexcité, abattu, extraverti, introverti, je passais d'un extrême à l'autre en un yoyo maniaco-dépressif. Seuls mon groupe et nos concerts m'empêchaient de me volatiliser dans la couche d'ozone. Il y avait quelque chose de bien *réel* dans nos concerts, toujours… mes amis étaient bien *réels*, toujours… le public aussi, toujours. Je n'étais pas seul. J'avais beaucoup de poids sur les épaules, mais je n'étais pas seul. Les gars avec qui j'avais choisi de voyager étaient à mes côtés. Le réconfort qu'ils m'apportaient, leur solidarité étaient infiniment précieux. Tout pouvait partir en vrille, mais quand j'étais sur les planches, je n'avais qu'à me retourner pour me retrouver à la maison. Ces gars me comprenaient et savaient qui j'étais.

Les concerts à Los Angeles se sont bien passés. Martin Scorsese et Robert De Niro sont venus et, quelques jours plus tard, Marty a fait une projection de *Mean Streets* pour le groupe avec, en lever de rideau, son court métrage *The Big Shave*. J'ai rencontré Jack Nicholson, un gars du New Jersey lui aussi, qui avait grandi à Neptune City, la ville limitrophe d'Asbury Park. Après le concert, on a discuté dans un petit bar au-dessus du Roxy et je lui ai demandé comment il s'y prenait pour gérer le succès. Il m'a répondu que quand ça lui était enfin arrivé, il était prêt. Pas sûr que ce soit mon cas, mais comme on partait pour une tournée en Europe, on allait bien voir à quel point on était prêts.

London Calling

Les Beatles, les Stones, les Animals, les Yardbirds, les Kinks, Jeff Beck, Clapton, Hendrix, les Who – on était en route pour l'île de nos héros, la Maison Britannique du Second Avènement, cette côte lointaine où s'était échouée la première génération du blues et du rock américains, où elle avait été comprise, entièrement digérée et transformée en quelque chose de merveilleux. La deuxième génération du rock des *beat groups* avait accompli une tâche herculéenne en inventant une des plus grandes musiques jamais créées. Les anciennes formes avaient été revisitées et rajeunies par un esprit pop, sous la forme de hits qui avaient affolé les charts. Ces groupes avaient fait découvrir à des générations de mômes comme moi la musique de quelques-uns des Américains les plus talentueux, que ce soit à l'harmonica, à la guitare ou dans l'écriture de chansons. C'est grâce à eux que j'avais entendu Howlin' Wolf, Jimmy Reed, Muddy Waters et Arthur Alexander pour la première fois. « House of the Rising Sun », une ancienne chanson folk, se métamorphosait avec les Animals en un grognement blues moderne, un hymne à l'autodestruction. Les Rolling Stones avaient insufflé une énergie canaille aux plus grands hits de Chuck Berry, les Beatles reprenaient le R&B des débuts avec générosité et fraîcheur. J'ai encore le sentiment d'avoir une dette vis-à-vis de tous ces jeunes Anglais, une dette énorme : ils ont su apprécier ces artistes qui, en 1964, étaient largement inconnus de la plupart des foyers américains, et me les ont fait découvrir.

C'est grâce à l'Angleterre que nous étions là. Les villes de Londres, Manchester, Newcastle nous renvoyaient à nos héros favoris du *British Beat*. Autant de lieux mystiques à notre portée désormais. Maintenant qu'on atterrissait à l'aéroport de Heathrow, nouveaux représentants de la mère patrie musicale, l'occasion nous était offerte de les remercier tous... si on en était capables.

En arrivant à l'hôtel, je reçois des exemplaires du *Melody Maker* et du *New Musical Express* de la semaine, les deux principaux magazines musicaux anglais. Je suis en couverture des deux, porté au pinacle par l'un, descendu en flammes par l'autre. Allons-y. On joue au Hammersmith Odeon, une salle de la taille d'un théâtre, au cœur de Londres. On se gare devant l'entrée, et là, on aperçoit en lettres lumineuses sur le fronton : ENFIN !!! LONDRES EST PRÊTE POUR BRUCE SPRINGSTEEN. Je me dis que ce n'est pas exactement le ton que j'aurais choisi. Ça paraît peut-être un poil trop... présomptueux ? Une fois à l'intérieur, je me trouve face à une mer d'affiches collées sur toutes les surfaces possibles et sur chaque siège, proclamant que je suis LA PUTAIN DE NOUVELLE RÉVÉLATION ! Dans le genre baiser de la mort... Vaudrait mieux laisser le public en décider, non ? J'ai un coup de flip et je suis énervé, vraiment énervé. J'ai honte pour moi et pour mes fans. Ce n'est pas comme ça que ça marche, je le sais parce que je suis passé par là. D'abord faut jouer, sans la ramener. Mon business c'est le SHOW-business et un show ça consiste à MONTRER… pas à DIRE. On ne DIT rien aux gens, on leur MONTRE, et c'est à eux de décider si ça leur plaît ou pas. C'est comme ça que j'en suis arrivé là, en MONTRANT aux gens. Là c'est un plan com digne d'une agence de Madison Avenue, du fascisme mental, pour vous convaincre par la manière forte. Hé, la rock star, là, me prends pas la tête, vise plutôt le cœur, les tripes. C'est comme ça que ça marche. C'est comme ça qu'on se présente au public.

Il faut que je rectifie le tir. Je mets la salle sens dessus dessous tout en passant un savon d'anthologie à Mike Appel. J'arrache toutes les affiches et je bazarde tous les flyers sur lesquels je peux mettre la main. J'ai besoin d'un environnement propre pour travailler. Besoin de nettoyer la salle pour mes fans, pour moi et pour mon groupe. Lorsque l'heure du concert arrive, je suis rincé, à cran et anxieux. À vingt-cinq ans, je suis encore un jeune provincial qui n'a jamais quitté le continent américain. Comme je l'ai déjà dit, je sais que je suis bon, mais j'ai un côté poseur. Question d'équilibre artistique ! Dans la deuxième moitié du XXe siècle, l'« authenticité » serait ce qu'on en ferait, une galerie des glaces. Enfile ta chemise de travailleur, jeune homme. C'est pas la mer à boire. Avec l'âge ça ne comptera plus. C'est comme ça et c'est tout. Mais quand tu es jeune, ton ciboulot te joue des tours. Et ce jour-là, à Londres, je sais que le mien n'est *pas* à son point d'équilibre optimal. Je le sais parce que j'ai peur, et ce n'est pas mon genre. Aucune raison d'avoir la trouille, et pourtant j'ai la trouille. Et ce n'est pas l'état d'esprit idéal pour monter sur scène, mais…

Showtime, c'est l'heure du concert ! Le public semble méfiant, sur la défensive. À moi de faire ce qu'il faut. Je dois faire sentir à toute cette salle qu'elle est entre mes mains et que tout va bien se passer. C'est comme ça qu'on met les gens en confiance, quand ils sentent qu'ils peuvent lâcher prise et trouver ce qu'ils sont venus chercher, être ceux qu'ils ont décidé d'être ce soir. Sauf que ce soir-là, pendant le concert, j'ai la désagréable impression d'être dedans puis plus du tout. En moi, de multiples personnalités se débattent pour se succéder au micro, j'ai du mal à atteindre le point où je me dirai : « Rien à foutre », cet espace magnifique et nécessaire où tu mets le feu à ton sentiment d'insécurité, où tu baisses la tête et tu fonces. Et là, pour l'instant, je sens que je fais trop attention, que je gamberge trop, que je pense trop à… à quoi je pense, d'ailleurs ? Mon bon copain Peter Wolf, le chanteur génial de J. Geils Band, a dit un jour : « Le truc le plus étrange que tu puisses faire sur scène c'est de te mettre à penser à ce que tu es en train de faire. » Eh bien c'est exactement ça, je suis en train de faire le truc le plus étrange qu'on puisse faire sur scène LÀ, MAINTENANT ! Un instant, tu as l'impression que ta vie est menacée : ton petit château de cartes, la personnalité de scène que tu t'es forgée si soigneusement, si méticuleusement, ton masque, ton costume, ton déguisement, ton moi idéal menace de s'effondrer, de s'effriter. L'instant d'après tu domines, tu t'élèves, tu es totalement immergé dans ta « vraie » personnalité, tu chevauches la musique que joue ton groupe, te voilà en hauteur au-dessus de l'assemblée. Ces deux personnalités ne sont souvent qu'à un cheveu l'une de l'autre. C'est ce qui les rend intéressantes. C'est pour ça que les gens payent et c'est pour ça qu'on dit que c'est du LIVE. Chaque concert retiendra en mémoire pour le restant de tes jours une trace de cette trajectoire, ainsi que la possibilité d'un échec catastrophique ou d'un succès transcendant. La plupart des soirs, tu te retrouves à peu près au milieu de ces deux extrêmes… mais lorsque cette courbe est excessivement raide… accroche-toi. Tu as l'impression que n'importe quoi peut arriver, et que ce ne sera pas de tout repos.

Tout le monde fait ce type d'expérience dans sa vie, à plus ou moins grande échelle. En général on aimerait juste que ce ne soit pas devant des milliers de personnes… sauf que moi je suis là où j'ai choisi d'être par vocation, c'est quand même un drôle d'endroit pour avoir cette discussion avec moi-même ! Bien sûr, chacun a ses stratégies, donc… je reprends immédiatement les choses en main. En concert, ô toi, membre du public soudain pris de doute, quand tu crois que ça va basculer, quand les vautours tournent en sentant l'odeur du sang, ma volonté, *la volonté concertée de mon groupe*, notre détermination pour que ça se passe bien coûte que coûte, reprendra le dessus pour rattraper le coup et te scotcher. J'ai été à bonne école, j'ai appris ça de ma mère. Elle a eu la *volonté* qu'on soit une famille et on a été une famille. Elle a eu la *volonté* qu'on ne se désintègre pas et on ne s'est pas désintégrés. Elle a eu la *volonté* qu'on marche droit et c'est ce qu'on a fait.

On approche de la fin du set et maintenant, retour sur terre, je sens la chaleur monter en moi, le public se presse vers nous, le groupe avance, se prépare à balancer ce pour quoi on a traversé l'Atlantique. Je mets la gomme, peut-être un peu trop, et puis c'est fini. Bilan : concert difficile. Je me déçois d'avoir ainsi cédé à mes conflits internes. Alors, après un passage bizarre à la soirée de « victoire » de la maison de disques, je me traîne tout seul jusqu'à ma chambre d'hôtel et commande ce que les Britanniques ont le culot d'appeler un cheeseburger… Assis au bord de mon lit, sous un nuage de corbeaux noirs, je me promets de ne plus jamais laisser mon double maléfique m'atteindre à ce point sur scène. Je me dis que j'ai tout le temps pour écouter ma petite voix intérieure et ses conseils souvent sages, autant éviter de le faire quand je suis face au public avec mon groupe. Ce n'est pas le moment de se perdre dans les méandres de mon esprit fabuleusement inventif et toujours enclin au doute. Sur le Shore, la Mecque des groupes qui donnent des concerts grandioses dans les bars, des groupes qui savent ce que c'est qu'un show, en disciples enragés de James Brown et Sam Moore, showmen purs et durs de la soul qui envoyaient la sauce à chaque fois qu'ils montaient sur les planches, « professionnalisme » n'est pas un gros mot. *One… two… three… four…* putain, c'est le moment de passer à l'action, de faire jaillir la vie, de TOUT DONNER !… ET PAS de s'enfoncer dans les obscurs tréfonds de ton nombril pour y chercher un infime grain de poussière. Voilà ce que je me suis dit.

Il y a tout ça dans le film *Hammersmith Odeon, London'75* du E Street Band qui accompagne le coffret *Born to Run…* sauf que vous ne le verrez pas. Vous ne verrez que le groupe donner un concert serré mais excellent. Vous nous verrez entrer sur scène armés d'une setlist avec laquelle je mets encore n'importe quel jeune groupe au défi de rivaliser, et c'est parti pour un cocktail de rock et de punk soul. Voilà comment s'est passée la soirée où on s'est présentés à nos fans anglais, la soirée qui a inauguré la longue et formidable relation qu'on tisse avec eux depuis quarante ans. Sur le coup, j'ai trouvé le concert tellement déconcertant que j'ai attendu 2004 pour regarder la captation, trente ans plus tard ! Lorsque je l'ai enfin regardée, j'ai trouvé que ça avait été bien filmé : c'est un docu passionnant sur le groupe en action dans toute la gloire des années 1970, avec nos habits disco, nos vestes en cuir et nos casquettes en tricot. En tout cas, l'essentiel de ce que j'ai vécu ce soir-là était un film projeté exclusivement à l'intérieur de ma tête. Mon corps et mon cœur ont su quoi faire et ont assuré. J'étais paré. Tous ces concerts pas sympas, ces salles hostiles, ces années à faire l'animation des bals des pompiers, des fêtes foraines, des drive-in, des supermarchés et des rades paumés, où personne n'en avait rien à cirer, nous ont bien aidés durant notre heure de ténèbres. Ce n'était pas la première fois qu'on passait par là – pas tout à fait comme au Hammersmith, mais suffisamment pour être parés.

Ce soir-là, allongé sur mon lit dans un pays étranger, je me suis senti étranger à moi-même. À force de me demander : « Qu'est-ce qui s'est passé ? », impossible de trouver le sommeil. Toujours allongé, je me suis dit : « Bon, c'est un peu plus que ce à quoi je m'attendais. » En fait, c'était *exactement* ce à quoi je m'attendais, c'est juste que je n'étais pas assez futé pour le voir. Rétrospectivement je me dis que sur le coup ça avait beau être moche, éprouvant pour les nerfs voire très pénible, sans ce matraquage et tout ce battage *autour de cet unique concert*, il aurait fallu un nombre incalculable de shows pour qu'un bon petit groupe du New Jersey ait un impact similaire, voire attire un tant soit peu l'attention. Il fallait simplement qu'on soit à la hauteur… et ça, c'était bien ma mission, non ? En attendant, notre premier soir au Hammersmith Odeon est devenu un de nos concerts « légendaires ». Mais c'est aussi là que j'ai compris que, faute de faire savoir ce que vous voulez avec assez de conviction et de fermeté, ce que vous avez créé peut vous être repris. Qui que vous soyez, vous vous ferez tout simplement instrumentaliser, pour le meilleur comme pour le pire, sur l'autel des grands dieux du marketing, dont la dynamique et le calendrier sont dictés par l'ADN du commerce.

Tout en amont de la grande chaîne du *music business*, il existe une grande salle de conférences au ciel (ou, dans mon cas, quelque part au Japon). Et en fin de compte, ce qu'on demande au big boss ce n'est pas : « Combien de bons disques avons-nous faits cette année ? », mais : COMBIEN DE DISQUES AVONS-NOUS VENDUS ?! Son destin, et souvent le vôtre, dépendra de sa réponse. Que les choses soient bien claires, je reconnais que les maisons de disques, y compris les grandes majors, sont pleines de gens qui adorent la musique, de passionnés, qui veulent en faire partie et dont les compétences les ont conduits sur le versant business. Si vous êtes un artiste ils seront de précieux collaborateurs et la plupart des musiciens que je connais n'ont pas d'objection à ce qu'on les aide à vendre leurs disques. Mais si vous ne négociez pas les termes d'un partenariat concerté, votre talent sera bridé et poussé dans une direction décidée par d'autres que vous-même. Et ça peut quand même déboucher sur de sacrés dégâts… ou sur la célébrité !… ou les deux !… Aujourd'hui Internet a changé la donne, mais pas totalement. La dynamique entre créativité et commerce reste une valse alambiquée. Si vous voulez avoir la main, atteindre le public que votre talent mérite et bâtir une vie sur la base de ce que vous avez appris, de ce à quoi vous accordez de la valeur et de ce que vous savez faire, prudence. Au début, ma maison de disques n'avait pas de mauvaises intentions. Elle a été victime de ses propres prévisions de vente et de son enthousiasme, à la merci des puissants dieux du commerce, chacun faisant juste son boulot, pendant que moi j'apprenais le mien… à la vitesse de la lumière.

Une fois le concert de Londres derrière nous, les choses se sont un peu calmées. On est allés en Suède où on a découvert la nuit permanente de l'hiver. Serrés sur de minuscules lits de camp, dans des chambres d'hôtel exiguës, on est partis prendre l'air dans les rues. Dans une boîte de nuit de Stockholm, on a vu un sex-show en direct, où des filles complètement à poil sur une toute petite scène donnaient tout ce qu'elles avaient. On est restés assis dans le fond, à glousser comme des écoliers. C'était drôle, bizarre et assez effrayant pour nous. Le lendemain matin, en gourmets qu'on était, on a trouvé ce qui je crois était à l'époque le seul McDonald's d'Europe, puis on est partis pour Amsterdam où on a joué dans un opéra somptueux avant de se planter, bouche bée, devant les vitrines du quartier des prostituées – « Je n'entre pas… » Puis retour à Londres pour un autre concert à l'Odeon, mais cette fois-ci j'ai réussi à tenir à distance les esprits malins. Ce soir-là on a fait un show flamboyant qui nous a persuadés qu'après tout on avait peut-être une place parmi nos saints ancêtres. De quoi se sentir libérés et rentrer au pays avec un agréable goût en bouche.

Au pays… pour déguster un vrai cheeseburger. *I'm so glad I'm livin' in the USA*. Merci, Chuck Berry. On ne revenait pas tout à fait triomphants mais on avait nettement évité le fiasco. Un peu comme une diligence qui a réussi à traverser l'insondable Far West, non sans avoir perdu quelques scalps en chemin. Enfin, je peux dire qu'ils m'ont secoué, ces quatre concerts de notre tournée européenne de 1975. On n'y retournerait que cinq ans plus tard, une fois que je serais sûr d'avoir mûri un peu, d'avoir pris confiance en moi, avec deux albums supplémentaires au compteur, prêt une bonne fois pour toutes à franchir le fossé culturel et linguistique qui nous sépare de nos frères européens pour les conquérir.

Born to Run nous a hissés au niveau supérieur. On était désormais une nouvelle force avec laquelle il fallait compter ; financièrement on n'était plus dans le rouge (du moins en théorie). On avait réussi, on avait du succès… en tout cas pour l'instant. Il avait fallu quatre des cinq années de mon contrat avec Laurel Canyon Productions pour en arriver là. Ironie du sort, au moment où on touchait le gros lot, je n'étais plus lié contractuellement à la société de Mike Appel que pour un an. Je n'y avais même pas pensé. Mike en revanche, si.

TRENTE-TROIS

LE E STREET BAND

Avec ton premier succès une image avec laquelle tu te débattras pour le restant de ta vie s'enracine dans la conscience de tes fans. Tu as laissé tes empreintes digitales dans l'imagination de ton public… et elles ne s'effacent pas. Ce premier moment, avec ce qu'il a de grisant et de limité, restera indélébile. Ce « toi », cette identité créatrice distincte que tu as si longtemps cherchée ? Ton public vient de te dire que tu l'avais trouvée. J'étais soudain passé du statut de « nouveau Dylan » à celui de… Bruce Springsteen. Et mes musiciens n'étaient plus un vaillant groupe d'accompagnement mais le E Street Band.

Au départ, je savais que je voulais être plus qu'un artiste solo et plus aussi qu'une simple voix au sein d'un groupe démocratique. J'avais tenté ce genre de groupe, l'expérience n'avait pas été concluante. La démocratie dans les groupes de rock, à très peu d'exceptions près, c'est souvent une bombe à retardement. Les exemples sont nombreux, à commencer et à finir par les Beatles. Mais je voulais quand même de bons musiciens, des amis et des personnalités qui auraient du répondant. Je voulais mon quartier, ma rue. C'est de là que venaient tous les grands groupes de rock ; il y a quelque chose dans cette idée de communauté, ou même dans l'idéalisation de cette image, qui provoque l'émotion et la sympathie du public. Il ne s'agit pas de chercher les meilleurs musiciens du monde, mais les *bons*, ceux qui trouveront leur place pour former quelque chose d'unique. C'est dans leurs limites que les Beatles, les Stones, les Sex Pistols, les New York Dolls, les Clash, U2 ont puisé leur style spectaculaire et avant-gardiste.

Je voulais le pouvoir de création et le pouvoir de décision d'un artiste solo mais aussi la vitalité qui n'existe que dans un vrai groupe de rock. J'estimais qu'il n'y avait pas de raison qu'on ne puisse pas gagner sur tous les tableaux alors j'ai signé en tant qu'artiste solo et j'ai embauché ma bande de vieux copains. Pas un orchestre d'*accompagnement*, pas *un* groupe, *mon* groupe. Sacrée nuance. Ce ne serait pas un groupe de musiciens anonymes, mais des personnalités fortes et des personnages à part entière, chacun clairement identifié. James Brown avait Maceo Parker, et Bo Diddley son bras droit Jerome Green, accompagné de la Duchesse et Lady Bo (deux femmes, guitare en bandoulière !). Ces musiciens donnaient une histoire à mes héros, ils les rendaient plus intéressants. (J'ai toujours imaginé que c'étaient avec eux que James et Bo passaient du temps, que c'était d'eux qu'ils parlaient dans leurs chansons, qu'ils venaient de ce même monde qui leur avait donné le secret de la musique irrésistible que j'entendais. Bo avait décidé que Jerome aux maracas était plus essentiel à son monde qu'un bassiste – il n'en avait d'ailleurs pas, de bassiste. Il faut bien comprendre que sur 99,9 % de tous les disques que vous avez écoutés ces cinquante dernières années, il y a une BASSE ! Mais Bo a dit : « Non, j'ai toute la basse que je veux dans le tonnerre créateur de riffs de ma main droite. Celui dont j'ai vraiment besoin c'est mon pote JEROME, qu'il secoue ses maracas ! » Conclusion : Jerome était indispensable.) Voilà ce que je voulais.

Puisque j'étais signé chez Columbia en tant qu'artiste solo, le groupe a joué sur les disques de Bruce Springsteen. Mais en concert, je voulais une identité collective et des représentations vivantes des personnes qui peuplaient mes chansons. Ce serait comme James Brown *et* ses Famous Flames, Buddy Holly *et* les Crickets – très important ce « et » : il disait qu'une fête avait lieu, qu'une rencontre se produisait, qu'une assemblée se réunissait : ON VENAIT AVEC SA BANDE. Et donc, en live, on serait Bruce Springsteen *et* le E Street Band. Ça sonnait bien, c'était excitant ; voilà un univers que j'aurais eu envie de découvrir. J'ai toujours eu le sentiment que le public devait regarder la scène et y voir un reflet de lui-même, de sa ville, de ses amis. Et pour ça, il faut un groupe.

Le E Street

On ne planque pas nos cartes, on ne cache pas notre jeu. Tout est montré au grand jour. Si j'aime chez d'autres certains éléments secrets, nous en tant que groupe, on n'est pas des figures nimbées de mystère ou de mystique. On aspire à être compris et accessibles, une sorte de groupe de bar local, grossi à super grande échelle. Un vrai groupe de rock'n'roll émerge d'une même époque et d'un même lieu. Ce qui compte c'est ce qui se passe quand des musiciens avec un background similaire se rassemblent pour former un mélange original dont le tout est supérieur à la somme des parties.

1 + 1 = 3

La base, c'est 1 + 1 = 2. Le non-spécialiste (que bien souvent je suis) manie ça au quotidien. Il va au boulot, fait son travail, paye ses factures et rentre à la maison. 1 + 1 = 2. Avec ça, le monde peut continuer à tourner. Mais les artistes, les musiciens, les escrocs, les poètes, les mystiques et autres sont payés pour chambouler cette mathématique, pour frotter deux brindilles l'une contre l'autre et en faire jaillir le feu. Chacun recourt à cette alchimie quelque part dans sa vie, mais pas facile de s'y tenir, on oublie facilement. Les gens ne vont pas voir des concerts de rock pour apprendre quelque chose, ils y vont pour qu'on leur *rappelle* ce qu'ils savent déjà, ce qu'ils sentent au fond d'eux. À savoir que quand le monde est au top, quand on est au top, quand on vit à fond, eh ben 1 + 1 = 3. C'est l'équation essentielle de l'amour, de l'art, du rock et des *groupes* de rock. Voilà pourquoi l'univers ne sera jamais totalement compréhensible, pourquoi l'amour continuera à être extatique, déconcertant et pourquoi le vrai rock'n'roll ne mourra jamais.

C'est aussi l'équation dont on cherche une trace quand on monte son groupe.

Sur scène à mes côtés…

Quand le E Street Band s'est formé, je n'en connaissais pas les membres. Pour la plupart, on venait juste de se rencontrer. C'est seulement à partir du moment où le leader prononce l'incantation : *One, two, three, four !* que ça commence, que la magie est convoquée et que tout est révélé. À Asbury Park, notre jardin n'était pas cultivé. Les musiciens poussaient à la sauvage, en abondance, et on les cueillait où on les trouvait. Notre seule ligne directrice de sélection était l'intuition, la géographie et la puissance de la musique quand on jouait. Si vous avez de la chance et que vous avez bien choisi, finalement il ne faut pas plus.

Max Weinberg, Garry Tallent, Steve Van Zandt, Danny Federici, Roy Bittan et Clarence Clemons étaient le noyau de ce qui, pour les quarante années à venir, deviendrait un groupe d'enfer, un groupe historique, un groupe qui ferait trembler la terre, danser les foules, qui lèverait des gonzesses et oui, finirait par prendre du Viagra : le légendaire E Street Band.

À LA BASSE : Garry Tallent, un mec du Sud, un aficionado du rock'n'roll. Garry est un des premiers gars que j'ai rencontrés à l'Upstage Club. C'était le bassiste incontournable du club et un homme d'une rare stabilité dans la nébuleuse des marginaux qui fréquentaient notre QG d'Asbury. Sa personnalité calme, digne et autonome a été dès le début une bénédiction dans ma vie et dans mon groupe. Le jeu de Garry a quelque chose de celui de Bill Wyman, le bassiste originel des Stones. Son jeu peut paraître invisible, transparent, sorti de vos rêves, créant un matelas sur lequel les autres pourront s'allonger sans jamais s'imposer à eux. Et ensuite, quand on va au fond des choses, il est toujours là. Pas de frime, il s'inscrit dans la grande tradition des taiseux attirés par la guitare basse.

À L'ORGUE : Danny Federici dit le Fantôme, encore un gars du « premier soir » à l'Upstage. On a tout vécu ensemble. Danny cherchait les ennuis et, généralement, il les trouvait. Pendant longtemps, ç'a été la drogue, les dettes, l'alcool et une gentillesse et une voix douce pour masquer un cœur et une âme en pleine confusion. Mais le jeu, le jeu compensait largement tout ça. Les casseroles que Danny se trimbalait disparaissaient dès qu'il se mettait à l'orgue. Ce qu'on entendait quand il jouait… c'était la liberté. La plupart des musiciens sont contraints par ce qu'ils savent, ils peuvent jouer superbement, mais quelque part là-dessous vous entendez ce qu'ils *savent*, ce qu'ils ont *étudié*, ce qu'ils ont *appris*, et, imperceptiblement, insidieusement, cela ternit l'élégance de ce qu'ils font. Danny, lui, ne *savait* pas ce qu'il *savait*. Il ne connaissait pas les morceaux, la séquence d'accords, l'arrangement, si c'était en *do* ou en *ré*, les paroles, non-mais-putain-sur-quoi-tu-te-prends-la-tête ?. Il *savait jouer*, c'est tout ! Questionné sur un morceau avant de l'attaquer, il était souvent incapable de répondre aux questions les plus simples : « Danny, ça commence comment ? » Haussement d'épaules. Mais à partir du moment où on lançait le *one-two-three-four*, il faisait mieux qu'assurer. Il accédait à je ne sais quelle lointaine partie de son cerveau où il conservait les informations essentielles et tout s'éclairait. Une fois installé à son orgue, il était libre. Le monde réel n'apprécie pas trop la liberté, mais celui de l'artiste respire et transpire la liberté : c'était celui où la beauté de Danny s'épanouissait, où lui s'épanouissait, et comme beaucoup d'entre nous, il avait du mal dans l'autre monde qui l'attendait au pied des marches de la scène. De mon ami aujourd'hui disparu je garde l'image d'un mélange de perplexité et de fragilité humaine, le tout dominé par un sens musical mystique et intuitif tout à fait unique.

À LA GUITARE : Steve Van Zandt dit Little Steven, mon frère spirituel, Mister Tout-ou-Rien, Docteur Quatre-vingt-dix-neuf-et-demi-ça-fait-pas-cent, mon alter ego absolutiste, avocat du diable et complice rock'n'roll top niveau. Le nombre de duels à la Telecaster qu'on a pu faire tous les deux dans les clubs pour ados du Jersey Shore ! Steve est un meneur d'hommes, un *songwriter* et un arrangeur génial, en plus d'être un guitariste redoutable. Si je veux du rock, je tends à Steve sa guitare, je lui montre le studio et je m'en vais. Je sais qu'à mon retour il aura trouvé la solution. Sur scène c'est mon bras droit, mon super pote, sans lui ma vie et mon groupe ne seraient pas ce qu'ils sont – ils ne l'ont d'ailleurs plus été en son absence.

À LA BATTERIE : Max Weinberg dit Mighty Max. Boule d'énergie et de névrose, le Puissant Max est un type débordant d'humour qui s'est trouvé un style très personnel quelque part entre Bernard Purdie, Buddy Rich et Keith Moon. Chaque soir, dans l'ouragan que nos concerts sont censés être, toute la pression des trois heures de rock rouleau compresseur non stop repose sur ses épaules. Sur scène, Max va bien au-delà de l'écoute de ce que je dis ou des signes que je fais : il *entend* ce que je *pense*, ce que je *ressens* ; il anticipe mes réactions avant même qu'elles déferlent plein pot vers son praticable. C'est quasiment de la télépathie, conséquence d'années passées ensemble. Un vrai miracle. C'est pour ça que les gens adorent les musiciens : ils montrent à quel point dans un groupe on peut sonder l'esprit et le cœur de ses partenaires, à quel point on peut fonctionner en harmonie. Quand Max est là, les questions trouvent une réponse avant d'être posées.

Vingt mille personnes retiennent leur souffle, l'heure de l'estocade approche, le groupe est prêt, les roues métalliques bien calées sur la voie, et ce coup de caisse claire, celui auquel je pense mais dont je n'ai pas parlé avant et pour lequel je n'ai pas fait signe, si ce n'est dans ce petit coin enflammé de mon esprit, celui que j'ai envie d'entendre maintenant… *le voilà !* Cogne, jeune homme, cogne !

AU PIANO : Roy Bittan dit Professor Bittan. Le seul membre du E Street Band titulaire d'un diplôme universitaire ! (En fait, il y en a maintenant un autre : Max a obtenu le sien en 1989 !) Ça fait longtemps que je compte sur mon ami Roy quand j'ai besoin de quelque chose de très précis, qui corresponde exactement à ce que j'entends dans ma tête – et qu'il le concrétise aux claviers. On dirait que Roy n'a pas dix doigts mais trente. Quatre-vingt-huit touches pour le Prof, c'est tout simplement pas assez. Son jeu est la marque sonore de mes plus grands disques. Ses arpèges au piano et ses harmonies de boîte à musique sont aussi caractéristiques du son du E Street Band que le saxo de Clarence. Son registre va du jazz au classique en passant par le rock et toutes les musiques humaines connues ! Dans le groupe on disait en rigolant que si on devait enregistrer en premier le piano, la basse et la batterie, on serait coincés parce qu'à partir du moment où Roy est lancé, on a la totalité de l'orchestration… plus besoin d'autre chose. Roy occupait tellement l'espace musical qu'au début on se triturait les méninges, Steve et moi, pour trouver de la place pour nos guitares ; il a fallu l'arrêter dans son élan. Si Liberace et Jerry Lee Lewis avaient eu un môme et que ce môme était né à Rockaway Beach, Long Island, il se serait appelé Professor Roy Bittan.

Voilà le groupe, la centrale électrique avec qui j'ai initialement laissé mon empreinte. Mais celui qui a su captiver l'imagination de mon public et incarner l'idéalisme et l'affectueuse ambiance de notre groupe, c'est avant tout ce grand gaillard noir au saxophone, Clarence.

TRENTE-QUATRE
CLARENCE CLEMONS

And the change was made uptown…

Clarence était un personnage tout droit sorti d'un manuel de rock'n'roll, un manuel dont je suis peut-être en partie l'auteur, mais on ne peut être le Big Man que si on *est* le Big Man. Si j'étais l'incarnation du rêve rock de Jon, alors Clarence était l'incarnation du mien. J'avais cherché partout, pendant des années, un vrai saxophoniste de rock. Pas un jazzeux qui serait venu s'encanailler avec nous mais quelqu'un qui aurait ressenti dans ses tripes la musique et le style qu'on jouait.

Avant *Born to Run*, Clarence était juste le saxophoniste black super balèze et hyper doué de mon groupe. On n'était que cinq et on avait une chouette petite équipe avec un parfum R&B. Après la pochette du disque *Born to Run*, il est devenu le Big Man du E Street Band. Ce visuel, conçu par John Berg, le directeur artistique de Columbia, nous a servi à donner à notre amitié et à notre collaboration une dimension épique. Notre aventure a commencé avec cette double photo, prise par Eric Meola, qui s'est retrouvée en vitrine de tous les magasins de disques d'Amérique. L'idée d'une image sur deux faces, recto-verso, était de John Berg. Quand la pochette est repliée, c'est la tête d'un jeune rockeur blanc qu'on voit. Mais quand on l'ouvre, c'est la naissance d'un groupe, la légende qui commence. J'ai amené Clarence à la séance avec Eric Meola parce que je voulais être photographié avec lui. Intuitivement, je sentais que dans cette image de nous deux côte à côte il y avait quelque chose que j'avais envie de dire. C'était fort, théâtral, mais pas seulement. Ça résumait bien ce que j'avais éprouvé le soir où Clarence était monté taper le bœuf sur scène au Student Prince. Ce soir-là était née une véritable histoire, de celles qu'on ne peut pas inventer mais seulement découvrir. C'est une histoire qu'on peut soigner et mettre en avant, mais il faut tout d'abord qu'elle soit là, dans la poussière, la bière, les groupes et les bars qui l'accouchent. Voir la pochette, c'était tout de suite voir l'écho, la mythologie du passé du rock et une fraîcheur tournée vers l'avenir. L'image de Clarence et moi prise par Eric Meola générait à la fois une sensation de déjà-vu et d'inédit, comme un hit en musique. On était uniques. Des comme nous, il n'y en avait que deux.

De cette pochette se dégageaient le mystère subtil de la question raciale, un sens de la rigolade et une puissance qui ne demandait qu'à être libérée. C'est une photo qui pose des questions : « Qui sont ces gars ? Quelle blague se racontent-ils ? Quelle est leur histoire ? » L'image puisait naturellement dans la force et l'affection qu'il y avait entre nous.

Après *Born to Run*, notre spectacle sur scène a aussi changé. Avant 1975, Clarence restait souvent à son micro, jouant comme un saxophoniste dans un club de jazz, cool, détendu. Un soir, je lui ai dit qu'on devrait faire autrement. On pouvait mettre notre présence musicale et *visuelle* au service de notre légende, raconter l'histoire que les chansons ne faisaient qu'indiquer en pointillés. On pouvait la vivre. Je crois me rappeler les mots exacts que j'ai prononcés : « Demain soir, on s'éloigne des micros et on va faire des trucs. » Clarence a su d'instinct quoi faire. Le lendemain soir, le Big Man est apparu et quand on s'est tout simplement avancés l'un vers l'autre et qu'on s'est plantés au milieu de la scène, la foule s'est enflammée. Le public avait raison. C'était un grand pas en avant, à l'époque. Et ça le reste. Parce qu'on le sentait comme ça, on s'est comportés comme si c'était important, et on a prouvé par la suite que ça l'était.

L'empereur du E Street

Difficile d'imaginer que Clarence a été un jour un mec « normal », étudiant à la fac, joueur de football américain, animateur à la maison de correction pour garçons de Jamesburg. Il avait une gueule de grand personnage de l'histoire. La gueule d'un empereur exotique, d'un roi sur son île, d'un boxeur poids lourd, d'un chaman, d'un forçat enchaîné, d'un bluesman des années 1950. Ce gars avait plongé dans les tréfonds de son âme et avait survécu. Il recelait à la fois un million de secrets et aucun. Il avait un humour grinçant et un cynisme qu'il tenait, je suppose, de son enfance de Black costaud dans le sud des États-Unis. Et aussi, curieusement, un optimisme presque inébranlable et une innocence surnaturelle qui, j'imagine, venaient du fait qu'il avait été, comme moi, un fils à sa maman. Le mélange de tout ça, c'est de la dynamite en puissance et, même si son seuil d'explosion a un peu reculé avec les années, on n'avait pas envie que ces deux pôles forment un arc électrique. Parce que entre les deux c'était un no man's land, une sorte de trou noir psychique, et ça pouvait très mal finir.

J'ai regardé Clarence traverser la vie avec une turbulente insouciance et un humour à la fois admirable et inquiétant. Son histoire, comme celle d'un survivant d'une terrible tempête, il valait mieux la suivre à distance, bien au chaud, en l'écoutant la raconter devant la cheminée plutôt qu'être avec lui dans le bateau. Marié un paquet de fois, il a fait vivre à ses femmes un enfer à cause de son désordre à la fois affectif et financier. Une chose qu'on doit savoir à propos de lui : *Clarence* avait beaucoup d'importance pour Clarence. Dans ce domaine il n'était pas si différent de la plupart d'entre nous, sauf que chez lui ça atteignait des proportions fabuleuses. Pour s'occuper de Clarence, il fallait vraiment tout un village. Il était riche, puis ruiné, puis de nouveau riche. Les peines de cœur et les déceptions l'attendaient souvent au coin de la rue, et pourtant il était certain qu'il se relèverait le lendemain matin, et repartirait en quête d'amour, d'amour, d'amour, de paix et de satisfaction – il a fini par trouver un équilibre avec sa magnifique femme Victoria.

L'identité raciale de Clarence était un peu brouillée par son côté totalement baroque. Il avait du mal à vivre dans le monde essentiellement blanc de notre groupe. Alors que E Street Band était à un moment donné moitié black moitié blanc, la perte de Davey Sancious et Boom Carter a profondément affecté Clarence. Pendant longtemps il s'est senti seul, et on avait beau être très proches, j'étais blanc. On était unis par une relation très forte, mais on vivait dans une réalité où on savait d'expérience que rien, pas même l'amour de Dieu au paradis, n'efface la question raciale. C'était une des données de notre relation. Je crois que c'était aussi en partie ce qui en faisait quelque chose de si fort pour nous deux. On était les pièces manquantes, incongrues, d'un vieux puzzle non assemblé, deux moitiés qui aspiraient à former un tout excentrique et puissant.

Quand vous voyagez pendant des années avec un groupe mixte, vous voyez le racisme à l'œuvre. Au début des années 1970, quelques campus avaient refusé nos choristes blacks. Et par la suite, avec le E Street Band – pas souvent mais quand même –, c'est remonté à la surface. Heureusement, il n'y a jamais eu d'agression physique – cela dit, il fallait être complètement inconscient pour approcher Clarence avec des arrière-pensées racistes : dans notre jeunesse, je l'avais souvent vu charger à bloc la machine de musculation Nautilus et faire tranquillement ses exercices avant de rentrer chez lui –, n'empêche qu'il y a des fois où ça a failli péter.

Chaleur de la nuit

J'ai côtoyé les gars les plus costauds du Central Jersey. Des videurs de boîte ceinture noire qui buvaient leur bière puis bouffaient littéralement le verre pour égayer la soirée. Un mec taillé comme une armoire à glace peut se servir de son physique de différentes façons : pour impressionner, pour contrôler, pour intimider, pour protéger, pour calmer. Clarence, lui, dominait l'espace de sa présence tranquille, bienveillante et puissante. Une présence rarement contestée, mais qui, à ce degré d'autorité, véhiculait toujours une sorte d'avertissement : « N'utiliser qu'en cas d'urgence. »

C'était un soir d'été. On était partis vers le nord sur la Route 9, Clarence et moi, voir un club qu'un de ses copains avait ouvert et peut-être taper un peu le bœuf pour aider à mettre l'ambiance. Quand on est arrivés sur le parking, j'ai eu l'impression qu'on entrait dans une zone morte. Tout était vide. À l'intérieur, ambiance de tombe, l'atmosphère bien connue d'un club rock désert. Un petit groupe était en train de s'accorder et s'apprêtait à jouer pour… le barman. Entre les quatre murs, personne d'autre – le genre de soirée déprimante que j'ai vécue plus d'une fois ; dans ces cas-là on continue en vertu d'une vieille règle du Shore : « Si y a pas de musique, personne ne reste. »

Soudain du bruit à l'entrée. Clarence est allé voir, puis j'ai entendu du barouf. J'ai rappliqué et j'ai vu Clarence qui retenait deux costauds pendant que le proprio se fritait avec un troisième. Apparemment, les trois gars étaient en bisbille avec le patron et Clarence avait prêté main-forte à son pote pour éviter les complications. Les types ont dégagé, quelques insultes ont fusé et, tandis qu'ils traversaient le parking, l'un d'eux a sifflé : *Nigger* à voix pas tout à fait assez basse. Clarence bouillait sur place. L'instant d'après, il m'avait faussé compagnie. J'ai craint le pire en partant à sa recherche sur le parking.

En cette soirée humide, les étoiles dans le ciel étaient obscurcies par un fin voile de brume. Pas un souffle d'air, juste une immobilité incroyable, le temps s'était arrêté. Ces nuits-là sur le Shore charrient toujours comme une odeur de fin du monde. J'ai fini par trouver Clarence appuyé contre le capot d'une voiture. « Je connais ces gars, il m'a fait. Je joue au foot avec eux tous les dimanches. Pourquoi ils m'ont dit ça ? » J'aurais dû répondre : « Parce que ce sont des ordures », mais j'ai été pris de court, gêné moi-même, et tout ce que j'ai pu offrir à mon ami ça a été un haussement d'épaules et un marmonnement : « Je sais pas… » Et c'est tout. On n'a pas joué ce soir-là, on a repris la voiture et on est rentrés. On est restés silencieux sur tout le chemin du retour, à se repasser en esprit ce qui venait d'avoir lieu. Malaise. Un Blanc et un Black en bagnole ensemble, partis pour cette virée d'une vie entière, roulant dans une nuit autrement dénuée de sens.

TRENTE-CINQ

NOUVEAUX CONTRATS

En 1975 donc, on a touché le gros lot. Soucieux de protéger son investissement et notre relation, Mike a trimballé à travers toute l'Europe une liasse de nouveaux contrats qu'il voulait me soumettre. Il m'expliquerait l'intérêt des nouvelles clauses et ensuite je signerais. On était tous les deux conscients que les circonstances avaient fondamentalement changé. Je n'étais plus un jeune musicien débarqué de nulle part, affamé, ne connaissant rien à rien. J'avais désormais pas mal d'atouts dans ma manche… et je contrôlais la situation. Cela dit, je cherchais juste un accord honnête entre nous pour qu'on puisse poursuivre cette collaboration particulièrement plaisante et fructueuse. Une première somme avait été versée, un demi-million de dollars, par la maison de disques sur le compte de Mike, conformément à ce qui était stipulé dans les contrats que j'avais signés. Je ne percevais rien directement, ni royalties ni droits d'auteur. Tout transitait par Mike, par le filtre des accords de production, de publishing et de management avec Laurel Canyon que j'avais acceptés à l'époque où toutes ces questions étaient encore bien floues pour moi. Ce qui était prévu, c'est que Mike Appel se charge de la rémunération de l'artiste.

On s'est vus entre deux portes à l'étranger, mais discuter de ces questions ne faisait qu'ajouter du stress à une tournée déjà difficile, alors on s'est mis d'accord pour régler tout ça à notre retour aux USA. Une fois rentrés, on s'est donné rendez-vous dans un restau. Mike m'a vanté les avantages des nouveaux contrats qu'il me proposait. C'était effectivement mieux que les dispositions antérieures, mais je voulais savoir quel serait mon sort en vertu des contrats actuels avant de signer quoi que ce soit de nouveau. Mes attentes étaient simples : je voulais qu'on applique les pourcentages pratiqués normalement dans la profession pour le management, la production et le publishing, que l'argent soit réparti équitablement et qu'on avance. On était au top ! Le plus dur était derrière nous. Le problème c'est que ce que je voulais ne correspondait *pas* à ce que j'avais signé – tout ça parce que cette idée de contrats à signer m'impressionnait trop au départ pour que je me penche sérieusement dessus. Le moment était venu de remettre les pendules à l'heure. J'avais besoin de comprendre l'ensemble des premières clauses avant de pouvoir en toute confiance signer de nouveaux accords. Voilà qui, me semblait-il, relevait du simple bon sens.

J'ai demandé à rencontrer un avocat, Mike et son conseiller m'en ont trouvé un. Je flairais le piège, mais j'étais curieux de voir ce qui allait se passer. À notre rendez-vous, l'avocat m'a expliqué que les nouveaux projets de contrats marquaient une amélioration par rapport à ce qui était actuellement en vigueur, sans vraiment préciser l'effet des contrats actuels sur la situation présente. Je savais que c'étaient ces premiers contrats qui détermineraient les résultats financiers de mes cinq années de collaboration avec Laurel Canyon, donc je voulais savoir ce que *ceux-là* impliquaient concrètement. L'avocat a botté en touche. En repartant, j'étais sûr d'avoir mis le doigt sur le point noir de ma relation avec Mike. En studio et sur la route, je savais exactement ce qu'on attendait de moi, c'était mon monde. Pas là. Là c'était comme si je me retrouvais dans la tente du fond à la fête foraine, pendant que le *music business* trônait à la table d'honneur. À sa droite un comptable à lorgnons, visière verte sur les yeux, faisait des additions sur sa machine à calculer, et chaque touche enfoncée était un clou de plus planté dans mon cercueil. À sa gauche la musique, l'air ahuri genre qu'est-ce-qui-se-passe, était ligotée à sa chaise, bâillonnée. L'ironie c'est que j'avais moi-même contribué à monter cette tente au fin fond de ma fête foraine personnelle. Mike n'aurait pas dû être si gourmand, mais mes peurs de jeunesse, mon sentiment d'insécurité et mon refus d'accepter la responsabilité de mes actes y étaient aussi pour quelque chose. Enfin bon.

En attendant, j'avais besoin d'être conseillé. Par quelqu'un qui ne soit pas sous l'influence de Mike. Pendant l'élaboration de *Born to Run*, mon amitié avec Jon Landau s'était renforcée ; je savais qu'il avait lui aussi ses intérêts à cœur – c'est le cas de tout le monde, non ? – mais il n'avait jamais dit du mal de Mike ni minimisé son rôle, il n'avait jamais essayé de se donner avec moi un autre rôle que celui d'ami et de producteur. Je ne connaissais personne d'aussi intelligent et droit que Jon, alors je lui ai passé un coup de fil. Il m'a fait rencontrer l'avocat Michael Mayer, un type trapu, aux cheveux frisottés, armé d'une confiance du genre on-va-leur-botter-le-cul. Après avoir étudié mes contrats, il m'a joyeusement informé que c'étaient les pires qu'il ait vus depuis ceux de Frankie Lymon. Que les Indiens Lenape (notre tribu du New Jersey) avaient obtenu de meilleures conditions que moi quand ils avaient vendu Manhattan pour vingt-quatre dollars. Les mots ont défilé : esclave… arnaque… conflit d'intérêts… Je m'y attendais. J'estimais depuis le début que les contrats c'était de toute façon de la foutaise, une simple formalité, que ce qui comptait réellement c'était ce que Mike allait dire et faire.

Après ces désagréables révélations, j'ai donné rendez-vous à Mike dans un petit bar à New York. Il m'a raconté des tas d'histoires toute la soirée. Je ne voulais pas signer et on a bien rigolé tous les deux. Il a essayé de jouer sur la corde sensible : le temps passé ensemble, les sacrifices, blablabla. Écouter Mike parler c'était toujours un plaisir, alors je l'ai laissé débiter son baratin, comme un vendeur de caisses d'occasion qui n'avait pas encore atteint son quota… tout ça pour que je signe. Sauf que maintenant j'étais habitué à ses entourloupes. Il avait racheté la part de mon contrat de son associé Jimmy à Jules Kurz (soi-disant pour un dollar !) après que Jules l'avait pris comme garantie pour un prêt dont Jimmy avait besoin. Mike était passé maître dans l'art d'éviter les créanciers à droite, à gauche, et il avait dans sa manche plus d'une sale combine pour tirer son épingle du jeu.

Mais j'avais déjà vu ça : quand j'avais signé chez Columbia, Mike avait immédiatement voulu m'assurer contre un million de dollars. Il m'avait dit que comme il avait énormément investi sur moi, il lui fallait se garantir si je venais à mourir. J'avais refusé de signer. À vingt-deux ans, pas facile d'envisager que quelqu'un puisse empocher d'un coup un million à votre mort. Comme d'habitude, Mike m'avait harcelé. Il proposait pour arrondir les angles de faire reverser une partie de l'argent à mes parents. « Écoute, ta pauvre mère et ton pauvre père seront contents de récupérer tout cet argent et ils n'auront pas un sou à dépenser. C'EST MOI QUI PAYE !

– Non.

– Tu ne crois pas que tu me dois bien ça ?

– Non. » Finalement, Mike avait fait venir je ne sais quel grand ponte d'une compagnie d'assurances pour s'en occuper et on s'était tous les deux enfermés dans une petite salle chez Columbia Records. J'avais écouté ce type en costard-cravate m'expliquer leur plan tandis que Mike attendait à l'extérieur. Il m'avait répété ce que j'avais déjà entendu : l'investissement de Mike, mes parents qui n'auraient rien à débourser pour toucher le million, ça ne me coûterait rien non plus… je n'avais qu'à mourir ! Je lui ai dit que par superstition je ne voulais pas d'une prime d'un million de dollars sur ma tête. Au bout d'un long après-midi à faire le forcing pour me vendre son truc (il avait tombé la veste, remonté ses manches de chemise, desserré sa cravate), il m'a regardé droit dans les yeux, en tueur, et m'a dit : « Mon garçon, j'ai une femme et une famille. Si je réussis cette vente, il y a une énorme commission pour moi à la clé. Qu'est-ce que tu en dis ?

– M-i-i-i-i-i-ke ! » Mike est entré, il a regardé le tueur à gages qu'il m'avait balancé dans les pattes pendant des plombes, il a pigé ce qui allait se passer, s'est rendu compte qu'il était dans une impasse et a illico changé son fusil d'épaule : « Hé, enfoiré, laisse ce môme tranquille. Tire-toi d'ici ! » Bon !

Et au bar il a remis ça… les résultats obtenus, John Hammond, *Time, Newsweek*, un disque qui s'était vendu à un million d'exemplaires. J'aimais Mike – je l'aime toujours –, et malgré tout ça, malgré ce que j'avais appris sur ses magouilles de contrats, j'avais envie qu'on continue à travailler ensemble. Entre nous, ç'avait été fou mais marrant et on était arrivés au sommet. Alors à la fin d'une soirée très arrosée, je l'ai interrompu au beau milieu de son grand soliloque : « ÇA SUFFIT, PASSE-MOI LE STYLO ! » J'ai sifflé un énième verre de Jack Daniel's et je me suis approché pour mettre mon nom sur les pointillés. Cinq années de plus s'étalaient devant moi sur la table. Non, je ne plaisantais pas, j'allais signer… à nouveau. Peut-être juste pour me débarrasser de toute cette paperasse, parce que tout ça me rendait malade. Je me disais que de toute façon je me foutais de l'argent. J'avais déjà ce qu'il me fallait : un groupe, un toit au-dessus de la tête, de quoi manger, une voiture, une guitare, la musique, un contrat avec une maison de disques, un début de public. Bon sang, j'étais tout seul, je n'avais que vingt-cinq ans, je ne pigeais rien à ces histoires de clauses et j'en avais marre de CES PUTAINS DE PAPELARDS. Finissons-en et QU'ON ME LAISSE JOUER MA MUSIQUE !

Ivre d'avoir sifflé tous ces verres de whisky, j'ai posé la pointe du stylo sur le papier. J'ai senti une main prendre la mienne. « Non, pas dans cet état », m'a dit Mike. Ces documents ne seraient jamais signés et notre relation à tous les deux serait bientôt en loques.

La dernière rencontre

Un matin, Mike et moi on s'est de nouveau donné rendez-vous, chez moi cette fois, à Atlantic Highlands. La tension commençait à monter avec cette affaire toujours pas conclue. La lumière de Sandy Hook Bay se déversait à travers ma baie vitrée avec vue panoramique. On s'est assis pour régler tout ça une bonne fois pour toutes. À présent je connaissais les tenants et les aboutissants de nos premiers contrats, mais qu'est-ce que ça représentait comparé à notre amitié ?… À la musique, au public, à tout ce qu'on avait vécu, à l'affection qu'on avait l'un pour l'autre ?… « Mike, j'ai commencé, je sais que les contrats sont foireux, mais c'est pas grave. On peut rectifier ça, c'est que du papier. On peut les déchirer et repartir sur de nouvelles bases. On a une somme X pour cinq ans de travail, on se répartit correctement les recettes et on passe à autre chose. Dis-moi combien ça fait pour moi et pour toi. » Je m'attendais à une réponse simple et rationnelle. Au lieu de quoi Mike a essayé de noyer le poisson : « Eh ben… ça dépend. Si tu signes avec moi pour cinq ans de plus, il y aura une part importante pour toi. Si tu ne signes pas… il te restera probablement très peu. » J'ai su, dès que Mike a dit : « ça dépend », que ça allait mal se passer. Cinq années de plus de ma vie contre une poignée de main sans aucun montant précis pour les cinq années précédentes de travail ? Impossible de parier sur une telle équation. Ce n'était pas sur de telles bases que j'allais pouvoir prendre ma guitare, me bâtir une vie et me fabriquer un avenir quel qu'il soit. Mike est parti.

Les jours qui ont suivi, on est allés un peu plus loin dans les négociations et on a presque trouvé un terrain d'entente. Plusieurs clauses des nouveaux contrats seraient appliquées rétroactivement et les anciens accords seraient de facto invalidés. J'étais fier et soulagé qu'on aboutisse à quelque chose de raisonnable. Peu de temps après, j'ai reçu un coup de fil de Mike m'expliquant que son père lui avait conseillé de ne pas céder le « magasin de bonbons » (le demi-million à la banque) sans garantie d'un succès futur. J'ai essayé de lui dire qu'il allait renoncer au bocal de bonbons et *garder* le magasin, mais rien à faire : papa avait parlé et, manifestement, il n'y avait plus moyen de discuter. J'ai raccroché, refait son numéro et dit : « Envoie les avocats. »

Il m'est apparu ensuite que c'est peut-être à ce moment que j'ai compris les limites de la confiance qu'il avait en moi. Bon timing ! Je n'aurais jamais pu imaginer ça de la part de Mike. Personne n'avait plus la foi que lui, mais on était dans un secteur capricieux où les *one-shots* abondent et où un demi-million de dollars était le genre de somme que des gars comme nous risquaient de ne jamais revoir. Je savais comment raisonnait Mike, il avait beaucoup de mal à renoncer à s'assurer cette somme. Quand vous n'avez rien, le partage est facile, mais quand il y a quelque chose en jeu, c'est délicat… surtout si c'est votre premier et peut-être seul *quelque chose*.

J'ai passé plusieurs nuits blanches à me demander ce que représentaient le fric et ces contrats. Ça quantifiait quoi, ça symbolisait quoi ? Apparemment, pour Mike et pour moi, ces clauses étaient plus importantes que les liens qui nous unissaient l'un à l'autre, que tout ce qu'on avait fait et qu'on pourrait faire ensemble. Plus importantes que notre passé, notre présent et notre avenir communs. L'insécurité matérielle et l'avidité de Mike, mon ignorance de ces questions légales et mon insistance à répéter que tous ces *papiers* n'avaient pas d'importance – tout ça était venu se mettre entre nous. Résultat, on avait détruit tout ce qui avait pu nous lier : la joie, l'affection, les promesses.

Ces contrats, qu'est-ce qu'ils représentaient pour moi ?… Un instrument de contrôle ? De pouvoir ? D'autodétermination ? *Sandy, he ain't my boss no more* (Sandy, ce n'est plus mon patron) ? Un moyen de pression pour que le business se conforme à ma vision personnelle du monde ? Peut-être bien. Et pour Mike, même chose ?… Pouvoir, contrôle, moyen d'être reconnu aux yeux de son père, de prendre la main sur notre succès, confirmation personnelle de la façon dont *lui* voyait notre relation ? La plupart des managers de la vieille école, si ce n'est tous, avaient un côté machiavélique. L'idole de Mike était le Colonel Parker, le manager d'Elvis Presley – on en rigolait tous les deux, sauf que je ne serais *jamais* Elvis. Cette époque était révolue et je faisais précisément tout pour ne pas être un nouvel Elvis. Des forces intérieures puissantes me poussaient à déterminer la trajectoire de mon travail et la vie que je mènerais. Je voulais bien qu'on m'aide, j'en avais besoin, mais j'avais aussi besoin d'avoir la certitude de contrôler fermement les choses. Voilà l'essentiel pour moi, au-delà de l'euphorie et de l'excitation de sentir mon talent s'épanouir ; c'est à ça qu'avaient servi toutes ces années de galère, et c'était justement ce que le « Ça dépend » de Mike venait de menacer. Là-dessus, je ne bougerais pas.

Tout au long de ma vie, je m'étais incliné face au pouvoir. On l'a tous fait. J'avais été martyrisé, souvent humilié, poussé à bout, mais dans n'importe quel autre domaine, n'importe quel autre jour, j'aurais ravalé ma fierté et fait de mon mieux pour qu'on se réconcilie Mike et moi et qu'on passe à autre chose. En musique par contre je m'étais promis, dans la mesure du possible, de faire les choses un peu différemment. J'essaierais de mener ma vie comme je l'entendais et ces cinq dernières années, sans mes parents, sans réel soutien ni récompense financière, c'est bien ce que j'avais accompli. J'étais maître de moi-même et je devais le rester.

Son erreur a été, dans le fond, de ne pas me comprendre. Il avait utilisé le langage du pouvoir pour énoncer ce qu'il croyait être mes options. Bien sûr que dans une négociation le pouvoir entre dans la danse, mais le compromis et la courtoisie y ont aussi leur place. Or là, Mike était allé trop loin, ses mots étaient devenus des menaces à peine voilées. Entre amis, ça ne se fait pas. On allait se battre, et violemment.

En définitive, il n'était plus seulement question de contrats. Au cours de notre tournée précédente, un autre problème avait commencé à m'apparaître clairement. La capacité qu'avait Mike de me « représenter » comme je le souhaitais, d'être ma voix publique, était, au mieux, contestable. Mike avait un tempérament de bagarreur, se battre pour survivre « par tous les moyens nécessaires », c'était son truc. Mais avec *Born to Run*, on avait atteint un point où il n'y avait plus personne contre qui se battre, plus d'obstacle. On avait gagné ! Maintenant tout le monde voulait jouer dans notre équipe. Du coup, ce dont on avait besoin aujourd'hui, c'était un « facilitateur », quelqu'un qui pourrait représenter mes intérêts en toute confiance, calmement, pour que les choses se fassent.

En dehors de la scène, je n'aimais pas la tension. Entre la maison de fous du E Street Band des débuts et l'angoisse silencieuse que faisait régner mon père à la maison, j'en avais assez bavé. Je voulais désormais qu'autour de moi chacun mette du sien pour me permettre de travailler en paix et de donner le meilleur de moi-même. Plus question d'être constamment interrompu par de stupides tempêtes dans un verre d'eau. Ce genre de distractions pompent une énergie qu'il vaut bien mieux consacrer à des choses plus sérieuses ou à savourer les fruits de son travail. Mike, lui, n'entendait rien à la « voie médiane ». Jon avait davantage de tact, une approche plus légère et plus sophistiquée, qui allait de pair avec son autorité calme. C'était plus en phase avec la confiance que j'avais désormais en moi. Mais Jon n'était pas un homme d'affaires, il n'avait pas d'expérience du management et, après Mike, j'ai rencontré tout un panel de gens bien placés pour se charger de mon management. Que des professionnels dont le profil correspondait tout à fait, mais aucun qui me convienne complètement. J'avais besoin de disciples – ce qui allait à l'avenir s'avérer être mon talon d'Achille. Après quelques coûteux imbroglios, je laisserais tomber. Pas sans avoir entre-temps mis un terme à des amitiés de longue date, perdu beaucoup d'argent et manqué d'affaiblir notre groupe. En attendant, j'avais besoin de sentir l'implication émotionnelle solide de mes compagnons de route pour me savoir en sécurité, protégé et prêt à faire mon boulot dans la jungle de la pop ; je n'avais pas les relations neutres qu'on a entre simples collègues avec les gens qui travaillaient avec moi ni, de manière plus générale, dans mon travail. Si j'étais modéré par ailleurs, dans ce domaine j'étais extrême. Au boulot, il fallait que les gens soient à tout instant disponibles pour moi. Jon était dans l'ensemble déjà trop « adulte », mais son cœur, son dévouement et son amour de ma musique et de ma démarche l'ont fait entrer dans ce royaume. En retour, mes apôtres attendaient que je donne tout ce que j'avais. J'ai pu gérer ça… du moins un certain temps.

TRENTE-SIX

MONSIEUR LE JUGE

Je voulais retourner en studio et je voulais que ce soit Jon qui produise. Une fois que la décision a été prise, Mike, bien sûr, n'a rien voulu entendre. Impasse. Et donc il a fallu faire appel à… un juge.

Les premières plaintes qu'on a déposées n'ont pas été retenues. Le pouvoir de Mike, qui était contractuellement mon représentant, s'est avéré très efficace pour stopper ma carrière dans son élan. J'ai découvert que quand on parlait d'*accord*, ça signifiait que les deux parties étaient *d'accord* sur quelque chose ! Qu'on ait lu ou pas le papier, qu'on l'ait bouffé au petit déjeuner ou qu'on en ait tapissé sa salle de jeu… on avait DONNÉ SON ACCORD ! Puis sont venues les dépositions.

Pour cette phase de communication des pièces du dossier, les deux parties opposées se retrouvent ensemble dans une petite salle, en présence de la sténographe du tribunal, avec leurs avocats respectifs, et chaque partie tâche de discréditer la version des faits de l'adversaire. Ce n'est ni agréable ni beau à voir. Le but est d'embarrasser la partie adverse, de la déstabiliser psychologiquement, et c'est un petit avant-goût de la façon dont vous allez vous faire découper en morceaux dès l'instant où vous viendrez à la barre débiter votre laïus, qu'il soit vrai ou pas. Ce système de débat *contradictoire* – quiconque ayant vécu cette expérience vous le dira, qu'il s'agisse de fraude financière à grande échelle ou d'un feu rouge grillé – porte bien son nom. À ce moment-là, j'avais déjà balancé par les fenêtres plus de cent mille dollars pour une bataille que j'étais en train de perdre, et on n'en était qu'au début. Lors de mon premier rendez-vous avec mes nouveaux avocats, Peter Parcher s'est immédiatement réjoui des faits qui plaidaient en ma faveur : « Aucun juge ou jury digne de ce nom ne défendra ces documents esclavagistes… c'est de la pure cupidité… les termes sont ridicules… conflit d'intérêts monumental » et blablabla et blablabla. On m'avait déjà dit tout ça, mais c'était quand même agréable de se l'entendre répéter. Au bout d'une quarantaine de minutes, de nouveau plein d'espoir, j'ai fait : « Très bien, maître. Et Mike, lui, de son côté, qu'est-ce qu'il a comme éléments en sa faveur ? » M. Parcher s'est immédiatement tu. Puis : « Mike ?… L'affaire se présente bien pour lui… IL A VOTRE SIGNATURE SUR TOUS LES DOCUMENTS ! » Ah.

Peter Parcher et son collègue Peter Herbert ont déterminé que ce qui empêchait Mike de régler l'affaire à l'amiable, c'était qu'il ne croyait pas que notre amitié était vraiment terminée. J'allais donc devoir l'en convaincre, et ça n'allait pas être très reluisant. J'avais déjà fait une déposition avec mes premiers avocats. Maître Parcher a lu ce que j'avais déclaré au préalable et m'a dit que ça n'allait pas du tout : mes propos n'étaient qu'ambivalence, zone grise, indécision, impartialité, sans COMBATIVITÉ. Peter m'a pris à part : « *Vous*, mon ami, vous n'êtes pas le juge ; le juge, lui, cherche à être impartial. Vous n'êtes pas non plus le jury ; le jury cherche à trouver la vérité. Vous allez raconter votre histoire au mieux, et la partie adverse va raconter la sienne au mieux. Ensuite, le juge et le jury se prononceront. Mais vous n'avez pas à faire preuve d'impartialité. »

C'est vrai que j'avais toujours eu un problème avec ça. Mon père parlait si peu, il fallait que je fasse toutes les voix, que j'épouse tous les points de vue dans nos conversations inexistantes. À la fois me défendre et prendre intérieurement le parti de mon père contre moi. Du coup c'était des contorsions mentales pour comprendre ce que j'avais mal fait et comment je pouvais rattraper le coup. Je ne pouvais pas deviner à l'époque que c'était sans issue. Et puis c'était la seule façon pour moi de faire face aux déroutantes sautes d'humeur à la maison. Plus tard, ce mode de fonctionnement m'a souvent conduit à avoir trop d'empathie pour mes adversaires : dans un conflit mon adversaire avait beau passer les bornes, j'essayais toujours de comprendre pourquoi, d'embrasser son point de vue, de me mettre à sa place. Puis j'ai eu des enfants, je les ai élevés dans le respect de la compassion en leur disant que c'était une vertu magnifique, mais qu'il ne fallait pas la gâcher avec ceux qui ne la méritaient pas. Si quelqu'un cherche à vous écraser, balancez-lui un coup de pied dans les couilles et ensuite vous pourrez discuter. Mon excès d'empathie était une bonne chose pour écrire des chansons mais souvent un handicap dans le cadre d'un procès.

Tant et si bien que le premier jour de mes dépositions, sous la tutelle des deux Peter, je n'ai pas été beau joueur. J'ai répondu aux questions de façon grossière, à la fois théâtral et incapable de masquer la colère que je ressentais vraiment, à la limite de la violence. Ce n'était pas le fric qui me faisait enrager : c'était le fait de ne pas posséder ou contrôler la musique que j'avais écrite. Ce n'était que le carburant que j'avais utilisé pour m'enflammer. Je me suis laissé aller et ça a duré plusieurs jours, j'ai poussé des gueulantes, tapé sur la table, repoussé ma chaise et flanqué mon poing dans un meuble – j'aurais mérité un Oscar… Finalement Leonard Marx, l'avocat de Mike, a demandé l'annulation de mes dépositions pour cause d'attitude déplacée de ma part. Il a fallu qu'on prenne le métro pour se présenter tous au tribunal où j'ai été poliment recadré : le juge m'a ordonné de me calmer. La retranscription des dépositions est d'une lecture amusante le soir avant de se coucher, elle apparaît verbatim dans *Down Thunder Road*, le livre où Mike raconte l'histoire de son point de vue.

Comme a dit Dickens, « c'était le meilleur et le pire de tous les temps », surtout le pire… et ça a duré des années. Je louais une ferme sur un terrain de quatre-vingts hectares, à Telegraph Hill Road (Holmdel, New Jersey), pour sept cents dollars par mois. Je sautais dans mon pick-up C10, que ma copine avait baptisé Super Truck, et j'allais au Stone Pony, je m'y installais, je jouais pour les gens du coin, je flirtais avec les serveuses et je noyais mon chagrin dans l'alcool de mûres. Je me suis drôlement amusé dans ce C10. J'y avais installé un petit canapé, un thermos rempli de glaçons et un gril portatif pour faire cuire des burgers. Avec mon amoureuse, on allait au dernier drive-in encore ouvert, je garais l'arrière du camion côté écran, et on s'installait sur le canapé pour regarder les films en mangeant et en buvant des bières. Cet été-là, j'ai vu Warren Oates dans le fabuleux *Born to Kill*. J'avais du temps devant moi et, pour apaiser ma tension nerveuse, je forçais un peu sur la picole et les virées dans les bars. J'ai laissé des traces de pneus sur plus d'une pelouse à Deal en quittant le Pony pour rentrer chez moi.

Tout ça m'épuisait et me déprimait, mais je me réconfortais en me disant que je pouvais tout perdre sauf une chose : moi. Aucune procédure pénale, aucune décision de justice, aucun juge, aucun jugement ne pourrait me prendre ce que je chérissais le plus : l'art et la vie intérieure que je m'étais construits dans l'adolescence, fondés sur la musique que je pouvais faire avec mon cœur, ma tête, mes mains. Ça, ça m'appartenait à jamais, jamais on ne pourrait m'en priver. « Si je perds ce procès, je me disais, et que je me retrouve sans rien, on pourra toujours me larguer avec ma guitare n'importe où en Amérique, je marcherai jusqu'au relais routier le plus proche, je me trouverai un groupe et on illuminera la soirée. Parce que j'en suis capable. »

Conclusion d'un accord

Toutes les bonnes choses ont une fin. Lentement, tristement, Mike a pris conscience que tout était terminé. Un accord a été trouvé, les papiers de la séparation ont été rédigés et, par une soirée calme, dans la pénombre d'un bureau *midtown*, Mike et moi avons finalisé notre divorce. Je me suis assis au bout d'une table de conférence tout en longueur, et j'ai fait ce qu'on fait quand on a la chance d'avoir pu transformer sa passion en métier, avec un certain succès, même modeste. J'ai fait ce qui m'avait mis dans ce putain de merdier au départ… j'ai encore signé des papiers sans les avoir lus, des papiers que je ne lirais pas, tout ça pour pouvoir faire ce que j'avais le plus envie de faire au monde, ce qui m'était nécessaire : *créer des chansons, jouer*. Tant pis pour le fric, désormais la musique m'appartenait et je pouvais choisir, sans qu'on me mette des bâtons dans les roues, la voie que prendrait ma carrière.

Une fois la paperasse signée, je suis monté dans l'ascenseur et je me suis revu, en une image inversée, descendant avec Mike du dernier étage du Black Rock le jour où Columbia nous avait « découverts ». La boue qu'avait charriée le procès et les ennuis allant avec se dissipaient lentement. Je suis sorti dans la nuit new-yorkaise. J'allais à l'avenir de nouveau traiter avec Mike, pour des affaires tantôt bonnes, tantôt merdiques, mais quand la guerre a été finie et après pas mal de temps, notre affection complice est bel et bien revenue. On avait fait un bout de chemin pas banal ensemble, une trajectoire unique, pendant cette période où chacun dépendait de l'autre et de personne d'autre. Ce qui était en jeu alors c'était ce qui comptait le plus au monde. On avait été en désaccord – c'est la vie – mais jamais je ne haïrais Mike ; je ne peux que l'aimer. Son baratin m'a donné accès au bureau de John Hammond. Passer d'Asbury Park à New York City et Columbia Records, c'est pas rien ! Quand j'en étais au point mort, il a fait en sorte que ça reparte. C'était un dur, tout droit sorti du moule New York-New Jersey. Pour lui, il fallait toujours batailler davantage. Il puisait de l'énergie dans l'adversité, il s'en délectait. Quand ça devenait plus facile, il s'ennuyait. Il y a des gens comme ça, avec qui il faut toujours que ce soit la bagarre.

Au même titre que Jon et Steve, Mike était un frère d'armes musical. Il savait tout sur les groupes mythiques, les fabuleux hits, toutes les nuances importantes des voix des chanteurs, les riffs des meilleurs guitaristes, le cœur et l'âme de notre musique préférée. Dans une conversation, il terminait mes phrases. C'était un vrai *fan*, dans toute la beauté et la noblesse que ce mot a pour moi. Mike était drôle, cynique, grossier, et avec lui on se marrait tout le temps.

Finalement, pour se refaire en vue d'autres rêves dingues, Mike m'a revendu la part éditoriale de tous mes morceaux. Autre grosse erreur de sa part – pas pour moi, pour lui. Ces chansons allaient valoir de l'argent pendant un sacré bout de temps. Mike était avec excès dans le présent… il avait hâte de passer à la suite ! Je suis un des rares artistes à ce jour à posséder les droits de tout ce qu'il a créé. Je suis propriétaire de toutes mes bandes. Toutes mes chansons sont déposées exclusivement à mon nom. Ça fait beaucoup de bien.

Mike était à mi-chemin entre Willy Loman, le commis voyageur de la pièce d'Arthur Miller, et le courageux Starbuck de *Moby Dick*. C'était un vendeur au sens le plus classique et le plus tragique du terme. C'était un faiseur de pluie. Et malgré toutes les blessures et les souffrances de nos dernières années ensemble... il avait réussi à faire tomber la pluie.

J'ai pensé à mon grand-père Anthony Zerilli qui était passé par la case Sing Sing et disait : « Tu prendras des risques et tu paieras. » J'avais pris des risques et j'avais payé, mais j'avais gagné aussi. J'avais essayé l'anonymat, ça ne m'avait pas plu. Il me fallait un chemin à la hauteur de mes aspirations, de mon ego, de mes ambitions. Nous marchions dans la rue, la voix chargée de fatigue et d'excitation de mes collègues Jon, Peter et Peter flottait quelque part derrière moi. J'étais plein de lumière et de joie, je m'étais battu comme un diable pour quelque chose qui me revenait de droit, je me sentais enfin libéré, mais triste aussi de savoir qu'une amitié forte avait été détruite – je ne savais pas bien sûr qu'on se retrouverait, Mike et moi. Pour l'heure, l'avenir, mis en stand-by deux ans, redevenait d'actualité. Il était grand temps de faire quelque chose de tout ça.

TRENTE-SEPT

DARKNESS ON THE EDGE OF TOWN

Scène un : on entend le crissement assourdissant du plastique que l'on découpe dans les ateliers d'une usine. Je suis planté à quelques centimètres derrière mon père, je lui apporte un sac en papier brun contenant son repas pour son service de nuit, un sandwich œufs-salade. Je l'appelle dans le brouhaha ambiant, mes lèvres bougent, mes cordes vocales s'activent, mais rien… pas un son. Il finit par se retourner, m'aperçoit, articule quelques mots que je ne saisis pas et prend le sac.

Scène deux : je suis sur le siège passager du camion de livraison de mon père. C'est un des grands jours de mon enfance. On traverse le New Jersey pour je ne sais quelle mission, mais c'est une mission importante. On arrive à destination, on livre je ne me rappelle plus quoi. Tout ce que je revois, c'est la porte escamotable à l'arrière du camion, qui s'enroule en un fracas métallique sur des glissières fixées sous le toit. Mon père et d'autres types déchargent de grosses caisses du plateau, fument une cigarette, plaisantent un peu entre eux. Mission accomplie. Je me souviens des suspensions du camion en rentrant à la maison, vitres baissées – c'est une magnifique journée d'automne où j'ai séché l'école –, du levier de vitesse noir entre mon père et moi, de l'odeur de métal et de cuir des années 1950 dans la cabine. Mon cœur bat d'admiration, le travail est fait, je suis fier qu'il ait fait appel à moi. Je roule avec le roi. Mon père m'a emmené à son travail. Oh, quelle vie j'aurais pu avoir…

Chauffeur de taxi, travailleur à la chaîne, employé d'une usine automobile, gardien de prison, conducteur de bus, camionneur – pour ne citer que quelques-uns des nombreux boulots que mon père a exercés tout au long de sa vie. Mes sœurs et moi on a grandi dans des quartiers prolos relativement mixtes où cohabitaient ouvriers, policiers, pompiers, routiers. Je n'ai jamais vu un homme sortir de chez lui en costard-cravate, à moins qu'on soit dimanche ou qu'il ait un pépin. Si quelqu'un en costard-cravate venait frapper chez vous, méfiance : il vous voulait quelque chose. On avait de bons voisins, excentriques et adorables, des gens bien en somme. Il y avait aussi des salauds, comme partout, et dans certaines maisons on savait qu'il se passait des trucs moches. De ma sixième à ma douzième année, on a vécu au 39 ½ Institute Street, dans une toute petite maison mitoyenne sans eau chaude. On ne se lavait pas tous les jours parce que c'était pénible pour ma mère de faire chauffer l'eau en bas, puis de monter les lourds pots l'un après l'autre jusqu'à la baignoire. Ma sœur et moi on tirait au sort pour savoir lequel de nous deux irait en premier. Les cloisons des baraques étaient ultrafines. Impossible d'ignorer les cris, les hurlements et autre barouf de nos voisins. Je revois ma mère avec ses bigoudis roses, assise sur les marches, l'oreille contre le mur mitoyen, à écouter le couple d'à côté qui s'engueulait. Lui, un grand gaillard baraqué, se défoulait sur sa femme et on entendait les coups, le soir. Le lendemain, elle avait des bleus. Personne n'appelait les flics, personne ne disait rien, personne n'intervenait. Un jour, le mari a accroché aux avant-toits du porche des petits carillons en verre décorés de pseudo-motifs chinois. Ça m'a dégoûté. Au moindre coup de vent, on entendait leur tintement. Le contraste entre ces carillons au murmure paisible et l'enfer domestique qui régnait chez ces gens était grotesque. Aujourd'hui encore je ne supporte pas ces trucs. Pour moi c'est la bande-son du mensonge.

C'est dans ce pan de mon passé que j'allais puiser pour trouver l'univers de *Darkness on the Edge of Town*.

En 1977, dans la grande tradition américaine, j'avais échappé au destin qui aurait dû être le mien, au chemin tracé par ma naissance, mon histoire personnelle, le lieu où j'avais grandi ; pourtant quelque chose n'allait pas. Plutôt que de l'euphorie, j'éprouvais une sorte de malaise. Je sentais qu'il y avait une grande différence entre la vie libre, débridée, que je revendiquais et la liberté véritable. Beaucoup de groupes avant nous, beaucoup de mes héros avaient confondu les deux et ça avait mal fini. Je devinais que vivre sans frein était à la liberté ce que la masturbation est à l'amour – pas mal mais pas non plus vraiment ça. Voilà comment les amants que j'avais imaginés dans *Born to Run*, si décidés à foutre le camp loin de tout, sont revenus en ville. C'est là que les choses allaient se passer, parmi les leurs. J'ai commencé à me poser de nouvelles questions. J'avais le sentiment d'avoir des dettes envers les gens aux côtés de qui j'avais grandi, et j'avais besoin d'explorer ce sentiment.

En plus de la pop prolo des Animals, des *beat groups* du début des années 1960 et des punks, je me suis mis à écouter sérieusement de la country et j'ai découvert Hank Williams. Ça me plaisait que la country traite de thématiques « adultes », je ne croyais pas à l'idée qu'à un moment donné il fallait « mûrir » et s'éloigner du rock, je voulais que mes nouvelles chansons me parlent encore quand je serais plus âgé. Le cinéma prenant une place déterminante, j'ai choisi un titre qui évoque l'univers du film noir : *Darkness on the Edge of Town* (Ténèbres aux confins de la ville). J'avais décidé d'avoir un son plus sobre et moins grandiose que dans *Born to Run*, un son qui conviendrait mieux aux voix auxquelles j'essayais de donner vie. J'étais sur un terrain nouveau, en quête d'un ton situé quelque part entre l'espoir spirituel de *Born to Run* et le cynisme des années 1970. Ce cynisme c'était justement ce contre quoi se battaient mes personnages. Je voulais qu'ils se sentent mûrs, expérimentés, plus sages mais pas démoralisés. Qu'ils donnent davantage l'idée d'une vie où il fallait se battre jour après jour, où l'espoir pointait un peu moins facilement le bout de son nez. C'était cette ambiance que je voulais créer : plus question de s'évader, mes personnages vivraient maintenant dans une communauté assiégée.

Grâce à *Born to Run* j'avais à présent un demi-queue Steinway et une Corvette Chevrolet de 1960 avec jantes Cragar achetée six mille dollars à un gamin qui tenait la caisse du marchand de glace Carvel à West Long Branch. À part ça j'avais surtout des factures – de studio, de location d'instruments –, factures en tout genre que Mike (ou bien nous ?) n'avait pas payées pour pouvoir continuer ; plus les honoraires des avocats, les arriérés d'impôts et autres joyeusetés. Un jeune employé zélé du fisc avait dû remarquer les deux couvertures de *Time* et de *Newsweek* et se demander : « C'est qui, ce gars ? » Ben, c'est le gars qui n'a jamais payé un rond d'impôt sur le revenu de toute sa vie, et la plupart de ses amis non plus. Bam !... Paye tes arriérés, c'est ta tournée. On était tous tellement habitués à vivre en dehors des circuits officiels qu'il ne nous était jamais venu à l'esprit qu'on était des contribuables. Au procès, des sommes importantes avaient pourtant été évoquées, mais Mike avait dit qu'il avait tout dépensé pour la survie du groupe. Du coup je me faisais rattraper par les impôts pour tout ce que j'avais gagné depuis l'époque où j'étais dans le ventre de ma mère ou presque ; et il fallait en plus que je casque pour mes petits copains du E Street parce qu'ils étaient fauchés. Autant dire que j'ai mis un certain temps à m'acquitter de tout. Pendant toute la tournée *Darkness*, j'ai joué *chaque* soir pour un créancier différent : les avocats, les prestataires, les impôts, les boîtes de sonorisation, les sociétés de transport – ils se bousculaient tous pour taper dans nos maigres revenus. Ça et les notes de studio astronomiques… le temps qu'on apprenne le métier. C'est simple, je serais fauché jusqu'à 1982, dix ans et des millions de disques vendus après avoir signé chez CBS. Si ces disques s'étaient plantés, j'aurais fini à Asbury Park avec pour seule récompense une histoire de poivrot à raconter à qui aurait bien voulu l'entendre.

On a enregistré quarante, cinquante, soixante chansons en tout genre. Peut-être qu'à cause de notre interruption de deux ans j'avais une fringale d'enregistrement. Il fallait que je me sorte toutes ces chansons et toutes ces idées de la tête, que je dégage de l'espace pour le disque que j'avais vraiment envie de faire. Très lentement… on y est arrivés. On était tellement rouillés quand on est retournés en studio que pendant des semaines on n'a pas pu sortir une note. Comme avec *Born to Run*, le processus d'enregistrement était paralysé par notre incapacité manifeste à sortir les sons les plus basiques. Et donc, pendant des jours, le seul son qu'on entendait dans le studio B de Record Plant c'est le coup de baguette de Max sur un tom : stiiiiiiiiiiiiiick ! Comme un mantra de frustration, répété jour et nuit, non-stop. Autrement dit, au lieu d'entendre la richesse et la profondeur d'une vraie caisse claire ou d'un tom, on entendait le claquement moche d'un bout de bois sur une peau tendue – littéralement le « stiiiick » du *drumstick*. Bref on ramait, largués comme une bande d'aveugles dans une ruelle obscure. Ah on était loin du tonnerre des dieux !

Dans le fond, on était des producteurs amateurs, on ne pigeait pas la physique de base qui se mettait en branle lorsqu'on voulait transférer du son sur bande. Le son enregistré est une donnée relative. Lorsque la batterie est énergique mais modérée, elle laisse de l'espace pour un gros son de guitare. Quand les guitares sont puissantes mais minces, on peut avoir une batterie grosse comme une maison. Mais on ne peut pas *tout* avoir à fond, sinon en fait on n'a *rien*. Les enregistrements de Phil Spector ne sont pas énormes d'un point de vue sonore. La technologie ne le permettait pas encore. Simplement ils donnent l'impression d'un mur de son. C'est une magnifique illusion. Moi je voulais tout... conclusion, je n'avais rien. On a insisté, on s'est épuisés, mais l'épuisement ne m'a jamais fait peur, ça ne me gêne pas d'aller au bout. C'est une fois au bord de l'abîme que j'arrive habituellement à des résultats. Et on a fini par y arriver.

J'ai d'abord trouvé l'inspiration dans le blues prolo des Animals, dans des titres pop comme « Friday on My Mind » des Easybeats et dans la country que j'avais si longtemps ignorée. Hank Williams, Woody Guthrie, voilà la musique qui décrivait avec émotion une vie que je reconnaissais, ma vie, la vie de ma famille et de mes voisins. C'est par rapport à cette musique que je voulais musicalement me situer, poser mes propres questions et trouver mes propres réponses. Pas de dérobade, je voulais raconter de l'intérieur. Pas question d'effacer, de fuir, d'oublier, de rejeter, je voulais comprendre. Quelles étaient les forces sociales qui avaient tenu mes parents en laisse ? Pourquoi était-ce si difficile ? Dans ma quête je gommerais la ligne entre d'une part les facteurs personnels et psychologiques qui avaient pesé sur la vie de mon père et d'autre part les problèmes politiques qui maintenaient sous le joug la classe ouvrière aux États-Unis. Il fallait bien que je commence quelque part. Pour évoquer la vie tourmentée de mes parents, j'ai décidé d'être la voix éclairée et compatissante de la raison et de la vengeance. C'est pour la première fois venu à maturité dans *Darkness on the Edge of Town*. Ces questions, je ne me suis sérieusement penché dessus qu'après mon succès, avec ma « liberté » nouvellement acquise. Je ne sais pas si c'était la culpabilité du survivant qui avait réussi à s'échapper de sa vie étriquée dans une petite ville ou si c'est parce qu'en Amérique la règle est qu'on n'abandonne personne, comme sur le champ de bataille. Dans un pays aussi riche, c'est impensable. Une vie décente et digne, est-ce trop demander ? Ce qu'on en fait ensuite, c'est l'affaire de chacun, mais il devrait y avoir un minimum pour tous.

Finalement, le fait d'avoir vécu dans les quartiers ouvriers de ma ville natale avait formé une part essentielle et immuable de l'homme que j'étais. Celui que vous avez été et les endroits où vous êtes allé ne vous quittent jamais. Les nouveaux traits de caractère de celui que vous êtes ne font que monter avec vous et poursuivre le trajet. Le succès du voyage et la destination dépendent du conducteur. J'avais vu de grands musiciens s'égarer et voir leur musique s'anémier, perdre leurs racines et leur ancrage lorsqu'ils se déconnectaient de ce qu'ils étaient. Ma musique poserait la question de mon identité, elle serait une quête du sens et de l'avenir.

Ça se précise

Chansons festives, chansons d'amour, pop du Brill Building, hits incontournables du Top 10 (« Fire », « Because the Night »)… tout n'avait qu'un temps. C'était ma voie. Je ne savais pas ce que je voulais mais je sentais quelque chose dans l'air et je savais que pour l'instant ça m'échappait. Comme avec *Born to Run*, ce qui me poussait à aller de l'avant, vers ce que j'espérais être la lumière, c'était l'époque qui changeait subtilement et ma volonté de me créer une identité, un moi immédiat avec lequel je pourrais vivre. J'ai fini par élaguer dans le foisonnement de chansons pour ne garder que les dix plus solides. J'ai écarté tout ce qui n'allait pas dans le sens de la tension et de l'humeur de l'album. Les morceaux retenus avaient tous des titres ambitieux – « Badlands », « Prove It All Night », « Adam Raised a Cain », « Racing in the Street », « Darkness on the Edge of Town » –, ils débordaient d'énergie, de résilience et de résistance. « Adam » convoquait des images bibliques pour mettre en scène l'héritage transmis par un père à son fils. « Darkness on the Edge of Town » suggérait que c'est souvent au bout du rouleau qu'on réussit à se réinventer. Dans « Racing in the Street », mes coureurs automobiles vivaient avec l'héritage des années qui avaient passé entre les innocentes chansons de bagnoles des années 1960 et les réalités de l'Amérique de 1978. Pour personnaliser « Racing » et ces titres un peu ronflants, il fallait que j'infuse la petite musique de ma propre expérience, de mes espoirs et de mes craintes.

J'ai écarté tout accent de frivolité ou de nostalgie. La révolution punk avait frappé et une musique dure nous arrivait d'Angleterre. Les Sex Pistols, les Clash et Elvis Costello repoussaient tous les limites de ce que la pop pouvait être en 1977. C'était une époque de finales épiques et de débuts grandioses. Elvis était mort et son spectre rôdait pendant nos sessions. J'avais écrit « Fire » pour lui. De l'autre côté de l'océan, de jeunes musiciens idéalistes et enragés cherchaient à réinventer (ou détruire) ce qu'ils avaient entendu, ils cherchaient une autre voie. Il fallait que quelqu'un, quelque part, allume le feu. Les « dieux » de la musique étaient devenus trop puissants, ils s'étaient égarés. La connexion entre le fan et l'artiste sur scène était devenue trop abstraite. Des promesses tacites avaient été faites et brisées. L'heure avait sonné d'un nouvel ordre, ou peut-être qu'il fallait… en finir avec l'ordre ! La pop avait besoin de nouvelles provocations et de nouvelles réponses. En 1978, je me sentais une lointaine parenté avec ces groupes, avec leur conscience de classe, leur colère. Ils ont contribué à ce que je durcisse mes positions. Je prendrais une route bien à moi, mais les punks étaient une source d'inspiration : ils foutaient la trouille, et défiaient les musiciens américains. Leur énergie et leur influence ont nourri de manière sous-jacente *Darkness on the Edge of Town.*

Darkness était mon album samouraï, dépouillé, un album de combat. Mes protagonistes dans ces chansons devaient se séparer de tout ce qui n'était pas essentiel à leur survie. Dans *Born to Run*, une bataille personnelle était engagée, mais la guerre collective se poursuivait. Dans *Darkness*, les vies sur lesquelles j'écrivais semblaient avoir un sens plus politique et je cherchais comment le rendre en musique.

J'ai réalisé que c'était là, dans les rues de ma ville natale, qu'étaient nées ma vocation, ma voie, ma passion. De même que c'était dans le catholicisme, dans la vie de quartier de ma famille, que j'avais trouvé un autre pan de ma « genèse », le commencement de mon chant : la maison, les racines, les proches, la communauté, la responsabilité, l'inflexibilité, la détermination, la vitalité. Adoucis par les voitures, les nanas et la fortune, ce sont les éléments qui ont guidé mon périple musical. J'allais voyager loin, à des années-lumière de chez moi, et y prendre du plaisir, mais je ne m'en irais jamais complètement. Ma musique commençait à devenir plus politique, j'essayais de trouver un moyen de mettre mon travail au service d'une cause. Je lisais et je bûchais pour progresser en tant qu'auteur. J'avais une ambition délirante et je croyais à l'impact des chansons populaires. Je voulais que ma musique s'enracine dans ma vie, dans la vie de ma famille, dans le sang et la vie des gens que j'avais connus.

La plupart de mes textes sont des autobiographies émotionnelles. J'ai compris qu'il faut mettre en avant les choses qui vous tiennent à cœur pour qu'elles aient un sens pour votre public. C'est un gage d'authenticité. C'est comme ça que les gens savent que vous ne plaisantez pas. Avec le dernier vers de mon disque – *Tonight I'll be on that hill*… (Ce soir je serai sur cette colline) –, mes personnages n'ont pas de certitude sur leur destin, mais ils sont parés, prêts à en découdre. À la fin de *Darkness*, j'avais trouvé ma voix d'adulte.

TRENTE-HUIT

DÉCEPTION

Après toute une année de sessions studio interminables, de nuits sans sommeil dans ma chambre minuscule à l'hôtel Navarro, dans *midtown* (1977, ça a été aussi l'année où New York s'est retrouvée plongée dans l'obscurité pendant deux jours ; j'étais à Times Square, le plus grand flipper du monde, quand l'électricité a été rétablie : grande explosion de lumières, waouh !), mon premier disque depuis trois ans était enfin terminé. Le premier avec Steve Van Zandt comme membre du E Street Band. Ce serait le début d'une longue et merveilleuse collaboration avec le producteur Chuck Plotkin et la fin d'une brève mais fructueuse association avec mon ami Jimmy Iovine. Ce serait le premier disque enregistré entièrement live en studio, avec tout le groupe, et le premier sans Mike. Jon et moi à la production : cet opus approfondissait notre travail et notre amitié. Il ne nous manquait plus qu'une pochette.

J'avais rencontré Patti Smith avec qui je venais de travailler sur

« Because the Night » ; à un de ses concerts, au Bottom Line, elle m'a donné le nom d'un photographe du South Jersey en me disant : « Tu devrais laisser ce gars te prendre en photo. » Un après-midi d'hiver, je suis donc allé à Haddonfield, New Jersey, pour faire la connaissance de Frank Stefanko. Frank avait photographié Patti au début de sa carrière. Il bossait dans une usine d'emballage de viande et consacrait son temps libre à sa passion. Il était du genre bourru mais accommodant. Si je me souviens bien, il a emprunté un appareil photo pour la journée, a appelé un gamin du quartier pour qu'il lui tienne l'unique projecteur qu'il avait et il a commencé les prises de vue. Je me suis posté dans la chambre de Frank et sa femme, devant le papier peint fleuri, j'ai regardé l'objectif, je lui ai sorti ma tête de « jeune homme tourmenté » et il a fait le reste ; c'est une de ces photos qui a servi à la pochette de *Darkness on the Edge of Town*.

Les photos de Frank étaient austères. Son grand talent était d'arriver à vous dépouiller de votre célébrité, de vos artifices et d'atteindre le noyau brut en vous. Il y avait dans ses images une pureté et une poésie de la rue. Elles étaient belles et authentiques, sans être superficielles. Frank cherchait à capter ce que vous aviez dans les tripes et il a naturellement deviné les conflits qui faisaient rage en moi. Ses photos mettaient en lumière les personnages dont je parlais dans mes chansons et montraient cette partie de moi qui était encore l'un d'eux. On avait d'autres options de pochette mais aucune n'exprimait l'urgence qui se dégageait des photos de Frank.

Quand *Darkness* est sorti, le succès n'a pas été immédiat. Sur le coup, peu de gens ont deviné qu'il deviendrait l'album préféré des fans du groupe. Totalement échaudé après le battage publicitaire de *Born to Run*, j'ai commencé par insister pour qu'il n'y ait aucune promo, cette fois. Jon m'a averti : « Personne ne saura que le disque existe. » D'après lui, il fallait au moins faire paraître dans les journaux la photo de la pochette, le titre de l'album et la date de sortie. Bon, message reçu. Je n'avais pas non plus envie de disparaître. Je sortais juste d'une absence de trois ans. Toute ma vie je m'étais senti presque invisible, et j'allais tout faire pour ne pas retourner au point de départ. Sans promo, tout simplement personne ne serait au courant de ce qu'on avait foutu pendant tout ce temps. Cette musique contenait tout ce que j'avais, alors je me suis dépêché de faire ami-ami avec tous les programmateurs radio de la côte Est à la côte Ouest, dans l'espoir qu'ils passent sur les ondes un album qui se révélait de prime abord difficile pour mes fans. Et puis on a joué notre meilleure carte.

Tournée

Avec la tâche difficile de prouver que je n'étais pas has been à vingt-huit ans, je suis parti sur la route jouer le nouvel album au fil de longs concerts rock perlés de sueur. C'étaient les premiers où on coupait la soirée en deux sets, avec un bref intermède au milieu. Ça nous permettait de jouer les morceaux que nos fans voulaient entendre mais aussi les nouveaux titres dont on avait le culot de penser qu'ils *devaient* les écouter. Pour des retransmissions radio, on a enregistré une ribambelle de *gigs* dans des clubs à Los Angeles, dans le New Jersey, à San Francisco et Atlanta. Tout pour se faire entendre. Concert après concert, on a mis le paquet, poussant nos nouvelles chansons à leurs limites jusqu'à faire mouche, jusqu'à ce que le public finisse par se les approprier. Une nouvelle fois, la puissance du E Street Band en live s'est révélée déterminante et, soir après soir, on a donné envie à nos auditeurs d'aller écouter les versions enregistrées des morceaux qu'on venait de leur jouer, pour qu'ils puissent en savourer la beauté et la force retenue.

Les chansons de *Darkness on the Edge of Town* demeurent au cœur de nos concerts et incarnent peut-être la quintessence du rock'n'roll que je voulais faire. On est restés en Amérique du Nord sur toute la tournée et on a terminé par Cleveland le soir du premier de l'an, où un pétard à mèche lancé par un « fan » alcoolisé m'a entaillé la peau à hauteur de la pommette, juste sous l'œil. Ça a été un peu chaud, mais l'essentiel c'est qu'on était bel et bien de retour.

Après des années à entendre dire que je n'étais qu'un « feu de paille » et à lire dans la presse : « Au fait, que devient-il ? », je me suis mis à éplucher, ville après ville, les critiques des concerts qu'on avait donnés. Non, personne ne peut imposer aux gens de penser ceci ou cela de tel ou tel groupe, il faut faire le show pour leur montrer ce qu'on vaut, c'est tout.

TRENTE-NEUF
TEMPS MORT

Quand on n'était pas sur la route, la vie était un casse-tête. Sans le shoot d'adrénaline de la scène, je tournais en rond et ce je ne sais quoi qui me rongeait revenait en force. En studio et en tournée j'étais une locomotive lancée à pleine vapeur. En dehors du studio et loin de la scène… ce n'était plus la même histoire. J'ai fini par m'avouer qu'*au repos, je n'étais pas bien et que pour me sentir bien il ne me fallait pas de repos*. Les concerts me recentraient et m'apaisaient, mais ils ne pouvaient pas résoudre en profondeur mes problèmes. Je n'avais pas de famille, pas de maison, pas de vraie vie. Rien de très original bien sûr, beaucoup de gens du show-business vous diront la même chose. C'est un mal bien connu, un type de tempérament surreprésenté dans ce métier. On est des voyageurs, des « coureurs », pas des « sédentaires », on ne tient pas en place. Mais en réalité chacun tient en place à sa manière. J'ai fini par me rendre compte que si mes enregistrements prenaient tout ce temps, c'est que je n'avais rien d'autre à faire, aucun autre environnement où je me sentais aussi à l'aise. Alors pourquoi ne pas y passer toute la nuit, *all night... all night... all night*, comme chantait Sam Cooke ? Ces séances en studio, c'était comme les trois rues que, gamin, j'avais à emprunter pour aller à l'école, et que je parcourais le plus lentement possible pour que ça dure une éternité chaque matin. *Get in the groove and let the good times roll, we gonna stay here 'til we soothe our soul* (Allez, on se met dans le rythme, et on se paye du bon temps jusqu'à apaiser notre âme).

Jusqu'à apaiser notre âme ? Ça risquait de prendre un bon bout de temps.

Fonder une famille était pour moi, en 1980, une perspective aussi terrifiante que fascinante. Depuis tout jeune, j'étais persuadé que je serais toujours le gars avec sa valise et sa guitare qui passe sa vie dans son *tour bus*. Tout jeune musicien se dit ça un jour. On se croit au-dessus de la mêlée, au-dessus de la vie plan-plan des gogos pris au piège d'un quotidien étriqué. Et pourtant, dans *Darkness*, j'avais commencé à écrire sur cette vie. Une partie de moi en rêvait vraiment ; quelque part je me disais que c'était au sein d'une famille qu'un homme se devait de vivre. C'est juste que ce n'était pas mon truc. Dans les chansons de *Darkness*, je présentais cette vie comme un monde sombre, oppressant mais qui vous faisait tenir, un monde qui prenait mais donnait aussi. *Factory takes his hearing, factory gives him life* (L'usine lui prend son ouïe, l'usine lui donne la vie). Ça me faisait peur. Je n'avais comme référence que l'exemple de mon père, je ne connaissais intimement aucun homme à l'aise avec la vie de famille. Je n'avais pas assez confiance en moi, je ne me voyais pas porter le fardeau et la responsabilité d'autres vies que la mienne, assumer cet amour qui englobe tout.

Mes expériences amoureuses de l'époque me laissaient penser que rien de tout ça n'était pour moi. La vie domestique me tapait très vite sur le système. Pire, elle révélait en moi une colère profonde dont j'avais honte mais à laquelle je cédais. C'était le volcan endormi, silencieux, le calme masquant la rage de mon père veillant la nuit dans sa cuisine. Le tout dérivant gaiement sur une mer de peur et de dépression si vaste que je n'en avais pas encore pris la mesure, et que j'étais loin de savoir comment affronter. C'était plus facile de continuer à se laisser porter.

J'avais pigé le coup. Régulièrement, je laissais brutalement tomber des femmes qui n'avaient rien à se reprocher. Depuis longtemps je refermais les bras sur ce gros « rien » et c'était très bien comme ça. Je crois qu'après la mort de ma grand-mère – j'avais alors seize ans –, après les effondrements quotidiens de mon père et le départ de mes parents pour la Californie, je m'étais dit qu'être émotionnellement trop dépendant de quelqu'un risquait de me jouer des tours. Mieux valait rester sur la défensive. Sauf que ça devenait de plus en plus difficile de faire comme si rien ne clochait. Mes histoires d'amour duraient deux ans et soudain plus rien. Dès que je me sentais exposé, je disparaissais. Je faisais tout péter et salut, je reprenais la route, avec un échec sentimental de plus dans ma besace. C'était rarement les filles elles-mêmes que je fuyais. J'ai eu un paquet de petites copines charmantes auxquelles je tenais et qui tenaient beaucoup à moi. Le problème c'était ce qu'elles déclenchaient en moi : la trouille d'être embringué dans une pesante vie de famille, et celle de me montrer fragile. Dans le boulot, quand je foirais – ça m'est arrivé de temps en temps –, je pouvais accepter toutes les responsabilités qu'on me mettait sur les épaules. Mais ma vie affective se résumait à un présent où je ne trouvais aucun réconfort, un avenir pour le moins limité et un passé que j'essayais d'aborder dans mes textes mais que je fuyais, et tic-tac-tic-tac… l'horloge tournait. Pas le temps de prendre mon temps. J'étais bien mieux dans mon joli petit monde hors du temps à l'intérieur de ma tête, dans… un studio ! Ou sur scène : là, je maîtrise le temps, je peux l'étirer, avancer, reculer, accélérer, ralentir, repartir en arrière, tout ça d'un mouvement d'épaule ponctué d'un coup de caisse claire.

À la fin de chaque histoire avec une fille, je ressentais un soulagement triste après la suffocation claustrophobe de l'amour. Et j'étais libre de redevenir… *rien*… Je changeais de partenaire, je rembobinais, et c'était reparti pour un tour – mais j'étais sûr que cette fois-ci ce serait différent. Et puis, après une période de joie et de rire, une angoisse insupportable pointait de nouveau son museau et hop, de nouveau j'arrêtais les frais. J'« aimais » de mon mieux mais je sais que j'ai blessé en chemin des femmes qui comptaient beaucoup pour moi. Parce que j'étais infoutu de m'y prendre autrement.

Sauf que moins j'étais sur la route, plus la réalité de ma situation me revenait en pleine face. J'étais pris au piège. Jusque-là, j'avais toujours eu une parade : écrire des chansons, enregistrer, partir en tournée. Le voilà mon fidèle bouclier pour me protéger de la vérité. On a du mal à atteindre une cible mouvante, on n'attrape pas l'éclair. L'éclair frappe, laisse une cicatrice, puis disparaît, *gone, baby, gone*. Pour ça la route était idéale ; l'éphémère, le détachement, c'était la règle du jeu. Tu fais ton show, la soirée tourne au joyeux carnage psychosexuel, c'est rigolade-extase-bonheur-corps-moites, et puis c'est reparti, nouvelles villes, nouvelles rencontres. C'est pas par hasard qu'on appelle ça des AVENTURES D'UN SOIR ! Un concert donne l'illusion d'une intimité sans risque ni engagement ; un concert, aussi bon soit-il, aussi réelles et fortes que soient les émotions convoquées, à la fois pour le corps et pour l'esprit on l'espère, c'est de la fiction, du théâtre, de l'invention, pas la réalité… Sauf qu'en fin de compte la vie l'emporte sur l'art… toujours.

Robert De Niro a dit un jour qu'il adorait jouer la comédie parce que ça lui permettait de vivre d'autres vies sans avoir à en assumer les conséquences. Moi je vivais une nouvelle vie tous les soirs. Tous les soirs, être un homme nouveau dans une nouvelle ville avec tous les possibles devant soi, vous imaginez ? Pendant une grande partie de mon existence, j'ai cherché à recréer ce sentiment… chaque jour. Peut-être que c'est la malédiction d'un esprit imaginatif. Ou que c'est juste le côté je-tiens-pas-en-place qui ressort. Quand on est comme ça, en tout cas, on ne peut tout simplement pas s'empêcher d'imaginer d'autres mondes, d'autres amours, d'autres lieux que celui où on est confortablement installé à un moment donné et qui contient tous nos trésors – des trésors qui peuvent rapidement paraître ternes comparés aux vastes espaces vierges de l'imagination. Bien sûr, on n'a qu'une vie, c'est dommage mais c'est comme ça. Cette vie en tout cas, on a la chance de l'avoir. Que Dieu nous bénisse et nous accorde sa miséricorde pour qu'on ait l'intelligence de la vivre dans la joie… en réalisant que le tout-est-possible c'est du vide en smoking… Et moi j'avais le plus beau smoking de toute la ville.

QUARANTE
THE RIVER

The River allait être mon premier album où on verrait l'amour, le mariage et la famille s'avancer prudemment au centre de la scène. « Roulette », le portrait d'un chef de famille pris dans l'ombre de l'accident nucléaire de Three Mile Island, est la première chanson qu'on a enregistrée. Les concerts organisés par le MUSE (Musicians United for Safe Energy, un collectif militant pour la sécurité de l'énergie) au Madison Square Garden marquaient notre entrée dans l'arène politique et « Roulette » a été écrit et enregistré peu après. Ensuite, « The Ties That Bind », testé au préalable sur la route, a eu droit au traitement Bob Clearmountain. On enregistrait au Power Station, dont le studio A, tout en bois et haut de plafond, permettait au son de s'épanouir. Bob, nouveau venu au sein de l'équipe, savait comment optimiser la prise de son dans cette pièce et, même si on allait bientôt se rendre compte qu'on n'était pas tout à fait prêts pour lui, il a enregistré et mixé la première mouture de *The River*. « Ties » était un titre rock qui se focalisait sur les engagements dans la « vraie vie ». *You walk cool but darlin' can you walk the line*… (Tu te la joues cool mais, trésor, est-ce que t'arrives à marcher droit…). J'avais des doutes.

Après le son étroitement contrôlé de *Darkness*, je voulais que ce disque ait la texture brute et spontanée de nos concerts, un son moins propre. C'était tout à fait dans les cordes de Steve Van Zandt et il s'est joint à moi pour la production, aux côtés de Jon et de Chuck Plotkin. Encouragé par Steve, j'ai commencé à amener le disque dans une direction plus rugueuse. C'est l'album où le E Street Band a trouvé son rythme de croisière, un équilibre parfait entre le *garage band* et le professionnalisme nécessaire à un bon disque.

En 1979 les critères ultimes en matière de production étaient encore fortement influencés par le son grand public typique de la Californie du Sud. Ça partait du principe qu'il fallait séparer très nettement les instruments les uns des autres, être hyper attentif aux détails et faire abstraction du son de la pièce. La plupart des studios à cette époque permettaient d'isoler parfaitement les différentes sources pour que l'ingénieur ait le contrôle le plus total sur chaque instrument pris individuellement. Les Eagles, Linda Ronstadt et beaucoup d'autres avaient énormément de succès avec ce type de mix, mais ça ne correspondait pas à notre sensibilité côte Est. Nous on voulait des micros ouverts dans la pièce, une batterie fracassante (mon graal : le son de la caisse claire sur « Hound Dog » d'Elvis), des cymbales qui explosent, des instruments qui déteignent sur les pistes d'autres instruments et une voix de bagarre en pleine bringue. En résumé on voulait une matière sonore *moins* contrôlée. C'est comme ça que tant de nos disques favoris des débuts du rock avaient été enregistrés. Le micro captait le son du groupe *et* celui de la pièce, du coup on entendait l'un *et* l'autre. Ça voulait dire que les caractéristiques sonores de la salle déterminaient la qualité et la personnalité de l'enregistrement ; le studio apportait une dimension de fouillis, d'âpreté, de communion, genre pas-moyen-de-séparer-tel-instrument-de-tel-autre.

On avait découvert ce type de son par hasard, à la fin de *Darkness*. Comme Record Plant avait démonté le studio A pour le remettre à neuf, on avait enregistré la chanson « Darkness on the Edge of Town » dans une pièce nue, quatre murs et rien d'autre. Et voilà ! Cette résonance, ce côté agressif de la batterie, c'était exactement ce qu'on cherchait au début, pendant notre période stiiiiiick-mania. Alors au Power Station, on a placé des micros d'ambiance au-dessus du groupe pour capter au mieux le son qu'on dégageait. On espérait ensuite pouvoir mettre en évidence ou au contraire gommer tel ou tel effet. Succès mitigé au final.

Après l'implacable sérieux de *Darkness*, je voulais plus de souplesse dans la palette émotionnelle des chansons choisies. À côté d'une certaine « gravité » il y avait de la bonne humeur dans nos concerts et je voulais être sûr, cette fois-ci, que ça, ça ne se perdrait pas. Sur l'album simple qu'on a livré à la maison de disques, il y avait en face A « The Ties That Bind », « Cindy », « Hungry Heart », « Stolen Car », « Be True » et en face B « The River », « You Can Look (But You Better Not Touch) », « The Price You Pay », « I Wanna Marry You » et « Loose Ends ». Tous ces titres, sous une forme ou sous une autre, à l'exception de « Cindy », figureraient sur la version finale de *The River* ou, plus tard, sur *Tracks*, notre compilation de « chutes » sortie en novembre 1998. Cette première mouture de *The River* a été entièrement enregistrée et mixée par Bob Clearmountain. Ça sonnait hyper bien mais à la réécoute, j'ai eu le sentiment que ce n'était pas suffisant. Nos sorties discographiques n'étaient pas si fréquentes et j'avais habitué mon public à plus que le minimum syndical. Chaque disque était un manifeste. Je voulais de l'espièglerie, une ambiance joyeuse mais aussi, en filigrane, un certain sérieux philosophique, un code de vie, fusionner le tout et en faire plus qu'un simple recueil de mes dix dernières chansons. (Même si ça avait plutôt réussi aux Beatles.)

Je ne prétends pas que cette approche convient à tout le monde – inutile de préciser qu'elle n'est pas sans prétention. Mais je cherchais encore à me définir et j'étais inspiré par des artistes qui créaient dans leurs albums des mondes à part, à forte personnalité, puis invitaient leurs fans à les découvrir. Van Morrison, Bob Dylan, The Band, Marvin Gaye, Hank Williams, Frank Sinatra, tous avaient fait des disques qui rassemblent. Je voulais un opus cohérent sur le plan thématique sans pour autant verser dans l'« album concept ». Je voulais quelque chose qui ne puisse être porté que par ma voix, qui soit modelé par la géographie interne et externe de ma propre expérience. L'album simple de *The River* que j'avais livré ne correspondait pas encore tout à fait à ces exigences, et donc retour au studio.

Une autre année a passé. De la fenêtre de ma chambre d'hôtel, avec vue sur le sud de Central Park, j'ai regardé les saisons se succéder à New York. À la patinoire Wollman j'ai vu des gens faire du patin à glace, s'arrêter, prendre le soleil sur la grande pelouse et repartir. En studio, ne sachant trop quelle direction prenait le disque, j'ai décidé d'enregistrer tout ce que je composais, on verrait bien. Quand on est arrivés au bout de notre budget d'enregistrement, j'ai adopté la stratégie Francis Ford Coppola : j'ai cassé ma tirelire et dépensé tout ce qui me restait. Résultat : je me suis mis sur la paille en enregistrant beaucoup de bonne musique – les deux disques de *The River* ne sont qu'un aperçu de tout ce qu'on a mis en boîte ; voyez le deuxième disque de *Tracks*, et il en reste encore plus dans les coffres. Finalement il a fallu se rendre à l'évidence : je travaillais à ce qui serait au moins un double album, ce serait la seule façon de réconcilier les deux mondes que je voulais présenter à mes fans. *The River* tirait son émouvante profondeur de ses ballades – « Point Blank », « Independence Day », « The River » et « Stolen

Car » racontaient une histoire – mais son énergie venait du côté groupe-qui-joue-dans-les-bars, avec des morceaux comme « Cadillac Ranch », « Out in the Street » et « Ramrod ». Et puis il y avait les titres à cheval sur les deux registres : « Ties That Bind », « Two Hearts » et « Hungry Heart ». Le tout combiné pour former une extension logique des personnages que j'avais mis en scène dans *Darkness on the Edge of Town*.

En définitive la thématique du foyer, de la famille et du mariage traversait tout l'album tandis que j'essayais de comprendre la place de ces notions dans ma propre vie. Mes disques font toujours entendre un personnage qui s'efforce de comprendre où placer son esprit et son cœur. J'imagine une vie, je la teste, puis je vois comment ça se passe. Je me mets à la place de quelqu'un, j'emprunte les chemins de lumière et d'ombre que je suis forcé de prendre avec lui mais que je n'aurais peut-être pas envie de suivre jusqu'au bout. Un pied dans la lumière, un pied dans les ténèbres, en route vers demain.

La chanson « The River » a marqué un cap dans mon écriture. L'influence de la country s'y est avérée décisive : un soir, dans ma chambre d'hôtel, je me suis mis à chanter « My Bucket's Got a Hole in It », de Hank Williams, et les paroles *« I went upon the mountain, I looked down in the sea »*, m'ont mené d'une manière ou d'une autre à *« I'm going down to the river… »*. Je suis rentré chez moi en voiture dans le New Jersey, je me suis installé à la petite table en bois de ma chambre, j'ai contemplé le ciel de l'aube virer du noir au bleu et j'ai imaginé mon histoire. Juste celle d'un gars dans un bar qui parle à un inconnu assis sur le tabouret d'à côté. Ce que la chanson raconte c'est l'effondrement de l'industrie du bâtiment à la fin des années 1970 dans le New Jersey, la récession et la période de vaches maigres que ma sœur Virginia et sa famille avaient vécues, toute cette période où j'avais vu mon beau-frère perdre son boulot bien payé et trimer pour survivre, sans se plaindre. Quand ma sœur a entendu « The River » pour la première fois, elle est venue en coulisse, m'a serré dans ses bras et m'a dit : « C'est ma vie. » Ça reste à ce jour la plus belle critique qu'on en ait faite. Ma splendide sœur, solide et jamais vaincue, employée au K-Mart, épouse et mère de trois enfants, tenant bon dans la vie que j'avais fuie…

The River cristallisait mes préoccupations et m'a amené à un style d'écriture que j'allais approfondir par la suite avec *Nebraska*. L'album s'achève sur un titre chipé à une chanson de Roy Acuff. Dans « Wreck on the Highway », mon personnage est confronté à la mort et à une vie d'adulte où le temps est compté. Par une nuit pluvieuse, il est témoin d'un accident mortel. Il rentre en voiture chez lui et, allongé à côté de sa nana, se rend compte que des occasions d'aimer quelqu'un, de faire son job, de participer à quelque chose, d'être un parent pour ses enfants, de faire quelque chose de bien, eh bien, on n'en a pas tant que ça.

L'enregistrement terminé, on est partis mixer à Los Angeles aux Studios Clover de Chuck Plotkin. On a mixé, mixé et encore mixé… Au final ça a été, comme aurait dit l'ex-président George W. Bush, un « succès catastrophique » ! Le son « moins contrôlé » qu'on voulait créer était un bordel sans nom. Bob Clearmountain n'ayant ni le temps ni la patience de supporter notre nombrilisme, il s'était avec grâce retiré de la partie… depuis une éternité. Toutes les pistes qu'on avait enregistrées bavaient les unes sur les autres (la vache, ils étaient ultrasensibles ces micros d'ambiance fixés au plafond !) et notre équipe, dont l'inébranlable et talentueux Neil Dorfsman, qui avait tout enregistré à l'exception de « Ties That Bind » et « Drive All Night », ne savait pas comment s'y prendre pour aboutir à un mix correct. Comme d'habitude je voulais le beurre et l'argent du beurre, l'intelligibilité et le boucan infernal ; on a passé des mois à mixer les vingt chansons choisies et puis un soir, j'ai appelé mon ancien collègue Jimmy Iovine, devenu un prestigieux producteur chez A&M, pour avoir son avis. Jimmy a écouté les quatre-vingts minutes du disque sans la moindre réaction. Puis, tandis que les notes finales de « Wreck on the Highway » retentissaient jusque sur Santa Monica Boulevard, il m'a regardé et m'a demandé, pince-sans-rire : « Quand est-ce que vous enregistrez les voix ? »

Manière subtile de me dire que les paroles étaient inaudibles. Les voix étaient noyées sous ce qu'on estimait être un magistral rock garage et les textes quasiment inintelligibles. Grâce à la présence de Jimmy, j'ai écouté d'une oreille nouvelle et j'ai bien dû reconnaître que nos mix étaient foireux. J'en ai chialé… vraiment. Le Grand Mixmaster Chuck Plotkin faisait de son mieux vingt-quatre heures sur vingt-quatre mais, une fois de plus, ON NE SAVAIT PAS COMMENT MIXER CE QU'ON AVAIT ENREGISTRÉ ! Charlie était un des types les plus tarés que je connaisse en termes d'habitudes de travail, un obsessionnel compulsif. Certains mix sont restés sur la table de mixage trois, quatre jours, voire une semaine pendant qu'on s'arrachait les cheveux, qu'on s'engueulait, qu'on se tirait dans les pattes en essayant vainement de capter les différents univers. On avait des mix avec des numéros de version à trois chiffres. Notre frustration et notre perplexité étaient violentes, on maudissait nos collègues qui enregistraient des disques et partaient en tournée le plus naturellement du monde. Pourquoi pas nous, Seigneur, pourquoi ? En fin de compte, le deuxième ou troisième passage de Charlie sur le carrousel de nos vingt titres s'est soldé par une sorte de victoire. Ouf. Bien sûr, je n'avais pas oublié que Bob Clearmountain avait mixé en trente secondes « Hungry Heart », qui serait bientôt notre grand (et unique) hit du Top 5, mais on n'aurait jamais pu travailler avec lui. CE MEC ÉTAIT TROP RAPIDE, PUTAIN. Nous, il fallait qu'on rumine, qu'on discutaille, qu'on conceptualise tout, qu'on se masturbe intellectuellement jusqu'à atteindre une sorte de frénésie tétanisante. Il fallait qu'on se punisse jusqu'à avoir fait les choses… À NOTRE MANIÈRE ! Et à cette époque, pour le E Street, il n'y en avait qu'une de manière : LA PLUS DIFFICILE ! Comme Smith Barney, on gagnait notre argent à l'ancienne, on le méritait, et ensuite, on le balançait dans des heures et des heures d'une énorme glandouille technique parfaitement infructueuse.

Je me suis rendu compte par la suite qu'on n'était pas en train de faire un disque, on était partis pour une odyssée, on était les ouvriers dans la vigne de la pop, à la recherche de réponses compliquées à des questions métaphysiques. La pop n'était peut-être pas pour moi le lieu idéal pour chercher ces réponses, mais peut-être que si. C'était depuis bien longtemps à travers son prisme que je traitais toute information inspirée de ma vie sur cette planète. C'était comme ça que je me servais de ma musique et de mon talent depuis le début : comme d'un baume, d'un remède, d'un outil pour démêler ce qu'il y avait d'insondable dans ma vie. C'était fondamentalement là que se trouvaient le pourquoi et le comment de mon envie de prendre une guitare. Les filles, le succès, oui, mais trouver des réponses, ou plutôt des indices, c'est ça qui ne cessait de me réveiller au milieu de la nuit, lorsque je me retournais pour disparaître dans la rosace de mon secret à six cordes (conservé au pied de mon lit) pendant que le reste du monde dormait. Je suis content d'avoir été généreusement payé de mes efforts mais franchement je l'aurais fait même gratuitement. Parce qu'il le fallait. C'était la seule façon pour moi de trouver un soulagement momentané, de me fixer un objectif qui corresponde à mes attentes. Donc, pour moi, le chemin serait laborieux, sans raccourcis. Ça fait peser beaucoup de poids sur un bout de bois avec six cordes en métal et deux piètres micros incrustés, mais telle était l'« épée » de ma délivrance.

Le talent quasi mystique de Bob allait bientôt s'avérer très pratique quand on en viendrait à *Born in the USA*. En attendant je devais me contenter de peaufiner mon bronzage au bord de la piscine du Sunset Marquis. Pendant ce temps, les autres groupes enregistraient, partaient sur la route, revenaient enregistrer un nouvel album. Les bras leur en tombaient lorsque je disais que j'étais encore en train de travailler sur l'album de l'année dernière, et qu'on n'en voyait pas le bout. Ah la route, la route, j'aurais tout donné pour repartir… tout plutôt qu'une putain de nuit de plus en studio. Du petit salon du Clover, je contemplais la circulation sur Santa Monica Boulevard et je rêvais d'une vie digne de ce nom. Vivre libre, libéré de mon obsession consistant à raconter et enregistrer mes histoires de gens qui vivaient pleinement leur vie justement, alors que je m'en privais moi-même.

Finalement j'ai dû me rendre à l'évidence : ce serait pour moi, inévitablement, la manière lente. La route, la liberté et la vie elle-même allaient devoir attendre. J'étais une taupe de studio que la lumière du jour venait surprendre à l'aube, après une nouvelle nuit de quête, fructueuse ou pas. L'un dans l'autre, ça me convenait. Pour l'instant, je m'en rendais compte, j'avais besoin d'avancer façon tortue plutôt que lièvre. Les magnifiques espaces brillants et lisses et la puissante compression de Bob auraient raboté certains aspects un peu rugueux et amateurs du disque. Cette rugosité, *The River* en avait besoin. Le son ne devait pas être trop propre, il devait avoir juste ce qu'il fallait d'aspérités. Notre démarche était à la fois disciplinée et complaisante d'une manière un peu perverse. Au final je me suis retrouvé financièrement rincé – et spirituellement aussi pour ainsi dire – mais quand j'écoute l'album aujourd'hui, je me dis qu'on a obtenu le son qu'il fallait.

Pour la pochette, bien sûr, après de nombreux faux départs et des séances photo mitigées (trop superficiel, trop étudié, trop flatteur, trop… ?), j'ai choisi un autre portrait fait par Frank Stefanko dans la période *Darkness*, j'ai gribouillé dessus le titre façon affiche de film de série B, et emballé c'est pesé… juste à temps. Sur la fin de l'enregistrement, Jon m'a informé que presque une décennie après avoir signé chez Columbia, après plusieurs millions d'albums vendus et des grosses tournées, il ne me restait plus que vingt mille dollars. On avait épuisé le temps qui nous était imparti. L'heure avait sonné d'aller gagner de l'argent…

Pause

Et, on l'espérait, de s'amuser. On a pu souffler un peu, une fois l'album terminé, et j'ai traîné un certain temps à LA pour me remettre de tous ces mois tortueux et hallucinants. J'ai eu quelques aventures avec des filles du coin – rien de très sérieux – en douce de ma nana à la maison. Mon pote Jimmy Iovine vivait entouré de Playboy Bunnies et ne tarderait pas à épouser la merveilleuse Miss Vicki, avocate, auteur, chef d'entreprise et, à ce jour, une de nos super amies, à Patti et moi. Très gentiment invité au Manoir Playboy, je n'étais pas du tout chaud pour me joindre à ce genre de soirées. J'avais en moi quelque chose qui avait du sens et que je voulais préserver. Pour moi, ce n'était ni le sexe, ni la drogue, c'était le ROCK'N'ROLL ! Et en bon gars du New Jersey, j'étais pas du genre à me faire prendre en photo à la sortie du club le plus branché. C'est ça, justement, qui avait tout gâché pour mes vieux héros. Ça créait une distance avec le public. J'estimais ne pas être si différent de mes fans, à l'exception de tout le boulot que j'abattais, de la chance que j'avais et de mon aisance naturelle sur scène. Eux n'allaient pas au Manoir Playboy, alors pourquoi j'y serais allé ? Quand j'en parlais, c'était toujours la même réaction : « Tu aurais pu entrer au Manoir Playboy… et tu as refusé ? Non mais putain c'est quoi ton problème ? » Et alors, qu'est-ce que ça pouvait foutre ce qui se passait au Manoir Playboy ?! Il ne s'y passait rien. Rien de *réel*… Trop frivole pour les enjeux qui étaient les miens. Et donc je me suis privé de bon temps, comme j'en ai pris l'habitude toute ma vie. J'avais mes principes, je n'étais pas dans mon tort et je savais ce que je faisais ; n'empêche qu'une petite voix en moi regrettait que ces grands principes, je les suive de manière si drastique ! Pourquoi fallait-il toujours choisir ?

En vérité, hors de la scène, je ne me suis jamais vraiment senti à l'aise pour m'amuser librement. Ne me faites pas dire ce que je n'ai pas dit. J'ai connu des périodes d'entrain et de bonheur – c'est mon côté Jean-qui-rit qui me vient tout droit de la fontaine de jouvence Zerilli –, ça oui, mais le véritable abandon de soi ?… Pas vraiment. La sobriété était devenue en quelque sorte une religion pour moi, je ne faisais pas confiance à ceux qui ne juraient que par l'ivresse et la fête. Je ne sais trop pourquoi, je me promenais toujours avec un balai dans le cul, et une certaine dose de fierté. Peut-être que j'avais travaillé trop dur pour atteindre la stabilité et que j'en avais plus besoin que de permissivité. Des gens qui avaient sombré dans la bêtise et l'autodestruction au nom du défoulez-vous et du *free* à tout crin, il y en avait à la pelle. Je nous revois avec mes potes à la poursuite d'un copain à flanc de montagne, en Virginie, le lendemain d'une nuit de camping par moins douze : à moitié à poil, il hurlait après un mauvais trip à l'acide. Cette façon de s'exhiber, ça me gênait. J'étais bien trop secret et réservé pour me dévoiler comme ça. Faire le clown à la Tim Leary et prendre un ticket de première classe pour aller voir Dieu, très peu pour moi.

Pourtant, je dois reconnaître que je considérais cet art de l'abandon d'un œil aussi envieux que méfiant. J'admirais quand même un peu ce qui pour moi était un courage fou de la part de mon ami. J'étais fier mais aussi gêné de ne jamais lâcher prise. J'avais quelque part l'intuition que franchir cette ligne m'apporterait plus de souffrance que de soulagement. Mon âme était ainsi faite. Les délires de gens complètement stone auxquels j'avais pu assister ne m'avaient jamais particulièrement plu. Ça me rappelait trop l'ambiance chargée des soirées à la maison, où tout pouvait partir en vrille. Des soirées à ne pas savoir où me mettre. Jeune homme, je n'ai jamais pu être complètement à l'aise, ou détendu, chez moi. Je m'étais promis que plus tard je ne revivrais jamais dans un malaise pareil. Une fois adulte, si ça arrivait ailleurs que chez moi, je levais le camp, et si ça se passait chez moi, je me montrais d'abord compréhensif, mais jusqu'à un certain point – au-delà c'est l'emmerdeur qui dégageait.

J'ai imposé des limites au sein du groupe. Je ne m'occupais pas de leurs histoires sauf si elles menaçaient ce qu'on essayait de faire ou s'ils se faisaient du mal. Je suis persuadé que ces frontières sont une des raisons pour lesquelles, quarante-quatre ans plus tard, la plupart d'entre nous sont encore en vie, se serrent les coudes sur scène, fiers et heureux d'être là.

Mais mon besoin démesuré de garder le contrôle limitait les plaisirs simples que je m'autorisais. C'était juste une partie malencontreuse de mon ADN. Le travail ? Qu'on me donne une pelle et je creuserais direct jusqu'en Chine avant le lever du soleil. C'était l'avantage de celui qui voulait tout régenter – c'est ça, quand on est un puits sans fond d'énergie anxieuse : correctement dirigée, c'est une force phénoménale. Elle m'a bien servi d'ailleurs. À la fin du show, toi, mon ami, tu seras épuisé, tu sauteras dans ta Rolls pour aller au Manoir Playboy et tu te feras un after psychédélique avec le Dr Leary, Hef (Hugh Hefner) et les playmates de juin, juillet, août – quand moi je serai en train de creuser mon trou sous une lune de sang. Mais le matin venu, ce putain de trou sera CREUSÉ !... Et je dormirai comme un bébé – un bébé agité, mais quand même.

Voilà pourquoi ça me faisait du bien de picoler. Je n'ai jamais bu pour le plaisir de l'alcool. Comme mon camarade de route le grand chanteur Bobby King me l'a dit un jour que je lui demandais au bar d'un hôtel où on avait fait halte quel était son poison favori : «J'en aime aucun, alors je boirai n'importe lequel.» Exactement ce que je ressens. Mais j'étais petit joueur : quatre ou cinq verres et je ne me sentais plus, je pelotais et draguais toutes les nanas qui passaient avant de reprendre mes esprits au matin, rongé par le remords et une culpabilité que j'avais résolument recherchée. En gros, avec un coup dans le nez, je m'empressais de faire des trucs qui me plongeraient dans l'embarras ensuite. N'empêche, être capable de ça après toutes mes prudentes jeunes années, ça avait un sens à mes yeux. Ça me donnait une sorte de confiance tordue : je me prouvais que je pouvais gérer le truc sans devenir comme mon père. Je pouvais faire le con et me mettre dans des situations inconfortables, mais sans agresser ni blesser personne, et je m'amusais beaucoup. Ceux qui ont souffert de ma grossièreté étaient souvent mes proches *amigos*, donc ça restait entre nous. Quelque chose de joyeux se libérait en moi : le mobilier sortait par la porte, on roulait le tapis, musique à fond et ça dansait, dansait, dansait.

Une chose que j'ai apprise, c'est qu'on a tous besoin d'un grain de folie. Personne ne peut vivre dans une complète sobriété. On a tous besoin d'aide quelque part en chemin pour nous soulager de notre fardeau quotidien. C'est bien pour ça que les stupéfiants sont recherchés depuis toujours. Aujourd'hui, je vous conseillerais simplement de choisir soigneusement vos méthodes et vos produits… ou pas, selon la tolérance des uns et des autres. Mais prenez soin de vous !

Je me souviens d'avoir fantasmé sur mes héros du rock et leur vie de rêve en me disant : «Bon sang, il me tarde d'y être.» Mais, à partir du moment où j'y suis arrivé, je ne me suis pas souvent senti à l'aise. Tout cet hédonisme brut, dangereux mais magnifique, ce matérialisme triomphant du rock'n'roll me paraissaient bien nus et vains. Entre-temps, j'ai un peu revu ma copie, je vis comme un nabab, je fais la Méditerranée en yacht (pourquoi pas ?) et me fais transporter en jet privé entre deux rendez-vous chez le dentiste. N'empêche que ce n'est pas un réflexe chez moi de laisser le *bon temps rouler*, comme on dit à la Nouvelle-Orléans. Sauf… sur scène. Là, bizarrement, devant des milliers de personnes, je me suis toujours senti parfaitement en sécurité pour me laisser… complètement… aller. C'est pour ça qu'en concert on ne se débarrasse pas si facilement de moi. Ma copine Bonnie Raitt, quand elle venait me voir en coulisse, me charriait en souriant : « Il a ça en lui, le gamin, il faut que ça sorte. » Et donc sur les planches, avec vous, je me sens presque libre et c'est la fête jusqu'à extinction des feux. Je ne sais pas pourquoi, mais je ne suis jamais parti aussi loin et ne suis jamais aussi proche de l'extase que quand j'ai le groupe à mes côtés, fidèle au poste, et que j'ai l'impression que toute la vie me traverse en un flash d'éternité. C'est comme ça que je suis. Je me suis depuis longtemps résigné au fait qu'on ne peut pas tous être les Rolling Stones, *God bless'em*…

QUARANTE ET UN
HITSVILLE

On a décroché un hit. Un vrai. « Hungry Heart » s'est classé au Top 10, a doublé nos ventes d'albums et attiré à nos concerts… des filles. Merci, Jésus ! Jusque-là, le noyau dur de mes fans était constitué essentiellement de jeunes mecs, mais « Hungry Heart » a fait venir les nanas et prouvé que le Top 40 avait le pouvoir de faire évoluer le public. En dehors de ça, le plus marquant de la tournée *The River* a été notre retour en Europe après cinq ans d'absence. On était anxieux, on avait encore dans la bouche le goût amer de notre premier passage, mais Frank Barsalona, le légendaire patron de Premier Talent, l'agence chargée de nos tournées, nous a convaincus qu'un public nous attendait, à condition qu'on aille le conquérir.

Premier arrêt : Hambourg. La ville du Star-Club où les Beatles étaient devenus des hommes accomplis. J'ai croisé Pete Townshend un peu avant notre départ, il n'a fait qu'ajouter à ma trouille en me disant que le public allemand était le pire au monde. Quelques jours plus tard, on était en

Allemagne, logés dans un hôtel en centre-ville à quelques rues d'une fête foraine qui ressemblait comme deux gouttes d'eau à celle de mon *boardwalk* du New Jersey. Je m'y suis promené pour me détendre, m'acclimater à ce territoire étranger, puis je suis allé sur la Reeperbahn, le secteur où les Fab Four avaient fait leurs classes. Il me semble que le Star-Club existait encore, mais ce quartier était désormais essentiellement le cœur du marché du sexe de Hambourg, exposé au grand jour devant nos yeux « vierges », en toute légalité. Je me suis retrouvé à flâner avec mes acolytes dans un souterrain éclairé uniquement par des lumières noires, où des centaines de filles de tous gabarits, couleurs, nationalités se tenaient prêtes à vous faire grimper aux rideaux. Les clients s'approchaient, discutaient deux minutes avec les nanas et, une fois la négo conclue, les suivaient à l'arrière où s'alignaient des piaules grandes comme des placards. Je trouvais ces filles provocantes mais intimidantes, et malgré mes trente ans (!) je n'arrivais pas tout à fait à me convaincre que tout cela était bien convenable. Alors retour à l'hôtel pour m'enfiler de la bière et des *Bratwurst*.

Ça y est, c'est l'heure du show. Direction le Congress Centrum, une petite salle plutôt aseptisée. Les gens sont entrés, on a commencé et, comme Peter me l'avait dit, pas de réaction pendant tout le premier set. Jusqu'à ce qu'on attaque « Badlands ». Là, on a dû sans le savoir appuyer sur le bouton magique, parce qu'ils se sont soudain tous levés pour se ruer vers la scène. Et toute la suite, ça a été du délire. À la fin, Fritz Rau est venu nous saluer en hurlant : « Qu'est-ce que vous leur avez fait, à mes Allemands ? » En Europe, cette fois, sûr qu'on allait dépoter !

Arrêt suivant : Paris. Au début des années 1980, par souci de sécurité pour nos fans, on refusait de jouer en configuration festival (public exclusivement debout, piste de danse sans aucun siège) même si plusieurs organisateurs européens nous avaient expliqué que c'était l'usage en Europe.

Donc à Paris, on a exigé des chaises pliantes. En jouant nos premiers morceaux dans une salle bourrée à craquer, j'ai vu les Français replier petit à petit leurs sièges et les entasser sur le côté. À la fin de notre set, la salle était dégagée et le public, debout, bouillonnait. D'accord, message reçu… *vive la France* ! Même réaction en Norvège et au sud, en Espagne : l'Europe était enfin prête pour nous. L'Espagne en 1981, quelques années après la mort de Franco, n'était pas encore le pays qu'elle est devenue. La salle où on a joué était encerclée de policiers armés de mitrailleuses. À l'extérieur, du matos laissé à l'arrière de notre van s'est volatilisé, et certaines de nos fringues ont disparu de notre hôtel barcelonais ; on n'a jamais rien revu. Un chaos languide et charmant semblait imprégner la vie espagnole. Les visages dans la foule étaient parmi les plus beaux et les plus passionnés du monde. On a joué pour quelques milliers de personnes seulement, mais leur réaction incroyablement chaleureuse nous a émus. Souvenir inoubliable. On reviendrait.

La plupart des gens pour qui on jouait comprenaient l'anglais, c'était leur deuxième langue. Donc pas de problème de barrière linguistique. Le public nous a montré, soir après soir, qu'il avait le même rapport que nous à la musique, qu'il ressentait cette excitation dévorante qu'on connaît à seize ans, quand on découvre le nouveau disque de son groupe préféré, quand on est capable d'attendre des jours pour le voir trois minutes à la télé, ou de passer toute la nuit devant sa radio à se balader d'une station à l'autre pour essayer de capter, même saturée de parasites, une chanson qu'on adore. Comme on n'avait presque jamais traversé l'Atlantique, peut-être qu'on était exotiques pour les publics d'Europe et qu'ils nous appréciaient d'autant plus. Tout ce que je sais c'est que jouer pour nos fans outre-Atlantique était et reste une des plus grandes expériences de ma vie. Une histoire d'amour commencée réellement en 1981 et qui dure encore.

À Berlin, Steve et moi, on s'est aventurés au-delà de Checkpoint Charlie pour un après-midi à l'Est. Toute publication imprimée, journal, magazine, était confisquée par les gardes-frontières est-allemands. C'était vraiment une autre société, un autre univers. On sentait la tension, la présence de la Stasi dans les rues, et on savait que l'oppression était une réalité. Steve en a été marqué à jamais. Après notre tournée européenne, lui qui avait toujours proclamé qu'il ne fallait pas mélanger rock'n'roll et politique est devenu militant, et sa propre musique a pris une tonalité de défi franchement politique. Ce mur qui coupait le monde en deux avait une réalité brutale, laide, hypnotisante, impossible à sous-estimer. C'était une offense à l'humanité, il y avait là-dedans quelque chose d'obscène ; une fois qu'on l'avait vu, on en gardait comme une odeur indélébile. Ça a vraiment perturbé une partie du groupe et on a tous poussé un soupir de soulagement en partant pour la ville suivante. Mais pas question d'oublier ; on reviendrait en 1988 jouer dans un champ rempli à perte de vue de gens du bloc de l'Est : plus de cent soixante mille spectateurs fervents, brandissant des drapeaux américains cousus main. Un des grands concerts de notre vie. Un an plus tard, le Mur tombait.

L'Europe a changé notre groupe, elle nous a apporté à la fois un regain de confiance et de motivation. Même la froide Angleterre brillait de promesses. Pas évident de s'aventurer sur scène après le coup de flip de 1975, mais cette fois c'était pari gagnant. Après deux nouveaux albums, cinq années de bataille personnelle et des années de tournées intensives, on n'avait plus rien des jeunes amateurs naïfs qui avaient débarqué du 747 de la British Airways, une demi-décennie plus tôt. Je savais que j'avais un super groupe, et si nous on n'arrivait pas à emporter le morceau, je demandais à voir qui en serait capable. (Quelques jours après notre concert à Brighton, Pete Townshend m'a emmené dans un pub de Londres où un jeune groupe défendait puissamment son premier album ; ils avaient un nom pas banal, U2… il allait falloir les avoir à l'œil, ceux-là.) Maintenant que notre tournée européenne avait fait de nous un groupe international, on était prêts à se mesurer à n'importe quel autre groupe au monde.

Back in the USA

Retour au pays. Ce jour-là, en Arizona, je m'étais arrêté prendre de l'essence. Dans le petit drugstore de la station, en jetant un coup d'œil au présentoir des livres de poche, je suis tombé sur *Né un 4 juillet*, témoignage bouleversant d'un ancien du Vietnam, Ron Kovic. Une ou deux semaines plus tard, l'idée selon laquelle décidément le monde est petit s'est encore vérifiée. J'étais descendu au Sunset Marquis, et j'avais repéré depuis quelques jours un jeune gars, cheveux aux épaules, dans un fauteuil roulant au bord de la piscine. Un après-midi, il est venu me voir et m'a dit : « Bonjour, je m'appelle Ron Kovic, j'ai écrit un livre intitulé *Né un 4 juillet*.

– Je viens de le lire, je lui ai répondu, ça m'a fichu un coup. » On a parlé de tous les soldats revenus au pays, affectés de toutes sortes de traumatismes graves, et il a proposé de m'emmener rencontrer des anciens combattants au cercle de Venice, en Californie du Sud. « D'accord. »

La fin de la guerre du Vietnam a été suivie d'une décennie de silence. La culture populaire semblait avoir un mal fou à contextualiser et raconter les terribles histoires de la « seule guerre que l'Amérique ait jamais perdue ». Très peu de films, de disques ou de livres sur le Vietnam avaient eu un impact national. J'avais tout ça en tête alors qu'on approchait du cercle des anciens combattants.

Habituellement, j'ai le contact facile, mais là, devant ces gars, je n'ai pas trop su comment réagir. Les ombres version côte Ouest des visages du quartier où j'avais grandi me regardaient droit dans les yeux. Certains étaient SDF, accros à la drogue, beaucoup souffraient de névroses post-traumatiques ou de blessures physiques qui avaient fait basculer leur vie. J'ai pensé à mes copains d'enfance qui avaient été tués au combat. Je ne savais que dire, alors je me suis contenté d'écouter. J'ai répondu à des questions sur la musique et ma propre vie, si privilégiée comparée à la leur. Sur le chemin du retour, Ron et moi avons discuté des moyens d'attirer l'attention sur ce qu'enduraient ces hommes et ces femmes encore jeunes.

La tournée a repris. Un jour en coulisse, dans le New Jersey, j'ai fait la connaissance d'un autre ancien soldat, le lieutenant Bobby Muller. Cloué dans un fauteuil roulant après s'être pris une balle, il était revenu aux États-Unis et s'était activement engagé dans les manifestations anti-guerre aux côtés de John Kerry et d'autres anciens du Vietnam basés à Washington DC. À cause du fossé entre générations, beaucoup de ces anciens engagés ne se sentaient pas à leur place avec les vétérans de la seconde guerre mondiale et de la guerre de Corée. Bobby estimait nécessaire qu'ils aient leur propre organisation pour prendre en charge leurs besoins médicaux et politiques spécifiques, une structure qui servirait de conscience pour le pays et s'assurerait qu'on ne refasse pas les mêmes erreurs. En 1978, il avait lancé l'association des Vietnam Veterans of America, mais la plupart des hommes d'affaires et des politiciens lui avaient tourné le dos. Pour que le VVA soit viable, il allait falloir des financements et de la promo. Deux choses auxquelles j'étais en mesure de contribuer.

Le concert pour les Vietnam Veterans of America a eu lieu le 20 août 1981 au Memorial Sports Arena de Los Angeles. L'estrade était flanquée de praticables sur lesquels étaient installés des anciens soldats de divers cercles locaux et de l'hôpital militaire de LA, dont certains des gars que j'avais rencontrés à Venice avec Kovic – lui-même était là. Bobby Muller est venu faire un bref discours pour engager tout le monde à faire cesser le silence sur le drame du Vietnam, avant d'annoncer de manière tonitruante l'arrivée sur scène du groupe – dont le chanteur était le numéro un des réformés du New Jersey. On a commencé par « Who'll Stop the Rain » de Creedence Clearwater Revival et on a joué compact et efficace. C'était le début d'une amitié de toute une vie avec Ron et Bobby, en même temps que l'une de mes premières initiatives concrètes sur le plan politique. Je ne serais jamais Woody Guthrie – j'aimais trop les Cadillac roses – mais j'avais du pain sur la planche.

The river flows, it flows to the sea...

Trois semaines plus tard, fin de la tournée à Cincinnati. On a fait une dernière fête à l'hôtel, et sous l'effet d'un puissant cocktail que Clarence avait baptisé Kahuna Punch, je me suis réveillé le lendemain matin avec une nouvelle nana et un terrible mal de crâne. Et puis on est rentrés.

Plusieurs forces et influences avaient donné forme à la tournée *The River*. D'abord l'expérience en Europe et les perspectives politiques qui s'annonçaient. Ensuite, notre implication dans les concerts MUSE antinucléaires et pour les anciens du Vietnam prouvait que notre talent pouvait être mis au service de la société. Enfin, une réflexion historique s'était ouverte à moi avec la lecture de la *Petite histoire des États-Unis* de Henry Steele Commager, *Une histoire populaire américaine* de Howard Zinn, et *Woody Guthrie, a Life* de Joe Klein, autant de livres qui me donnaient une nouvelle vision de moi-même comme acteur de mon époque. J'avais une responsabilité, même infinitésimale, dans ce qui était en train de se passer. C'était le lieu, le moment et l'occasion de faire entendre ma voix, même modestement. Si je n'agissais pas, je devrais en répondre face aux enfants que je commençais à imaginer avoir.

Alors que l'histoire était une matière qui m'avait ennuyé au collège et au lycée, maintenant ça me passionnait. Parce que c'est sans doute là que je pourrais trouver des réponses essentielles aux questions d'identité que je me posais. Comment se définir si on n'a pas la moindre idée de ses origines personnelles et collectives ? Ce que *signifie* être américain est intimement lié à ce que ça *a signifié* par le passé. Seule une certaine combinaison de ces réponses pouvait aider à savoir ce que signifiait être américain.

Woody

Jusqu'à quel point je prenais tout ça au sérieux ? Impossible à dire. Tout ce que je savais c'est que j'étais animé par toutes sortes de motivations personnelles et professionnelles pour aborder des problématiques qui avaient commencé à se déployer dans *Darkness on the Edge of Town* et *The River*.

J'ai cherché de nouveaux espaces d'expression. C'est vrai que la country, le gospel et le blues donnaient voix à des vies en détresse et en quête de transcendance, mais il faudrait que je remonte au-delà de Hank Williams pour trouver une musique qui aborde la question des forces sociales à l'œuvre dans ces existences. La bio de Woody Guthrie par Joe Klein m'a ouvert les yeux et les oreilles sur le prédécesseur de Dylan juste au moment où j'étais mûr pour réfléchir à tout ça. Je connaissais le nom de Woody et bien sûr je connaissais « This Land Is Your Land » mais, en pur amateur de hits radio, j'ignorais les détails de sa vie et de son parcours artistique. En m'y plongeant j'ai découvert l'écriture subtile, l'honnêteté brute, l'humour et l'empathie qui font que sa musique est éternelle. Dans ses histoires de travailleurs agricoles migrants pendant la Grande Dépression, il braquait le projecteur sur des gens pris au piège dans les marges de la vie américaine. Ce n'était pas du baratin à deux balles, c'étaient des portraits de vies américaines finement ouvragés, racontés avec rudesse, esprit et beaucoup de bon sens. En concert, on a commencé à reprendre « This Land Is Your Land » chaque soir et on a travaillé à sortir du silence des histoires que le rock'n'roll de l'Amérique reaganienne des années 1980 ne racontait pas souvent.

Le tournant pris par mon écriture avec « Factory », « Promised Land », « The River » et « Point Blank » associé à l'esprit récent de nos concerts me permettait d'honorer la vie de mes parents et de ma sœur et en même temps de ne pas complètement perdre le contact avec cette part de moi-même. Mon succès et ma sécurité financière avaient beau rester relatifs, j'avais à coup sûr passé un cap et mon existence était désormais très différente de celle des gens dont j'avais décidé de m'inspirer. Ça, ça m'inquiétait. Je m'étais donné corps et âme pour percer mais je considérais le monde du succès avec un sacré scepticisme. Quelle sorte d'individus fréquentaient ce monde et qu'est-ce que j'avais de commun avec eux ? Je ne connaissais pratiquement personne dans ce club ! J'avais beau être « né pour courir », hors de question que je renonce à certaines habitudes : pour des raisons qui relevaient à la fois de la peur et de la dévotion à ma province, j'habitais à tout juste dix minutes de ma ville natale, bien à l'abri sur mon territoire. Pour moi, New York, Londres, Los Angeles ou Paris, ce ne serait pas avant longtemps. Je restais dans mon secteur, où j'avais le sentiment d'être chez moi, à raconter des histoires que j'estimais être de mon devoir de raconter.

Les distractions et les séductions qu'apportait le succès, d'après ce que j'avais pu voir, n'étaient qu'un dangereux miroir aux alouettes. Les journaux et magazines de rock évoquaient constamment des vies de légende qui en s'égarant dans la facilité perdaient leur sens jusqu'à partir en quenouille, tout ça pour continuer à distraire et faire rire les dieux (et le peuple !). J'aspirais à plus d'élégance, plus de grâce et plus de simplicité. Bien sûr, en fin de compte, personne ne s'en sort les mains tout à fait propres, et je finirais par traverser moi aussi une phase de plaisirs exubérants (et au passage bien faire rire la galerie) en cédant aux fameuses trompettes de la renommée, mais j'attendrais pour ça d'être sûr de pouvoir gérer. Quand vous avez trimé pour y arriver et qu'on vous offre des trucs sur un plateau, pourquoi ne pas en profiter ? Mais pour l'instant, le luxe que je m'octroyais restait modeste et je ne voulais pas tomber dans les pièges que me tendait la fortune. Ce n'était pas si difficile pour moi. Du côté irlandais de ma famille, dire non faisait partie de notre ADN. Non aux médecins, non aux villes, non aux inconnus, non aux voyages. « Le monde te guette, c'est un monstre qui te mangera tout cru. Tu verras. » C'est plutôt le oui qui ne nous vient pas très facilement. Mais je voulais aussi protéger à tout prix ma musique et ce que j'avais commencé à créer. J'y tenais, sérieusement, de manière presque excessive, plus qu'à bien des choses… peut-être plus qu'à n'importe quoi d'autre. N'empêche que la prudence et la sobriété ont leurs bienfaits pour atteindre les buts qu'on s'est fixés, et à cette époque, c'était pile ce qu'il me fallait. Cette méfiance, cette attitude d'outsider m'aideraient à rester sur le pont, proche de mon public.

Dans mon écriture, je m'intéressais de plus en plus à la zone d'intersection entre « This Land Is Your Land » et « The River », où les sphères politiques et personnelles se rejoignaient pour déverser leur eau claire dans la rivière boueuse de l'histoire. Sur la fin de la tournée *The River*, je me suis dit que cartographier ce territoire entre le rêve américain et la réalité de l'Amérique, ce serait peut-être ça le service que je pourrais rendre au public, en plus de divertir les gens et de leur apporter de la joie. J'espérais que ça permettrait à notre groupe de s'enraciner et de trouver des objectifs. Au-delà de ça, j'avais personnellement besoin de savoir où ma famille – mes grands-parents, ma mère, mon père et ma petite sœur – se situait dans le courant de l'expérience américaine et ce que ça signifiait pour le fils chanceux que j'étais.

QUARANTE-DEUX

HELLO WALLS

Après la tournée *The River*, retour dans le New Jersey. Pendant qu'on était sur la route, je m'étais fait expulser de ma ferme et j'avais transféré mes affaires à Colts Neck, dans une maison style ranch que j'avais louée sans même l'avoir vue. Elle était joliment située, au bord d'un lac, à un jet de pierre de là où avec mes potes de surf on emmenait nos copines faire du *rope swing* au-dessus de l'Atlantique, les jours où l'océan était calme. Grâce à la tournée, j'avais remboursé mes créanciers et placé ce qui représentait pour moi une petite fortune à la banque. Il allait falloir que je me trouve un nouvel os à ronger. Toute ma vie je n'avais conduit que des vieilles bagnoles. Ma Chevrolet de 1957 à deux mille dollars avait cédé la place à une Corvette à six mille dollars, plus mon pick-up Ford de 1970 pour l'usage quotidien. L'hiver, je chargeais le plateau de troncs d'arbres pour peser sur les roues motrices arrière et j'allais rouler sur les routes verglacées du comté de Monmouth. Dettes remboursées, carrière sur les rails, tout aurait dû être plutôt léger et facile, sauf que je ne suis pas quelqu'un de léger et facile. Et donc j'ai commencé à m'angoisser pour savoir si je devais dépenser dix mille dollars dans une *nouvelle* voiture. À trente et un ans je n'avais jamais possédé de voiture neuve de ma vie. Et, à part pour les frais de studio, je n'avais jamais claqué dix mille dollars pour moi. Je ne connaissais personne qui gagnait plus que le nécessaire, du coup l'argent que j'avais engrangé faisait de moi quelqu'un de différent et ça me gênait. Mais bon, j'ai serré les dents, je suis allé chez le concessionnaire et j'en suis reparti dans une Chevrolet Camaro Z28 de 1982. J'avais l'impression d'être au volant d'une Rolls-Royce en or massif.

A House Is Not a Home

Mon pseudo-ranch était tapissé de moquette orange à poils longs. Je sais, c'était la couleur préférée de Frank Sinatra, mais je sentais que si je ne faisais pas quelque chose, j'allais finir par buter quelqu'un. Terminé les logements provisoires, j'avais besoin d'un foyer permanent. J'ai trouvé un agent immobilier, puis d'autres, et j'ai commencé à chercher. Dans le New Jersey j'ai tout prospecté, des masures les plus humbles aux bâtisses les plus chics. Toutes les baraques à vendre du centre et de l'ouest y sont passées. Rien. Tout était soit trop grand soit trop petit, soit trop vieux soit trop récent, soit pas assez cher soit trop, soit trop près soit trop loin. « Pas grave, je me disais au début, c'est simplement que je n'ai pas encore vu quelque chose à mon goût. » Il m'a fallu un certain temps, et un peu d'introspection, pour me rendre compte qu'AUCUNE MAISON CONSTRUITE PAR UN HOMME ne parviendrait à satisfaire le Diable du Jersey. Comme d'habitude, je tournais la moindre décision en une véritable question d'identité : quelle voiture ? Quelle chemise ? Quelle maison ? Quelle nana ? Je n'avais pas encore pigé le principe simple selon lequel, en paraphrasant Freud, pour vivre à bonne distance de la folie, parfois un cigare *ne doit être rien d'autre* qu'un cigare.

En fin de compte, j'étais juste un gars mal dans sa peau la plupart du temps. L'idée d'avoir un foyer, comme à peu près tout le reste, m'emplissait de méfiance et de doutes. Je m'étais depuis longtemps convaincu… ou presque… que ça c'était bon pour les autres. Sauf que là, quelque chose perturbait la projo de mon film – dans ce film j'ai le rôle du musicien itinérant, malheureux en amour mais doué d'un talent fabuleusement méconnu, un homme ultracharismatique dont l'apparence bon enfant cache une âme noble mais meurtrie. Tandis que je dérive de ville en ville, deux choses se produisent chaque fois. D'abord, une femme sublime tombe folle amoureuse de moi, un amour non payé de retour parce que mon cœur appartient à la route. Ensuite, je transforme tellement la vie de tous ceux que je rencontre qu'ils m'accueillent chez eux, m'invitent à manger, me couronnent de lauriers, me laissent leurs nanas et jurent qu'ils se souviendront éternellement de moi. Je hoche la tête humblement, puis je repars en sifflotant, valise à la main, sur les chemins poussiéreux de l'Amérique, solitaire mais libre, en route pour de nouvelles aventures. J'ai vécu ce chef-d'œuvre pendant longtemps.

Un matin d'hiver, le soleil brillait sur une biche qui avait été écrasée par une voiture, sa fourrure était recouverte d'un givre rose, tandis que je roulais en direction de Freehold, New Jersey, mon Rosebud. Je passais encore pas mal de temps à hanter, tel un fantôme à quatre roues, les alentours de ma ville natale. C'était plus fort que moi, pathétique et quasi religieux. Mais je ne sortais jamais de ma voiture, le charme aurait été rompu. Ma voiture était ma machine à remonter le temps, depuis laquelle je pouvais me replonger dans cette petite ville qui ne me lâchait jamais, quels que soient le moment ou le lieu. Le soir, je roulais dans ces rues de mon enfance, j'écoutais les voix de mon père, de ma mère, de l'enfant que j'étais. Je passais devant les vieux magasins et les bâtisses victoriennes et je rêvais les yeux ouverts… d'acheter une maison, de revenir m'installer là, loin de tout le tintamarre que j'avais créé, de boucler la boucle, de réparer, de recevoir toutes les bonnes choses qu'il y avait ici, de trouver un amour, un amour durable, je me marierais et j'arpenterais ces rues, mes gosses dans les bras, ma femme à mes côtés. C'était un joli fantasme, et j'imagine que je trouvais un certain réconfort dans l'illusion que le retour était possible. Mais j'avais suffisamment d'expérience pour savoir qu'on ne rembobine pas dans la vie, on peut seulement aller de l'avant, le cœur un peu plus solide là où il a été brisé, et créer un nouvel amour. On peut utiliser ses douleurs et ses traumatismes pour se forger une épée vertueuse qui défendra la vie, l'amour, la grâce humaine et les bienfaits de Dieu. Mais rejouer sa partie, refaire son tour de manège, impossible, il n'y a qu'une seule route pour s'en sortir. Droit devant, dans le noir.

QUARANTE-TROIS
NEBRASKA

Sans foyer et sans la moindre idée du chemin à emprunter, j'ai décidé de me perdre sur un terrain légèrement plus facile à contrôler : ma vie musicale. Puisque la toile d'araignée de mon passé me pourrissait l'existence, je me suis tourné vers un monde où je m'étais baladé, enfant, un monde qui m'était encore familier et dont j'entendais à présent l'appel.

Nebraska a débuté comme une méditation impromptue sur mon enfance et ses mystères. Je n'avais pas consciemment à l'esprit de programme à connotation politique ni de thématique sociale, je cherchais juste une sensation, une tonalité qui évoquerait le monde que j'avais connu et que je portais encore en moi. Les vestiges de ce monde n'étaient qu'à dix minutes de là où j'habitais. Les personnages qui hantent *Nebraska* étaient tirés de mes déambulations dans les rues de la petite ville où j'avais grandi. Ma famille, Dylan, Woody, Hank, les nouvelles gothiques de Flannery O'Connor, les romans noirs de James M. Cain, la violence silencieuse des films de

Terrence Malick et la fable au parfum de soufre de Charles Laughton, le réalisateur de *La Nuit du chasseur*, c'est tout ça qui a guidé mon imagination. Sans oublier bien sûr la voix plate et morte qui planait sur ma ville les soirs où je n'arrivais pas à dormir. Cette voix que j'entendais quand je m'aventurais à trois heures du matin sur le porche, devant chez moi, pour sentir l'air poisseux de la nuit silencieuse ; par moments, on entendait craquer l'embrayage d'un semi-remorque qui grognait comme un dinosaure en faisant voler un nuage de poussière, remontait South Street et quittait la ville par la Route 33, puis... le silence.

Les chansons de *Nebraska* ont été écrites rapidement, toutes avaient poussé dans un même terreau. Chaque titre a nécessité trois ou quatre prises. Je faisais seulement des maquettes. « Highway Patrolman » et « State Trooper » n'ont été enregistrés qu'une seule fois. J'ai commencé par « Mansion on the Hill », terminé par « My Father's House », et « Nebraska » a servi de cœur à l'album. J'ai puisé dans le gospel blanc, dans les premières musiques des Appalaches et le blues. L'écriture s'attachait aux détails : une bague qu'on tourne, la pirouette d'un bâton de majorette, c'est là que les chansons trouvaient leur personnalité. Comme dans *La Nuit du chasseur*, j'écrivais souvent du point de vue d'un gosse. « Mansion on the Hill », « Used Cars » et « My Father's House » étaient autant d'histoires tirées de mon expérience familiale.

Je voulais des récits sombres qu'on se raconte à l'heure du coucher – je songeais aux albums de John Lee Hooker et de Robert Johnson, à ces musiques si envoûtantes quand on les écoutait toutes lumières éteintes. Je voulais qu'on entende mes personnages penser, qu'on ressente leurs réflexions et leurs choix. Ces chansons étaient à l'opposé du rock que j'avais composé jusque-là. Sobres, calmes apparemment, elles cachaient un monde d'ambiguïté morale et de malaise. La tension qui les traversait musicalement exprimait cette marge étroite entre la stabilité et le moment où s'effondre ce qui vous lie à votre monde, votre boulot, votre famille, vos amis, l'amour et la grâce que vous avez dans le cœur. Je voulais un album qui donne l'impression d'un rêve éveillé et émeuve comme de la poésie. Je voulais qu'on sente que j'y avais mis mes tripes, que j'avais donné tout ce que j'avais.

Comme j'avais claqué tout mon fric en frais d'enregistrement, j'ai envoyé mon technicien guitare me chercher un magnétophone, un engin un tout petit peu moins lo-fi que l'enregistreur de poche que j'utilisais habituellement pour consigner mes idées de chansons. J'avais besoin d'un truc plus efficace et meilleur marché pour savoir si ces nouveaux morceaux méritaient d'être enregistrés. Il est revenu avec un quatre-pistes japonais, un Tascam 144 à cassette. On l'a branché dans ma chambre ; j'allais chanter et jouer de la guitare sur deux pistes et sur les deux autres j'ajouterais un chœur et une guitare supplémentaire ou du tambourin. Sur quatre pistes, c'était tout ce qu'on pouvait faire. J'ai mixé avec une pédale de guitare Echoplex branchée sur une boîte à rythmes, comme celles qu'on emporte à la plage. Coût total du projet : environ mille dollars. Après je suis allé en studio, j'ai fait venir le groupe, j'ai réenregistré et remixé le tout. À l'écoute je me suis rendu compte que je n'avais réussi qu'à abîmer les premières versions. On aboutissait à un son plus propre, une meilleure définition, mais c'était loin d'être aussi atmosphérique et authentique qu'au départ.

Tous les artistes sont tiraillés entre deux impératifs : faire des disques et faire de la musique. Si on a de la chance, parfois c'est la même chose. Quand on apprend à enregistrer sa musique, on se rend compte qu'il y a toujours du gain et de la perte. La légèreté d'une voix enregistrée en toute simplicité fait place à une certaine raideur. Sur certains disques, passer d'une technique d'enregistrement à une autre peut dénaturer ce qu'on a fait. En fin de compte, satisfait d'avoir exploré les diverses options et impasses, j'ai sorti la démo originale que je trimbalais dans ma poche de jean et j'ai dit : « C'est celle-là la bonne version. »

QUARANTE-QUATRE

DELIVER ME FROM NOWHERE

Nebraska et la première moitié de *Born in the USA* ont été enregistrés en même temps. Je croyais travailler sur un seul et même disque, mais l'intransigeance de *Nebraska*, qui l'empêchait de s'intégrer à un projet discographique plus large, m'a bientôt fait comprendre la situation à laquelle j'étais confronté. On a envisagé l'idée d'un double album – un disque acoustique, *Nebraska*, et un électrique, *Born in the USA* – mais les deux registres étaient trop différents, presque aux antipodes. *Nebraska* avait été enregistré de manière tellement improbable que c'était impossible de le sortir en même temps qu'un répertoire enregistré de manière plus classique : ça reviendrait à saboter les autres chansons, à quasiment les dévitaliser. On a envisagé de le sortir exclusivement en version cassette, puis Chuck Plotkin a réussi à trouver aux studios Atlantic de quoi masteriser mes enregistrements lo-fi, qui se sont donc retrouvés sur vinyle. *Nebraska* a fait une entrée respectable dans les charts, a récolté quelques belles critiques mais a été peu voire pas du tout passé à la radio. Pour la première fois, je n'ai pas fait de tournée à la sortie du disque. Ça paraissait prématuré après celle de *The River* et il allait me falloir un peu plus de temps pour traduire sur scène le dépouillement de *Nebraska*.

La vie continuait. Je me suis éloigné de ma très charmante copine de vingt ans, et j'ai fait mes valises pour un road-trip à travers tout le pays. J'avais récemment acheté une petite maison à Hollywood Hills et je prévoyais de passer l'hiver au soleil de la Californie. C'est durant ce voyage que mon ambivalence, mon malaise et ma confusion, tout ce qui bouillonnait en moi comme un volcan depuis trente-deux ans, allaient finalement atteindre un seuil critique.

Le trip

C'était une Ford XL de 1969, longue comme une Cadillac, vert d'eau avec une capote blanche. Je me l'étais offerte pour quelques milliers de dollars et mon pote et compagnon de route Matt Delia, avec ses frères Tony et Ed, l'avait retapée pour la grande traversée. Au milieu des années 1970, dans le comté de Bergen, Matt, Tony et Ed avaient tenu la dernière concession de motos Triumph du New Jersey. Matt, qui m'avait été présenté par Max Weinberg, m'avait dégoté une Triumph Trophy du milieu des années 1960. Le courant passait bien entre nous et Matt, Tony et Ed sont devenus les frères que je n'avais jamais eus.

Matt était maintenant concessionnaire Goodyear. Le matin de notre départ – on ferait cette traversée tous les deux – on a traîné un peu au magasin, pour apporter les dernières touches à la XL, on a pris des photos d'adieu et fini d'installer l'incontournable stéréo. On était en automne ;

notre projet était de passer par le sud, pour trouver du beau temps, et rouler vers l'ouest cheveux au vent.

Je suis au volant. Matt s'est récemment séparé de sa copine, il a le cafard. Il passe quasiment toute la première journée à serrer un ours en peluche dans ses bras. Matt est un costaud, il a des bras de bûcheron, et voir ce grand gaillard scotché à une peluche me semble de mauvais augure. J'essaye de lui dire que le nounours fait tache dans notre virée à la Kerouac, mais il n'y en a que pour son blues et sa peluche, alors on continue.

Matt

Matt Delia, mon ami de toujours, est le septième d'une famille de quatorze enfants. Une mère sensible à l'art et un père travaillant dans la récup lui ont donné à la fois un talent et un physique de mécano et une âme de poète. Il gagne sa vie avec sa clé à molette, en retapant jour et nuit motos et voitures, aussi à l'aise avec les fondus de mécanique qu'avec les baroudeurs et les gangs à moto qui font régulièrement appel à ses services, ou avec des gens comme moi pour causer musique, politique et culture. En cas de panne, comme la plupart des gens, à l'exception peut-être des voleurs de bagnoles, je ne sauterais pas sur ma caisse à outils mais sur ce cadeau du ciel qu'est le téléphone portable. Mais j'aime rouler et, en ce temps reculé, IL N'Y A PAS DE PORTABLE ! Donc Matt est mon acolyte et mon agent de liaison vers la liberté automobile. C'est du pur Route 66, deux gars en décapotable, un truc magique en perspective, à condition que l'un des deux sache réparer la caisse si elle a la mauvaise idée de tomber en rade dans un coin paumé. À cette époque où les pneus crevaient comme qui rigole, où les radiateurs pouvaient se mettre à fumer, les courroies de ventilateur se déchiqueter, les carburateurs se boucher et le bloc moteur pisser de l'huile, en ce temps où la voiture était un compagnon moins fiable qu'aujourd'hui, les frères Delia, solides comme des arbres, et autrement plus fiables, eux, m'ont tenu compagnie et sauvé la mise lors de certains des road-trips les plus importants de ma vie. Jeune, Matt, l'aîné, ressemblait à Robert Blake période *De sang-froid* et en trente-cinq ans d'amitié on aura traversé l'Amérique ensemble plus d'une fois. Mon Dean Moriarty à moi, c'est lui.

On roule

On arrive dans le South Jersey, on franchit le Delaware Memorial Bridge, Washington, plein sud, direction la première halte de notre pèlerinage : « Allô ? Les renseignements ? Je voudrais Memphis, Tennessee. » Le berceau du rock'n'roll, Elvis, le blues et Beale Street. On fait un bref arrêt aux Studios Sun qui ont définitivement fermé, on prend quelques photos devant et c'est reparti. Dans le Sud, en rase campagne, on se tape un sale orage de fin d'été et on met le cap sur La Nouvelle-Orléans. J'ai préparé des cassettes avec des musiques de toutes les régions qu'on a l'intention de traverser. Tandis que Matt se morfond à côté de moi, le rockabilly de Memphis cède la place au blues rural du Mississippi. Puis c'est déjà le piano de Professor Longhair qui nous accompagne en Louisiane jusqu'au Big Easy, comme on appelle la capitale de l'État. On passe un jour et une nuit à La Nouvelle-Orléans, à écouter des musiciens de rue et à écumer les bars de Bourbon Street.

Réveil tôt le lendemain et on poursuit vers l'ouest.

C'est là que le paysage s'élargit et que les choses deviennent un poil bizarres. Je me défoule un peu sur Matt toujours aussi sinistre, je lui confisque sa peluche que je balance dans le coffre. Matt est maintenant au volant, à sa place. Je suis perturbé et ça me déstabilise. Pendant des années, la musique et la route ont été pour moi de fidèles compagnons, un remède toujours efficace. Comme Sisyphe peut compter sur le rocher qu'il pousse, moi je sais toujours pouvoir compter sur les kilomètres de bitume et la musique pour faire passer ce qui me tracasse.

Après le fleuve Mississippi et l'entrée dans l'immensité du Texas, ça commence à paraître un peu… trop ouvert… par ici. Notre itinéraire est un patchwork des nombreuses villes visitées au fur et à mesure. Matt, habituellement silencieux (l'exemple type de l'ami avec-qui-on-n'est-pas-obligé-de-parler-tout-le-temps), en pleine déception amoureuse, n'arrête pas de jacasser. Il ne va pas bien, et j'ai peur que ça soit contagieux, alors je le menace de le planter là. Si ça continue, je rentre dans le New Jersey. Il se tait. Et on enquille les kilomètres en silence. Et puis un soir…

La dernière ville

Dans la lumière bleutée du crépuscule, il y a une rivière. À proximité de la rivière, une foire. À la foire, de la musique, une petite scène, où un petit groupe local joue pour les gens du coin dans la nuit parfumée. Je regarde les couples qui dansent langoureusement, et je scrute la foule pour repérer les jolies filles. Je suis anonyme ici et puis… d'un coup je me sens emporté. Submergé, envahi par le désespoir. J'envie ces hommes, ces femmes, leur rituel de fin d'été, les plaisirs simples qui les lient et les attachent à leur ville. En réalité, peut-être qu'ils détestent ce bled paumé, peut-être qu'ils se haïssent entre eux et se font cocus à tour de bras. Pourquoi pas ? Mais sur le coup, je veux être un des leurs, et je sais que je ne peux pas. Je ne peux que les regarder. Ce que je fais. J'observe... et j'enregistre. Je ne cherche à discuter avec personne, et quand on m'aborde, je suis tellement cassant que rien de bien ni d'authentique ne peut naître de ces échanges. C'est ici, dans cette petite ville en bord de rivière, que ma vie d'observateur et d'acteur restant soigneusement à l'écart du tumulte des émotions, en retrait des effets et des troubles normaux de la vie et de l'amour, me présente l'addition. À trente-deux ans, au beau milieu de l'Amérique, ce soir-là, je touche les limites du pouvoir curatif qu'avait eu mon remède rock'n'roll sur mon âme et mon esprit.

On quitte la ville. Dans la nuit, l'autoroute s'étend devant nous à perte de vue et je ne vois plus que des phares et des lignes blanches... lignes blanches... lignes blanches. J'exécute un parfait saut de l'ange dans mon abîme intérieur, mon estomac est sur le programme rinçage et je m'enfonce, je m'enfonce. Finalement, au bout d'une heure, toujours aussi ébranlé, je demande à Matt de rebrousser chemin, je veux retourner dans cette ville qu'on vient de quitter. « Maintenant, s'il te plaît. » Sympa, il ne me demande pas d'explications. Les roues dérapent en un demi-tour parfait, et nous voilà repartis. On roule sous ce ciel de l'Ouest noir et oppressant, et puis je vois de la lumière. J'ai besoin de cette ville. Là, maintenant, c'est ce qu'il y a de plus important en Amérique, dans ma vie, sur cette terre. Pourquoi ? Aucune idée. J'ai simplement l'impression qu'il faut que je m'enracine *quelque part*, avant d'être pulvérisé dans l'atmosphère. On arrive dans les faubourgs, mais ce sera bientôt le petit matin, il fait encore noir, personne en vue. On ralentit, on se gare dans une petite rue. Je sens monter une envie de pleurer mais les larmes ne veulent pas sortir. Pire, j'ai envie d'aller chercher dans le coffre ce putain d'ours en peluche.

Matt ne dit rien, il regarde en silence à travers le pare-brise une poignée de poussière qui semble venir d'une autre dimension. Et moi je me débats avec une angoisse comme je n'en ai encore jamais connu. Pourquoi ici ? Pourquoi ce soir ? Trente-quatre ans plus tard, je ne sais toujours pas.

Tout ce que je sais c'est qu'avec l'âge les bagages qu'on n'a pas triés pèsent… de plus en plus. Avec chaque année qui passe, le refus de faire le tri coûte de plus en plus cher. Peut-être que j'avais coupé les amarres une fois de trop, compté une fois de trop sur le coup de baguette magique qui règle toujours tout, peut-être que je m'étais éloigné un tout petit peu trop de la fumée et des miroirs qui me permettaient de tenir en un seul morceau. Ou bien… j'avais peut-être juste pris un coup de vieux… et j'étais assez mûr pour savoir que cette fois ça ne se passerait pas comme d'habitude. En tout cas, je me retrouvais, une fois de plus, échoué au milieu de… nulle part, mais cette fois impossible de compter sur ce qui me faisait habituellement passer à la suite : l'euphorie et le délire s'étaient arrêtés net.

Au-delà du capot de la Ford s'étend un espace inexploré qui semble mesurer un million de kilomètres. Plusieurs lampadaires jettent des flaques de lumière dans ce désert bordé par le trottoir et la pelouse d'un jardin – mon épiphanie. Je les scrute. Un chien couleur sable, l'air affamé, traverse lentement ces petits cercles d'éternité, puis son pelage beige vire au gris, se fond dans le noir d'encre. Matt et moi on reste sans bouger… mes sueurs froides disparaissent lentement, mon désespoir se dissipe, je baisse la tête, contemple le gouffre sous le tableau de bord, ce caoutchouc noir qui avale mes bottes comme des sables mouvants et je marmonne : « Allons-y. »

Comme deux astronautes solitaires gravitant autour de la Terre que le soleil aurait brûlée et qu'il faudrait abandonner, on démarre et on sort de notre orbite. Maintenant que notre chez-nous est détruit, on doit tenter notre chance dans l'espace. Le reste du voyage se déroule sans incident. La route, le ciel immense, le défilé ininterrompu des villes, Matt roule à cent cinquante, voiture décapotée, sous un orage qui nous purifie, la pluie ricoche sur le pare-brise et se dépose sur mon visage… rien de tout ça ne guérit mon cafard ni n'efface le spectre de ma soirée dans ce bal de village. Les défenses que je m'étais construites dans l'enfance pour résister au stress et continuer à vivre sont restées en place alors que je n'en avais plus besoin. Mais j'ai continué à exploiter leurs forces, qui m'avaient jadis sauvé la vie. J'ai compté sur elles à tort pour m'isoler, pour sceller mon aliénation, me mettre à l'écart de la vie, contrôler les autres et contenir mes émotions jusqu'au bord de l'implosion. Sauf que maintenant il faut payer la casse – et payer avec des larmes.

La nuit et l'autoroute nous engloutissent, la pluie se dissipe ; je baisse ma vitre, je regarde les étoiles d'un gris cendré, introduis ma cassette Texas dans le lecteur et Bobby Fuller murmure « I Fought the Law » à l'intérieur de la XL.

QUARANTE-CINQ
CALIFORNIE

Matt et moi, on roule dans un brouillard à couper au couteau, pris dans les bouchons de LA, puis on sort de l'autoroute direction plein est. À Laurel Canyon, on prend une route tortueuse des collines de Hollywood pour arriver à ma petite villa. Dix jours après avoir quitté le New Jersey, on sort de la XL couverte de poussière et nous voilà parmi les papillons et les bougainvilliers, devant la porte en bois de la première maison qui m'appartienne. Ça pourrait aussi bien être le château de Hearst. Cette baraque modeste, qui a jadis appartenu à Sidney Toler, l'acteur connu entre autres pour avoir été Charlie Chan à l'écran, déclenche une vague d'autodétestation chez le « fils numéro un » de Doug Springsteen et j'ai envie de m'enfuir… *sur-le-champ*. J'ai à peine mis un pied dans la maison que je pense immédiatement à mettre les voiles. Pour aller où ? Peu importe, du moment que c'est loin de cette charmante demeure qui semble exiger de moi un truc qui me dérange au plus haut point : que je *reste*… or moi, je ne reste pas, que ce soit pour cette petite baraque ou pour quelqu'un. Ce sont les autres qui restent, moi je me tire. La seule chose qui me retient, c'est de savoir que si je remonte dans la voiture pour rentrer sur la côte Est, à l'instant où je tremperai les orteils dans l'Atlantique, j'éprouverai un besoin irrésistible de revenir ici, pris dans un interminable cycle de folie. N'ayant nulle part où aller, je me retrouve confiné à l'intérieur de mon propre couloir de la mort miniature côte Ouest. Je m'affale sur le canapé récemment acheté (ainsi que tout le reste du mobilier, en deux heures, dans un centre commercial des environs), existentiellement épuisé. Ma source de parades émotionnelles est à sec. Pas de tournée derrière laquelle me cacher, pas de musique pour me « sauver ». Je me retrouve, au terme d'un long processus, au pied du mur.

Matt n'est absolument pas au courant de tout ça. Mon compagnon de route est dans la pièce d'à côté, j'entends le cliquetis des haltères qu'il soulève, attendant des ordres qui n'arrivent pas. Je retourne dans ma chambre qui domine le bassin de LA dans le brouillard. Je regarde par la fenêtre et j'appelle Monsieur Landau.

J'ai déjà abordé ces questions avec lui, par le passé, lors de plusieurs longues conversations à teneur semi-analytique. Il pige ce qui est en train de m'arriver. C'est sombre et ça ne fait que s'assombrir. Le flot de mes émotions n'est plus canalisé en toute sécurité vers la surface. Un « événement » s'est produit et ma dépression a commencé à se déverser, telle une marée noire, dans le golfe splendide de mon existence soigneusement planifiée et contrôlée. Cette boue noire menace maintenant d'étouffer tout ce qu'il y a de vivant en moi. « Il faut que tu ailles voir un psy », me conseille Jon. Je lui demande de me trouver le numéro de quelqu'un. Deux jours plus tard, je me gare dans une banlieue résidentielle de Los Angeles, à un quart d'heure de chez moi, où se côtoient bureaux et habitations. J'entre à l'adresse indiquée, je tombe sur un homme aux cheveux blancs, moustachu, je m'assois devant lui, et je fonds en larmes.

Commençons

Je me suis mis à parler, et ça m'a aidé. Immédiatement, dans les quelques semaines qui ont suivi, j'ai retrouvé un semblant d'équilibre et senti que je me reprenais en main. Tout seul, comme un grand (sans drogue ni alcool), je m'étais avancé jusqu'au bord de mon gouffre noir, mais je ne m'y étais pas jeté. Grâce à Dieu et aux lumières de mes amis, je n'allais pas m'y fracasser… du moins je l'espérais.

C'est ainsi qu'a démarré une des plus grandes aventures de ma vie, qui s'étalerait sur plus de trente ans : j'allais sonder le terrain sensible de mon for intérieur, à la recherche de signes de vie. Je parle de *vie* – pas de chanson, de concert ou d'histoire, mais bien de *vie*. J'ai travaillé dur, avec acharnement, et j'ai commencé à comprendre des choses. À dresser la carte d'un monde intérieur dont jusque-là j'ignorais tout, un monde qui, à partir du moment où je me suis mis à prendre conscience de son poids et de son ampleur, de sa capacité à se dissimuler tout en étant bien présent, de son emprise sur mon comportement, m'a stupéfié. Il y avait beaucoup de tristesse dedans – la faute à tout ce que j'avais vécu, tout ce qu'on m'avait fait et que je m'étais infligé. Mais il y avait aussi de bonnes nouvelles : j'avais résisté, j'avais transformé une bonne partie de cette énergie en musique, en amour et en sourires. En gros, même si je m'en étais pris plein la gueule, et ceux que j'aimais aussi, les victimes habituelles, ce qui m'avait récemment fait tomber si bas était aussi ce qui m'avait permis de me défendre quand j'étais enfant, ce qui m'avait blindé et m'avait fourni un refuge quand j'en avais besoin. Donc, en un sens, je pouvais m'estimer heureux, sauf que cette ressource intérieure m'empêchait aujourd'hui d'avoir un foyer et la vie dont j'avais besoin. La question était de savoir si j'allais parvenir à tolérer ça. Il fallait que j'en aie le cœur net.

Trois rêves

Je suis debout sur un promontoire derrière ma vieille ferme, la ferme où j'ai écrit Darkness on the Edge of Town, *où je vivais à la fin des années 1970. Vous iriez là-bas aujourd'hui, vous auriez le sentiment que le sol rougeoyant a renoncé au maïs et au soja d'antan pour laisser jaillir à la place des pavillons en série. Mais dans mon rêve, je contemple le ciel bleu, les arbres verts et les champs qui au loin descendent en pente douce vers un bois sombre. Un enfant de six ou sept ans se tient à la lisière de la forêt. C'est moi. Il ne bouge pas. Il attend, il se montre, c'est tout. Au bout d'un moment, il lève la tête, se voit lui-même à l'âge de trente-deux ans, tout là-bas, il se regarde puis sourit. C'est un sourire que je connais : je l'ai vu sur les nombreux polaroïds en noir et blanc de notre album familial.*

Dans mon rêve, je suis jeune et je n'ai pas sur les épaules le fardeau de ma tribu. Je ne suis pas le fils de mon père, pas celui de ma mère, ni le petit-fils de mon grand-père ou de ma grand-mère. Je suis simplement moi, je suis moi-même. C'est un rêve triste. J'ai souvent lourdement chargé cet enfant. J'ai pris le relais de mon père dans son entreprise cruelle et souvent je ne l'ai fait que trop bien. Pour ça, vous n'avez qu'à déformer votre enfant, votre trésor adoré, l'induire en erreur, le transformer en ce qu'il n'est pas : un concurrent sous votre toit. Alors, quand il lève la tête et que ses yeux remontent au-dessus de la grosse ceinture, le long des boutons de la chemise foncée de travailleur, jusqu'à croiser vos yeux pour y chercher la réponse à la question « Qui suis-je ? », cette réponse lui arrive avec une clarté et une dureté dévastatrices, silencieusement jetée sur ses épaules en un chargement trop lourd.

D'un signe de la main et d'un sourire, mon moi plus jeune me signifie, à moi qui suis sur mon promontoire, derrière ma ferme : « Je vais bien… » Puis il fait doucement volte-face et retourne sans peur dans la forêt. Je me réveille. Le rêve se répète de nombreuses années plus tard, mais cette fois-ci, le garçon qui sort du bois a dix-neuf, vingt ans ; même signe de la main et même sourire : « Je vais bien… » Des années encore après, le rêve revient avec cette fois mon moi adulte de quarante ans qui me salue de loin et me fixe droit dans les yeux. Ce que venaient me signifier ces images de ma jeunesse à travers mes rêves, filtrées par mon expérience, c'est : « On va bien. On a vécu, maintenant c'est ton tour… de vivre. »

On est tous des citoyens d'honneur de cette forêt primordiale. Nos fardeaux et nos faiblesses persistent indéfiniment. Ce sont des pans de nous-mêmes qu'on ne peut pas totalement éradiquer, ils participent de notre humanité. Mais lorsqu'on leur apporte la lumière, on devient maîtres de notre présent et leur capacité à déterminer notre avenir diminue. Ça marche comme ça. Le truc, c'est qu'il faut être sous la canopée de ses propres arbres pour faire briller la forêt… de l'intérieur. Pour apporter la lumière, on doit d'abord cheminer à travers l'obscurité parmi les ronces. Bon voyage.

Quoi d'neuf, docteur ?

Et c'est ainsi que j'ai lentement acquis les compétences qui m'aideraient à mener une vie à moi. Non sans être d'abord passé par les larmes, les erreurs, les peines de cœur et, aujourd'hui encore, ça reste une lutte. Le prix que j'ai payé pour le temps perdu n'était rien d'autre que ça : du temps perdu. On peut dilapider sa fortune, si on a la chance d'avoir gagné beaucoup d'argent, et se refaire, on peut nuire à sa propre réputation et, avec des efforts et de l'application, souvent la rétablir, mais le temps… le temps qu'on a perdu, on ne le rattrape jamais.

J'ai passé l'hiver en Californie, puis je suis retourné dans le New Jersey. On m'avait adressé au docteur Wayne Myers, un homme chaleureux, à la voix douce, au sourire facile, à New York. Pendant vingt-cinq ans de rendez-vous, parfois téléphoniques, Doc Myers et moi on allait lutter ensemble contre de nombreux démons, jusqu'à sa mort, en 2008. Quand j'étais à New York, on s'installait face à face, et je fixais ses yeux si compréhensifs. À force de patience et de minutie, on a remporté une assez belle série de victoires – à côté de quelques pénibles échecs. On a réussi à ralentir le tapis roulant sur lequel je m'épuisais, sans réussir à l'arrêter tout à fait. Dans le bureau de Doc Myers, j'ai pu me lancer dans ma nouvelle odyssée ; son savoir et son cœur compatissant m'ont permis d'acquérir la force et la liberté dont j'avais besoin pour aimer et être aimé.

Aucune guerre psychologique ne prend jamais fin, il faut se concentrer sur le jour présent, sur l'instant présent, et croire, malgré les hésitations, en sa propre aptitude à changer. Rien à voir avec une immense salle de concert où ceux qui doutent d'eux-mêmes viennent en quête d'absolu, il n'y a pas de victoire permanente. C'est un processus de mutation toujours *en devenir*, plein des insécurités et du chaos de nos personnalités, sur le mode un-pas-en-avant-deux-pas-en-arrière. Les résultats de mon travail avec le docteur Myers et ma dette envers lui sont au cœur de ce livre.

QUARANTE-SIX
BORN IN THE USA

Entre les livres, la série de médiators éparpillés, le porte-harmonica et les miettes du déjeuner, plus beaucoup de place pour mon calepin. J'ai changé de position sur ma chaise, mis mes pieds en chaussettes sur la patte de lion sculptée à la base de la table en chêne sur laquelle j'écris depuis vingt-cinq ans. Une lampe ancienne éclairait d'une faible lueur le seul autre objet posé sur la table : un scénario de film. Il m'avait été envoyé par le scénariste et réalisateur Paul Schrader. Paul était le scénariste de *Taxi Driver*, il avait écrit et réalisé *Blue Collar*, deux de mes films préférés des années 1970. J'ai plaqué quelques accords sur ma Gibson J200 couleur soleil, j'ai feuilleté mon calepin, me suis arrêté pour murmurer le couplet d'une chanson en cours où il était question de soldats de retour du Vietnam. J'ai jeté un œil à la première page du scénario et j'ai chanté le titre : *Born in the USA*. Moi aussi j'étais né aux États-Unis.

J'ai directement piqué « Born in the USA » à la page titre de ce scénario de Paul Schrader, qui racontait les tribulations d'un petit groupe de musiciens jouant dans les bars de Cleveland, Ohio. Le film sortirait par la suite sous le titre *Light of Day* (*Electric Blue* dans sa version française), avec une autre chanson éponyme, tentative polie de ma part de remercier Paul pour la formule que je lui avais fortuitement empruntée et qui aura finalement tant boosté ma carrière.

Au Hit Factory, j'ai fait le point : j'avais les paroles, un super titre, deux accords, un riff de synthé, mais pas véritablement d'arrangements. C'était notre deuxième prise. Un gros son d'ampli Marshall a déferlé dans mes écouteurs. Je me suis mis à chanter. Le groupe me suivait à la trace, prêt à jouer des arrangements sur-le-champ, et Max Weinberg a livré sa plus belle performance enregistrée à la batterie. Quatre minutes et trente-neuf secondes plus tard, « Born in the USA » était dans la boîte. On a posé nos instruments et on est tous allés dans la cabine écouter ce petit bijou.

Plus de dix ans après la fin de la guerre du Vietnam, inspiré par Bobby Muller et Ron Kovic, j'avais écrit et enregistré mon histoire de soldat. Une *protest song*. Et lorsque je l'ai entendue sur les gigantesques enceintes du Hit Factory, j'ai su que c'était un des meilleurs titres que j'aie jamais enregistrés. C'était un blues de GI, les couplets énuméraient des faits, le refrain martelait l'unique vérité indéniable… le lieu de naissance et tout ce qui allait avec : le sang, la confusion, mais aussi les aspects positifs et la grâce. Quand vous avez payé corps et âme, vous avez largement mérité votre lopin de terre, que vous aménagerez à votre guise.

« Born in the USA » reste une de mes plus grandes chansons – et une des plus incomprises. La combinaison des couplets blues « dépressifs » et des refrains déclaratifs « enjoués », la revendication du droit à une voix patriotique « critique » allant de pair avec la fierté de la patrie, était manifestement trop contradictoire (ou juste pénible !) pour les auditeurs les plus insouciants ou les moins futés. (C'est ainsi, mes amis, que le ballon politique pop peut souvent vous revenir en pleine figure.) Les chansons sont souvent des tests de Rorschach auditifs : on y entend ce qu'on a envie d'entendre.

Pendant des années, après la sortie de ce disque qui a été mon plus gros succès, à l'époque d'Halloween, des gosses en bandana rouge sont venus frapper à ma porte avec leurs sacs à remplir de friandises en chantant : *I was born in the USA…* J'imagine que « This Land Is Your Land » a connu le même sort autour des feux de camp, mais ça ne suffisait pas à me consoler. (Quand avec Pete Seeger on a chanté cette chanson de Woody Guthrie lors de l'investiture du président Barack Obama, une des exigences de Pete était qu'on chante la *totalité* des couplets controversés. Il voulait réhabiliter le texte radical du morceau.) Ajoutez à ça que 1984 était une année d'élections, que le Parti républicain aurait coopté un cul de vache si la bannière étoilée avait été tatouée dessus, que Ronald Reagan, le président en exercice, a tenu officiellement, avec cynisme, à saluer haut et fort le « message d'espoir en chanson… de Bruce Springsteen, l'enfant du New Jersey » lors de sa campagne éclair dans l'État, et bon… vous connaissez la suite. En attendant, le premier gars à qui j'ai fait écouter la version terminée de « Born in the USA » c'est Bobby Muller, alors président des Vietnam Veterans of America. Il est entré dans le studio, s'est installé devant la console, et j'ai monté le son. Il a écouté un moment et un grand sourire a illuminé son visage.

Un *songwriter* écrit pour être compris. Est-ce que la façon dont il présente les choses est politique ? Est-ce que le son et la forme que prend sa chanson en sont le contenu ? Avec celles de *Nebraska* puis celle-ci, j'avais exploré les deux options. J'avais appris à mes dépens comment fonctionnaient les règles et l'image de la pop. Et pourtant je n'aurais pas produit différemment ces deux disques. Au fil des ans, j'ai eu l'occasion de jouer « Born in the USA », surtout en acoustique, en levant toute ambiguïté sur le sens de ce morceau, mais ces interprétations contrastaient toujours avec la version originale ; l'impact tenait en partie au fait que le public connaissait la version de l'album, qui visait l'efficacité maximale. J'aurais essayé de réduire la place de la musique, je pense que j'aurais eu un disque plus facilement compris mais moins satisfaisant.

Comme mes albums précédents, *Born in the USA* a pris du temps. Après *Nebraska*, qui contenait certaines de mes chansons les plus fortes, je voulais revenir sur ces thèmes en électrique. Les grandes lignes de ce concept, de même que nombre des sujets en filigrane dans *Nebraska*, affleurent à la surface de « Working on the Highway » et de « Downbound Train ». Ces deux chansons ont commencé par vivre en acoustique sous forme de maquettes enregistrées sur le magnéto japonais Tascam.

L'essentiel de *Born in the USA* a été enregistré en live avec le groupe au grand complet, en trois semaines. Puis j'ai fait une pause, enregistré *Nebraska* et je ne suis revenu à mon album rock que plus tard. « Born in the USA », « Working on the Highway », « Downbound Train », « Darlington County », « Glory Days », « I'm on Fire », « Cover Me » existaient quasiment dans leur version finale aux toutes premières étapes du disque. Et puis j'ai été pris d'une sorte de paralysie. Le côté pop des chansons me gênait, je voulais quelque chose de plus profond, de plus lourd et de plus sérieux. J'ai attendu, j'ai écrit, enregistré, puis j'ai encore attendu. Des mois ont passé, sous le signe du syndrome de la page blanche : j'étais terré dans une petite maison que j'avais achetée à proximité de la Navesink River et les chansons s'écoulaient peu à peu comme les dernières gouttes pompées d'un puits à sec. Lentement, « Bobby Jean », « No Surrender » et « Dancing in the Dark » ont émergé. La saison des pluies était enfin arrivée. J'ai fini par enregistrer énormément de titres (voyez le disque 3 de *Tracks*) mais à l'arrivée je suis revenu à mon choix de chansons initial. J'y trouvais une spontanéité live imparable. Ça ne correspondait pas tout à fait à mon idée de départ, mais c'était ce que j'avais.

Ça valait la peine d'attendre. Ces dernières chansons constituaient des pièces importantes de la vision d'ensemble de mon disque. « Bobby Jean » et « No Surrender » rendaient hommage au pouvoir qu'a le rock de créer des liens d'amitié, et en particulier à ma relation avec Steve. « My Hometown » refermait de manière impeccable l'album entamé par « Born in the USA », en évoquant les tensions raciales de la fin des années 1960 dans une petite ville du New Jersey et la désindustrialisation de la décennie à venir. Puis, très en retard à la fête, l'avant-dernier titre : « Dancing in the Dark », une de mes chansons pop les plus joliment tournées, venue du fond du cœur, « inspirée » d'un après-midi où Jon Landau était passé me voir dans ma chambre d'hôtel à New York. Il m'avait dit qu'il avait écouté l'album et que d'après lui, on n'avait pas de single, en gros pas de titre qui mettrait le feu aux poudres. Il allait falloir que je me remette au boulot et, pour une fois, je traînais un peu les pieds. On s'était disputés, gentiment, et je lui avais lancé que s'il estimait qu'on avait besoin d'autre chose, eh bien il n'avait qu'à l'écrire. C'est ce soir-là que j'avais composé « Dancing in the Dark », une chanson sur ma propre aliénation, mon épuisement, mon besoin de sortir de mes confinements intérieurs : le studio, ma chambre, mon disque, ma tête. Je voulais… *vivre*. C'est l'enregistrement et le morceau qui m'ont emmené le plus loin en territoire pop mainstream. J'étais toujours un peu méfiant à l'égard des disques à gros lancement et du risque qu'il y avait à s'adresser à un très large public. Il faut l'être. Il y a un risque : celui de te retrouver surexposé, sous le feu des projecteurs, avec tous les renoncements que ça implique. Le cœur de ton message et tes motivations ne risquent-ils pas d'être dilués ? Tes meilleures intentions réduites à un symbolisme creux, voire pire ? Avec « Born in the USA », j'ai vécu tout ça, mais c'est ce même public qui te fait aussi savoir que ta musique peut être puissante et durable, qu'elle aura un impact déterminant sur la vie et la culture de tes fans. Donc tu t'avances avec précaution sur ce chemin, jusqu'à un gouffre… et tu sautes, car il n'existe pas de chemin en pente douce menant au vrai gros succès. C'est toujours un abîme qui te happe. Chaque nouvelle étape met à l'épreuve tes motivations. Donc vas-y de bon cœur, mais sache qu'avec l'excitation et la satisfaction qu'il y a à exploiter pleinement ton talent, il y a aussi le risque de te heurter aux limites évidentes de ta musique – et à tes propres limites.

Les chansons de *Born in the USA* étaient directes, fun et imprégnées des thèmes sous-jacents de *Nebraska*. Maintenant que le disque était boosté par les mix explosifs de Bob Clearmountain, j'étais prêt pour le gros plan. En live, cette musique se déversait sur le public avec un abandon joyeux. On a enchaîné hit sur hit et en 1985, au même titre que Madonna, Prince, Michael Jackson et les stars du disco, je suis devenu une véritable « superstar » sur les radios de très grande écoute.

Parfois, les disques imposent leur propre personnalité et on ne peut que les laisser suivre leur route. Ça a été le cas de *Born in the USA*. J'ai finalement mis un terme à mes hésitations, j'ai pris le meilleur de ce que j'avais et j'ai donné le coup d'envoi au plus gros album de ma carrière. *Born in the USA* a changé ma vie, m'a valu mon plus large public, m'a obligé à réfléchir davantage à la manière dont je présentais ma musique et brièvement propulsé au centre même du monde de la pop.

QUARANTE-SEPT

BUONA FORTUNA, FRATELLO MIO

Et c'est au moment où j'enregistrais l'album le plus important de ma vie que Steve Van Zandt a quitté le groupe. J'ai toujours eu l'impression que le départ de Steve était dû à une combinaison de plusieurs choses : une part de frustration personnelle, des règles de fonctionnement dans le travail qui ne lui convenaient pas et une insatisfaction face à certaines de mes décisions. Et puis ma complicité avec Jon Landau donnait à mon vieux pote le sentiment d'être mis un peu à l'écart, à la fois au plan humain et au plan artistique. Je n'en serais certes jamais arrivé où j'en suis sans le E Street Band, mais au final c'est *ma* scène. À trente-deux ans, Steve avait besoin de tenter sa chance. Il aspirait à une reconnaissance depuis si longtemps méritée, il voulait être le leader de son propre groupe, jouer et chanter ses propres chansons. Steve est un des meilleurs *songwriters*, guitaristes et chefs de groupe que j'aie jamais rencontrés et il a dû sentir que c'était maintenant ou jamais. Rétrospectivement, je pense qu'il serait d'accord pour dire qu'on aurait pu se débrouiller autrement. On aurait pu tout mener de front. Mais on n'était pas ceux qu'on est aujourd'hui. À l'époque je tenais absolument à protéger mon droit à l'indépendance et à garder la main sur ma carrière. J'écoutais ce qu'on me disait, mais je ne nous considérais pas comme engagés dans un « partenariat » d'égal à égal. Et à l'époque Steve était du genre c'est-tout-ou-rien – ce qui a toujours été son immense qualité mais aussi sa malédiction… surtout sa malédiction. Un soir donc, il est venu me voir dans ma chambre d'hôtel, à New York, et tout y est passé : notre amitié, sa place dans le groupe, des trucs qui n'avaient pas été digérés et notre avenir ensemble. Sur certaines choses, impossible de trouver un accord. On était encore trop jeunes pour maîtriser l'art d'arrondir les angles, qui vient avec l'âge. On n'avait pas assez de recul pour apprécier la beauté et la valeur de notre longue amitié. Ce qu'on avait à revendre par contre, c'était beaucoup de passion, des émotions qu'on projetait l'un sur l'autre et une certaine incapacité à se comprendre.

Ce soir-là, Steve a réclamé un rôle créatif plus important dans notre relation. J'avais volontairement limité les fonctions de chacun au sein du groupe. Il y a tant de talents dans le E Street Band que chacun n'utilise à tout moment qu'une petite fraction de son potentiel ; alors, naturellement, il y avait de la frustration chez tout le monde, y compris Jon. Mais c'était comme ça que j'organisais mon travail, que je gardais les rênes en main et que je gérais rigoureusement mon affaire. J'étais facile à vivre mais j'avais posé des limites strictes, dictées à la fois par mes élans créatifs et par mes forces et mes faiblesses psychologiques. Les frustrations de Steve étaient exacerbées par son ego assez considérable (bienvenue au club !), le fait que son talent était sous-exploité et notre amitié de longue date. Il me consacrait une énorme part de son énergie, à moi et au groupe, et éprouvait sans doute un mélange de culpabilité et de confusion, compte tenu de ses propres ambitions à occuper le devant de la scène.

Dans les clubs ados où on jouait autrefois, on était très copains mais on se tirait aussi – gentiment – la bourre. C'était bien. Le problème c'est que quand on avait commencé à travailler ensemble, cet aspect de notre relation était resté un peu ambigu et on ne l'avait jamais abordé de front. Steve s'était pleinement consacré à son rôle de fidèle lieutenant à mes côtés et il était depuis longtemps un peu ambivalent. Un soir, à l'Inkwell, alors que Southside Johnny venait d'être signé dans une maison de disques, avant que Steve n'intègre le E Street Band, je lui avais demandé pourquoi il n'avait pas *lui-même*, tout simplement, interprété et enregistré les chansons géniales qu'il avait écrites pour Southside. (Te bile pas, Southside, tu as fait du bon boulot.) Depuis notre jeunesse, Steve avait toujours été un brillant leader au sein de ses différents groupes. Ce soir-là, il a dit que ce n'était pas complètement « lui », qu'il se projetait plutôt à mes côtés dans un rôle de premier plan mais de soutien, en tant que lieutenant musical (quelle chance pour moi). Sauf que maintenant, pour lui, occuper le devant de la scène allait être compliqué justement à cause de toutes ces années passées à mes côtés au sein du E Street Band. Rien à faire, le public ne t'accepte pas facilement dans un nouveau rôle. En tout cas, je comprenais le point de vue de Steve. Il voulait avoir plus d'influence sur notre travail. Mais j'avais volontairement mis Jon et Steve en concurrence amicale. C'est pour ça qu'ils étaient *tous les deux* là. Je voulais cette tension entre deux points de vue complémentaires et contradictoires. Ça générait quelques frictions bienvenues en studio et peut-être quelques bisbilles *personnelles* malvenues en dehors, mais j'avais besoin que ce soit comme ça. On était tous des adultes très dévoués et investis dans notre musique et je me disais que tout le monde était capable de gérer la situation. Y compris eux. Mais cela, en plus de la zone grise dans laquelle je maintenais intentionnellement le groupe, créait une sorte de purgatoire qui, même s'il *me* convenait, troublait et déconcertait sans doute certains de mes partenaires. Chaque membre du groupe et certainement chaque fan a sa propre définition de ce qu'on est (et pour la plupart on n'est probablement que Bruce Springsteen… *et* le E Street Band), mais en fin de compte, c'est moi qui *officiellement* décide, et décidais déjà à l'époque. Depuis le jour où je suis entré seul (et très conscient de ce que je faisais) dans le bureau de John Hammond, c'est comme ça que les choses se sont organisées.

Voilà les questions – et le maelström d'émotions qu'elles impliquaient – qui ont été à l'origine de la séparation entre Steve et moi et de son absence du groupe dans les années 1980 et 1990. J'avais pour Steve une grande amitié, et c'est toujours le cas. Comme on se quittait, ce soir-là, Steve s'est arrêté un instant à la porte. Inquiet à l'idée de perdre mon ami et mon bras droit, je lui ai dit qu'en dépit de ce qui nous attendait, j'étais encore son meilleur ami, qu'on était toujours potes, et que j'espérais qu'on ne tirerait pas un trait sur cette amitié. Et on a réussi à la préserver.

QUARANTE-HUIT

LE CARTON

Avec *Born in the USA* ça a été l'explosion nucléaire. Je savais que ce titre avait du potentiel mais je ne m'attendais pas à une telle réaction. Était-ce le timing ? La mélodie ? Son énergie ? Je ne sais pas, c'est toujours un peu mystérieux, un succès de cette envergure. À trente-quatre ans, j'ai décidé de surfer sur la vague et d'apprécier ce qui m'arrivait. Je m'étais blindé et je savais comment résister aux feux de la rampe. N'empêche que ça allait être rude.

Nils Lofgren a rejoint l'équipe et s'est acquitté avec panache d'une mission délicate. Nos chemins s'étaient d'abord croisés en 1970 aux auditions du Fillmore West, puis de nouveau en 1975 au Bottom Line, où Nils était programmé après nous. Un après-midi, au début des années 1980, on s'était retrouvés par hasard au Sunset Marquis et on était partis faire un tour en bagnole vers le nord de la côte californienne. On s'était arrêtés au bord de la Highway 1, on était montés au sommet d'une dune qui surplombait le

Pacifique scintillant, on s'était assis là et on avait discuté. Il n'avait pas eu de bol avec ses maisons de disques ; c'était parfois laborieux de bosser en solo et il n'excluait pas un jour d'aller faire le mercenaire dans un grand groupe (il avait mentionné Bad Company, il me semble). Ça, c'était bien longtemps avant qu'un poste se libère au sein de notre groupe, mais je n'avais pas oublié notre conversation. À l'époque de l'enregistrement de *Born to Run*, Nils était sur le point de devenir une star. Jon et moi, on s'était souvent référés à son premier album solo pour nos sessions. On s'efforçait de prendre exemple sur la finesse, la précision et la force du son de sa batterie. On s'était basés là-dessus pour *Born to Run*. Mais la carrière de Nils n'avait pas décollé comme elle aurait dû et il n'avait jamais conquis le large public que son talent méritait. Il apprenait avec voracité, c'était un des meilleurs guitaristes au monde, avec une voix d'enfant de chœur rebelle, et sa présence scénique a permis d'atténuer l'absence de Steve. Une nouvelle recrue parfaite pour le E Street Band version 1985.

Bar-Hoppin' Mama

Un soir où il y avait un monde fou au Stone Pony, j'étais devant la scène quand une jeune rouquine a rejoint le groupe maison, pris le micro et chanté une version brillamment enflammée de « Tell Him » des Exciters. Sa voix était pleine de tonalités de blues, de jazz, de country et des super *girl groups* des années 1960. Patti Scialfa avait tout pour elle. On a fait connaissance, on a flirté un peu, bu un verre et on est devenus copains de bar. Je passais au Pony, on buvait un cocktail et on dansait. En fin de soirée, Matt nous raccompagnait en voiture, j'étais sur le siège passager avec Patti sur mes genoux, et on allait manger un cheeseburger à l'Inkwell. Sur le coup de trois heures du matin, on déposait Patti chez sa maman, quelques sourires, un bisou sur la joue, à la prochaine au club et voilà.

Après le départ de Steve, j'ai décidé qu'il fallait qu'on mette la barre plus haut au niveau vocal. J'ai écouté quelques voix et invité Patti à une audition chez moi (de même que Richie Rosenberg, alias Richie la Bamba ; ah, les choix qu'il faut faire parfois !). Audition suivie d'une audition-répétition, alors qu'on se préparait pour notre tournée sur la scène du Clair Brothers, à Lititz, en Pennsylvanie. Le groupe était hébergé dans un motel du coin, les répétitions avaient lieu l'après-midi et on restait ensemble le soir. Je roulais au volant de l'Impala décapotable 1963, baptisée Dedication, que m'avait offerte Gary US Bonds pour me remercier d'avoir écrit et coproduit avec Steve « The Little Girl », le hit de son come-back. La veille de notre retour, après dîner, tout le groupe était dans la voiture décapotée, Garry Tallent au volant. Assis à l'arrière avec Patti, la tête renversée, on contemplait le ciel nocturne. Arrivés au sommet d'une colline, on a entendu un grand « Ooooh », poussé en chœur par tous les gars : la traînée bleutée d'une étoile filante coupait en deux le ciel de Pennsylvanie. Heureux présage.

Patti Scialfa a intégré le E Street Band trois jours avant le début de la tournée. Première femme parmi nous, elle a insufflé de nouvelles ondes au groupe, tout en bousculant notre club de garçons, et tout le monde a dû s'adapter – certains plus que d'autres. Faut pas croire, un groupe de rock est une mini-société très fermée, rigide, avec des rituels très spécifiques et des règles tacites. C'est *conçu* pour repousser le monde extérieur, et surtout la vie « *adulte* ». Le E Street Band (à commencer par moi) véhiculait en sourdine sa propre misogynie, caractéristique des groupes de rock de notre génération. En 1984, on était une version assagie de nos incarnations antérieures, mais il suffisait de gratter un peu pour faire remonter la « culture de la route ». Patti a géré la situation avec beaucoup d'élégance. Elle a su trouver sa place sans se faire marcher sur les pieds.

En la faisant venir parmi nous, j'avais deux objectifs. D'abord, qu'on améliore notre musicalité, avec des harmonies vocales fiables et plus mélodieuses. Ensuite, que le groupe reflète l'évolution de notre public, qui devenait de plus en plus mûr et dont les préoccupations concernaient autant les hommes que les femmes. C'était une option délicate parce qu'une des grandes valeurs du rock sera toujours la fuite de la réalité par la musique. C'est une maison de rêves, d'illusions, de délires, de jeux de rôle où le transfert artiste-public fonctionne à fond. Dans ce boulot, on est aux ordres de l'imaginaire du public et cet imaginaire est un territoire très personnel. À partir du moment où on y a laissé son empreinte, le contrarier peut faire de sacrés dégâts (désenchantement, voire pire… chute en flèche des ventes de disques !). Mais en 1984, je voulais, sur ma scène, cet univers d'hommes *et* de femmes, et j'espérais que mon public le voulait aussi.

Soirée d'ouverture

29 juin 1984, au Civic Center de Saint Paul, Minnesota. On avait passé l'après-midi à tourner « Dancing in the Dark », notre premier vrai clip. Il y avait bien eu une vidéo pour « Atlantic City », un superbe court métrage en noir et blanc, mais ni moi ni aucun membre du groupe n'y apparaissaient. J'avais toujours été un peu superstitieux lorsqu'il s'agissait de filmer le groupe. J'estimais qu'un magicien ne devait pas s'observer de trop près ; il risquerait d'en oublier sa magie. Mais MTV faisait maintenant partie du paysage, c'était une chaîne puissante, pragmatique, qui exigeait qu'on lui paye son tribut. Soudain on se retrouvait dans le business du film court pour

lequel de nouveaux talents allaient être nécessaires. Un clip, ça se fait vite : un après-midi, une journée, puis il est entre les mains du réalisateur et du monteur, plus question de faire marche arrière. C'est un médium où la collaboration est déterminante, encore plus que pour la fabrication d'un disque, et où on peut claquer beaucoup d'argent en peu de temps. Le produit fini ne peut être contrôlé que de manière indirecte par l'artiste qui interprète la chanson. Pour obtenir un bon résultat, il faut une équipe de réalisateurs, de monteurs, de directeurs artistiques et de costumiers, qui comprennent ce que l'artiste veut et l'aident à le traduire à l'écran. Il m'avait fallu quinze ans pour mettre en place une équipe de production de disques vraiment opérationnelle, et maintenant je devais monter une équipe cinéma complète en un quart d'heure. L'époque et mon ambition l'exigeaient. Cet ensemble de chansons, servies par les mix de Bob Clearmountain et les images et la pochette d'Annie Leibovitz, touchait un public plus large que jamais.

On ne contrôle jamais complètement la trajectoire de sa carrière. Les événements, historiques et culturels, créent une opportunité, une chanson spéciale te tombe dessus et c'est une fenêtre qui s'ouvre en termes d'impact, de communication, de succès, d'expansion de ta vision musicale. Le problème, c'est que cette fenêtre peut se refermer aussi vite, et pour toujours. Tu ne décides pas complètement du *moment* où sonne ton heure. Tu peux avoir trimé, en toute honnêteté, avoir affiné – consciemment ou inconsciemment – ton positionnement, impossible de savoir si tu « cartonneras » vraiment un jour. Et puis soudain si t'as de la chance… c'est LE succès, un truc *phénoménal*.

Le soir où j'ai lancé le *One, two, three, four* pour que le groupe attaque « Born in the USA », une de ces fenêtres s'est ouverte, et en grand. Un vent chargé de possibles, de dangers, de succès, d'humiliations, d'échecs s'est engouffré et c'est décoiffant. Toi tu observes cette fenêtre ouverte. Est-ce que tu dois t'approcher ? Regarder ce qu'il y a de l'autre côté ? Sortir pour embrasser le monde qui t'est révélé ? Est-ce que tu dois passer de l'autre côté, poser les pieds en terre inconnue ? Des choix décisifs pour les meilleurs des musiciens, et j'en connais de grands qui ont refusé de passer de l'autre côté et préféré calmer le jeu – ça ne les a pas empêchés d'avoir une influence déterminante et une belle carrière. L'autoroute du succès n'est pas la seule voie. C'est juste une autoroute.

Et donc me voilà engagé sur cette voie. Devant moi, il y a Brian De Palma, un ami de Jon. Le réalisateur des *Incorruptibles*, de *Scarface* et de bien d'autres super films, est là pour nous aider à booster « Dancing in the Dark ». On a fait un faux départ une ou deux semaines plus tôt avec un autre réalisateur, et Brian est là pour mettre en valeur au mieux ce qui se révélera être mon plus grand succès. Il me présente à une jeune fille au look pixie. Elle a des yeux d'un bleu éblouissant et porte un tee-shirt *Born in the USA* tout juste imprimé. Il lui demande de se placer devant l'estrade et me dit : « À la fin de la chanson, tu la fais monter sur scène et tu danses avec elle. » Bon, c'est lui le réalisateur. Et c'est donc à côté d'une toute jeune Courteney Cox, avec mon *boogaloo* de Blanc et mon *shuffle* à la papa, que je me hisse à la deuxième place du *Billboard*. J'ai longtemps cru que Courteney était une fan, avant d'apprendre, un beau jour, par Brian qu'elle avait été recrutée sur casting à New York (une star était née… enfin deux !).

On n'a pas pu atteindre la première place, à laquelle se cramponnait Prince avec « When Doves Cry ». Pour nous c'était le premier d'une longue série de clips – j'allais même finir par apprécier l'exercice – mais aucun ne ferait autant marrer mes enfants que « Dancing in the Dark » où je faisais mon James Brown du New Jersey : « Papa… t'es ridicule ! »

Ridicules ou pas, on allait bientôt faire le plus gros carton depuis… notre dernier carton. Maintenant que le clip était terminé, c'était du gâteau. Trois jours de rock'n'roll du feu de Dieu. Pour le premier soir, on ne pouvait pas dire que Patti, dernière arrivée au sein du E Street Band, avait énormément répété. Pas le temps. Quelques heures à peine avant le concert, on a installé un petit retour et un micro pour elle, quelque part entre Roy et Max. Bonjour le bricolage. Et question fringues ? Pour ça la tournée *Born in the USA* reste notoirement catastrophique. Les membres du groupe n'ont jamais été aussi mal sapés. Je m'étais lassé de jouer les fachos dans ce domaine en forçant les gars à se coordonner pour donner une impression à la fois de décontraction et d'homogénéité. En 1984, j'ai laissé chacun suivre son – pire – instinct, et le résultat a été… détonant. Les années 1980 dans toute leur splendeur ! Tout était réuni pour filer des palpitations à n'importe quel costumier un peu branché : la coupe *box cut* à la Gap Band de Clarence, le bandana et la veste de jockey en satin de Nils, la permanente de Max, les pulls à la Cosby de Roy, et enfin mon bandana et mes muscles saillants qui ne tarderaient pas à devenir une marque de fabrique. Rétrospectivement, quand je revois ces photos, je me dis que j'ai tout simplement un look gay. Sûr que j'aurais été parfaitement à ma place dans n'importe quel bar cuir de Christopher Street. Tu parles d'une troupe ! Ça changeait d'un soir sur l'autre, et certaines fois c'était à peu près potable mais globalement c'était un carnage. En termes de look, la plupart des groupes sont au top quand ils sont à la limite de la caricature – ou légèrement au-delà. En 1984, on était dans cette zone, et je vois encore aujourd'hui à mes concerts des ados et des jeunes gars, qui à l'époque n'étaient même pas une étincelle dans les yeux de leurs parents, arborer bandanas et chemises sans manches. Mignons tout plein.

Là, le concert de Saint Paul va commencer dans cinq minutes. Patti frappe à la porte de ma loge. Elle porte un jean et une simple blouse paysanne. « Ça va, ça ? » elle me demande dans un sourire. Quoi répondre ? Je n'ai encore jamais eu à donner mon avis sur la tenue de scène d'une femme. Je suis un peu tendu… « Mmm, je me dis, elle a un côté un peu… trop gamine. Je veux une femme dans le groupe, mais pas qu'elle ait *trop* l'air d'en être une ! » Je remarque à mes pieds ma petite valise Samsonite remplie de tee-shirts. Je l'ouvre et lui dis en souriant : « Trouve-toi un truc là-dedans ! »

Le concert démarre et Nils commence par se planter dans son premier solo. Patti et lui font leurs débuts sur scène avec le groupe devant vingt mille fans du Minnesota et, malgré toute son expérience, il est paralysé un bref instant, une biche dans les phares d'une voiture. Il pique un fard, on en rigole, il finit par trouver ses marques et s'en tire comme un chef tout le reste du concert. Soirée magnifique. Patti, resplendissante (dans mon tee-shirt !), s'en sort à merveille malgré les conditions difficiles. Notre nouvelle équipe est prête pour la bataille à venir.

Pittsburgh, Pennsylvanie

Le soir de notre concert à Pittsburgh, je refuse publiquement le compliment que m'a adressé le président Ronald Reagan. Son attention a provoqué en moi deux réactions… « Enfoiré ! » d'abord. « Le président a prononcé mon nom ! » ensuite. Ou peut-être dans cet ordre. Ce qui compte c'est que ce soir-là j'ai rencontré Ron Weisen, ancien métallurgiste et syndicaliste radical, qui venait juste d'ouvrir une banque alimentaire pour les métallos dans la dèche après la fermeture des aciéries de la Monongahela Valley. Chez moi, on ne s'intéressait pas à la politique. Hormis la fois où j'avais demandé à ma mère pour quel parti on était – « On est démocrates, c'est le parti des travailleurs » –, je ne me rappelle pas une seule discussion politique à la maison. Pourtant j'avais été gosse dans les années 1960, et la conscience sociale et politique faisait partie de mon ADN culturel. Mais c'était surtout le questionnement identitaire né de mon succès qui m'avait poussé à m'élever, dans mes chansons, contre les forces qui avaient tant marqué la vie de mes parents, de ma sœur et de mes voisins. Quand on a soif, on va où il y a de l'eau, et je savais désormais que certaines réponses aux questions que je me posais étaient à chercher dans l'arène politique.

Dylan avait habilement mêlé le politique et l'intime en donnant de la résonance et de la force aux deux. J'étais d'accord avec l'idée que le politique était personnel et vice-versa. Ma musique avait pris cette direction depuis déjà un certain temps, et j'avais envie d'intégrer plusieurs facteurs dans un tout cohérent : la présidence de Reagan, mon histoire, mon itinéraire musical et mes rencontres avec des gens qui avaient les pieds sur terre. Ce soir-là, à Pittsburgh, j'ai donc fait la connaissance de Ron, on a discuté et il m'a parlé des difficultés terribles que rencontraient les gars dans la vallée. Comme avec les anciens du Vietnam, on a pu se faire l'écho de leur cause et leur apporter un soutien financier. Avant de partir, il m'a signalé que des travailleurs étaient dans le même genre de situation au cœur de Los Angeles. Une fois à LA, j'ai contacté George Cole et rencontré le poète Luis Rodriguez, tous deux anciens métallos à South Central, un centre métallurgique important mais peu connu du sud de la Californie. George et son groupe avaient monté une banque alimentaire et une troupe itinérante de théâtre engagé. De fil en aiguille, avec l'aide de mon assistante manager, Barbara Carr, on a lentement tissé des liens avec d'autres organisations dans plusieurs villes.

Dans les années à venir, le système de banque alimentaire nationale qui se mettrait en place nous permettrait au fil des tournées d'apporter à notre public des ressources locales et des solutions concrètes pour lutter contre la pauvreté et la faim en organisant des opérations dans les lieux où on se produisait. C'étaient des initiatives modestes et simples, mais on était bien placés pour les lancer.

Je n'ai jamais eu le courage d'être en première ligne dans ce domaine, contrairement à pas mal de mes collègues musiciens. Depuis, on a sans doute un peu trop monté en épingle les quelques opérations qu'on a soutenues. Mais j'ai toujours essayé d'avoir une approche cohérente, d'assurer un suivi des projets d'une année sur l'autre, de trouver un moyen de venir en aide à ceux que la négligence et l'injustice du système laissaient sur le carreau. Ces familles avaient bâti l'Amérique de génération en génération ; pourtant leurs rêves et même leurs enfants étaient considérés comme quantités négligeables. Nos déplacements et notre position nous permettaient de soutenir sur le terrain des militants qui travaillaient au quotidien sur ces questions avec des citoyens relégués aux marges de la vie américaine.

Le paradis de l'homme blanc (Little Steven contre Mickey Mouse)

Notre première halte à Los Angeles, dans le cadre de la tournée *Born in the USA*, a commencé par une visite à Disneyland qui a mal tourné : Little Steven Van Zandt, moi-même et notre « entourage » avons été refoulés sans cérémonie du parc d'attractions parce qu'on refusait d'enlever nos bandanas. Ça faisait des jours qu'on avait prévu cette sortie au Royaume magique. Steve est un grand gamin, il n'y en a pas deux comme lui. Alors, plus le jour fatidique approchait, plus son excitation frôlait l'hystérie (cela dit ça ne changeait pas vraiment de son comportement quotidien). Space Mountain, la Maison hantée, Pirates des Caraïbes, on allait tout faire ! Une virée à quatre – on y allait avec Maureen, la femme de Steve, et notre « premier fan », Obie Dziedzic, qui nous suivait depuis qu'on avait seize ans, sur le Shore – dans L'ENDROIT LE PLUS JOYEUX AU MONDE, comme l'annonçait la pancarte.

On achète nos tickets. Steve ricane, il ne tient plus en place. Il franchit le portillon en premier et une dizaine de mètres plus loin… il est stoppé dans son élan. On lui demande de se mettre sur le côté et on l'informe que s'il souhaite rester dans le parc, il lui faudra ôter son bandana. Motif : il pourrait être pris pour le membre d'un gang, Blood ou Crip, et être victime d'un *drive-by-shooting*, une fusillade au volant, alors qu'il dégobille son quatre-heures sur Space Mountain. Le bandana de Steve n'est ni rouge ni bleu, comme ceux de ces gangs, mais d'un coloris indéterminé, soigneusement choisi pour aller avec le reste de son « look » par l'homme qui a inventé la babouchka masculine. Et donc lui faire enlever cet élément essentiel de sa panoplie, comme je voudrais le faire comprendre à la section d'assaut de Mickey, CELA NE RISQUE PAS D'ARRIVER ! Par solidarité, moi qui ai le front ceint de mon foulard *Born in the USA*, je refuse également de m'en défaire. Le grand chef des gardiens préposés à la sécurité qui nous encerclent à présent nous dit qu'il va « passer » sur les tenues vestimentaires du reste de la bande (la femme de Steve ! et Obie, notre fan numéro un !)… mais qu'il lui est tout bonnement impossible de nous autoriser à garder nos bandeaux.

ON SE TIRE ! VA TE FAIRE FOUTRE, PUTAIN DE SOURIS FASCISTE ! PUISQUE C'EST ÇA ON IRA À KNOTT'S BERRY FARM ! Et on décampe.

Sur le chemin du retour, je demande à Steve ce que ça lui fait d'être tricard dans L'ENDROIT LE PLUS JOYEUX AU MONDE – manifestement, nous on ne mérite pas ce bonheur-là ! Steve se met à balancer un tombereau d'obscénités contre cet escadron de la mort et son code vestimentaire ultra-réac qui fait tout pour que le domaine de M. Disney reste un paradis pour l'homme blanc. En arrivant à Knott's Berry Farm, *avant même* d'acheter nos tickets, on est informés au guichet que nos crânes ceints de bandanas ne sont pas non plus les bienvenus ! ALLEZ VOUS FAIRE FOUTRE ! Et toute la Californie du Sud avec, tiens !

On est un chouïa moroses quand on reprend la route de Los Angeles et, pendant deux longues heures, Steve se déchaîne. Tout y passe : la Constitution, la Déclaration des droits !... « Connerie de code vestimentaire ! Bande de nazis ! Je vais en parler à la TÉLÉVISION NATIONALE ! » blablabla. Malgré l'heure tardive, on décide d'aller dîner au Mirabelle, un restau charmant sur Sunset Boulevard. On est au bar, et le proprio, un ami, vient nous voir pour bavarder. Steve, toujours remonté, lui dit : « Vous n'avez pas de code vestimentaire ici, si ? » L'autre, qui est en costard, nous regarde et répond : « Bien sûr que si. Tu crois que je vous laisserais entrer si je ne vous connaissais pas ? »

Little girl, I wanna marry you...

J'avais trente-quatre ans, l'école était suffisamment loin pour que je réussisse à tirer un trait sur la honte et la culpabilité que mon éducation italo-catholique me faisait associer à tout plaisir charnel. Je me disais qu'il était grand temps de profiter des petits avantages en nature liés au statut de superstar. J'étais plutôt un monogame en série, je ne cherchais pas à faire des rencontres pendant les tournées. D'abord, je n'étais pas là pour faire la fête mais pour *bosser*, et m'accorder trop de plaisirs serait allé à l'encontre des pénitences que je tenais absolument à m'infliger. La mortification profane c'était ma joie, ma raison d'être. N'empêche qu'on ne peut pas non plus penser qu'au travail… il faut parfois souffler un peu… Certes, je ne risquais pas de concurrencer Wilt Chamberlain mais, au début de la tournée *USA*, j'ai décidé… de *voir*. Et *j'ai vu*. De manière générale, je souscrivais plutôt à la règle on-ne-se-tape-pas-les-filles-normales, mais je n'avais pas non plus envie de perdre mon temps avec les « groupies professionnelles ». Pas question d'être un trophée de plus sur la liste de je ne sais qui. Ce qui réduisait mon champ d'action de façon assez conséquente. Mais bon, vouloir c'est pouvoir, comme dit l'autre… Je ne suis pas un saint. Prendre son pied a son charme, et j'ai pris le mien de temps en temps, mais… jamais longtemps, ça ne valait pas le coup ! Alors, à part quelques soirées, après chaque concert je retournais à mon programme poulet frit-frites-télé-livre (en émule de Dean Martin le solitaire plutôt que du sociable Frank Sinatra), et puis au lit… *Let the good times*… zzzzzzz.

Après ma courte phase Casanova, mon horloge psycho-biologique a dû se rappeler à mon bon souvenir. Je voulais du sérieux. Je voulais me marier. Je savais maintenant que je fonctionnais sur un mode un peu paradoxal : sans être tout à fait adapté aux règles strictes de la monogamie, je n'étais pas non plus un libertin. L'idéal pour moi c'était un système semi-monogame (ça existe, ça ?). Généralement, je m'y tenais, mais il m'arrivait parfois d'appliquer la stratégie militaire des États-Unis : si-on-ne-pose-pas-de-questions-on-ne-dit-rien. Pas facile à défendre comme approche.

À Los Angeles, j'ai rencontré Julianne Phillips, une actrice du nord de la côte Pacifique. Vingt-quatre ans, grande, blonde, talentueuse, elle avait fait des études, c'était une jeune femme splendide et séduisante. On s'est plu et on a commencé à se voir régulièrement. Au bout de six mois, je l'ai demandée en mariage sur le balcon de ma villa de Laurel Canyon. On s'est mariés à Lake Oswego, dans l'Oregon, où la cérémonie a donné lieu à une scène digne d'un film de Preston Sturges. La presse avait eu vent de nos fiançailles et ça a été l'explosion dans la petite ville. Dans la maison d'à côté, un gamin de dix ans a grimpé sur le toit de son garage avec un appareil photo pour jouer les paparazzi pendant la fête, tout en s'empiffrant de hot-dogs dans le jardin. Il a vendu les photos aux journaux pour s'acheter une nouvelle planche à roulettes et du jour au lendemain, ce gosse est devenu une célébrité locale. Dès que notre contrat de mariage a été établi, la frénésie médiatique a commencé. Le prêtre du coin avait obtenu une dispense de la part de l'évêque pour pouvoir nous marier sans attendre le délai requis. Il nous a posé vingt questions, et ni une ni deux on s'est retrouvés unis par les liens du mariage dans le giron de l'Église catholique (Al Pacino dans *Le Parrain III* : «Juste quand je m'en croyais sorti, ils m'y ramènent»).

On s'est mariés à minuit, pour éviter la meute de journalistes. Le lendemain, des hélicos pleins de photographes de tabloïds volaient en rangs serrés au-dessus du brunch de notre réception. Mon père, installé à une table de pique-nique, fumait son éternelle cigarette – on aurait dit qu'on l'avait transbahuté tel quel de sa cuisine californienne dans ce champ de Lake Oswego. J'ai passé la journée avec ce brave Jack Daniel's et mon paternel a été mon unique répit : à part une apocalypse, rien n'aurait pu lui enlever son air je-reste-assis-à-la-table-de-ma-cuisine. Tandis que les hélicoptères bourdonnaient au-dessus de nos têtes, je me suis installé face à lui. Boudiné dans un costume qui semblait avoir été cousu sur un rhinocéros, il a tiré une longue bouffée de sa Camel et m'a dit sur un ton pince-sans-rire : «Bruce… regarde ce que tu as fait, là.»

Avec Julie, on est allés à Hawaii pour notre lune de miel et on s'est installés dans ma villa de Los Angeles. Ça se passait bien : elle continuait sa carrière, je continuais ma musique et on continuait notre vie ensemble. La seule chose qui m'inquiétait, c'est qu'aucune de mes relations amoureuses n'avait duré plus de deux ou trois ans. L'image que j'avais de moi-même n'avait pas résisté et mes défauts étaient apparus. J'étais réglé comme du papier à musique, d'ailleurs ma mère me chambrait là-dessus : « Bruce, ça fait deux ans ! » Alors maintenant, la nuit, mon sommeil satisfait était parfois troublé par le redoutable tic-tac de mon « horloge » – on aurait dit qu'il venait du ventre du crocodile du capitaine Crochet.

J'imagine que je n'aurais pas dû mentir sur la marchandise, mais j'avais pris la résolution de ne pas laisser mes antécédents et mes peurs me dicter ma conduite et aller à l'encontre de mes sentiments. Il fallait que j'aie confiance dans le fait que je pourrais aimer quelqu'un, *cette* femme, et que je trouverais les ressources pour que notre histoire ne capote pas. Après notre mariage, j'ai eu plusieurs sévères crises d'angoisse et j'ai réussi à m'en sortir avec l'aide de mon médecin. J'ai tout fait pour les dissimuler et ça a été une erreur. J'ai aussi eu quelques crises de délire paranoïaque (l'ombre de mon pater ne me lâchait pas) et ça, ça m'a vraiment fichu la trouille.

Un soir, j'étais assis en face de ma somptueuse femme dans un restaurant chic de Los Angeles, quand un scénario a lentement pris forme dans ma tête. On discutait tranquillement à la lueur d'une bougie, main dans la main, et une petite voix en moi essayait de me convaincre que Julie m'avait juste épousé pour faire avancer sa carrière ou obtenir… quelque chose. Rien n'était plus éloigné de la vérité. Julianne m'aimait et elle n'avait pas la plus petite arrière-pensée ni méchanceté. Dans le fond, je le savais, mais mon esprit errait dans des zones bourbeuses et j'étais incapable de m'en tenir à ce qui était vrai.

Je glissais de nouveau vers le gouffre où la rage, la peur, la méfiance, le manque d'assurance et la misogynie – marque de fabrique de ma famille – menaçaient d'annihiler ma bonté naturelle. Une fois de plus, c'était la peur d'*avoir* quelque chose, d'autoriser quelqu'un à entrer dans ma vie, quelqu'un d'aimant, qui faisait carillonner à mes oreilles une armada de cloches et de sifflets. Gare à ce qui couvait. Qui allait s'occuper de moi, qui m'aimerait ? Qui aimerait celui que j'étais vraiment, celui qui se cachait derrière mon air de mec sympa et cool ? Je suis devenu avide de sexe, puis abstinent, j'ai eu plusieurs crises d'angoisse ; je passais d'un extrême à l'autre du spectre des comportements humains les plus improbables, tout en essayant d'étouffer ce bouillonnement. J'avais peur, mais je ne voulais pas épouvanter ma jeune épouse. Ce n'est pas comme ça que j'aurais dû m'y prendre, et ça a créé une distance psychologique entre nous, juste au moment où je tâchais de faire entrer quelqu'un dans ma vie.

Un soir, Julianne dormait déjà quand je l'ai rejointe au lit. Là, dans l'obscurité, j'ai vu la lumière de la lampe de chevet se refléter sur mon alliance. Je ne l'avais jamais enlevée ; une petite voix en moi me chuchotait qu'il ne valait mieux pas. Ce soir-là, je me suis assis au bord du lit, j'ai tiré sur la bague et je l'ai regardée glisser jusqu'au bout de mon doigt. Un océan de désespoir m'a submergé. Mon pouls s'est mis à palpiter et mon cœur à tambouriner comme un sourd dans ma poitrine. Je me suis relevé, je suis allé dans la salle de bain, je me suis aspergé d'eau fraîche et je me suis senti mieux. Dans la lumière de la salle de bain, j'ai remis l'alliance à mon doigt. Je suis retourné dans la pénombre de notre chambre, où reposaient tous mes secrets et toutes mes craintes, où dormait ma ravissante femme. Je ne voyais que les contours de son corps, une courbe douce ourlée de couvertures froissées, dans l'obscurité. J'ai caressé ses épaules, sa joue, j'ai inspiré profondément, senti que l'air revenait dans mes poumons, alors je me suis glissé sous les draps et je me suis endormi.

Europe

1er juin 1985, Slane Castle, en Irlande. Première fois *de notre vie* qu'on donnait un concert dans un stade. Surplombant quatre-vingt-quinze mille personnes entassées dans un champ en cuvette, à quatre-vingts kilomètres de Dublin. Je n'avais encore jamais vu une telle marée humaine. C'était noir de monde depuis la Boyne, la rivière qui coulait derrière notre scène, jusqu'au château de Slane, perché au loin sur un tertre de verdure. Le public juste devant la scène, deux mille personnes environ, avait attaqué tôt à la Guinness et il y avait de grands mouvements de foule latéraux. Des trous béants se dessinaient lorsque des membres du public tombaient à terre dans la boue par dizaines, disparaissant d'interminables secondes, jusqu'à ce que leurs voisins les aident à se relever. Une fois debout, c'était reparti dans l'autre sens en un flux et reflux perpétuel qui me mettait les nerfs en pelote. C'était une vision bien trop terrifiante pour mes pauvres yeux. J'étais persuadé que quelqu'un allait y rester – et ce serait ma faute.

Côté jardin, Pete Townshend et une brochette de stars du rock m'observaient avec perplexité faire mon entrée dans le monde du méga-succès. Côté cour, ma femme. C'était notre premier voyage ensemble depuis le mariage et j'ai eu l'impression que j'allais m'effondrer sous ses yeux. Je chantais, je jouais et je me disais : «Je ne peux pas rester là à chanter ces chansons, surtout ces chansons, en mettant les gens en danger.» J'ai continué à chanter, j'ai continué à jouer, mais la rage et la panique ne me lâchaient pas. OK, Monsieur Succès Phénoménal… comment t'en es arrivé là ?

Entracte. J'étais furieux. Jon Landau est venu me voir dans ma caravane et là, au beau milieu du plus gros concert de ma vie, on a eu une discussion tendue quand je lui ai dit que j'envisageais d'annuler toute la tournée. Je ne pouvais pas supporter que ce qui se passait juste devant la scène à Slane se reproduise à chaque concert. C'était irresponsable et ça allait à l'encontre de tous mes principes de respect et de protection du public. Les fans imbibés d'alcool, épuisés, en surchauffe, étaient évacués en un flux ininterrompu par-dessus les barrières, pour être emmenés dans la tente de l'infirmerie ou mis un peu à l'écart, le temps de se calmer, et ils revenaient ensuite se jeter dans la masse. On insistait pour qu'il y ait des sièges à nos concerts depuis le début des années 1970, depuis le soir où, caché sur le côté des gradins dans un gymnase d'université, j'avais vu la meute s'écraser contre la scène. Ce dont j'avais été témoin ce soir-là ne m'avait pas du tout plu. Ces dernières années, j'avais accepté de faire des compromis avec les organisateurs en Europe, mais là, terminé.

Rappelez-vous que c'était la première fois que je donnais un concert dans un stade – et la première fois d'ailleurs que *j'étais présent* à un concert dans un stade –, donc je n'avais pas d'élément de comparaison. Jon a eu la sagesse de suggérer qu'on fasse au moins quelques concerts de plus avant de prendre une décision. (On s'était engagés pour une tournée entière à guichets fermés.) Lui aussi avait peur, et il m'a promis que si ce bordel devait se reproduire, il m'écouterait : on annulerait, tout le monde nous en voudrait à mort, mais tant pis. Heureusement le public a été plus calme durant la deuxième partie du concert à Slane, et je me suis rendu compte que ce qui, vu de la scène, ressemblait à un pur chaos était en fait un rituel approximatif mais assez efficace. Les gens se protégeaient les uns les autres. Lorsque vous perdiez l'équilibre, votre voisin vous tendait la main pour vous aider à vous relever. Ce n'était pas joli-joli (ni très sûr à mes yeux) mais ça fonctionnait. Les quatre-vingt-treize mille autres spectateurs ne se doutaient pas du tout du mini-drame qui se jouait devant eux. Ils passaient juste une journée splendide avec un groupe qui dépotait sur scène. Finalement, Slane est devenu un de nos concerts « légendaires ». Dans les rues de Dublin, on m'en parle souvent. Il y a ceux qui *y étaient* et les autres. Moi j'y étais, ça c'est sûr.

Newcastle, Angleterre

Pour notre deuxième concert dans un stade, tout n'a été que soleil et sourires. Le groupe, qui commençait à prendre ses marques devant un public aussi nombreux, a tout donné. L'atmosphère était festive mais bon enfant. Question sécurité, plus rien à dire. On était *capables* de jouer dans des stades, mais je n'ai jamais oublié l'expérience de Slane. Notez au passage que lorsqu'on est en présence d'une foule aussi importante, surtout si c'est un public jeune, il y a toujours du danger dans l'air. C'est une simple question mathématique. Un incident inattendu, un peu d'hystérie, et ça peut très vite virer au drame. Au fil des ans on a fait gaffe et on a eu aussi de la chance – contrairement à certains musiciens bien intentionnés, sérieux et gentils comme tout, et respectueux de leurs fans. Aujourd'hui, c'est vrai que les concerts dans les stades sont organisés avec un grand professionnalisme, mais il n'y a pas de risque zéro quand on a affaire à des foules pareilles.

Maux de tête et têtes d'affiche

Et la tournée a continué… compliquée par plusieurs problèmes. Depuis mon mariage, j'étais devenu la coqueluche des tabloïds. Le lendemain de notre concert, un journal scandinave montrait une photo de notre lit, à Julie et moi. Sans nous dedans, juste notre pieu qui venait d'être fait, mais c'était nouveau et franchement perturbant. Les photographes étaient partout, voilà ce que ça voulait dire.

À Göteborg, en Suède, ça a été du délire. On était soit confinés à l'hôtel, soit suivis par une meute de paparazzi. Bon sang, c'était *pas* pour ça que j'avais signé ! J'avais besoin d'intimité, moi, ça me mettait mal à l'aise de voir ma vie personnelle exposée au grand jour. Ce que je voulais plus que tout, quand je n'avais pas cent mille yeux braqués sur moi, c'était que tous ces yeux regardent *ailleurs*. Mais ça, dans la seconde moitié du XXe siècle, lorsque tu étais une figure publique, c'était tout bonnement impossible. Laisse tomber ! Donc tu prenais toutes les bonnes choses qui t'arrivaient et tu en acceptais aussi les inconvénients, c'était le prix à payer pour… *avoir absolument tout ce que tu voulais* ! Savoir cela m'empêchait de devenir complètement dingue, mais en 1984, en plein sous les feux des projecteurs, j'ai craqué…

Un jour, une guitare Takamine d'un noir luisant, toute neuve, a volé, à quelques centimètres de mon fidèle *amigo* Jon Landau, frôlant les quelques cheveux qu'il avait encore – mais il est resté d'un calme olympien. Un clllliiiiiiing atonal a retenti en backstage, comme si les cloches du rock'n'roll éclataient à minuit pile dans la maison des mille guitares, et ma Takamine a explosé en un million de morceaux contre le mur de ma loge à Göteborg. À moins que vous soyez Pete Townshend, je déconseille fortement ; démolir de beaux instruments de musique, très peu pour moi. J'irai jusqu'à dire que briser les nobles instruments de M. Gibson, M. Fender ou de tout autre fabricant de bonnes guitares relève du sacrilège. Mais quand on est à deux doigts de péter complètement les plombs, faut ce qu'y faut. J'en avais ma claque de tout ce cirque. Et puis comment savoir si ça n'allait pas durer *toute* ma vie ? Où que j'aille, jour après jour, d'un pays à l'autre, d'un lit à l'autre, je me trouvais empêtré dans une sorte de *Jour sans fin*. Toute cette attention publique était abrutissante et inepte. Mon ambition sacrée court-circuitait mon désir – humain – de vie normale et d'amour. Est-ce que j'étais condamné à subir éternellement ce harcèlement ? Est-ce qu'on allait encore publier des milliards de photos du plumard où ma femme et moi avions couché la veille ? Finalement, non. Mais sur le coup, impossible de le deviner.

Jon Landau, qui essayait juste de prendre un peu de recul par rapport à ma situation, s'est éloigné de son pote hystérique sur la pointe des pieds. Il est sorti dans le couloir où il a rejoint plein de gens qui se félicitaient de ne pas avoir son job.

Après mon carnage de guitare, on a littéralement détruit le stade Ullevi : à force de sauter tous ensemble pendant « Twist and Shout », les Suédois déchaînés ont fini par en fissurer les fondations en béton. Ça leur apprendra.

QUARANTE-NEUF

ON RENTRE À LA MAISON

La tournée en Europe s'est déroulée sans accroc, salles combles, foules en délire. On était maintenant à l'aise dans l'environnement extralarge des stades devenus notre lieu de travail régulier. Nos morceaux étaient taillés pour des espaces de cette ampleur, et donc de Tombouctou jusqu'au New Jersey nos publics sont tombés les uns après les autres sous le charme du show électrique qu'on avait mis au point en Europe. Certaines villes nous ont laissé un souvenir particulier : trois concerts, autour du 4 Juillet, ont attiré soixante-dix mille fans par date (dont Steve qui nous a rejoints sur scène) au stade Wembley de Londres. La tournée a commencé à Milan, en Italie, la mère patrie, dans un stade de quatre-vingt mille places. On s'est engouffrés comme des gladiateurs dans ses passages souterrains sombres, humides, tandis qu'au loin la clameur de quatre-vingt mille Italiens enflait, enflait… et on est ressortis à la lumière du soleil. Là ça a été un tonnerre d'acclamations comme si on revenait des croisades, brandissant au bout de nos manches de guitares les têtes de nos ennemis vaincus (en fait, on allait peut-être juste être jetés aux lions).

En avançant vers la passerelle d'accès au-devant de la scène, j'ai remarqué une section entière de sièges vides. « Je croyais que le concert était plein », j'ai dit à l'organisateur qui était à côté de moi. « Il est plein. Ces sièges sont pour les gens qui vont entrer sans payer ! » Pigé. Et c'est effectivement ce qui s'est passé. On avait installé d'énormes écrans vidéo à l'extérieur du stade pour ceux qui n'avaient pas pu entrer, mais ça ne les a contenus qu'un temps. Les portails ont été enfoncés, les services de sécurité bousculés et bientôt tous les sièges ont été occupés – plutôt deux fois qu'une, même. Ce qui est, à mes yeux, un comportement hystérique hallucinant passe, semble-t-il, pour la réaction normale d'un public italien. Les femmes envoyaient des baisers et pleuraient, les hommes pleuraient et envoyaient des baisers, tous me juraient un amour éternel en se frappant le cœur avec les poings. Certains tombaient dans les pommes. Et on n'avait pas commencé à jouer ! Quand on a attaqué « Born in the USA », on a cru qu'un séisme de fin du monde soulevait le stade. *Marone !*

De retour au pays, notre concert au stade Three Rivers de Pittsburgh s'est révélé unique… Un public composé de six mille fans des Steelers m'a vu lancer le *One, two, three, four* de « Born in the USA » alors que les membres clés du E Street Band, Roy et Nils, jouaient au ping-pong dans les loges ! Et à la place du riff massif au synthé de Roy, mon *One, two, three, four* gonflé à la testostérone a été suivi du frêle grelot du glockenspiel de Danny Federici ! Record du quatre cents mètres battu par Nils et Roy quand ils ont fini par entendre le décompte de leur chanteur, qui signifiait pour eux : « Les gars, ça va vraiment chauffer pour votre matricule, je vais y foutre le feu, moi, à cette table de ping-pong ! » Devant moi, six mille visages passaient du respect mêlé de crainte à un sentiment plus proche de oh-ça-craint : je me tenais devant eux, tout seul, le pantalon métaphoriquement sur les chevilles, vivant en direct une des expériences les plus ratatine-zizi de tous les temps. Après ça, terminé, les tables de ping-pong pendant quelques années. Je vous garantis que des têtes ont roulé ce jour-là.

Le stade des Giants : six concerts à guichets fermés, trois cent mille de nos fidèles du New Jersey, pour clore cette tournée gigantesque. Les gens de chez nous. Ils n'ont jamais été les plus exubérants (difficile de faire mieux que les Européens !) mais bon sang, ils font le déplacement, mes potes, ils me filent la pêche !

Au Texas, invasion de sauterelles grosses comme le pouce autour de nous – on aurait dit des avions d'assaut de la seconde guerre mondiale. La soirée était un peu fraîche et elles ont été attirées par la chaleur que dégageaient les éclairages sur scène. Jusqu'à couvrir le moindre centimètre carré de surface. Nils, qui a la phobie des insectes, a détalé jusqu'au praticable de l'orgue de Danny. Une sauterelle est venue se percher sur mon pied de micro, a sauté dans mes cheveux et, pendant « My Hometown », elle est descendue le long de ma nuque jusqu'au milieu du dos. On en a chassé des milliers à coups de balai pendant l'entracte. Ce fut biblique !

Peu après, on a eu droit à la neige, température en dessous de zéro au stade Mile High de Denver, dans le Colorado. Les gens sont venus en anorak de ski et enveloppés de couvertures, comme pour un match de football. On a coupé les extrémités de nos gants pour pouvoir jouer sur nos guitares, on a fait ce qu'on a pu pour se réchauffer mais on s'est quand même bien caillés. De la condensation s'élevait en volutes au-dessus de nous, dégagée par notre transpiration dans l'air glacé. Au bout de trois quarts d'heure (sur trois heures de concert), on a senti le froid s'insinuer jusque dans nos os. J'ai posé ma guitare, les doigts raides ; j'avais beau les frotter, je ne les sentais plus. Et chaque syllabe que je chantais laissait un nuage de buée. Bientôt, le soleil et la chaleur de Los Angeles.

27 septembre 1985, le Memorial Coliseum de Los Angeles, site des Jeux olympiques, où on clôturait par quatre soirs. On a été accueillis par des cieux d'un bleu dur, des températures douces et quatre-vingt mille personnes. Le groupe a atteint son apogée dans une ambiance de fin de tournée. On était maintenant une des plus grosses attractions rock au monde, voire *la* plus grosse, et en parcourant ce chemin on n'avait rien oublié de nos valeurs. On avait traversé des moments limites et, à l'avenir, il faudrait que je sois doublement vigilant sur la façon dont ma musique serait utilisée et interprétée, mais l'un dans l'autre on s'en sortait indemnes, unis et prêts à continuer.

Et maintenant, on va où ?

Pour Julianne et moi, retour dans notre villa de LA. Enfin ! Je me suis senti super bien… pendant deux journées entières. Le troisième jour, je me suis écroulé. « Qu'est-ce que je fais, maintenant ? » Jon est venu me voir pour me dire que la tournée avait été un énorme succès… *financier*, un tel succès, en fait, qu'il allait falloir que je rencontre mon comptable. Mon comptable ? Jamais rencontré, celui-là… Depuis quatorze ans que j'enregistrais des disques, je n'avais encore jamais vu ceux dont le boulot consistait à compter mon argent… et le surveiller. Peu après M. Gerald Breslauer m'annonçait que j'avais engrangé une somme à tellement de zéros qu'il valait mieux que je m'interdise d'y penser. Ce n'est pas que ça me chagrinait ; en fait, j'en avais le vertige. Mais je n'arrivais pas à replacer ce nombre dans un contexte qui ait du sens. Alors j'ai suivi son conseil.

Mon premier luxe d'icône rock à succès, ça a été justement de ne pas penser à tous les luxes qui s'offraient à moi ; en fait, de carrément les ignorer (du moins certains d'entre eux). Et ça m'a réussi.

La tournée *Born in the USA* a été suivie d'une période étrange. C'était à la fois le sommet et la fin de quelque chose. Jamais je n'occuperais de nouveau une place si haut au firmament de la pop grand public. Mon travail avec le E Street Band était pour ainsi dire terminé (pour l'instant). Même si on allait partir une fois de plus en tournée pour *Tunnel of Love*, mon album solo, je me servirais du groupe en brouillant intentionnellement son identité antérieure. Je ne le savais pas à l'époque mais on allait faire une très longue pause. Cette fin de tournée marquait aussi le début de quelque chose, un élan décisif pour essayer de décider de ma vie en tant qu'adulte et chef de famille, et pour tenter d'échapper aux séductions et à l'isolement de la route. Il me tardait de me poser enfin au sein d'un vrai foyer, avec un amour vrai. Je voulais hisser sur mes épaules cette maturité qui était à la fois une charge et une bénédiction, et tout faire pour la porter avec grâce et humilité. J'avais fait des efforts pour me marier, maintenant est-ce que j'allais savoir… *être* marié ?

CINQUANTE
REGRESAR A MÉXICO

Juste avant la tournée *Born in the USA*, j'avais acheté une maison dans le bastion républicain de Rumson, New Jersey, à quelques minutes seulement de la bande de sable où se trouvait jadis le Surf and Sea Beach Club où nous autres *townies*, les petits gars du coin, on se faisait cracher dessus par les gosses de mes nouveaux voisins. La maison était un hôtel particulier de style géorgien, à l'angle de Bellevue Avenue et Ridge Road. J'ai commencé par avoir des remords, mais j'ai tenu bon, en me promettant de donner à cette grande baraque ce que j'avais tellement recherché : une famille et une vie. Un matin, j'ai reçu un coup de fil de mon père. Une première. Il avait interdit le téléphone à la maison pendant dix-neuf ans et aujourd'hui, s'il était encore en vie, il ne risquerait pas d'exploser son forfait. Mon père ne m'avait jamais appelé directement, alors j'étais inquiet.

« Salut, Bruce ! » il a fait avec un entrain inhabituel dans la voix. Il voulait qu'on parte ensemble pêcher au Mexique. Mon paternel qui n'avait pas trempé un hameçon dans l'eau depuis vingt-cinq ans, depuis l'époque où on allait tous les deux se morfondre (on pêchait mais on n'attrapait *rien*) au bout de la jetée de Manasquan... voilà-t-y pas qu'il voulait se la jouer Ernest Hemingway et pêcher le marlin. Le seul marlin qu'il avait approché était suspendu au-dessus du bar de son troquet préféré et à l'exception de notre virée à Tijuana au Mexique, il ne m'avait jamais proposé d'aller où que ce soit. Amusé par son enthousiasme, flatté et curieux, j'ai écouté son laïus. Quelque part en moi il y avait encore cette envie d'une deuxième (troisième, quatrième, cinquième ?) chance avec mon père, où cette fois-ci tout se passerait bien. « D'accord », j'ai dit. Je lui ai demandé s'il fallait que je m'occupe de quelque chose et il m'a fièrement répondu qu'avec son voisin Tom (le seul ami qu'il ait eu au cours des quinze dernières années) ils s'étaient « occupés de tout ». Et « c'est moi qui invite », ajouta-t-il gaiement. Bon.

Quelques semaines plus tard, j'ai pris l'avion pour San Francisco puis j'ai rejoint en voiture Burlingame, Californie. C'est là, sur une colline ventée, à la lisière de la Silicon Valley, avec en toile de fond la baie d'Oakland, que se trouvait la nouvelle résidence de mes parents, aboutissement de leur « ruée vers l'or » de 1969. Une modeste maison qu'ils avaient choisie en retenant leur souffle. Ma mère m'en avait décrit tous les détails architecturaux au téléphone, à moi qui étais resté dans le New Jersey. J'ai passé la soirée avec mes parents et le lendemain Tom, mon père et moi, on a sauté dans un avion de l'Aeroméxico à destination de Cabo San Lucas. Le vol n'a pas été de tout repos, l'avion était rempli de pêcheurs et de vacanciers excités à l'idée d'aller au sud de la frontière. Mon père, qui était devenu assez énorme, a sympathisé avec des filles (ce qu'il ne manquait jamais de faire, puisqu'il ne changeait jamais) et après l'atterrissage, on s'est tous entassés, y compris les filles, dans un van Ford Econoline hors d'âge. Sur la route on a vu des signes de pauvreté terribles, des cabanes misérables avec des antennes sur le toit où la télé diffusait en continu sa lueur bleue ; notre conducteur, lui, pour éviter le bétail, quittait imprudemment la chaussée et le van allait s'immobiliser dans des cris et un nuage de poussière au milieu des broussailles. En arrivant à nos quartiers, j'ai dû reconnaître que mon père s'était plutôt bien débrouillé. Pas de télé ici, ni de téléphone, mais assez sympa. À l'époque, Cabo San Lucas semblait écartelé entre des prétentions haut de gamme et un entre-deux, où se baladaient des ânes. Notre seul moyen de contacter la famille aux États-Unis : aller au bureau de poste où trônait un téléphone sur un tabouret solitaire, sous la surveillance d'une beauté à la peau mate.

Le lendemain, on s'est levés avant le jour, on a sauté dans un taxi et on s'est fait déposer sur une plage perdue à des kilomètres de notre hôtel. Et là, dans le bleu de l'aube naissante, j'ai senti que quelque chose clochait. Pendant de longues minutes mon père est resté silencieux, Tom traînait des pieds. Puis on a fini par apercevoir une fumée blanche qui s'élevait derrière les affleurements rocailleux. Suivie du blub-blub-blub-blub d'un vieux moteur diesel surmené. Lentement une coquille de noix orange vif est apparue, que j'aurais bien vue manœuvrée par Brutus (le pire ennemi de Popeye) en personne. Là, j'ai commencé à regretter vraiment de ne pas m'être moi-même occupé de la logistique. J'étais plein aux as ! On aurait pu embarquer sur le *Courageous* de Ted Turner si on avait voulu ! Au lieu de quoi on allait risquer notre peau sur ce tas de rouille.

Un vieux monsieur à la peau parcheminée et coiffé d'un chapeau de paille est venu nous chercher à la rame dans une frêle barcasse. Il ne parlait pas un mot d'anglais. On s'est salués dans un charabia incompréhensible et il nous a fait signe de monter. Pour sa rencontre avec Moby Dick, mon père s'était attifé comme d'habitude : gros godillots à lacets, beau pantalon, belle chemise froissée, bretelles et les cheveux, maintenant clairsemés mais toujours d'un noir de charbon, lissés en arrière. Parfait pour participer à un pique-nique polonais dans le Queens, mais pas du tout adapté pour une partie de pêche dans le golfe du Mexique. Entre la maladie de Parkinson, son surpoids, le diabète, le psoriasis et j'en passe et des meilleurs, sans compter une vie passée à fumer comme un pompier et à picoler comme un trou, mon père était physiquement gravement diminué. On l'a aidé à s'avancer jusqu'à la petite embarcation et, tandis que les vagues clapotaient sur le sable, une jambe après l'autre, on l'a fait monter.

Quelques minutes après, dans un claquement sec de bois contre bois, on venait heurter le flanc de notre *Titanic*. Pas d'échelle pour se hisser à bord, alors on s'y est mis à trois, en baragouinant comme on pouvait, pour faire passer les cent dix kilos de mon père à l'intérieur du remorqueur. Et merde. Puis le rafiot a dangereusement tangué. Transfert de poids, un bruit mat, et la source de ma présence sur terre a roulé sur le plancher du piège à rats qu'il nous avait loué. Il était six heures et demie du matin et j'étais déjà en nage… Impassible, sans un mot, notre capitaine a manœuvré pour mettre cap au large. Dès qu'on a quitté la crique protégée par la côte, on a essuyé une grosse houle. Un canard en caoutchouc chahuté sur l'eau dans la baignoire d'un môme de cinq ans. Quand on se retrouvait au creux d'une vague, on voyait se dresser la crête de la suivante haute comme un phare. Au bout d'un quart d'heure, Tom vomissait à bâbord ce qu'il avait ingurgité au buffet à volonté. Mon père était en mode peinard, cramponné aux accoudoirs du fauteuil de pêche, l'air calme comme toujours du type que rien n'atteint.

J'ai essayé de communiquer avec notre skipper en puisant dans mes souvenirs de lycée, mais je n'ai pas eu de réponse à mon *Cómo se llama ?*. Le cœur au bord des lèvres, je me suis rendu compte qu'en regardant à l'horizon j'éviterais peut-être de vomir à la poupe. Le moteur, niché dans une boîte en bois en plein milieu du bateau, au-dessus du pont, crachotait des fumées diesel qui n'arrangeaient rien à l'état de notre estomac habitué à la terre ferme. Une heure a passé, le soleil tapait, la côte s'éloignait, il n'y avait plus qu'une immensité chromatique où se mêlaient ciel et mer, ce qui me rendait terriblement claustrophobe. Notre mort en mer semblait imminente. Une autre heure plus tard, j'ai ordonné à Tom de monter demander au pilote à quel moment EXACTEMENT on allait s'arrêter. Le type a levé un doigt, puis il s'est retourné vers son gouvernail. Bien, encore un mille marin… non… non, en fait il restait ENCORE UNE HEURE ! Une demi-heure plus tôt, on avait croisé un baleinier de Boston où deux gars de la région avaient de l'eau jusqu'aux tibias. Ils étaient en train de couler, non ? J'ai dit au capitaine qu'il était de notre devoir de les secourir. Et puis, une fois qu'on a été suffisamment proches d'eux, j'ai vu… des poissons, plein de poissons qui nageaient autour de leurs jambes, à l'intérieur du bateau. Ils en ont attrapé un à mains nues et, tout sourire, l'ont levé en l'air pour nous proposer leur marchandise : des appâts… ils vendaient des appâts…

Finalement, un petit cercle de bateaux est apparu à l'horizon… on arrivait en zone poissonneuse. En dix minutes, les cannes à pêche étaient prêtes et bientôt j'ai senti une secousse au bout de mon fil. J'ai confié la gaule à mon père et il a fait de son mieux pour ramener… un machin… gros comme la moitié de mon bras, qui est allé directement dans la glacière. Et puis, pendant des heures, plus rien. Ce jour-là il n'y aurait pas de bataille épique, pas de lutte darwinienne de l'homme contre la nature. On allait éviter la confrontation dont mon père faisait son ordinaire : Doug Springsteen contre son ennemi préféré – *tout*. On est restés toute la journée plantés là, minuscule bouchon chahuté à la surface de la mer. Et en fin d'après-midi on a enfin mis le cap vers la côte. *Encore trois heures à tenir*. Je me suis allongé sur un banc en bois à la poupe, j'ai englouti le déjeuner que l'hôtel nous avait emballé dans un sac en papier, et je me suis endormi dans les émanations de diesel. Je n'en pouvais plus. À l'arrivée, rebelote pour transbahuter mon père à bout de bras du remorqueur au canot puis du canot à la terre ferme comme un sac de grains des Nations unies, et là on s'est félicités d'être encore en vie. On a gracieusement offert notre pêche à l'équipage et on a contemplé le bateau qui repartait vers le soleil couchant en crachant une épaisse fumée – très certainement content d'en avoir terminé avec ces *gringos* rasoir, le pilote allait à coup sûr boire un verre et rigoler à nos dépens à la *cantina* du coin. La plage était vide et silencieuse, on entendait juste le ressac s'écraser sur le sable. Mon père, revenu de l'univers parallèle où il s'était perdu pendant plusieurs heures, m'a soudain regardé. Le soleil s'enfonçait dans la mer quand il m'a annoncé, sérieux comme un pape : « J'ai aussi réservé le bateau pour demain ! »

On n'a pas repris le bateau le lendemain – ni jamais. À la place, j'ai emmené mon paternel dans un petit bar sur la plage, avec vue sur le sable blanc et le Pacifique bleu. J'ai payé une tournée de bières et on a passé un après-midi agréable à regarder les filles et à se bidonner en repensant à notre aventure de la veille. Comme on traversait la marina pour revenir à la voiture, des fans de rock nous ont proposé des sorties de pêche en mer, à bord de yachts dernier cri d'un blanc scintillant – petits privilèges du statut de rock star, même aussi loin dans le Sud. Mais c'était notre dernier jour, alors on a poliment décliné : « La prochaine fois. » On est retournés à notre hôtel et on a repris l'avion le lendemain.

Au retour, en observant mon père qui semblait perplexe, je me suis de nouveau dit qu'il n'était pas « normal » – il n'allait pas très bien. Je l'avais côtoyé pendant si longtemps que je m'étais habitué à son mauvais état de santé et que je pouvais en faire abstraction. J'avais grandi sur le Shore, je connaissais plein de vrais pêcheurs qui partaient en haute mer, alors j'aurais pu organiser une sortie pour qu'il l'attrape, son marlin. Il aurait pu le faire empailler et le clouer au-dessus de sa table de cuisine adorée, avec une Marlboro dans la gueule, pourquoi pas ? Mais ce n'était peut-être pas ça qu'il voulait, dans le fond. Peut-être qu'il voulait seulement me *donner* quelque chose, en échange des cadeaux que je leur avais faits, à ma mère et lui, une fois le succès arrivé, un présent enveloppé dans son fantasme de marin. Et c'est ce qu'il a fait.

CINQUANTE ET UN

TUNNEL OF LOVE

Après *Born in the USA*, pendant un certain temps, j'en ai eu assez des entreprises à très grande échelle, j'avais envie de quelque chose à taille plus… humaine. Assisté de mon ingénieur Toby Scott, j'avais petit à petit investi dans du matériel pour enregistrer à la maison. Du quatre-pistes, je suis passé au huit-pistes, puis au seize et au vingt-quatre, et j'ai fini par me constituer, dans le garage de ma maison de Rumson, un studio correct pour faire des maquettes. J'avais dernièrement commencé à composer de nouvelles chansons qui, pour la première fois, n'avaient pas comme sujet l'homme sur la route mais abordaient plutôt les questions et les soucis de l'homme chez lui. *Tunnel of Love* traduisait l'ambivalence, l'amour et la peur qui accompagnaient ma nouvelle vie. Enregistré en à peu près trois semaines, avec moi à la guitare acoustique et une piste pour la rythmique, comme *Nebraska*, c'était de nouveau un disque « fait maison » où je jouais moi-même de la plupart des instruments. Après *USA*, je n'étais pas prêt à retravailler tout de suite avec des producteurs ni avec un grand groupe – quelle que soit sa taille d'ailleurs. La musique était trop personnelle, alors en studio il n'y aurait que Toby et moi.

Mon premier album consacré entièrement à l'amour n'allait pas être de tout repos. En proie à une agitation intérieure, j'écrivais pour essayer de comprendre mes sentiments. Ce nouveau répertoire avait commencé avec « Stolen Car », dans *The River*. Le personnage de la chanson, errant dans la nuit, était le premier à affronter les anges et les démons qui le conduiraient à celle qu'il aimait, tout en l'empêchant de vraiment arriver à elle. C'était la voix qui incarnait mes propres conflits. Je n'étais plus un gamin, et désormais les personnages qui peuplaient mes nouvelles chansons ne l'étaient plus non plus. S'ils ne trouvaient pas un moyen d'avoir les pieds sur terre, alors ce dont ils avaient besoin – la vie, l'amour et un foyer – risquait de leur passer sous le nez, plus vite que toutes ces bagnoles dans lesquelles je les faisais rouler. La route avait révélé ses secrets et aussi fascinants qu'ils soient, la liberté et les grands espaces sur lesquels elle ouvrait pouvaient finalement me rendre tout aussi claustrophobe que mes idées les plus rebattues sur la vie de famille. Toutes ces routes, après toutes ces années, lorsqu'elles convergeaient, débouchaient sur le même cul-de-sac. Je le savais, j'en avais fait l'expérience (au Texas !).

J'ai décroché un hit improbable avec « Brilliant Disguise », la chanson autour de laquelle tourne tout le disque. La confiance est quelque chose de fragile. Quelque chose qui demande de laisser les autres voir de nous tout ce qu'on a le courage de révéler. Mais ce que j'avance dans « Brilliant Disguise » c'est que lorsqu'on croit tomber le masque, on en trouve un autre dessous, jusqu'à se mettre à douter de sa propre identité. La double question de l'amour et de l'identité est au cœur de *Tunnel of Love*, mais la thématique sous-jacente est le temps. Dans cette vie (et on n'en a qu'une), on fait des choix, on se positionne, et on se réveille un beau jour en s'arrachant au sortilège de l'« éternité » qui nous a envoûté toute notre jeunesse. On s'éloigne des enfers de l'adolescence. On détermine ce qui, au-delà du travail, donnera à la vie son contexte, son sens… et l'heure tourne. Tu marches désormais aux côtés de ton épouse mais aussi de ton moi *mortel*. Tu te cramponnes aux nouveaux bienfaits de ta vie tout en te battant contre ton nihilisme, ton désir destructeur de tout laisser en ruine. C'est cette lutte pour découvrir qui j'étais et faire tant bien que mal la paix avec le temps et la mort elle-même qui anime *Tunnel of Love*.

Bob Clearmountain est intervenu sur mon jeu pour que le son final donne l'impression que je savais ce que je faisais. J'ai fait venir Nils, Roy et Patti pour adoucir un titre ou deux. Ensuite, Bob a fait les mix, ajoutant l'espace spirituel dans lequel réside la musique. *Tunnel of Love* est sorti le 9 octobre 1987 et s'est classé numéro un au top albums du *Billboard*. Je n'avais pas du tout prévu de tourner, mais je ne me voyais pas rester les bras croisés chez moi sans accompagner ce que je considérais comme mes chansons les plus réussies. Ce que je demandais à mon public, c'était de me suivre jusqu'au bout de la route, de sortir de la voiture, d'entrer dans la maison et de m'accompagner dans le mariage, l'engagement et les mystères des sentiments (c'est du rock'n'roll, ça ?). Pas mal d'entre eux étaient maintenant chaque jour confrontés à ces questions. Restait à savoir s'ils aimeraient les retrouver dans mes chansons. J'ai fait le pari que oui, je voulais que ma musique ait une chance de trouver son public. Pour moi, ça voulait toujours dire être sur scène, et on a donc préparé une tournée.

Tunnel était un album solo, je voulais donc que la tournée à venir se situe sur un autre registre que la précédente. J'ai modifié notre disposition sur scène, en demandant à chacun des musiciens de quitter sa place habituelle pour suggérer discrètement au public qu'il devait s'attendre à quelque chose de différent. J'ai ajouté une section de cuivres, j'ai fait venir Patti sur le devant de la scène, un peu à gauche, et j'ai conçu en avant-scène un cadre évoquant l'univers de la fête foraine pour filer ma métaphore de l'amour comme un tour de manège flippant. Pour rester dans la ligne de la photo de pochette d'Annie Leibovitz, on s'est mis sur notre trente et un. Fini le jean et le bandana – je portais un costume pour la première fois depuis des lustres, et les autres membres du groupe avaient laissé leurs tenues décontractées à la maison. Mon assistant et ami Terry Magovern arborait un chapeau melon et un smoking pour jouer son rôle de Monsieur Ticket et de maître de cérémonie. Patti jouait la fille sexy qui me donnait la réplique, sur un mode à la fois comique et sérieux, pour souligner les thèmes de l'album. On faisait une reprise de « Gino Is a Coward » de Gino Washington et de « Have Love Will Travel » des Sonics et, pour étoffer la dramaturgie de la tournée, on interprétait « Part Man, Part Monkey », un inédit de ma composition. C'était vraiment un beau show. Et surtout, après *Born in the USA*, un virage à gauche toute, ce qui a sans doute un poil désorienté le groupe – comme d'ailleurs la tournure que prenait ma relation avec Patti.

Patti était une musicienne, elle avait à peu près mon âge, m'avait vu sur la route dans toutes les circonstances et savait à quoi s'en tenir avec moi. Elle savait que je n'étais pas un chevalier servant (ni peut-être un chevalier tout court), et je n'avais jamais éprouvé le besoin de faire semblant quand elle était dans les parages. Julie ne me l'avait d'ailleurs jamais demandé non plus. C'était comme ça, point barre. Quand Julie était sur un tournage et moi à la maison, dans le New Jersey, lentement je reprenais mes bonnes vieilles habitudes, les bars, les soirées tardives – rien de grave, juste les virées habituelles –, mais c'était tout sauf une vie de couple. C'est pendant une de ces périodes qu'on s'est retrouvés, Patti et moi, sous le prétexte fallacieux de travailler notre chant en duo. C'était une soirée de septembre, la lune était un ongle fin dans le ciel à l'ouest, au-dessus du petit bois qui se découpait en ombre chinoise au fond du jardin. On était installés à mon petit bar depuis un moment, on discutait et bientôt j'ai senti qu'il se passait quelque chose. Nos chemins se croisaient depuis dix-sept ans, puis on était devenus partenaires de musique, parfois un peu sur le mode du flirt, mais là, soudain, j'ai vu autre chose en la contemplant, quelque chose que je n'avais jamais ressenti jusque-là – toujours occupé, comme elle le dirait par la suite, « à regarder ailleurs ». Dans ma vie, Patti est une singularité. C'est une femme forte, solide, avec beaucoup de sagesse, mais c'est aussi une âme fragile, et là quelque chose dans cet assemblage parlait à mon cœur. C'est comme ça que notre histoire a commencé.

Ce n'était qu'une passade, voilà ce que j'ai d'abord cru. Eh ben non, c'était même le contraire d'une passade. La clandestinité n'a pas duré longtemps et dès que j'ai compris que c'était sérieux avec Patti j'ai dit à Julie ce qu'il en était. Pas moyen de s'y prendre avec douceur ou élégance. J'allais blesser quelqu'un que j'aimais… point. Bientôt, séparé de ma femme, je serais photographié en slip avec Patti sur un balcon à Rome. J'ai atrocement mal géré ma séparation d'avec Julie. J'ai insisté pour que ça reste une affaire privée, on n'a donc pas fait de déclaration officielle à la presse, si bien que lorsque la nouvelle a fuité, il y a eu de la fureur, de la douleur et on a crié au scandale. Et dans cette situation déjà douloureuse, on s'est déchirés plus que nécessaire. J'étais très attaché à Julianne et à sa famille et je regrette aujourd'hui encore la maladresse dont j'ai fait preuve.

Julianne était jeune, sa carrière commençait à peine. Moi, à trente-cinq ans, je pouvais passer pour le type accompli, raisonnable, mûr, qui avait les choses bien en main. Mais dans mon for intérieur, j'étais encore affectivement faiblard, secrètement indisponible. Julie est une femme d'une grande discrétion, d'une grande décence, elle a toujours abordé les problèmes avec moi en toute honnêteté et en toute bonne foi, mais à la fin, on n'a pas vraiment su gérer. Je l'ai mise dans une position extrêmement délicate pour une jeune femme ; je reconnais que le mari et partenaire que j'étais n'a pas assuré. On a réglé les détails de la manière la plus civile et la plus courtoise possible, le divorce a été prononcé et chacun a repris le cours de sa vie.

Après la procédure, j'ai pris quelques jours pour rendre visite à mes parents, leur donner des nouvelles et entendre ma mère me rabâcher son « Bruce, trois ans, c'est ta limite !... ». Ils adoraient Julianne, mais j'étais leur fils. Je suis resté avec eux le temps de panser mes blessures, puis je suis retourné dans le New Jersey. Mon père m'a accompagné à l'aéroport en voiture. Au bout de dix minutes de route, il s'est tourné vers moi et m'a dit : « Bruce, tu devrais peut-être revenir habiter un peu à la maison. » J'avais presque quarante ans, j'étais un self-made-man multimillionnaire, alors la perspective de me réinstaller dans une chambre de quatre mètres sur trois chez mes parents, cramponné à mon Mickey Mouse en peluche, était... pas impossible mais peu probable. N'empêche, quand j'ai vu mon père avec ses bretelles et sa panse plaquée contre le volant, la seule chose que j'ai pu articuler c'est : « Merci, p'pa, je vais y réfléchir. » Le paternel voulait enfin bien de moi à la maison.

1988

Sept ans après notre premier passage de Checkpoint Charlie avec Steve, je suis revenu avec mon groupe à Berlin-Est. Steve n'était pas là cette fois, mais au moins cent soixante mille Allemands de l'Est étaient au rendez-vous. Le Mur tenait encore mais, incontestablement, les premières fissures commençaient à le lézarder. Les conditions n'étaient vraiment pas les mêmes que dix ans auparavant. Je n'avais jamais joué devant une foule aussi gigantesque, ni d'ailleurs jamais vu autant de gens dans un même endroit. Depuis la scène, impossible de distinguer jusqu'où s'étendait cette marée humaine. Des drapeaux américains cousus main flottaient au vent est-allemand. D'après les billets, notre concert était présenté par la Ligue de la jeunesse communiste et on donnait un « concert en faveur des sandinistes » ?! Première nouvelle ! Le spectacle était intégralement diffusé à la télé nationale (autre surprise !), à l'exception de mon bref discours sur le Mur qui a opportunément été effacé. La veille de notre concert, je pouvais me balader tranquillement dans les rues de Berlin-Est et d'un coup je suis devenu une superstar nationale. Le lendemain du concert, quand j'ai passé la tête à la porte de notre hôtel, j'ai été assailli par des jeunes branchés, des mamies et toutes les catégories de gens que vous pouvez imaginer entre les deux, qui tous jouaient des coudes pour avoir un autographe. *Ich bin ein Berliner !*

On a fait la fête au consulat d'Allemagne de l'Est puis on est retournés à Berlin-Ouest, pour jouer devant un public de dix-sept mille personnes qui, malgré leur ferveur, nous a moins impressionnés que celui de l'autre côté du Mur. (Le rock est une musique qui a besoin d'enjeux. Plus on place la barre haut, plus l'instant est intense et excitant. Dans l'Allemagne de l'Est de 1988, quelque chose couvait, qui exploserait dans la destruction libératrice du mur de Berlin par le peuple allemand.)

Le tour du monde en quarante-deux jours

Revenus aux États-Unis on avait l'option de continuer notre tournée *Tunnel of Love* ou d'aller bosser pour Amnesty International. La prestigieuse organisation humanitaire montait toute une campagne pour pousser les jeunes du monde entier à s'investir dans le combat pour les libertés civiques et estimait que le rock était le meilleur moyen d'attirer l'attention de la jeunesse. Guidés par Peter Gabriel, on a été engagés par Jack Healey, alors directeur d'Amnesty, et notre tournée *Tunnel of Love* s'est transformée direct en tournée « Human Rights Now ! ». Bientôt on s'envolait à bord d'un 747 avec Peter, Youssou N'Dour, le sensationnel chanteur sénégalais, Tracy Chapman, Sting et une brochette de rock stars internationales pour parcourir la planète par sauts de puce, et à chaque escale aller dire au monde entier comment mener sa barque. J'avais toujours eu le sentiment que le rock était une musique de libération à la fois personnelle et politique et je pensais que cette tournée nous fournirait l'occasion de mettre en pratique certaines valeurs qu'on prêchait. C'est bien ce qui s'est passé, sauf que personne ne m'avait dit que j'aurais des DEVOIRS à faire et que je devrais PLANCHER ! Comme on devait donner une conférence de presse sérieuse dans *chacun* des pays, il fallait qu'on connaisse la situation en matière de droits de l'homme dans tous. Histoire de ne pas passer pour le dilettante que j'étais, je me suis mis à bûcher comme je ne l'avais pas fait depuis l'époque où sœur Theresa Mary se tenait au-dessus de moi, règle à la main, à l'école primaire Sainte-Rose-de-Lima.

Les publics qu'on rencontrait étaient incroyables. Les concerts duraient huit heures, avec des artistes locaux en première partie. Au Zimbabwe, le grand Oliver Mtukudzi a cassé la baraque avec sa soul africaine. À peine plus d'un an après, Nelson Mandela serait libéré de prison et le lent démantèlement du système de l'apartheid commencerait, mais en 1988 la bataille faisait rage. Le simple fait que des Noirs et des Blancs soient réunis dans un rassemblement de cette ampleur, interdit et illégal à moins de cinq cents kilomètres au sud, conférait une dimension d'urgence à notre apparition.

En Côte d'Ivoire, ex-colonie française, je me suis produit – pour la première fois depuis la Tri-Soul Revue de 1966 au Matawan-Keyport Roller Drome – devant un *stade* entier où tous les visages étaient noirs ! Je comprenais enfin ce que Clarence devait ressentir. Notre groupe c'était un Noir et sept Blancs du New Jersey. Est-ce que ça allait prendre ? Est-ce que la punk'n'soul du Jersey Shore, avec sa rythmique jambe de bois en quatre-quatre, allait parler à un public habitué au déhanché et à la souplesse des rythmes afros ? En tant que tête d'affiche, on montait sur scène en dernier. J'ai senti une sueur froide perler sous ma veste noire et ma chemise. On a choisi l'option frappe nucléaire en attaquant direct avec « Born in the USA ». Le temps… a suspendu son vol… et puis… BOUM, ça a été l'explosion ! La foule s'est déchaînée en un gigantesque mouvement collectif, électrisée, comme si tout le monde nous donnait soudain son accord ! Je n'avais jamais assisté à une découverte mutuelle célébrée dans une telle joie. On n'avait pas la bonne couleur de peau, on ne chantait pas dans la bonne langue, on n'avait pas le bon rythme et pourtant le public nous offrait sa générosité, son ouverture d'esprit et son hospitalité nationale. C'est la première fois depuis bien, bien longtemps que le E Street Band avait été véritablement mis au défi de devoir *conquérir* son public. Des femmes sont montées sur l'estrade pour danser, le public s'est lâché et le groupe est sorti de scène sur un petit nuage, rassuré (ça marche ! Même ici ça marche !). Avec la complicité de ce public inattendu et enthousiaste, nous, les vieux couteaux, on avait réussi à emporter le morceau. Tout ça grâce au mystérieux pouvoir fédérateur de la musique. On savait qu'on venait de vivre un moment à part.

Dans la foulée, on a donné quelques concerts aux États-Unis où nos conférences de presse, habituellement centrées sur des sujets politiques, ont suscité des questions sans intérêt sur la célébrité et la vie de star qui m'ont parfois fait honte pour les gens du coin. On est aussi passés par le Japon, la Hongrie, le Canada, le Brésil, l'Inde et on a fini par l'Argentine, dont les paysages sidérants, la beauté et la sensualité des habitants m'ont donné envie d'apprendre illico l'espagnol. En Amérique du Sud, des pays avaient récemment subi le joug de dictatures, les libertés les plus élémentaires avaient été bafouées. Des milliers de fils et de maris avaient disparu sous les régimes violents de l'Argentine et du Chili de Pinochet. Là, la mission d'Amnesty était immédiate et essentielle ; elle se focalisait sur l'aide aux personnes. On se heurtait à quelque chose de très dur et on sentait de terribles résistances. Pinochet était encore au pouvoir lorsqu'on a joué à Mendoza, en Argentine, à la frontière chilienne. Au bord de la route qui nous menait sur notre lieu de concert, les « mères des disparus » brandissaient des photos agrandies de leurs proches qui avaient été enlevés chez eux ou en pleine rue par le gouvernement chilien lui-même. Leurs visages exprimaient des horreurs dont on n'avait pas idée, ou qu'on avait du mal à comprendre, nous qui vivions aux États-Unis ; ces gens prouvaient mieux que n'importe quel discours la force de la volonté humaine et le besoin fondamental de justice.

La tournée Amnesty International m'a fait réaliser ma chance d'être né aux USA, même dans une pauvre petite ville avec une seule bouche d'incendie, un bled de péquenauds corsetés et réacs où, malgré la pression sociale des ignorants et des intolérants, on pouvait circuler et parler librement sans craindre pour sa vie (dans l'ensemble).

Au bout de six semaines intenses au cours desquelles on a pu dire ce qu'on avait à dire, booster Amnesty, soutenir ses ambitions internationales et jouer notre musique, on s'est retrouvés à tendre le pouce, autostoppeurs politico-culturels à la croisée des chemins de l'histoire.

De retour, une fois de plus

Patti et moi avons fait nos adieux à Peter, Sting, Youssou, Tracy et les formidables équipes techniques d'Amnesty (dont les droits étaient systématiquement bafoués, avec un nombre d'heures de travail incroyable et des conditions souvent intenables pendant la tournée), et on est revenus à New York. On avait loué un appartement dans l'East Side. Pour la seule et unique fois de ma vie j'ai essayé de me transformer en citadin. Raté. L'East Side, très peu pour moi. Le seul avantage c'est que je pouvais aller à pied au cabinet du docteur Myers – pas négligeable étant donné ma petite forme. Le chaos du divorce m'avait laminé, et sans l'échappatoire de la route et des concerts, les journées en ville étaient bien longues. Dans New York, j'étais comme un rat dans un labyrinthe. Je ne voyais ni le ciel ni le soleil, je ne pouvais pas courir. Les musées, les restaus, les magasins, ouais, d'accord, mais j'étais encore très PETITE VILLE… et incapable de changer. Alors Patti (qui vivait à New York depuis dix-neuf ans, à Chelsea) a capitulé ; on a fait nos valises et on est allés se poser dans le New Jersey, où elle, moi et ma sempiternelle frousse avons passé un été pourri : je n'ai en effet rien trouvé de mieux que de renouer avec quelques-unes de mes mauvaises habitudes et un comportement pour le moins déplacé. Patti était patiente… jusqu'à un certain point.

Réajustement

À la maison, on se disputait beaucoup tous les deux, ce qui était une bonne chose. Dans la plupart de mes autres relations amoureuses, je ne m'étais jamais beaucoup disputé, et ça s'était toujours mal terminé. Garder trop de questions restées sans réponse finissait par devenir toxique. Comme mon père, je m'enfermais dans une hostilité passive. Mon truc, c'était le déni et l'intimidation, jamais la confrontation directe. Mon père avait imposé son contrôle à la maison en restant assis en silence dans la cuisine… à fumer. Il bouillait d'une colère muette jusqu'à laisser exploser sa rage, puis il retournait à sa bière et à son silence monacal. C'était un champ de mines à lui tout seul. Nous, dans cette tension mortelle, on marchait sur des œufs, en attendant… la tempête qu'on savait inéluctable. C'est juste qu'on ne savait jamais quand ça péterait.

Ce mode de fonctionnement qui avait fini par imprégner tout mon être avait ruiné tant de choses. Je ne piquais pas souvent de crise mais j'étais capable, par mon simple silence, d'instiller une peur de tous les diables chez ceux que j'aimais. Pour ça, j'avais été à bonne école. Pire, j'avais chopé les sales manies de mon paternel au volant : je pouvais être vraiment dangereux. Par la vitesse et mon imprudence je communiquais ma rage et ma colère, dans l'unique but de terroriser ma passagère. C'était un comportement grossier, un comportement de tyran, violent et humiliant et, après coup, j'en éprouvais une honte terrible. J'avais beau avoir toujours mille excuses à la bouche, évidemment c'était trop peu, trop tard. Ces « incidents » ne se produisaient qu'avec les gens qui comptaient pour moi, que j'aimais. C'était ça le truc. Je faisais tout pour casser ceux qui m'aimaient parce que je ne pouvais pas supporter d'être aimé. Ça me mettait hors de moi que quelqu'un ait l'audace de m'aimer – *Personne ne fait ça…* et je vais te montrer pourquoi. C'était moche. Malgré cet avertissement que du poison coulait dans mon sang, dans mes gènes, quelque part j'éprouvais une fierté rebelle à imposer cette violence psychologique lâche aux femmes de ma vie. Il y avait là-dedans une forme de revendication, de passage à l'acte, c'était tout sauf de l'*impuissance* pour moi. La passivité des hommes dans l'entourage desquels j'avais grandi me terrifiait et me rendait fou. Que je sois moi-même passif me débectait, alors je partais en quête de ma « vérité ». Voilà… voilà les sentiments que je m'inspire, les sentiments que tu m'inspires, voilà ce que je ressens, voilà ce que je ressens à cause de toi au plus sombre de mon cœur sombre, où demeure celui que je suis véritablement.

Au fil des ans, je m'étais rendu compte qu'une part de moi – une part importante – était capable d'une grande légèreté et d'une authentique cruauté affective : faire le plus de dégâts possible, moissonner la honte, blesser, faire mal et *s'assurer* que ceux qui m'aimaient payaient le prix fort, tel était son but. Tout ça me venait en droite ligne de mon père, qui avait si bien réussi à nous faire sentir que si on l'aimait, alors on méritait tout son mépris et son châtiment – et pour nous punir, ça il nous avait punis… Manifestement ça pouvait le mettre hors de lui… et moi c'était pareil. Lorsque je sentais ce mécanisme se déclencher en moi, ça me rendait malade, ce qui ne m'empêchait pas de le garder sous le coude, comme une source de pouvoir maléfique où puiser allègrement quand je me sentais psychologiquement menacé, quand j'avais l'impression intolérable qu'on essayait de m'atteindre… en s'approchant trop près de moi.

CINQUANTE-DEUX

GOIN' CALI

On ne respirait plus à New York. On ne respirait plus dans le New Jersey. Il ne nous restait plus que mon « petit château Hearst » du Golden State, dans les collines de Hollywood. Dès qu'on est arrivés en Californie, les tensions se sont apaisées. La lumière, le climat, la mer, les montagnes, le désert... tout concourait à m'éclaircir les idées. On a loué une maison en bord de mer à Trancas, et j'ai ressenti une sorte d'apaisement. Il avait fallu un certain temps et une dispute explosive pour en arriver là ; Patti, ne supportant plus mes conneries, avait jeté le gant et posé un ultimatum : « Tu restes ou tu pars. » Voilà à quelles extrémités je l'avais poussée et, un pied dedans, un pied dehors (là où, quand j'allais mal, j'avais toujours le sentiment tordu de vouloir me trouver), je me suis arrêté un moment et ma part faible mais lucide s'est demandé : « Non mais tu crois que tu vas aller où, comme ça ? Sur la route ? Dans un bar ? » D'accord, j'aimais ça, mais ce n'était pas une vie. Je connaissais la chanson, j'avais fait ça des milliers de fois, et vu tout ce qu'il y avait à voir. Qu'est-ce qui serait fondamentalement différent cette fois-ci ? Est-ce que j'allais une fois de plus remonter dans la roue de hamster de l'indécision, me mentir en essayant de me persuader que mon mode de vie ne prendrait pas un coup de vieux (c'était déjà le cas), et renoncer à la meilleure chose qui me soit arrivée, à la femme la plus formidable que j'aie jamais connue ? Je suis resté. C'est la décision la plus sensée de ma vie.

Pour lutter contre la frousse qui me minait, je partais pour la journée à moto, je traversais les montagnes de Santa Monica et San Gabriel, un des plus beaux circuits moto de l'ouest des États-Unis. Quand vous êtes dans les montagnes de San Gabriel, vous voyez le Mojave s'étendre sur votre gauche, en contrebas, et se perdre à l'infini dans les brumes. Du désert, vous montez à deux mille mètres, jusqu'à la petite station de ski de Wrightwood. Et là, parmi les grands pins et les broussailles du haut désert du parc naturel d'Angeles, mes soucis lentement s'estompaient. L'air était sec, moins riche en oxygène, il avait quelque chose de perçant. Quand je le sentais sur mon visage, en roulant sur l'étroit ruban noir de la route des crêtes, mes idées se clarifiaient, mes émotions se remettaient en place. La nature peut vraiment aider à revenir à la raison et donc là, dans les hauteurs de la Californie, je sentais la présence des grands esprits naturels de ce territoire, la main généreuse que Dieu me tendait. Sur la route des crêtes d'Angeles, on n'est qu'à trente minutes de LA, mais faut pas croire, on est en pleine nature sauvage ! Chaque année les gens se perdent dans cette région, dans la chaleur *et* la neige. On trouve des coyotes, des serpents à sonnette, des pumas à quelques kilomètres seulement de la Cité des Anges en perdition sous son smog. De Wrightwood, où il faisait seize degrés, je descendais dans les contreforts des montagnes de San Gabriel et la fournaise du haut désert du Mojave, où s'étirent de longues autoroutes toutes droites, berceau de la « culture du désert » : villages de mobil-homes, snack-bars familiaux, boutiques de bibelots. Là, les fils des pylônes électriques découpent le bleu implacable du ciel en un puzzle géométrique, traversé seulement par les traînées blanches des bombardiers de la base aérienne d'Edwards.

Quatre cent cinquante kilomètres dans la journée, voilà ce qu'il me fallait pour que je me recentre, pour faire taire momentanément le vacarme qui grondait en moi. Je redescendais par la Pearblossom Highway, puis je revenais lentement sur la plage. Et au crépuscule Patti et moi on contemplait le soleil rouge du soir qui s'enfonçait dans le Pacifique. On s'était tous les deux installés dans un calme rassurant, sans en demander trop à l'autre ni attendre trop de choses. Patti cuisinait, je savourais. Chacun a laissé beaucoup d'espace à l'autre et il s'est passé un truc, une douce capitulation. Je considère que c'est à ce moment-là, au bord de la mer, pendant ces quelques jours et ces quelques nuits, qu'on s'est « émotionnellement » mariés. Je l'aimais, j'avais la chance qu'elle m'aime. Le reste, c'était de la paperasse.

1989 dans le sud-ouest des États-Unis

À l'automne, pour fêter mes trente-neuf ans, on a invité dans notre cabane sur la plage quelques copains de la côte Est, des proches et mes potes de road-trip, les frangins Delia. On a profité quelques jours de la mer et du soleil, puis on s'est préparés pour la virée à moto dans le sud-ouest du pays dont on rêvait depuis longtemps. Dix jours seulement, mais un trip inoubliable, qui marquerait un changement dans ma vie, aussi profond et décisif que le jour où, pour la première fois, j'avais pris une guitare.

Les festivités de l'anniversaire terminées, Matt, Tony, Ed et moi sommes partis pour plus de trois mille kilomètres à bécane. On a traversé la Californie, l'Arizona, le Nevada, l'Utah, on est remontés par les réserves navajos et hopis, la région des Four Corners et Monument Valley. En dehors des autoroutes, c'était un territoire superbe et rude mais, dans les réserves indiennes, il régnait une grande pauvreté. Au bord de la route, des grands-mères sans âge à la peau sombre poireautaient derrière des stands en bois branlants, uniquement protégées par leur châle du soleil implacable. La chaleur du désert, la *vraie* chaleur, est une créature à part entière. Contrairement à l'humidité lourde du Jersey Shore en août, qui vous donne envie de vous désaper et d'aller piquer une tête dans l'océan, la chaleur et le soleil du désert vous donnent envie de… vous cloîtrer purement et simplement.

Quand on roulait dans le désert d'Arizona, par plus de quarante degrés, la route se transformait en un mirage chatoyant. Des bouffées de chaleur montaient du bitume en fusion. Pour se protéger au maximum, on portait une chemise en jean à manches longues, des lunettes de soleil, des gants, un jean et un bandana imbibé d'eau sur la tête et la bouche. À force de rouler en plein cagnard, huit à dix heures par jour, la peau ne tolère plus le moindre rayon de soleil. Il y avait des douches dans les haltes routières, où pour quelques pièces on pouvait se nettoyer de la poussière ambiante. On se lavait des pieds à la tête, mais les bourrasques du désert faisaient l'effet d'un séchoir automatique et, un quart d'heure plus tard, on était de nouveau secs comme une trique.

On restait sur les petites routes. Dans le sud-ouest des États-Unis, lorsqu'on quitte les grands axes, on retrouve des vestiges de l'Amérique des années 1940 et 1950. Les stations-service, les motels, les sites touristiques annoncés au bord de la route et les commerces pas systématiquement affiliés à des chaînes vous donnent une idée de ce qu'était le pays autrefois (et, malgré Internet, de ce qu'il est encore pour beaucoup de gens). Au détour d'une route déserte, en traversant la réserve navajo, on est tombés sur une pancarte peinte à la main : « Empreintes de dinosaures à cent mètres ». On s'est arrêtés au bout d'un chemin de terre et là un jeune Navajo de douze, treize ans est sorti de la pénombre d'un appentis en bois rudimentaire. Il nous a salués en souriant et nous a demandé si on voulait voir les fameuses empreintes. « Ça coûte combien ? » j'ai demandé. « Ce que ça vaut pour vous… », il a répondu. OK. On l'a suivi sur quelques centaines de mètres dans le désert et même si je ne suis pas paléontologue, je dois reconnaître qu'il y avait bel et bien des traces gigantesques, fossilisées, suivies de plus petites – une femelle et son bébé. Le gamin nous a ensuite demandé si on voulait qu'il devine notre poids et notre âge. Bon, maintenant qu'on était là, OK. Il m'a regardé et a fait : « Vingt… vingt… vingt… enlève tes lunettes ! Trente-huit ! » (Il était bon, ce môme, prêt pour le *boardwalk* du New Jersey.)

Ensuite on est allés jusqu'à la réserve hopi. Les Hopis vivent en bordure de trois plateaux. On trouve ici certains des villages les plus anciens encore habités d'Amérique du Nord. En suivant une pancarte qui annonçait « le plus *vieux* » d'entre eux, on a roulé jusqu'au bout d'un sentier poussiéreux, où on a découvert des habitations de pierre perchées à l'extrême bord du plateau qui dominait le fond de mer asséché du désert de l'Arizona. Le village paraissait inhabité, à l'exception d'une petite boutique en plein milieu. On y est entrés sans se presser et on a été accueillis par un ado, casquette à l'envers sur la tête, tee-shirt Judas Priest, avec qui on a bavardé. Le village était séparé en deux camps, d'après ce qu'il nous a expliqué, d'un côté ceux qui voulaient vivre dans des mobil-homes, plus près de la route, pour avoir l'électricité, de l'autre ceux qui voulaient rester dans les habitations en pierre où la communauté habitait depuis toujours. Notre gars nous a dit qu'il se préparait pour un rituel hopi de passage à l'âge adulte baptisé « Courir autour du monde » : de jeunes hommes allaient contourner le plateau en courant en l'honneur de leur famille. Il nous a aussi parlé des concerts de métal qu'il avait vus à Phoenix – ajoutant que la plupart des jeunes d'ici finissaient par quitter la réserve. Lui ne savait pas encore ce qu'il ferait. C'était un gamin écartelé entre deux mondes. Avant qu'on parte, il a voulu être pris en photo devant sa boutique avec nous, mais comme c'était interdit par la communauté, il a d'abord regardé autour de lui en chuchotant : « Ils sont en train de m'épier, là. » Le village semblait désert, totalement calme et silencieux. « Oh et puis qu'ils aillent se faire foutre », il a fait au bout d'un moment, et il a sorti un petit appareil, clic-clac, c'est dans la boîte. Alors qu'on démarrait les motos, il m'a crié : « Cherche-moi à Phoenix. Je serai au premier rang… défoncé ! »

On est allés à Monument Valley, où John Ford avait tourné plusieurs de mes films préférés, et on a campé une nuit à Mexican Hat, dans l'Utah. Le lendemain matin, sur la route du Canyon de Chelly, on a roulé avec des vents latéraux de cent kilomètres-heure. Dans ce désert à perte de vue, il n'y avait rien pour faire obstacle au vent, ce qui nous obligeait à nous pencher dangereusement sur le côté pour donner moins de prise aux rafales. On a été criblés de sable jusqu'à ce qu'on arrive au canyon. Là on a passé la nuit dans un complexe de mobil-homes cubiques fabriqués avec les moyens du bord, les motos solidement enchaînées juste devant. On est finalement rentrés par Prescott, où j'ai tapé le bœuf un après-midi dans un petit bar style saloon, puis on est allés jusqu'à Salome (« Where She Danced »), une ville au milieu du désert dans la partie occidentale de l'Arizona. À minuit, dans une chaleur encore étouffante, on s'est assis devant nos petites piaules, le ghetto-blaster en sourdine, et on a siroté une bière, si épuisés qu'aucune angoisse ne pouvait plus nous atteindre, goûtant enfin l'instant présent.

On est revenus à Los Angeles dix jours plus tard, brûlés, usés et claqués. Au coucher du soleil, tout en nettoyant la poussière incrustée dans les chromes, avec Patti qui nous regardait, on a fêté notre retour en sifflant cul sec des petits verres de tequila. Les frères Delia sont retournés à leurs écrous, leurs boulons et leurs moteurs récalcitrants ; les retrouvailles avec Patti ont été agréables, j'ai dormi pendant trois jours avant d'aller rendre visite à ma famille. À mon retour, quand je suis entré dans la chambre, la lumière du matin ruisselait par la fenêtre. Patti était assise bien droite dans le lit. Le visage doux, les cheveux lâchés, elle m'a regardé dans les yeux et m'a dit : « Je suis enceinte. » Je suis resté planté là, à essayer de saisir ce que je venais d'entendre, puis je me suis lourdement assis au bord du lit. En me détournant de Patti pour me regarder dans la glace de l'armoire, je me suis senti… *différent*. Voilà ce que je redoutais et souhaitais depuis… longtemps. J'ai entendu la petite voix effrayée en moi qui essayait de me gâcher l'instant… mais non… pas maintenant. Puis une lumière exaltante m'a envahi, un sentiment de plénitude tellement fort que j'ai voulu le cacher. Je tournais le dos à Patti, tout était calme. Et puis ma bouche, discrètement, presque imperceptiblement, s'est élargie en un sourire, c'était plus fort que moi… Alors j'ai aperçu une mèche rousse sur mon épaule, l'espace d'un instant qui a duré une éternité, Patti s'est penchée sur moi et, les cheveux en cascade le long de mes joues, elle a passé ses bras autour de ma poitrine, son ventre plein contre mon dos… On est restés immobiles… tous les *trois*. Notre famille. Patti m'a chuchoté : « Je t'ai vu sourire. »

LIVRE TROIS

LIVING PROOF

CINQUANTE-TROIS
LIVING PROOF

C'est un garçon ! Le 25 juillet 1990, à vingt-trois heures trente, au quatrième étage de la maternité Cedars-Sinai, à Los Angeles, est né Evan James Springsteen. Là, tous les voiles protecteurs se défont, toutes les défenses tombent, vaincues, toutes les difficultés affectives s'évaporent, toutes les négociations cessent. La chambre est inondée de la lumière des esprits de la famille, passés, présents et futurs. La vérité de l'amour de ta partenaire chante glorieusement devant toi. Ton amour, l'amour qu'avec tant d'efforts tu as voulu à la fois montrer et cacher, t'a été arraché, et sa présence fait honte à ton manque de foi, tout en baignant de lumière ta sublime création. Alors volent en éclats toutes tes excuses pour rester « protégé », isolé, toutes les justifications à tes secrets et tes cachotteries. Cette petite chambre d'hôpital sera la grande maison de ta contrition, le châtiment joyeux d'une vie, sauf que là, c'est pas le moment de tergiverser. Tu habites le corps de ta bien-aimée, dans ses rouges et ses roses sanglants, dans les nuances blanches et crème de la transcendance. L'esprit s'est incarné. Pour toi, fini d'être *à l'abri* ; l'amour et le risque sont partout et ce lien de chair et de sang qui s'inscrit dans la lignée de ta tribu, tu le perçois comme une trace de la poussière dans la main de Dieu qui passe au-dessus de la terre. Le visage de Patti est celui, épuisé et gracieux, des saints de mon école primaire, ses yeux verts flottent vers le ciel, braqués sur quelque chose au-dessus de moi ; cette fois-ci c'est sûr : c'est ma nana, celle qui m'apporte le tumulte de la vie.

CITOYENS DE LOS ANGELES : EVAN JAMES SPRINGSTEEN EST NÉ. UN FILS DU NEW JERSEY, NÉ EN EXIL ICI, À BABYLONE !

La rivière furieuse de mon ambivalence, le grondement sourd du malaise qui m'accompagne depuis toujours se sont tus. Effacés par le ravissement. Le médecin me tend les ciseaux, un petit claquement et le cordon est coupé. Je pose mon garçon sur le ventre de sa maman et cette vision de mon fils et ma femme me transporte dans les plus hautes sphères de mon être. Nous sommes blottis ensemble, avec cette preuve vivante (d'où la chanson « Living Proof ») de notre amour de 3,490 kilos. Nous ne sommes qu'un souffle bref de nuit et de jour, de poussière et d'étoiles, mais c'est le matin nouveau que nous tenons dans nos bras.

Donner la vie t'emplit d'humilité, de courage, d'arrogance, te donne un sentiment de puissance virile, de confiance, de terreur, de joie, d'effroi, d'amour, une sensation de calme, d'aventure imprudente. Tout est désormais possible, pas vrai ? Si on arrive à peupler le monde, on peut bien le créer, le façonner, non ? Puis la réalité s'installe, les couches, les biberons, les nuits sans sommeil, les sièges bébé, le caca jaune moutarde, le vomi fromage frais. Mais… oh, ce ne sont que les besoins sacrés et les saints fluides de mon fils et à la fin de chaque journée de cet univers nouveau

– des journées épuisantes, à te filer mal au crâne –, on est aussi crevés qu'exaltés par notre nouvelle identité : maman et papa !

À la maison, je prends le quart de nuit et je fais faire à mon garçon des kilomètres dans notre minuscule chambre jusqu'à ce que ses paupières tombent sur ses yeux écarquillés… et qu'il s'endorme. Allongé avec lui sur la poitrine, je le regarde alors monter et redescendre au rythme de mon souffle, j'écoute et compte ses respirations, si peu nombreuses qu'on peut encore les compter, une prière aux dieux dont j'ai douté. Je hume ses odeurs de bébé, le cale délicatement dans mes mains, calque mon souffle sur le sien et je m'enfonce paisiblement dans le sommeil.

L'euphorie des endorphines de la naissance s'estompera, mais tu peux être sûr que sa trace restera à jamais en toi, ses empreintes digitales sont la preuve indélébile de la présence de l'amour et de sa grandeur quotidienne. Tu as fait l'offrande de ta prière. Tu as fait vœu de servir un nouveau monde et tu affiches une foi terrestre inébranlable. Tu as choisi ton épée, ton bouclier et l'endroit où tu chuteras. Quoi que te réserve demain, ces êtres, ces gens, seront toujours avec toi. Tu as choisi une vie, une femme que tu aimes, un lieu où habiter, et ce choix sera toujours là pour redonner du sens à ton histoire confuse. Tu pourras compter dessus au moment de vaciller, au moment de te perdre, nouvelle boussole enchâssée dans ton cœur.

À partir de maintenant, la puissante fascination du passé sera formidablement contrebalancée par la vie présente. Ensemble, Patti et moi avons fait en sorte que 1 + 1 = 3. C'est ça le rock'n'roll.

Cette nouvelle vie m'a révélé que je suis plus qu'une chanson, une histoire, une nuit, une idée, une attitude, une vérité, une ombre, un mensonge, un moment, une question, une réponse, une création fébrile de mon imagination et de celle des autres… Le travail c'est le travail… mais la vie… c'est la vie… et la vie l'emporte sur l'art… toujours.

CINQUANTE-QUATRE

RÉVOLUTION ROUSSE

C'est une révolution rousse à elle toute seule : serveuse, musicienne de rue, enfant privilégiée, *Jersey girl* coriace, formidable *songwriter*, New-Yorkaise pendant dix-neuf ans, une des plus jolies voix qu'il m'ait été donné d'entendre, intelligente, solide et fragile à la fois – beauté flamboyante qui règne sur mon cœur. Quand je la regarde, c'est le meilleur de moi-même que je vois. Vivienne Patricia Scialfa a grandi à Deal, dans le New Jersey, sœur de Michael et Sean, fille du garde-côte et capitaine de corvette Joe et de la superbe Pat Scialfa. Petite, avec ses taches de rousseur, elle ressemblait à Raggedy Ann, le personnage de la série de livres pour enfants ; sur les photos, son sourire rayonne, ouvert, en attente. Si on aime ceux qui font resplendir le meilleur de nous-même, c'est la lumière qu'elle fait briller sur moi. Pour un couple de musiciens solitaires, on a fait un sacré bout de chemin.

Toute son enfance, elle a eu pour voisin un des parrains de la mafia, Anthony Russo, dit Little Pussy. Comme M. Pussy voulait que ce soit un

Sicilien qui occupe la maison mitoyenne de la sienne, il l'avait vendue à Joe, le père de Patti. Joe n'avait pas de lien avec la mafia, mais il était issu d'une famille sicilienne typique. Un bel Italien viril, fils à sa maman gâté par ses trois sœurs. Joe était un self-made-man devenu multimillionnaire grâce à ses spéculations immobilières. Patron talentueux du magasin Scialfa TV, il a été pour ses enfants un père maniaque, rude, voire brutal, et un beau-père imprévisible. La mère de Patti, Pat, était une belle Irlando-Écossaise dure à la tâche, un bijou, pur produit des années 1960, déterminée, inflexible, parfaitement assortie à son mari. Elle travaillait au magasin avec lui tous les jours. Petite, Patti s'installait au milieu des télés, les Motorola et les Zenith, pour faire ses devoirs. De Long Branch, le paradis italo-américain en bord de mer du New Jersey, à la riviera irlandaise de Spring Lake, Patti et moi avons reproduit le schéma des unions qui, depuis le siècle dernier, fait manifestement autorité dans notre coin du Jersey.

La première fois que je lui ai parlé, elle avait dix-sept ans, moi vingt et un. Comme je l'ai raconté, elle répondait à une petite annonce que j'avais passée dans l'*Asbury Park Press* : je cherchais des choristes pour le Bruce Springsteen Band, mon groupe rock'n'soul de dix musiciens. On a discuté assez longtemps au téléphone. Je lui ai dit qu'elle était trop jeune pour partir faire des concerts à droite à gauche, et qu'il valait mieux qu'elle reste au lycée. On s'est rencontrés la première fois en 1974. Subjugué par les *girl groups* des années 1960, j'envisageais de recruter une chanteuse. Elle a répondu à une annonce parue dans le *Village Voice* et a été auditionnée par Mike Appel dans son bureau, *midtown*. Les pieds sur le bureau, les mains derrière la tête, il ordonnait : « Chante ! » La potentielle recrue du E Street devait alors se lancer a cappella dans le « Da Doo Ron Ron » des Crystals. Si vous passiez ce premier barrage, on vous envoyait dans une petite zone industrielle à Neptune, New Jersey, pour rencontrer le groupe dans sa mouture pré-*Born to Run*, qui se préparait à sortir son premier carton. J'avais vingt-cinq ans, elle vingt et un, elle a chanté du Ronnie Spector avec nous, puis on s'est installés ensemble au piano et elle m'a joué une de ses chansons. Elle était ravissante et très talentueuse, mais on a fini par s'en tenir aux musiciens habituels – pas facile encore de renoncer à notre club 100 % masculin.

Dix ans plus tard, en 1984, un dimanche soir où j'étais au Stone Pony, une rouquine a rejoint le groupe maison pour chanter « Tell Him » des Exciters. Cette fille était excellente, elle possédait un truc que je n'avais encore jamais vu dans la région, sa voix était à la fois très sixties et très personnelle. À l'époque, j'étais un gros poisson dans la mare et quand je mettais les pieds quelque part, ça faisait des vagues. On s'est retrouvés dans le brouhaha de la foule, au bar du fond, je me suis présenté et ça a été le début d'un long flirt sinueux. Patti m'a dit que lorsque je cherchais de la compagnie, je regardais toujours « ailleurs ». J'avais toujours plein d'idées sur le pourquoi et comment de mes choix amoureux, qui finissaient toujours par se révéler non pertinents à terme. Quand j'ai ouvert les yeux et que j'ai arrêté de regarder « ailleurs »… Patti était là, juste devant moi. Elle m'avait repéré et avait attendu que je sois prêt. Une histoire inhabituelle que celle de ces deux personnes qui se sont tourné autour en s'effleurant prudemment pendant dix-huit ans, avant d'entrer pour de bon en contact.

On a été partenaires de groupe pendant la tournée *Born in the USA*. Elle avait plein d'admirateurs, mais il fallait s'accrocher pour figurer sur son carnet de bal : pas si facile à dompter, cette New-Yorkaise farouchement indépendante ! Elle vivait seule, en musicienne, comme moi. Ce n'était *pas* une femme d'intérieur. Son but n'était pas de rassurer son jules. Tout ça me plaisait. J'avais tenté l'autre option, ça n'avait pas marché. Je savais qu'il me fallait un genre de relation radicalement différent, une voie plus difficile, et cette voie c'était Patti. On s'est installés dans la vie de famille avec lenteur et beaucoup de prudence. Elle était extrêmement intuitive et je pressentais avec crainte que ce serait une partenaire redoutable. Quand j'ai commencé à la fréquenter, je l'ai trouvée très agréable, intelligente et excitante, mais ça me faisait peur. Je lui donnais ma confiance mais elle avait beau être intéressée, je n'étais pas si sûr qu'elle en veuille vraiment. Il y avait quelque chose de très sexuel chez elle, c'était une séductrice et elle pouvait pousser à la jalousie. On a souvent eu des bras de fer affectifs, en mode engueulade-et-portes-qui-claquent. On testait notre capacité à résister au sentiment d'insécurité de l'autre, et on y allait fort. C'était une bonne chose. On était capables de se battre, de se décevoir, de se relever, de baisser la garde, de résister, de se rendre, d'avoir mal, de panser nos blessures, de se battre à nouveau, de s'aimer, de se remettre sur pied, et c'était reparti pour un tour. On en avait bavé tous les deux, mais on espérait qu'avec des efforts, les pièces abîmées du puzzle s'agenceraient pour créer un tout qui fonctionnerait, et à merveille. Pari gagné. On s'est fabriqué une vie et un amour adaptés à deux hors-la-loi du sentiment. Cette ressemblance nous a liés et nous lie toujours de manière très intime.

Ma femme tient à son intimité, ce qui ne transparaît pas dans son « image publique », quelle que soit cette image ; elle est loin d'apprécier autant que moi les feux de la rampe. Il n'y a qu'à travers son travail qu'on peut deviner ses qualités. C'est une femme d'une grande élégance, d'une grande dignité, et je dois reconnaître qu'ensemble, on a bâti un sacré truc avec nos fêlures. On s'est rendu compte qu'une fois les morceaux rassemblés et ajustés, l'édifice était solide comme un roc. Et ça tient depuis vingt-cinq ans (en vie de chien et en compagnonnage musical, ça fait dans les cent soixante-quinze ans !). Deux solitaires pas forcément destinés au mariage – mais on a dérobé les alliances en or… et on les a mises sous clé.

Le soir où je suis tombé amoureux de la voix de Patti, au Stone Pony, la première phrase qu'elle a chantée c'était : *I know something about love…* Elle sait quelque chose de l'amour, je confirme.

CINQUANTE-CINQ

CHANGEMENTS

J'ai claqué un peu d'argent. Pas mal en fait. On a acheté une maison à proximité de Sunset Boulevard. Une maison luxueuse et extravagante, j'étais prêt pour ça. J'avais une famille maintenant ; la presse continuait à s'intéresser à moi et on avait besoin de sécurité et d'intimité. Pour ça, notre nouveau QG, protégé au bout d'une rue privée, était parfait. Je me suis aussi offert quelques belles guitares. Jusque-là je n'en avais jamais fait collection, considérant que mon instrument était simplement un outil de travail, un peu comme un marteau : une bonne gratte et peut-être une ou deux de rechange, il n'y avait pas tellement besoin de plus. Désormais je voulais une belle guitare dans chaque pièce, je voulais de la musique dans toute la maison.

Dans le tumulte de la fin des années 1980 et du début des années 1990, ma vie avait été sacrément chamboulée. Je travaillais sur de nouvelles chansons dans un nouvel environnement, avec un nouvel amour. Pour l'instant, je n'avais pas en tête de thématique particulière, ni de point de vue créatif précis. Après *Born in the USA*, *Tunnel of Love* et les tournées pour Amnesty, je me sentais un peu cramé. Je ne savais pas trop dans quelle direction emmener le groupe et, en 1989, j'avais annoncé à tout le monde qu'en gros, on faisait une pause.

Avec le temps, comme chaque membre du groupe, j'avais accumulé toutes sortes de doléances plus ou moins larvées. Certains commençaient à me taper sur le système, j'avais la sensation qu'ils n'appréciaient pas leur situation à sa juste valeur, sans parler des problèmes personnels que j'étais un peu trop souvent censé régler. Cette pression et ce fardeau constants, alliés à mon indécision en termes de création et à ma curiosité artistique, m'ont fait finalement franchir le pas. On habitait tous le E Street depuis longtemps. Dans cette cohabitation, on avait pris plein de bonnes habitudes qui, au long cours, maintiendraient notre cohésion, mais on en avait aussi pris de mauvaises. J'avais l'impression qu'en plus de mon rôle d'ami et d'employeur, j'étais devenu un banquier et un papa pour tout le monde.

Comme toujours, la situation était en grande partie due à mon attitude : à défaut de limites claires, dans une structure affective où j'exigeais de chaque membre du groupe une loyauté et une exclusivité indéfectibles, je promettais officieusement, sans garantie écrite, d'assurer les arrières de chacun, quoi qu'il arrive. Sans que ce soit formalisé, chacun définissait les termes de notre accord en fonction de ses propres besoins et désirs financiers, émotionnels et psychologiques – certains réalistes, d'autres pas. Un procès avec certains employés en qui j'avais confiance a pris des allures de procédure de divorce plutôt longue et moche, et j'ai pris conscience de l'importance qu'il y avait à clarifier les choses, en précisant l'implication des membres du groupe d'une façon raisonnable et indiscutable. Ce qui voulait dire des contrats (jusque-là une abomination pour moi). C'est pour la tournée *Tunnel of Love* que j'ai exigé qu'un contrat écrit soit signé avec chacun pour la première fois. Après tout ce temps certains l'ont pris comme une marque de méfiance, mais ces contrats, et ceux qui seraient signés à l'avenir, protégeaient *notre* futur ensemble en mettant noir sur blanc nos relations passées et présentes. Parce que la clarté est un gage de stabilité, de longévité, de respect, de compréhension et de confiance. Chacun était maintenant informé de la position de tous, de ce qui lui était demandé, et de ce qui lui revenait en contrepartie. Une fois signés, ces contrats nous libéraient : on n'avait plus qu'à *jouer*.

Le jour où j'ai convoqué tous mes partenaires pour leur expliquer qu'après des années à conserver la même formation, j'avais l'intention de tenter des trucs avec d'autres musiciens, je suis sûr que certains ont été blessés, en particulier Clarence, mais tous sans exception ont bien réagi. Le E Street Band est de l'ancienne école ; on est des gentlemen, rock'n'roll, braillards, enthousiastes, parfois insouciants, mais des gentlemen quand même. Tout le monde s'est montré généreux, courtois – déçu, oui, mais réceptif à ce que je disais. Ils m'ont souhaité bonne route et j'en ai fait autant pour eux.

Ça a été douloureux mais à la vérité on avait besoin de faire une pause. Au bout de seize ans, il fallait qu'on reconsidère les choses. Je les quittais pour partir à la recherche de ma propre vie et de nouvelles directions artistiques. La plupart des gars ont fait pareil, ils se sont trouvé une deuxième vie, une deuxième carrière en tant que musiciens, producteurs de disques, stars de télé ou acteurs. Ça ne nous a pas empêchés de conserver l'amitié qui nous liait et de rester en contact. Lorsqu'on se remettrait ensemble, je retrouverais un groupe de musiciens plus adultes, plus posés, plus forts. Le temps qu'on a passé loin les uns des autres nous a apporté à tous un respect nouveau les uns pour les autres. Ça nous a ouvert les yeux sur ce qu'on avait, ce qu'on avait accompli et ce qu'on pourrait encore accomplir ensemble.

CINQUANTE-SIX

LOS ANGELES EN FLAMMES

En 1992, les émeutes de Los Angeles ont éclaté à la suite de l'acquittement de quatre policiers accusés d'avoir violemment frappé l'automobiliste Rodney King, au terme d'une course-poursuite. Des incendies ont embrasé tout le bassin de LA, accompagnés de pillages et d'agressions. La diffusion d'une vidéo amateur montrant le passage à tabac de Rodney King a marqué l'entrée du LAPD dans l'ère de l'information et mis Los Angeles à feu et à sang.

J'étais en train d'enregistrer avec mon nouveau groupe dans un studio d'East Hollywood quand quelqu'un a déboulé pour dire qu'il y avait « du grabuge » dans la rue. À deux pas de là où on travaillait, il avait failli se faire écharper. En allumant la télé on s'est rendu compte qu'on était tout près des émeutes. On a tout planté là et j'ai sauté dans mon Ford Explorer. Sunset Boulevard, à l'ouest, était bloqué par des bouchons dantesques, on se serait cru dans *Panique année zéro* en voyant toutes ces bagnoles fuir le centre et l'est de la ville. J'ai décidé qu'une fois embarqués Patti et les enfants (on en avait deux à l'époque), on filerait sur la côte où on louait une villa qui semblait suffisamment à l'abri des événements. Je connaissais bien les petites routes de LA, alors j'ai littéralement piqué en direction des collines par les virages en lacets de Mulholland Drive. J'ai fait une courte halte près de Hollywood Bowl pour regarder depuis l'intérieur de la voiture la furie qui avait gagné la ville. C'était une vision de feu et de fumée qui semblait tirée d'un mauvais film catastrophe hollywoodien. De gigantesques nuages noirs s'élevaient au-dessus de LA et se mêlaient aux cieux azur ciselés, comme de l'encre en volutes sur fond de tuiles bleues. J'ai continué jusqu'à Benedict Canyon, où j'ai récupéré Patti et les enfants.

Contrairement aux émeutes de Watts en 1965, les incendies cette fois-ci menaçaient de se répandre au-delà des ghettos déshérités. La peur était palpable. Rythmé par le clapotis des vagues du paradis surf de Californie, le silence cher payé de communes protégées comme Trancas, Malibu, Broad Beach était perturbé par le battement grave et hypnotique des rotors des hélicoptères de la Garde nationale qui volaient à basse altitude au-dessus de la mer. Les écrans télé sur les terrasses de la plage étaient saturés par les flammes du désœuvrement, du désespoir et de la protestation qui ravageaient l'Est, à seulement quelques kilomètres de là – pas si loin d'ailleurs, pas assez peut-être pour être en sécurité.

Bilan : cinquante-trois morts, des milliers de blessés, des commerces détruits, des vies saccagées.

Ça c'est l'Amérique. Les remèdes à une foule de nos problèmes sont à portée de main – des crèches pour les enfants, du boulot pour les chômeurs, un meilleur enseignement, un système de santé pour tous – mais il faudrait un effort sociétal de l'ampleur du plan Marshall pour briser la chaîne de destruction institutionnalisée qui court de génération en génération, conséquence de nos politiques sociales. Si on peut dépenser des milliards en Irak et en Afghanistan pour remettre sur pied des États dignes de ce nom, si on peut sauver Wall Street avec des milliards de dollars prélevés aux contribuables, pourquoi pas là ? Pourquoi pas maintenant ?

CINQUANTE-SEPT

NOTRE ÉGLISE À NOUS

C'est à Chelsea que Patti et moi avons commencé à sortir ensemble. Il y avait près de son appartement new-yorkais un charmant petit banc à la lisière d'un parc, juste en face de l'Empire Diner. Là, on en a passé des journées de printemps à discuter en sirotant des canettes de bière dans des sacs en papier ! C'est devenu un endroit très symbolique pour nous. Un après-midi, après le déjeuner à l'Empire, j'ai cueilli une brindille dans un buisson, à côté du *diner*, je l'ai entortillée et nouée pour en faire une bague de fortune et le temps que Patti arrive au banc, j'avais un genou à terre pour lui faire ma demande en mariage. Tu parles comme j'étais fier quand elle m'a répondu oui ! C'était parti. Étape suivante : lui trouver une vraie bague de fiançailles.

Mon père ne montrait jamais ma mère. En vrai parano, il l'avait cachée pratiquement toute sa vie. Et cette attitude, j'en avais hérité. L'amour me gênait toujours. J'avais toujours un peu honte de montrer que j'avais besoin de quelque chose, de quelqu'un, de me dévoiler, parfois tout simplement d'être avec une femme. Mon père m'avait insidieusement transmis ce message : « Une femme, une famille, c'est un signe de faiblesse, ça t'expose et te rend vulnérable. » C'était atroce de vivre avec cette idée. Patti m'a beaucoup aidé à m'en sortir. Par son intelligence et son amour, elle m'a montré que notre famille était un signe de force, qu'ensemble on était formidables et mieux à même d'apprécier l'existence.

Une chose dont j'étais sûr : Patti et moi ce serait pour la vie, jusqu'au bout. Il était temps de rendre la chose publique. Bon sang, ça faisait trois ans qu'on était ensemble, on avait survécu à un scandale, on avait déjà un enfant et un autre était en route… mais j'ai toujours détesté les annonces publiques. C'est sans doute d'être sous les feux de la rampe depuis si longtemps, ou peut-être juste mon côté entêté qui me donnait envie de garder pour moi Patti, cette intimité, notre famille, notre amour. Mais à présent je me méfiais de ces réflexes, je savais qu'ils étaient malsains.

Beaucoup de gens vivent de très belles relations amoureuses sans certificat de mariage. Mais on avait le sentiment que déclarer officiellement nos sentiments avait un sens. Pour nous c'était important. Quand vous prononcez des vœux, il y a une promesse publique, une bénédiction de l'union, une célébration. C'est une sorte de coming-out que vous faites devant vos amis, votre famille, votre univers, vous annoncez que désormais c'est comme ça que ça se passera : maintenant, vous serez deux sur la route, *two for the road*.

Le jour du mariage

Le 8 juin 1991, l'aube a paru lumineuse et claire en Californie du Sud. J'ai passé la matinée à essayer de faire monter mon père sur une de mes bécanes tandis que, dans notre chambre, Patti essayait de rentrer dans sa robe de mariée. Elle avait omis de signaler à la couturière sa grossesse de trois mois. Jessie Springsteen s'agitait dans son ventre et quelques retouches de dernière minute s'imposaient. Grand jour : j'allais permettre à Patti de me connaître comme personne ne m'avait jamais connu. Ça me foutait la trouille. J'étais persuadé qu'une bonne part de moi ne méritait pas trop d'être connue – mon égocentrisme, mon narcissisme, mon côté solitaire. En même temps, Patti était elle aussi une solitaire, elle saurait me gérer, mais m'aimerait-elle encore une fois qu'elle me connaîtrait vraiment ? Elle était forte et avait prouvé qu'elle pouvait résister à mon comportement pas très constructif. Elle avait confiance en nous et m'avait transmis sa confiance, tout allait bien se passer. Patti avait changé ma vie comme personne. Elle me poussait à m'améliorer, réduisait mes envies d'échappées en solo, tout en me laissant de l'espace. Elle m'accordait mes dimanches à moto, dans les canyons, quand j'en avais besoin, et respectait qui j'étais. Au final elle a peut-être pris soin de moi plus que je ne le méritais.

On a décidé de se marier sur notre propre propriété, dans une très jolie petite grotte au-dessus de notre maison-studio. On traversait un bosquet d'eucalyptus jusqu'à une cour en ardoise grise où se dressait une splendide cheminée de pierre. Là, au milieu de guirlandes de fleurs, on prononcerait nos vœux. On avait invité une petite centaine de personnes, pour l'essentiel des amis et la famille proche. Les membres du groupe avaient apporté leurs instruments acoustiques – Soozie son violon, Danny son accordéon, quelques guitares –, et on a appris un morceau que j'avais composé spécialement pour l'occasion. Evan James, en blanc, en short, était tout beau et pendant la cérémonie, assis au premier rang à côté de ses grand-mères, Pat et Adele, il n'a pas arrêté d'appeler : « Papa, papa. »

Mes potes les frangins Delia étaient là, de même que mes super copains Jon, Steve et beaucoup de gens importants pour nous. On se doutait bien que l'événement attirerait les paparazzi comme des mouches, ça n'a pas loupé : un de nos agents de sécurité a intercepté un reporter qui essayait d'entrer caché dans un camion de traiteur. La police de LA, qui était chargée d'assurer la sécurité autour de la propriété, nous avait promis que, le moment venu, un hélico chasserait les éventuels intrus du ciel au-dessus de chez nous. Voilà dans quelles conditions s'est déroulé notre mariage dans les années 1990.

Quelle journée géniale. Le groupe, la famille et les autres invités ont tous fait en sorte que ça se déroule en douceur et de manière agréable. J'étais un peu tendu – quand tu as déjà foiré un mariage, tu as de quoi être échaudé –, mais les encouragements de nos plus proches amis nous ont confortés Patti et moi dans notre amour. En fin d'après-midi, le LAPD a tenu sa promesse et, sous un ciel limpide, on a formé en musique une petite procession jusqu'à la cour de la cérémonie. Un prêtre unitarien, qui nous avait été présenté par des amis, a prononcé un très chouette sermon. J'ai pu évoquer pour mes invités mon amour pour Patti, puis il y a eu un dîner décontracté aux chandelles et une nuit de fête. Joe, mon peau-père, qui ne manquait jamais une occasion de me chambrer, m'a désigné la clôture autour de notre propriété et m'a demandé comment j'allais faire cette fois pour m'enfuir. Je lui ai répondu que c'était fini tout ça : avec sa fille, plus envie de me tirer où que ce soit.

Lune de miel

On a passé notre lune de miel façon années 1950 dans un chalet en rondins du parc du Yosemite, qui aurait pu dater de l'époque de Lincoln. On s'est bien amusés, si on excepte nos drôles de crises d'angoisse simultanées pendant toute la semaine quand on se regardait en se disant qu'on était mari et femme. Quelque part, on était encore deux solitaires qui tentent quelque chose de nouveau. On s'est baladés, on a dormi dans des petits motels, écouté nos musiques préférées en sirotant du Jack Daniel's et fait des parties de rami en plein air tandis que le soleil se couchait dans le désert, de l'autre côté de la route. Notre Evan nous manquait et donc, cinq jours plus tard, on est rentrés à LA – au moment même où un anonyme écrivain du ciel gravait dans le bleu du ciel un énorme cœur au-dessus de notre maison. Quelle synchronisation ! On a trouvé notre fils installé sur une couverture dans l'herbe, en train de jouer avec sa grand-mère Pat. On a passé le reste de l'après-midi en famille. À un moment, je me suis penché vers Patti, Evan entre nous, et je l'ai embrassée. Je ne serais désormais plus seul.

La fillette au poney

Le 30 décembre 1991 est née Jessica Rae Springsteen. À voir ce bébé eskimo au visage rouge et aux cheveux noir de jais, sourcils froncés et mains frétillantes, impossible de deviner qu'elle deviendrait la femme splendide et l'athlète si sûre d'elle qu'elle est aujourd'hui. Toute petite, dans sa chaise bébé, déjà têtue, elle hurlait et pestait quand on détachait sa ceinture de sécurité à sa place parce qu'elle voulait le faire toute seule. Juchée sur sa chaise haute, elle virait au rose chewing-gum Bazooka à force de s'énerver sur la boucle de la ceinture, ses doigts potelés s'acharnaient dessus avec une volonté incroyable pour une si petite fille et habituellement elle y arrivait. Ça n'a pas changé.

On est assis dans le salon de Rumson, Patti et moi, juste en dessous de la chambre de Jessica. Soudain, un bruit sourd. Je monte à l'étage et je vois qu'elle a réussi à passer par-dessus les barreaux de son berceau. Je la remets au lit et je redescends. Cinq minutes plus tard, rebelote. Je remonte, je la remets dans son berceau. Cinq minutes plus tard… pareil… Là, je l'observe ramper jusqu'au lit simple à l'autre bout de la pièce. Elle se débrouille comme elle peut pour y monter. Le berceau, c'est fini. Avec Jess, c'est comme ça et pas autrement.

Jess a quatre ans. Avec Patti, à la recherche d'un terrain, on visite une ferme située sur Navesink River Road, à Middletown. Un cheval paît au calme dans son petit pré. « Je peux aller voir ? » demande Jess. Avec l'accord du propriétaire, on passe par-dessus la clôture et on s'avance. Une fois devant le cheval, Jess ferme les yeux et pose ses petites paumes sur les flancs de l'animal. Elle reste comme ça un moment, en méditation, lui offrant… un vœu ? Une prière ? Et puis : « Est-ce que je peux monter dessus ? » D'un hochement de tête, le propriétaire nous signale qu'il est d'accord… Je la hisse sur le canasson à cru. Elle reste tranquillement assise… Vingt ans de levers à cinq heures et demie du matin plus tard, après d'innombrables écuries, des centaines de sabots nettoyés, de crinières et de robes brossées, des milliers de kilomètres parcourus dans tout le nord-est et l'Europe, elle est devenue une excellente cavalière, reconnue internationalement, défiant les lois de la gravité, emmenant des animaux de plus de sept cents kilos en l'air à plus d'un mètre cinquante… le plus naturellement du monde. D'aussi loin qu'elle se souvienne, elle a toujours fait du cheval.

Un samedi matin, on accompagne Jess, qui a cinq ans, à Meadowlands, théâtre de nombreux triomphes du E Street. C'est son premier concours hippique. Je lui dis : « Jess, quand on sera là-bas, si tu ne veux pas le faire, ce n'est pas grave... » Elle se met en tenue sans attendre, puis s'avance, fine silhouette élégante, sur la passerelle en béton qui conduit aux sous-sols où tant de soirs victorieux, pendant des années, on a déchargé des tonnes de matos de rock'n'roll. Au niveau de l'arrière-scène, on la hisse sur son poney ; tous les projecteurs sont allumés. Le sol, occupé d'habitude par des cohortes de fans en délire, est recouvert d'une couche de terre de vingt centimètres. Son papa s'approche et lui dit : « C'est maintenant, Jess... » Elle fait mine de ne pas m'avoir entendu et je vois pour la première fois son visage afficher cette expression déterminée qu'elle a toujours aujourd'hui. Patti et moi on monte dans les gradins et on entend le nom de Springsteen, Jessica Springsteen, retentir d'un écho caverneux dans ce lieu où je me suis si souvent produit. Serrés l'un contre l'autre, on est tétanisés. Jess va passer au tout début du concours, dans la catégorie poney pour les moins de huit ans. Elle décroche un ruban vert et la sixième place. Dans la voiture, au retour, personne ne parle, elle n'a pas quitté sa tenue, elle chantonne. On lui dit qu'elle s'en est très bien sortie, qu'on est fiers d'elle. Elle ne bronche pas. Puis de la banquette arrière nous parviennent deux questions : « Comment s'appelait la fille qui a gagné ? Qu'est-ce qu'elle a fait pour gagner ? »

Nouveau groupe, nouvelle époque

Six mois plus tôt, après nos auditions à LA, j'avais monté un excellent groupe de tournée composé de musiciens géniaux venant d'horizons différents. Pour ces auditions j'ai eu la chance de rencontrer les meilleurs musiciens que la ville avait à offrir : des batteurs, bassistes et chanteurs exceptionnels. En jouant avec eux, j'ai vraiment beaucoup appris sur ce qu'un musicien, individuellement, peut et ne peut pas apporter. Avec les batteurs, j'ai découvert un truc fascinant : il y avait ceux qui savaient groover et garder le tempo de manière remarquable, mais lorsqu'on leur demandait de partir sur un mode plus rock à la Keith Moon (ou Max Weinberg), inévitablement ils assuraient moins ; et puis il y avait les bastonneurs, qui cognaient fort, mais avaient du mal à tenir le tempo. Curieusement, même les meilleurs n'arrivaient pas à exceller sur les deux fronts, cela dit, à l'époque, les enregistrements tournaient le dos au jeu de batterie trop fourni : le clic (métronome électronique) faisait la loi dans les studios, et on demandait sans doute rarement aux batteurs une performance à la Al Jackson avec en prime le roulement de tonnerre d'un Hal Blaine. C'est finalement Zach Alford, un jeune gars riche d'une solide expérience à la fois hard rock et funk, qui a été retenu ; il correspondait parfaitement à ce que je recherchais.

Le reste du groupe : Shane Fontayne à la guitare ; Tommy Sims à la basse ; Crystal Taliefero à la guitare, au chant et aux percussions ; Bobby King, Carol Dennis, Cleopatra Kennedy, Gia Ciambotti et Angel Rogers aux chœurs. Tous aussi adorables que fantastiques.

On a pris la route le 15 juin 1992. J'ai vraiment adoré tourner avec eux et profiter de leur expérience musicale. Dans le bus, on se passait le ghettoblaster et on se faisait écouter nos musiques préférées. Tommy Sims c'était les Ohio Players, Parliament Funkadelic et le funk des années 1970, un répertoire que je ne connaissais pas très bien ; il adorait aussi la langoureuse soul de Philadelphie, dont les plus fameux représentants étaient les Chi-Lites, les Delfonics et Harold Melvin and the Blue Notes, héritiers de la machine à hits Motown. Tous ces disques, c'est Tommy qui me les a fait mieux apprécier.

Cleopatra Kennedy et Carol Dennis, c'était du gospel haut de gamme. Bobby King était à fond dans la pure hard soul music. Ce gars costaud, formé au gospel, était un adepte de la musculation et on a passé pas mal de temps, lui et moi, dans des salles à soulever de la fonte. C'était aussi un gars formidablement drôle, un magnifique raconteur d'histoires, un philosophe de rue qui avait eu plusieurs vies. On est devenus très copains, on s'appelle encore régulièrement et j'ai plusieurs fois essayé de le convaincre de revenir sur scène chanter avec moi. Après la tournée *Human Touch*, Bobby a arrêté le chant profane pour s'engager de nouveau au service de son Seigneur et se consacrer à sa mission et sa famille. Il travaille sur des chantiers et habite encore en Louisiane, il apporte en prison la musique gospel et la parole de Dieu à ceux qui en ont besoin. Que Dieu te bénisse, Bobby.

Super concerts, super moments, super compagnie. Je me sentais momentanément libéré du bagage accumulé avec mes partenaires du E Street. Et puis un beau jour, alors qu'on jouait en Allemagne devant soixante mille personnes, je me suis avancé sur le côté de la scène, tout au bout. Le son de mon nouveau groupe, diffusé en façade par des tonnes de matos de sono, flottait dans l'air. Le soleil couchant parait les objets et les gens d'une lumière dorée. En hauteur, sur une colline à la lisière de l'amphithéâtre, se tenait un fan solitaire avec une pancarte : E STREET. Un loyaliste pur jus, ce gars-là. Je lui ai fait signe de la main en souriant. On n'allait pas en rester là.

CINQUANTE-HUIT
SÉISME SAM

On vivait toujours à Los Angeles lorsque le 5 janvier 1994 est né Sam Ryan Springsteen. De longues secondes se sont égrenées quand je l'ai vu passer dans les mains du toubib, le cordon ombilical enroulé autour du cou.

Sam est venu au monde avec une bouille en face de lune et une expression sévère tout irlandaise – en grandissant, les cheveux lissés tirés en arrière, il ressemblait à un garnement des rues de Dublin à la James Joyce. Douze jours après la naissance de ce bébé de trois kilos six, le tremblement de terre de Northridge, de magnitude 6,7 sur l'échelle de Richter, secouait la Californie du Sud. Northridge se trouvait juste de l'autre côté de la colline par rapport à chez nous. À quatre heures et demie du matin, j'ai été réveillé par nos deux chiens : j'ai cru qu'ils se battaient juste sous notre lit. Ils n'avaient pas arrêté de s'agiter en poussant des hurlements, pressentant la catastrophe imminente. On aurait cru que sous notre plumard deux pitbulls baisaient un porc-épic. J'ai regardé sous le lit… rien. Puis le grondement d'un train de marchandises dans la chambre : je n'avais encore jamais vécu un séisme d'une telle force.

J'en avais pourtant connu des tremblements de terre : dans un hôtel en haut d'un gratte-ciel, au Japon ; en studio, à LA, dans ma maison de Hollywood Hills, au petit matin, après avoir tourné *Black and White Night* de Roy Orbison. Cette fois-là, j'avais vu débouler Matt Delia devant mon lit, hystérique, à poil – à part deux oreillers qu'il s'était plaqués pour se couvrir le bazar et les fesses –, prêt à sortir en courant dans la rue. Heureusement le séisme avait cessé avant que le physique noueux de Matt ait pu troubler l'esprit de mes voisins. Mais ce n'était rien à côté du séisme de Northridge. Là, j'ai eu l'impression que ça durait une éternité, suffisamment longtemps en tout cas pour que j'arrive dans la chambre des enfants. Evan, trois ans, était au milieu de la piaule, bras écartés, en équilibre, comme en train de surfer. Il ne semblait pas effrayé, simplement étonné, désemparé. Je l'ai attrapé, puis j'ai pris Jessie, qui pleurait debout dans son berceau, pendant que Patti emportait Sam qui avait continué à dormir comme si de rien n'était. Ensuite, on a eu tout faux : on est sortis de la maison en dévalant en catastrophe l'escalier vacillant et on s'est retrouvés dans le jardin. Ça tremblait toujours. Pendant une bonne partie de la matinée, on est restés là, tandis que les répliques se succédaient toutes les vingt minutes, mettant nos nerfs à rude épreuve. Les jours qui ont suivi, il y en a eu des centaines, et on a laissé Sam dans un couffin, à la cuisine, sous une solide table en chêne, côté jardin.

Des copains sont venus nous rendre visite, certains en état de choc. On a entendu des histoires horribles de ceux qui vivaient sur la plage : le sable sous leurs maisons s'était liquéfié, transformé en gelée, les meubles tombaient comme des projectiles mortels. Chez nous il faudrait deux mois de travaux pour réparer les dégâts. Au début, comme le réseau télé était coupé, on devait appeler des amis sur la côte Est pour savoir ce qui se passait côte Ouest. Finalement, au bout de trois jours en mode roulis-cliquetis-et-tremblements comme dans la chanson de Bill Haley « Shake, Rattle and Roll », Patti, qui avait à peine récupéré de sa grossesse, sortie de l'hôpital depuis deux semaines à peine, maman d'un nouveau-né et de deux autres enfants en bas âge, m'a demandé de les sortir de l'enfer. J'ai dit : « On va tenir.

– Tiens bon si tu veux, moi je pense aux enfants. »

La ville était déjà sens dessus dessous et, selon certains rapports, le séisme de Northridge n'était peut-être que le signe annonciateur d'un tremblement de terre beaucoup plus important ! Cette perspective n'était pas rassurante. Pas question que ma famille fasse partie des premiers citoyens de la nouvelle Atlantide. Alors j'ai appelé en urgence M. Tommy Mottola, à l'époque président de Sony Records et, trois heures plus tard, un jet privé se présentait à Burbank pour embarquer une rock star et sa couvée. Patti et moi, en parents responsables, on retournait dans le Garden State. *Adios, Estado Dorado*. Dans le New Jersey, il y avait peut-être la mafia, les gangs de rue, des taxes foncières astronomiques, des zones industrielles crachant leurs fumées, des politiciens véreux à la pelle, mais au moins le sol n'allait pas se dérober sous nos pieds. Pas négligeable du tout. Et c'est comme ça que tous les cinq – avec notre petit gars rebaptisé Séisme Sam, qui s'est laissé porter par le courant-jet comme Moïse bébé dans son panier sur le Nil – on s'est envolés pour la patrie de mes frères. À l'abri.

Alors que j'avais vécu plusieurs tremblements de terre sans en être particulièrement choqué, une fois qu'on a été confortablement installés dans notre maison de Rumson, je me suis rendu compte que cette dernière expérience n'avait pas été sans séquelles. Quand Patti bougeait une jambe au lit, quand la chaudière du sous-sol se déclenchait en un souffle grave qui faisait trembler la maison, les battements de mon cœur s'accéléraient, boostés à l'adrénaline. Au moindre truc je me retrouvais comme un animal aux abois, prêt à me carapater. J'ai bientôt appris que je souffrais d'une forme bénigne de stress post-traumatique. Il m'a fallu presque six mois pour recouvrer complètement mon calme.

Sam en grandissant devenait un petit cogneur au nez retroussé. Systématiquement harcelé par son grand frère, il était capable de ronger son frein jusqu'à ne plus pouvoir s'empêcher de lui coller un coup de poing dans le plexus solaire. Evan, en sadique sophistiqué, venait alors le dénoncer en jouant les offusqués : « Papa, Sam il me tape » et il laissait les autorités prendre la relève. Il pouvait être dur en paroles, mais physiquement il se montrait assez accommodant avec son petit frère. Sam est un bon gars, intelligent et tout, et je dois reconnaître que quand il était petit, il m'a donné une bonne leçon. Au début, c'était le seul de mes gosses dont je n'arrivais pas à me faire respecter. Être « gentil avec papa », pas son truc. Ce qui énervait le père vieux jeu qui sommeillait en moi. Les enfants devraient respecter leurs parents, bon sang ! C'était comme si ce gamin me privait de mon dû. Il m'ignorait, désobéissait et, de manière générale, me considérait comme un inconnu rabat-joie qui n'avait que peu d'influence sur sa jeune âme en développement. Patti intercédait. En fait, ce qu'il était en train de me dire, c'est que j'avais encore du chemin à faire par rapport à lui. À sa manière, il m'éduquait et me montrait les efforts qu'il faudrait que je fasse pour être son père. Je ne le respectais pas, alors il faisait pareil. Chez les enfants, le respect s'exprime par l'amour, il faut accorder de l'importance aux détails de leur vie. Il n'y a que comme ça qu'ils se sentent honorés. Je ne rendais pas honneur à mon fils ? En retour il avait la même attitude envers moi. Et ça, ça m'inquiétait profondément.

Au départ, je m'étais promis de ne pas laisser mes enfants m'échapper comme mon père m'avait laissé lui échapper. Ç'aurait été un échec personnel terrible pour lequel je n'aurais eu aucune excuse, jamais je ne me le serais pardonné. On a eu nos enfants sur le tard, Patti et moi : j'avais quarante ans, elle trente-six – et c'était très bien comme ça. Je me connaissais suffisamment pour savoir que, plus tôt, je n'aurais été ni assez mûr ni assez stable pour être un bon père. Quand nos enfants sont arrivés, on a su qu'ils seraient notre priorité. Nos tournées seraient bookées en fonction des calendriers scolaires, de leurs activités, de leurs anniversaires et, grâce à la détermination de Patti et à son sens de l'organisation, on a fait en sorte que ça fonctionne. Je me suis efforcé d'être aussi présent que possible, mais avec mon boulot, ce n'est pas toujours simple, et Patti a toujours assuré la continuité. Sans se priver de me faire savoir que parfois je manquais à mes devoirs. Pendant des années, j'avais eu des horaires de musicien, j'avais été un oiseau de nuit : je me couchais rarement avant quatre heures du matin et me levais souvent vers midi, voire plus tard. Au début, quand les enfants se réveillaient la nuit, ça ne me posait pas de problème de m'occuper d'eux. Après l'aube, Patti prenait la relève. Quand ils ont grandi, le poste de nuit est devenu inutile et il a fallu assurer les heures du matin… Un matin donc, elle est simplement venue me voir au lit et m'a dit : « Tu vas tout louper.

– Louper quoi ?

– Les enfants, le matin. C'est le meilleur moment, c'est là qu'ils ont le plus besoin de toi. Il n'y a que le matin qu'ils sont comme ça, après c'est différent. Et si tu ne te lèves pas pour voir, eh bien… tu vas tout louper. » Le lendemain, grommelant et ronchonnant intérieurement, mais impassible, je suis sorti du lit à sept heures et je suis descendu. « Je fais quoi maintenant ?

– Des pancakes », m'a répondu Patti. Des pancakes ? De toute ma vie je n'avais jamais rien fait d'autre que de la musique. « Je… je… je… sais pas faire.

– Apprends. » Le soir même, j'ai demandé au gentleman qui cuisinait pour nous la recette des pancakes et je l'ai placée en évidence sur le frigo. Après des débuts tendance ciment, j'ai pris le coup de main. J'ai même étoffé mon menu et je suis fier d'annoncer aujourd'hui que si pour moi la musique tombait à l'eau je pourrais être cuistot le matin de cinq à onze heures dans n'importe quel *diner* d'Amérique. Nourrir ses enfants est un acte d'une grande intimité, je l'ai compris : le cliquetis des couverts sur les assiettes du petit déjeuner, les toasts éjectés du grille-pain, l'approbation silencieuse du rituel matinal, c'est une vraie récompense. Si je n'étais pas sorti du lit, j'aurais loupé ça.

Règle importante : quand tu es en tournée, tu es le roi, mais quand tu es à la maison… *fini*. Ça nécessite quelques ajustements, sinon ton statut « royal » finira par tout gâcher. Plus je partais longtemps, plus j'étais déphasé en rentrant, et plus j'avais du mal à reprendre le rythme familial. C'est dans ma nature de « faire semblant » (donc de foirer le truc), puis de me pointer la bouche en cœur avec un bouquet de roses, prêt à faire le poirier en usant de mes charmes pour essayer de me sortir du pétrin dans lequel je me suis fourré. Ça, ça ne marche pas avec les gosses (ni avec les femmes, d'ailleurs). Patti m'avait conseillé de faire une « chose constructive par jour avec Sam ». Je savais qu'il avait l'habitude de se réveiller la nuit pour réclamer son biberon, ensuite il venait dans notre lit. Alors j'ai commencé à partager ces moments avec lui. On descendait ensemble à la cuisine pour aller chercher le bib de lait, puis on remontait dans *sa* chambre ; là je lui racontais une histoire et il se rendormait tranquillement. En tout, il y en avait pour trois quarts d'heure, mais en moins d'une semaine, il s'est mis à m'attendre la nuit, à compter sur moi. En réalité il voulait juste que je m'implique davantage. Heureusement pour les parents, les enfants ont une grande faculté de récupération et une généreuse capacité de pardon. Ma femme m'a guidé sur ce chemin et c'est mon fils qui a été mon professeur.

Avec mon fils aîné, ça n'a pas été simple non plus. Pendant des années, j'avais insidieusement fait comprendre que j'étais indisponible, réticent aux intrusions des membres de la famille dans mon espace personnel. Enfant, Evan avait finement repris le truc à son compte en me disant pour me « libérer » : « Merci, papa, mais je suis occupé pour l'instant, peut-être plus tard, ou demain. » Je poussais souvent un soupir de soulagement et retournais dans ma forteresse de solitude où, comme d'habitude, je me sentais chez moi, en sécurité. Jusqu'à ce que comme l'ours en manque de chair fraîche, je sorte de mon hibernation pour chercher dans la maison un peu de compagnie et d'amour. Mais je pensais encore pouvoir fermer les vannes à ma guise. Ce qui n'a pas échappé à Patti, et elle me l'a fait remarquer. Depuis longtemps j'avais le sentiment que le plus grand péché qu'on pouvait commettre c'était de m'interrompre alors que je travaillais sur une chanson : la musique était fugace et une fois qu'elle vous filait entre les doigts, c'était fini. Grâce à Patti, j'ai appris que les requêtes des enfants devaient primer, alors j'ai appris à arrêter ce que j'étais en train de faire pour les écouter. Parce que j'ai fini par comprendre que la musique, les chansons seraient toujours là pour moi, mais que les enfants, un jour, ne le seraient plus.

Bon, je ne pourrai peut-être jamais prétendre au titre de « papa de l'année », n'empêche que j'ai fait de gros efforts pour me rendre disponible à ceux qui avaient besoin de me sentir près d'eux pour s'épanouir et mieux grandir. Patti a fait en sorte que j'aie de bonnes et solides relations avec nos enfants, affranchies du désarroi de mon enfance à moi.

Cool Rockin' Daddy

J'ai toujours eu peur que mes enfants se désintéressent de la musique – après tout c'était une histoire de famille. Alors quel bonheur le jour où, en passant la tête dans la chambre d'Evan, je l'ai trouvé devant son ordinateur en train d'écouter ultra attentivement du punk avec un méchant son. Il m'a invité à entrer et m'a passé du Against Me !. Un groupe à la fois dur et plein d'âme. Il m'a dit qu'ils jouaient bientôt au Starland Ballroom, pas très loin de chez nous. Je voulais bien l'accompagner au concert ? Tu parles que j'ai accepté ! Un soir, on a donc pris la Route 9, direction Sayreville et le Starland. On allait entendre en live ses héros.

Dans la salle, un troupeau d'ados s'agglutinaient devant la scène. Evan et son copain se sont avancés vers la masse et je me suis installé au bar, sur le côté, où se trouvaient déjà quelques parents. Deux bons groupes ont joué en lever de rideau, Fake Problems et les Riverboat Gamblers. Pendant la pause, un jeune gars à crête de Mohican jaune m'a dit : « Le bassiste de Against Me ! est un de vos grands fans.

– Ah bon ? » Et j'ai bientôt été présenté à Andrew Seward, un jeune barbu costaud aux cheveux auburn, qui m'a chaleureusement salué et proposé de faire connaissance avec le groupe, en backstage, après le concert.

Against Me ! a donné un set féroce, qui a mis le feu au public. Toutes les paroles étaient vociférées en chœur par ces gamins surexcités. Au bout d'une heure de défoulement euphorique, Evan et son copain sont revenus de la fosse en sueur, raides de fatigue. « Hé, les jeunes, vous avez envie de rencontrer le groupe ?

– OUI ! » On est montés par un petit escalier pour arriver dans la loge, une de ces pièces exiguës où j'avais passé une bonne partie de ma jeune vie, et on a salué les quatre musicos lessivés. On a bavardé un peu, fait quelques photos. On était sur le point de partir quand le bassiste s'est approché de mon fils, il a remonté sa manche et lui a montré un vers de « Badlands » qu'il s'était fait tatouer sur l'avant-bras. « Regarde, c'est des paroles de ton père », il a dit. Evan avait les yeux comme des soucoupes. Quand les enfants étaient petits, on n'avait jamais insisté pour qu'ils écoutent notre musique à la maison. À part des guitares et un piano, il n'y avait pas de signes extérieurs de réussite musicale, pas de disques d'or, pas de *grammys*, rien. Du coup mes gosses n'auraient pas fait la différence entre « Badlands » et une soupe aux boulettes de pain azyme. Lorsqu'on m'approchait dans la rue pour me demander un autographe, je leur expliquais que, dans mon métier, j'étais aussi célèbre pour les adultes que Barney le dinosaure violet pour eux.

Ce soir-là, avant qu'on s'en aille, le bassiste a remonté son autre manche et exhibé un autre tatouage qui s'étalait de l'épaule au coude… un tatouage qui me représentait ! J'ai savouré en silence un bref moment de fierté en voyant que mon influence s'était transmise et j'ai eu l'impression d'être le papa le plus cool de la salle. J'ai promis des stickers du E Street à vie à tous ceux qui étaient là et on est repartis. Dans la voiture, Evan a dit : « Papa, le gars il a toi tatoué sur son bras.

– Ouais, qu'est-ce que tu en penses ?

– C'est rigolo. » Quelques jours plus tard, je me suis arrêté dans sa chambre pour lui demander s'il s'était bien amusé ce soir-là. Sans me regarder, ni lever les yeux de son ordi, il a répondu : « Meilleure soirée de ma vie. »

Avec Sam, c'était les classiques du rock : Dylan, Bob Marley et Creedence Clearwater, qu'il a découvert dans le jeu vidéo *Battlefield Vietnam*. Un soir, en passant dans notre chambre, il a vu Dylan à Newport à la télé.

« C'est qui lui ? » Sa musique l'intéressait, alors je lui ai acheté les premiers albums folk de Dylan. Sam était au collège, il devait avoir onze ans le jour où, en entrant dans sa chambre, j'ai entendu « Chimes of Freedom » de *Another Side of Bob Dylan* ; le disque tournait sur l'électrophone, au loin, dans un coin à peine éclairé. En voyant mon fils sur son lit, j'ai repensé à toutes les nuits que j'avais passées comme ça, avec Spector, Orbison et Dylan à mon chevet. Je me suis assis près de lui pour lui demander ce qu'il pensait de Bob jeune. Sa voix m'est parvenue de l'obscurité encore empreinte de toute la douceur de l'enfance : « Épique. »

Jessie, elle, c'est la spécialiste du Top 40, elle écoute à fond les tubes hip-hop et pop, m'a emmené voir Taylor Swift et Justin Timberlake. Elle chante à tue-tête dans la voiture avec ses copines. Elle est mon guide pour savoir *ce qui se passe actuellement* sur les ondes. Je ne compte plus les soirs de vacances où je l'ai accompagnée aux soirées organisées par la radio Z100 Jingle Ball ; j'y ai découvert Shakira, Rihanna, Fall Out Boy et Paramore, ainsi que bien d'autres faiseurs de hits. Au Madison Square Garden, je me suis retrouvé un jour entouré d'ados hurlants et de parents intrépides. À côté de moi, une femme charmante a désigné Jess du doigt en me demandant si c'était ma fille. J'ai répondu que oui. Elle a alors montré la scène où se pavanait une Lady Gaga au seuil de la célébrité, vêtue d'un tutu blanc, qui chantait son premier tube, et elle m'a dit : « C'est la mienne. »

Nos enfants étaient petits quand ils ont commencé à venir à nos concerts. Passé le premier choc-et-effroi (comme disent les militaires), ils s'endormaient habituellement assez vite, ou revenaient à leurs jeux vidéo le temps que maman et papa fassent leur boulot avant de pouvoir rentrer à la maison. En fin de compte, quand vous êtes parents, c'est vous qui êtes le public de vos gosses. Ils ne sont pas censés être le vôtre. J'ai toujours pensé que ça ne gênerait pas de jeunes enfants de voir cinquante mille personnes huer leurs parents. Inversement, quel gamin a envie de voir cinquante mille personnes acclamer ses vieux ? Aucun.

Quand ils ont grandi, les choses ont un peu changé. La vie professionnelle de papa-maman a lentement infiltré notre foyer. J'adore entendre mes mômes critiquer mes disques et les voir s'amuser à nos concerts, mais je suis heureux de savoir qu'ils ont été baptisés dans la sainte rivière du rock et de la pop par leurs héros à eux, à leur manière à eux, à leur rythme à eux.

CINQUANTE-NEUF

STREETS OF PHILADELPHIA

Un jour de 1994, coup de fil du réalisateur Jonathan Demme : est-ce que ça m'intéressait d'écrire une chanson pour son prochain film, *Philadelphia*, l'histoire d'un homosexuel atteint du sida qui se bat pour conserver son poste dans un prestigieux cabinet d'avocats de Philadelphie ? J'avais commencé à écrire des paroles sur la mort d'un ami proche, et j'ai passé quelques après-midi dans mon home-studio de Rumson à tenter d'en faire quelque chose. Jonathan m'avait demandé un titre rock pour l'ouverture du film, mais les paroles que j'avais ne collaient pas sur une musique de ce style. Je me suis mis à bidouiller un truc avec le synthé par-dessus une rythmique hip-hop discrète, programmée sur la boîte à rythmes. Dès que j'ai ralenti le tempo, avec quelques accords mineurs basiques, les paroles ont trouvé leur place, et la voix que je cherchais s'est parfaitement calée. J'ai terminé la chanson en quelques heures et je l'ai envoyée à Jonathan, conscient de ne pas avoir vraiment rempli le cahier des charges. Il m'a appelé quelques jours plus tard pour me dire qu'il adorait et l'avait montée sur des images de la ville au début du film.

« Streets of Philadelphia » s'est hissée au Top 10 grâce au film, et parce que c'était un sujet auquel était confrontée l'Amérique à cette époque-là. Comment se comporter avec nos fils et nos filles atteints par le sida ? Le film de Jonathan est arrivé à un moment important et il a accompli sa mission. C'était bien de faire partie de cette aventure, même de façon modeste. Oh… et j'ai remporté un oscar. Quand j'ai pris l'avion de LA pour le montrer à mes parents, il a été repéré par les rayons X à l'aéroport, et il a fallu que je le sorte. À San Mateo, j'ai trouvé mon père comme d'habitude en train de fumer à la cuisine, tel un bouddha prolo. J'ai déposé l'oscar sur la table devant lui. Il l'a regardé, a levé la tête vers moi et m'a dit : « Je ne dirai plus jamais à quelqu'un ce qu'il doit faire. »

Après « Streets of Philadelphia », j'ai passé une bonne partie de l'année à Los Angeles, à essayer de composer un album dans cette veine, assez sombre, centré sur des destins d'hommes et de femmes. Je venais de faire trois disques de suite dans ce registre, avec des nuances de ton, dont les deux derniers avaient été accueillis dans une quasi-indifférence. Autant dire que je me sentais un peu déconnecté de mon public.

Un soir où j'étais en voiture avec Roy, il a suggéré que c'était peut-être ces sujets qui nous éloignaient de nos fans. On peut faire mouche en s'aventurant dans des directions qu'on n'explorera pas davantage par la suite – *Tunnel of Love* et *Nebraska* en sont d'excellents exemples – mais il faut que ce soit bien fait et parfaitement exécuté. Mon fonds de commerce avait toujours été de raconter la vie des gens, d'ouvriers en particulier… Sur le coup, je n'étais pas d'accord avec Roy, mais rétrospectivement je pense qu'il avait effectivement mis le doigt sur quelque chose. Je n'écris pas uniquement pour répondre à la demande de mon public, bien sûr, mais je suis engagé avec lui dans un dialogue d'une vie entière, alors j'en tiens compte. Il faut être aventureux pour écouter ton cœur et transcrire ce qu'il te dit, mais ton instinct créatif n'est pas infaillible. Le besoin de chercher une direction, un déclic et des conseils en dehors de toi-même peut être salutaire et fructueux. Là, ça aurait été mon quatrième album d'affilée sur à peu près le même thème. Si j'avais senti que le projet était arrivé à maturité, je n'aurais pas hésité à le sortir. Mais un disque pas entièrement assumé sur le même sujet aurait été un disque de trop. Je devais admettre qu'après un an de travail à écrire, composer, enregistrer et mixer, celui-là resterait au placard. Et il y est effectivement resté.

Greatest Hits

Une nouvelle fois, quoi faire ? Où aller ? Qui suis-je maintenant ? Quoi donner à mes fans ? Si ces questions me trottaient dans la tête, je savais que mon public se les posait aussi. Et donc, dans le doute, le mieux c'était de… se retirer. On était en 1995, le E Street Band n'avait plus joué ensemble depuis sept ans. Dans le monde du rock'n'roll, ça fait une génération. On n'avait jamais sorti de compil de nos meilleurs titres et on a décidé qu'il était temps de rappeler un peu aux gens ce qu'on avait fait.

Le groupe ne s'était pas retrouvé au complet dans un studio d'enregistrement depuis dix ans, mais ça ne m'a pas découragé de décrocher mon téléphone pour rameuter les gars. Je leur ai expliqué ce que je voulais faire, en précisant bien que c'était un *one-shot*. Le 1er janvier 1995, nous voilà dans le studio A de Hit Factory, théâtre de nombreuses sessions de *Born in the USA*. Passé les retrouvailles – accolades et salut-mon-pote-comment-tu-vas –, on s'est mis au boulot. Après une ou deux séances, coup de fil de Steve : il avait entendu dire qu'on enregistrait. J'hésitais. Ça faisait quinze ans. Mais quelques soirs plus tard, il était assis sur un tabouret du studio, avec ses grands yeux et son doux sourire à la Groucho Marx que j'aimais tant et qui m'avait tant manqué, jouant de la mandoline sur « This Hard Land ».

Plus tard, on a tourné un petit film promo du groupe en live dans les studios Sony. J'ai montré le film à Jimmy Iovine dans mon antre de LA, un soir. Alors qu'on attaquait « Thunder Road », il m'a dit : « Tu devrais partir à fond là-dessus. On vit une drôle d'époque et ça, ça tombe à pic. » J'ai bien compris son point de vue, mais je n'étais pas prêt. *Greatest Hits* a bien marché, ça a été un bon coup de boost après mes errances du milieu des années 1990. Et puis chacun a repris sa route.

Il me restait une chanson de ce projet. Un titre rock que j'avais composé pour le groupe mais que je n'avais pas réussi à terminer. « Streets of Philadelphia » et le film de Jonathan Demme m'avaient donné envie d'aborder à nouveau des questions sociales. Une thématique dont je m'étais éloigné au cours de la décennie écoulée : avec le succès, ce registre me mettait un peu mal à l'aise, le coup du « type riche avec une chemise-de-pauvre ». Mais en puisant dans l'histoire de ma jeunesse et dans ce que j'avais pu voir, j'avais écrit des choses qui sonnaient juste et trouvé une voix personnelle sur ces sujets. C'était une histoire, une partie de mon histoire qu'il fallait que je raconte. « Tes histoires, tu les revendiques, je me suis dit, tu honores leur source d'inspiration en bossant dur, en y mettant tout ton talent, et tu te bats pour bien les raconter, en te sachant redevable et reconnaissant. Les ambiguïtés, les contradictions, les complexités de tes choix t'accompagnent toujours, dans ton écriture comme dans ta vie. Tu apprends à vivre avec, confiant dans ta capacité à dialoguer avec ce qui te semble important. » Après vingt-cinq ans d'écriture, une chanson m'a aidé à cristalliser ces problématiques et leur actualité durant la deuxième partie de ma vie professionnelle : « The Ghost of Tom Joad ».

SOIXANTE

THE GHOST OF TOM JOAD

On habitait désormais en alternance sur la côte Est et la côte Ouest. De juillet à décembre dans le New Jersey, de janvier à juin en Californie. C'est là que j'ai commencé à réfléchir à mon nouveau disque. Dans la maison des invités aménagée en home-studio, j'ai enregistré une série de titres acoustiques et country rock récemment composés. *The Ghost of Tom Joad* était le résultat de questions en forme de cas de conscience que je me posais depuis une décennie, après le succès de *Born in the USA*. Des interrogations qui pouvaient se résumer à celle-ci : « Où est la place d'un homme riche ? » Si c'était vrai qu'il était « plus facile pour un chameau de passer dans le chas d'une aiguille que pour un homme riche d'entrer au royaume de Dieu », je n'étais pas près de franchir le seuil du paradis, mais ça, ce n'était pas grave. J'avais encore du pain sur la planche en ce bas monde, c'était le point de départ de *The Ghost of Tom Joad* : Que faire de notre bref passage sur terre ?

J'ai commencé à enregistrer tout seul, à la guitare acoustique, à partir de ce qui me restait du « Tom Joad » que j'avais essayé d'écrire pour le groupe. Une fois cette chanson terminée, dans la version qui figure sur l'album, j'ai eu une idée plus claire du disque que je voulais faire. J'ai repris les choses où je les avais laissées avec *Nebraska* et j'ai situé l'action au milieu des années 1990 en Californie, où j'habitais. La musique était minimale, les mélodies simples, l'austérité des rythmes et des arrangements correspondait à l'identité de mes personnages, à leur façon de s'exprimer. Ils voyageaient léger, ils étaient directs dans leurs paroles, et pourtant l'essentiel de ce qu'ils avaient à dire, c'est dans les silences entre leurs mots qu'on l'entendait. C'étaient des nomades, ils menaient des vies dures et compliquées qu'ils avaient en partie laissées derrière eux, abandonnées dans un autre pays.

La précision du récit est absolument décisive dans ce type de chanson. Le bon détail peut dire énormément de choses sur un personnage, quand un truc déplacé peut saper toute la crédibilité de l'histoire. Lorsque la musique et les paroles sonnent juste, ma voix disparaît derrière celle des gens que j'ai choisi de raconter. Dans le fond, avec ces chansons, je trouve les personnages et je les écoute. Ce qui conduit toujours à une série de questions sur leur comportement : Qu'est-ce qu'ils feraient ? Qu'est-ce qu'ils ne feraient jamais ? Il faut trouver le rythme de leur voix, leur façon de s'exprimer. Mais tous les détails révélateurs tombent à plat s'il n'y a pas une émotion au cœur de la chanson. Cette émotion, il faut la puiser en soi-même, dans ce qu'on peut avoir en commun avec l'homme ou la femme qu'on fait parler. C'est en alliant ces éléments au mieux qu'on peut éclairer leur vie et faire honneur à leur expérience humaine.

J'avais traversé un paquet de fois la Vallée centrale de Californie en allant rendre visite à mes parents et je m'arrêtais souvent dans les petits bleds de campagne qui jalonnaient l'autoroute. Mais il m'a quand même fallu pas mal de recherches pour bien comprendre ce qui se jouait dans la région. J'ai lentement et soigneusement esquissé les histoires, longuement réfléchi à l'identité de ces gens et aux choix qui se présentaient à eux. En Californie, on avait l'impression qu'un pays nouveau se constituait aux confins de l'ancien. Là c'était l'Amérique du siècle à venir qui se dessinait, en gestation dans les déserts, les champs, les villes, grandes et petites. Cette vision s'est confirmée depuis ; il suffit pour s'en convaincre de se balader à quatre mille cinq cents kilomètres de là, au nord-est, dans ma ville natale de Freehold, n'importe quel soir d'été, pour constater l'influence hispanique. Le visage de la nation change, comme il a tant de fois changé. Et comme toujours, les porteurs de ce changement ne sont pas accueillis à bras ouverts.

Les vieux mécanismes du racisme et de l'exclusion continuent à jouer à fond. J'ai essayé de saisir une infime partie de cette réalité avec les chansons que j'ai écrites pour *Tom Joad*. « Sinaloa Cowboys », « The Line », « Balboa Park » et « Across the Border » puisaient dans l'expérience de mes premiers personnages pour parler des migrants mexicains dans l'Ouest nouveau. La boucle était bouclée, j'étais ramené en 1978, à l'inspiration que j'avais tirée de l'adaptation par John Ford des *Raisins de la colère* de Steinbeck. Aujourd'hui ils avaient la peau plus mate et leur langue avait changé, mais ils étaient pris au piège des mêmes violences.

« Youngstown » et « The New Timer » étaient inspirées de *Journey to Nowhere*, le livre de mes amis Dale Maharidge et Michael Williamson qui rendait compte de l'impact de la désindustrialisation aux États-Unis, du chômage, des délocalisations et de la disparition de notre tissu industriel sur les citoyens qui avaient bâti l'Amérique de leurs mains. J'avais vu ça en direct à Freehold quand la fabrique de tapis Karagheusian, plutôt que de régler un conflit social avec ses employés, avait préféré fermer pour se réinstaller dans le Sud, où la main-d'œuvre était meilleur marché et non syndiquée. Du jour au lendemain, plus de boulot. Mon père y avait travaillé quand j'étais petit ; ma vie musicale et les Castiles étaient nés à moins de cinquante mètres de ces cheminées qui crachaient leur fumée et du brouhaha des métiers à tisser.

À la fin de *Tom Joad*, j'évoquais le désastre et la mort qui accompagnaient les vies de tant de gens parmi ceux qui avaient inspiré ces chansons. « Galveston Bay » avait au départ une fin plus violente mais ça sonnait un peu faux. Il fallait une lueur d'espoir au pauvre gars de cette chanson. J'avais déjà écrit « Across the Border », qui était comme une prière ou un rêve qu'on fait la veille de partir pour un voyage dangereux, le chanteur cherche un foyer où son amour sera payé de retour et sa confiance rétablie, où pourra régner un semblant de paix et d'espoir. Avec « Galveston Bay », il fallait que je rende ces idées parlantes. La chanson pose cette question : L'acte le plus politique n'est-il pas un acte individuel, sans tambours ni trompettes, celui de quelqu'un dont telle décision particulière affecte la réalité immédiate ? Je voulais un personnage confronté à un dilemme moral mais qui garde le cap. Instinctivement, il refuse d'ajouter de la violence au monde qui l'entoure. Pas facile pour lui, mais il parvient à lutter contre son penchant naturel, à transcender les circonstances, et il trouve la force et la grâce de se sauver et de sauver la part du monde qu'il touche.

The Ghost of Tom Joad était la chronique des effets du fossé grandissant entre les riches et les pauvres des années 1980 et 1990 – autrement dit des difficultés de ceux dont le travail et les sacrifices ont fait l'Amérique et sans qui notre vie quotidienne ne serait pas ce qu'elle est. Nous sommes une nation d'immigrants et personne ne sait qui sont ceux qui passent nos frontières aujourd'hui, et dont l'histoire pourrait ajouter une page importante à la nôtre. Ici, au tournant du siècle nouveau, comme à celui du siècle précédent, nous sommes une fois de plus en guerre contre nos « nouveaux Américains ». Comme par le passé, des gens entreront en Amérique, ils en baveront pour survivre et supporter les préjugés, ils se battront contre les forces les plus réactionnaires et les cœurs les plus endurcis de leur terre d'adoption, mais ils finiront par tenir le coup et s'en sortir.

Je savais que *The Ghost of Tom Joad* n'attirerait pas le très grand public, mais j'étais persuadé que ces chansons s'inscrivaient dans la lignée de mes meilleures compos. Même si c'était un album novateur, il représentait les valeurs que j'avais déjà essayé de défendre et que je continuais à vouloir défendre en tant qu'auteur-compositeur.

Le 21 novembre 1995, je montais sur la scène du State Theatre de New Brunswick, dans le New Jersey, pour mon premier concert acoustique solo depuis le début des années 1970, au Max's Kansas City. Gros challenge : tenir en haleine ce public pendant deux heures et demie… sans groupe autour de moi.

Dans sa dramaturgie dépouillée et funambule, la performance solo a une fonction révélatrice. Un homme, une guitare et « vous », le public. Ce qui est mis en avant c'est le noyau affectif de ta chanson. Ce qui est révélé c'est le squelette de ce qui te lie à ton public et à ta musique. « Born in the USA » a explosé en un blues du Delta à la guitare slide, mettant à nu le sens des paroles ; « Darkness » planait dans toute sa dimension solitaire. Dans la salle, mon ingénieur du son, John Kerns, a utilisé notre sono pour faire de ma guitare acoustique tantôt un ensemble de percussions, tantôt un discret grattement à peine audible pour accompagner ma voix. J'ai découvert de nouvelles subtilités dans mon chant, travaillé une voix de tête ultra-aiguë et j'ai appris à me servir de ma guitare pour tout faire, des percus aux effets larsen stridents. À la fin de cette première soirée, j'avais découvert quelque chose certes pas aussi physique mais aussi puissant que ce que je faisais avec le E Street Band, et qui parlait à mon public dans une langue nouvelle.

J'ai conçu un nouveau répertoire en termes d'accordage de guitare et d'inversions d'accords, remis à jour mes techniques de picking et j'ai utilisé toute l'étendue de mes capacité vocales – ce qui a permis d'éviter que le public devienne claustro dans ces univers musicaux où l'entraînait pendant deux plombes un gars juste accompagné de sa guitare. Les fans devaient respecter le silence, et ils l'ont fait. Mes personnages étaient souvent des mecs seuls et il fallait sentir le poids du vide autour d'eux et en eux. On avait besoin d'*entendre* leurs pensées pour comprendre la dureté de leur vie. La magie de cette musique tenait à sa dynamique et à l'amplitude du registre, du crescendo de guitare au murmure proche du silence.

Ces concerts m'ont requinqué, ils m'ont donné envie de creuser davantage mon écriture. Je rentrais chaque soir dans ma chambre d'hôtel et jusqu'au milieu de la nuit je planchais sur mon *songbook*, en tentant de continuer dans la même veine. À la fin de la tournée, j'avais renoué avec mes compositions axées sur des thématiques d'« actualité », ce que je n'avais plus fait depuis plusieurs albums. Je me sentais enfin de nouveau bien dans ma peau. J'avais de nouvelles chansons à écrire.

SOIXANTE ET UN
L'HOMME DE L'OUEST

En Californie, mon père s'accrochait à son job de conducteur de bus, il allait au boulot chaque jour, il avait perdu du poids, jouait au tennis, entraînait l'équipe d'athlétisme de ma sœur Pam. Son état général s'était amélioré, modestement mais réellement. Quand j'allais voir mes parents, je le trouvais plus détendu, plus apaisé, en meilleure santé. J'avais l'impression qu'il avait réussi à évacuer une partie de ses tensions. Ça n'a pas duré. Quand son mal est revenu, il a replongé de plus belle.

Maintenant, quand je leur rendais visite pendant une tournée, si je venais accompagné d'un copain, mon père avait de terribles crises de parano qui le faisaient sortir de sa chambre en hurlant des trucs incohérents, persuadé qu'on faisait des avances à ma mère. Du coup, mes copains, j'avais intérêt à les briefer, ou à m'arranger pour qu'ils ne viennent pas du tout. On l'a fait suivre par un spécialiste, qui a diagnostiqué une schizophrénie de type paranoïde. Tout s'expliquait enfin. Il a fallu le convaincre de se soigner et, malgré ses réticences, il a entamé un traitement.

Il allait plutôt bien pendant un certain temps et puis de nouveau il explosait. Avec l'âge, l'agitation maniaque prenait le dessus. Mon père était toujours en surpoids. Bâti comme un joueur de football américain, il avait tendance à grossir facilement. Alors le jour où je l'ai trouvé plus mince que moi, ça a été un choc. Il s'était mis à la randonnée et avait tellement marché qu'il avait quasiment fondu. J'avais l'impression d'avoir un inconnu devant moi – un inconnu qui déraillait complètement. Il y avait de la dureté dans son visage et, dans ses traits, une rigidité distante qu'il ne contrôlait pas. Il répondait étrangement aux questions les plus banales : « Hé, p'pa, belle journée, aujourd'hui, hein ? » Entre deux bouffées de cigarette, il répondait : « Ah ouais, c'est ce que tu crois. »

Il oscillait entre délire et réalité. Il ne tenait pas en place pendant un certain temps, et puis d'un coup, il reprenait du poids, replongeait dans la dépression et ne bougeait plus de la table de la cuisine pendant des mois. Un jour, après avoir fait tout le trajet en voiture, non-stop, de la Californie au New Jersey, il a laissé un message sur ma porte : « Désolé, je t'ai loupé. » Puis il s'est pointé dans la famille de ma mère (dans l'esprit de mon père, c'était toujours un foyer d'insurrection parce qu'ils ne l'avaient jamais vraiment accepté) et les a copieusement insultés. Après quoi il est remonté dans sa voiture pour se retaper non-stop tout le trajet du retour jusqu'à la côte Ouest. Il embarquait ma mère pour des virées démentes dans tout le pays – ils profitaient soi-disant de leur retraite, mais elle savait qu'il y avait autre chose : à cette époque, sa maladie avait déjà été diagnostiquée et son traitement mis en place, mais il refusait souvent de prendre ses médicaments. Ils étaient constamment sur la route. À force, il allait se tuer, tuer ma mère ou quelqu'un d'autre.

Une fois, il a disparu trois jours. Ma mère m'a appelé, j'ai pris l'avion jusqu'en Californie et j'ai fini par découvrir qu'il avait été arrêté dans le désert, quelque part dans les environs de LA. On lui avait collé une contravention mineure mais d'après lui, il était passé devant le juge et avait refusé de payer, alors on l'avait jeté en prison. Quelques jours plus tard, on l'a transféré en bus dans une autre prison, à Los Angeles, et on l'a relâché. J'ai fini par recevoir un coup de fil. Je l'ai retrouvé à six heures du matin en plein Chinatown, dans un bar «pour vieux alcoolos», où un serveur au bon cœur le gardait à l'œil. Au retour, on s'est arrêtés prendre un petit déjeuner dans un McDonald's. Là ça a failli tourner à la baston : mon père s'est mis à sortir des trucs incohérents et des insultes – il entendait des voix et leur répondait –, et notre voisin de table a cru qu'il s'adressait à lui. Je lui ai présenté mes excuses en lui expliquant la situation et on est sortis fissa avec nos Egg McMuffins. Quelle tristesse.

Revenu chez lui à San Mateo, il était toujours ingérable : il ne voulait pas arrêter. Il ne voulait pas prendre ses médicaments. Me confiant qu'il avait peur de tout voir disparaître : son énergie, sa motivation, même si elle partait dans tous les sens, la force de son ego, l'euphorie de ses phases maniaques – tout sauf ses interminables périodes de dépression. Je comprenais, j'étais passé par là – mais pas à ce point. La psychose maniaco-dépressive, la bipolarité, dans notre famille, c'est le cadeau dans la boîte de céréales. Je lui ai dit que je comprenais mais qu'il allait finir par faire du mal à quelqu'un, à ma mère ou à lui-même, et moi, ai-je ajouté, je ne pouvais pas vivre sans eux, sans *lui*. On l'aimait et on avait besoin de lui. *Je* l'aimais et j'avais besoin de lui. Sans lui on perdrait notre force, notre centre, notre cœur. Alors, voulait-il bien que je l'aide à prendre soin de lui ? Ça n'a pas été facile de le convaincre. Il a hurlé tout ce qu'il savait mais il a fini par accepter qu'on l'accompagne à l'hôpital.

Il est resté trois jours en observation, il a passé des examens et on lui a administré un traitement qui l'a fait revenir sur terre, avec nous. Ça n'a pas été tout rose à partir de là, mais la pharmacopée moderne a donné à mon père dix ans de vie en plus et une paix de l'esprit qu'il n'aurait jamais eue autrement. Mes parents ont pu célébrer leurs cinquante ans de mariage. Il a pu connaître ses petits-enfants et on s'est nettement rapprochés. Il est devenu plus ouvert, plus facile à cerner et à aimer. J'avais toujours entendu dire que mon père, dans sa jeunesse, était « canaille et drôle comme tout », qu'il aimait danser. Moi je n'avais eu droit qu'au type solitaire qui broyait du noir, toujours à cran, déçu, jamais content ni détendu. Mais les dernières années de sa vie, sa douceur a émergé.

Bizarrement, il traversait parfois des périodes de logorrhée ahurissante, débitant tout ce qui lui passait par la tête comme s'il s'agissait d'événements arrivés la veille devant chez lui. Lui qui avait prononcé moins de mille mots durant toute mon enfance avait, sous l'emprise de sa maladie, entrouvert la porte du temple des rêves et des cauchemars avec lesquels il s'était battu pendant quarante ans dans la pénombre de sa cuisine. Un simple trajet sur Sunset Boulevard pouvait donner lieu à des récits d'aventures fantasmées sur la route, avec une étrange innocence. Je l'ai même entendu, je vous le donne en mille… philosopher !? Sur le sens de la vie (important), sur l'amour (très important), sur l'argent (pas si important). L'argent, pas si important ? Dans la bouche de mon pater qui affirmait qu'il aurait pu étrangler quelqu'un pour un dollar ? Mais non, c'était des conneries tout ça, s'il disait ça autrefois, c'était la faute à une connexion foireuse de synapses. L'état du monde et une grande variété de thèmes jusqu'alors *verboten* étaient à présent les sujets de prédilection de Doug Springsteen. Le sphinx parlait ! Mon père se dévoilait – en partie au moins –, mais son état restait fragile. Ses grandes déclarations n'étaient pas vraiment des révélations, elles ne faisaient qu'ajouter au mystère et attiser l'envie de comprendre ce qui, en dernier recours, était incompréhensible. N'empêche que durant les dix dernières années de sa vie, il paraissait souvent plus apaisé qu'il ne l'avait jamais été, tant que son penchant maniaque était maintenu à distance. Il fallait juste tirer un trait sur le reste. Le passé, fini, effacé. Toute sa mécanique interne semblait tourner à vide. L'avenir étant un gros point d'interrogation, il s'accrochait au présent. On avait parfois l'impression d'avoir affaire à un gosse qui répondait à des stimuli que lui seul percevait. C'était tout ça mon père, comme dans la chanson « The Rock of my Soul ».

Le problème c'est qu'il avait aussi, au fil des années, mis son corps à rude épreuve. Il avait eu un triple pontage, des attaques – sans défibrillateur il y serait passé. Son cœur lâchait et la médecine ne pouvait plus grand-chose pour lui. Les médocs qui l'avaient aidé avaient aussi aggravé son état, selon la loi des rendements décroissants. Je suis resté à son chevet à l'hôpital quand on a installé dans sa chambre, une fin avril, les machines qui allaient lui donner un peu de sursis. Il les a regardées, puis il s'est tourné vers moi et m'a demandé : « Bruce, est-ce que je vais tenir le coup ? » Je lui ai répondu : « D'habitude, tu tiens le coup. » Pas cette fois. Il est parti à sa manière, vieille présence inaltérable, corps blanc et brut. Seule ma mère connaît ses ultimes pensées.

Avant qu'il nous quitte, je reste un moment debout au-dessus de lui et j'observe son corps. Un corps de sa génération. Ni lustré ni sculpté comme une armure, juste un corps d'homme. En regardant mon père sur ce qui sera son lit de mort, je vois les cheveux clairsemés, qu'il avait noirs et bouclés, et ce haut front qui me toise lorsque je suis devant la glace. Je vois le visage meurtri, couvert de marbrures, le cou de taureau, les épaules et les bras encore musculeux et le renfoncement entre sa poitrine et sa bedaine, à moitié recouverte d'un drap blanc froissé. Ses jambes dépassent du drap, il a des mollets d'éléphant, des pieds comme des gourdins, couverts des lésions rouge et jaune du psoriasis. Durs comme de la pierre, ils n'enchaîneront plus les kilomètres. Ce sont les pieds de mon ennemi, et de mon héros. Maintenant ils s'effritent. Mes yeux glissent, remontent jusqu'à son caleçon tout entortillé, puis jusqu'aux fentes bouffies et crispées des paupières qui retiennent ses yeux marron rougis. Je me tiens là un long moment, puis je me penche, prends entre mes paumes une main alourdie et squameuse. Je sens un souffle chaud quand mes lèvres embrassent une joue en papier de verre et je chuchote : « Au revoir. »

Le soir du 26 avril 1998, dans les bras de ma mère, mon père a rendu son dernier soupir dans son sommeil.

Grâce à ces années supplémentaires qu'il a vécues avec nous, j'ai pu voir mes enfants aimer mon père et me rendre compte de sa patience et de sa gentillesse avec eux. J'ai pu les voir faire le deuil de mon père. Il adorait la mer et passait des heures sur la côte, à contempler l'eau et à admirer les bateaux. Quand mes parents vivaient à San Francisco, il avait une petite embarcation avec laquelle il naviguait dans la baie. À sa veillée funèbre, mes enfants se sont approchés du cercueil et ont posé sur ses mains sa casquette de « capitaine ». Ce couvre-chef comme celui que portait le gars du duo Captain and Tennille, un déguisement d'enfant, le totem d'une vie non vécue, d'un désir inassouvi, lui servait de bouclier pour couvrir son magnifique crâne en forme de roc, maintenant presque chauve, symbole d'une imaginaire virilité pleine d'autorité et d'une masculinité toujours inatteignable et assiégée.

Je comprenais ce désir. Pour moi, il n'y aurait pas de casquette de capitaine ! Juste LE BOSS ! Des heures de judo et de muscu pour sculpter mon corps en soulevant des tonnes de fonte… absolument… chaque…

jour, jusqu'à pouvoir apporter à mon père la présence physique qu'il recherchait.

Des mois plus tard, un soir en revenant du vidéo-club, comme ça, d'un coup, j'ai mentionné la mort de mon père. Silence dans la voiture. En regardant dans le rétro, j'ai vu mon jeune fils et ma fille, bouche bée, se mettre à pleurer sans aucun bruit. Puis, comme le tonnerre retentit en décalage par rapport à l'éclair : « Quuuuoi ?... Tu veux dire le monsieur avec la casquette de capitaine ? » Ça m'a fait un bien fou de voir mes gosses pleurer pour mon père. On est arrivés à la maison, ils se sont précipités à l'intérieur, encore en larmes. Patti m'a vu derrière eux, le sourire aux lèvres. « Que s'est-il passé ?

– C'est pour mon père, ils pleurent pour mon père. »

Son corps a été ramené à Freehold, la ville qu'il disait détester, suivi de l'autre limousine, celle qui apporte les pleurs. On l'a conduit directement de Throckmorton Street au cimetière Sainte-Rose-de-Lima, pour qu'il repose avec sa mère, son père, sa sœur et toutes les âmes troublées qui les avaient précédés. Les employés des pompes funèbres Freeman, que je connaissais de longue date, depuis les veillées funèbres irlandaises et italiennes de ma jeunesse, ont descendu le cercueil six pieds sous terre. Puis, avec mon beau-frère, mes neveux et mes amis proches, les frères Delia, on a pelleté nous-mêmes la terre qui rendait un son creux sur le bois, on a tout aplani, et on est restés là un moment en silence, avec pour bruit de fond le bourdonnement des voitures sur la nationale, au pied de la colline.

Mon père n'était pas un homme moderne. Il ne portait pas de masque. Peut-être qu'à cause de sa maladie, avec l'âge son visage s'était dévoilé. Un visage très vieux, fatigué, souvent perplexe, un visage primitif et désuet, puissant, ignorant de son destin, noble dans son combat, oublieux peut-être de ce qu'il avait souffert. À l'enterrement, Mickey Shave, l'ex-

greaser depuis longtemps repenti, a prononcé une oraison funèbre émouvante et drôle. Il a évoqué la journée où on avait poussé mon père en chaise roulante, pneus crevés, jusque sur un promontoire qui surplombait une plage venteuse de Californie, tandis que ses enfants et ses petits-enfants jouaient dans le sable et les vagues glaciales, en contrebas. Il a décrit mon père assis, souriant, plus près de la paix qu'il ne l'avait jamais été, « contemplant tout ce qu'il avait créé », son « art », son amour, sa famille.

Un matin, quelques jours avant que je devienne papa, mon paternel s'est présenté devant mon bungalow, à LA. Il avait fait tout le trajet en voiture depuis San Mateo « juste pour dire bonjour ». Je l'ai invité à entrer et à onze heures, dans le petit coin salle à manger baigné de soleil, on a ouvert des bières et on s'est installés à la table. Dans son état normal, mon père n'était pas très doué pour papoter, alors j'ai fait de mon mieux pour alimenter la conversation. Soudain : « Bruce, tu es vraiment gentil avec nous. » J'ai hoché la tête. Silence. Ses yeux ont dérivé vers le smog de Los Angeles. « Et moi je n'ai pas été très gentil avec toi », il a ajouté. Nouveau silence. « Tu as fait de ton mieux », j'ai dit. C'était tout ce dont j'avais besoin, tout ce que j'attendais. Je me suis senti béni ce jour-là, mon père m'offrait ce que je ne pensais jamais recevoir… en reconnaissant laconiquement la vérité. Il s'était tapé huit cents kilomètres ce matin-là pour venir me dire, alors que j'étais sur le point de devenir papa, qu'il m'aimait, me prévenir de faire attention, de faire mieux, de ne pas reproduire les pénibles erreurs qu'il avait commises. Et ça, j'essaie de l'honorer.

Immédiatement après sa mort, je me suis senti oppressé, au bord de la suffocation, en pleine crise de claustrophobie. Il pleuvait des cordes à ce moment-là, deux semaines de pluie pendant lesquelles j'ai dormi dehors, sur le porche, dans le froid. Je ne sais toujours pas exactement pourquoi ; peut-être que c'était juste l'effet de la mort qui approche... l'idée que j'étais le prochain de la famille sur la liste, tout ça. En tout cas, impossible de rester enfermé chez moi. J'ai fait le tour de tous ses anciens QG : la Blue Moon Tavern, la marina Belmar, l'estuaire de la Manasquan où mon père aimait se garer – il y restait des heures, assis dans sa voiture, le bras à la fenêtre, une clope au bout des doigts, tandis que les bateaux de pêche partaient en mer ou revenaient au port. Et puis un soir, enfin, avec l'aide de Patti, je suis rentré à la maison et j'ai pleuré.

On honore ses parents en essayant de transmettre ce qu'ils avaient de meilleur, tout en faisant en sorte de se délester du reste. On affronte et on apprivoise les démons qui les ont minés et désormais vivent en nous. C'est tout ce qu'on peut faire... si on a de la chance. Comme c'est mon cas. J'ai une femme que j'aime, une fille magnifique, deux beaux garçons. On est une famille unie. Dans notre vie, nos relations, aucune trace de l'aliénation et de la confusion que j'ai connues dans ma famille. Et pourtant, un peu du mal de mon père circule quelque part dans notre sang... alors méfiance.

J'ai tiré de dures leçons de mon père. La rigidité et le narcissisme prolo de la « virilité » style années 1950. Une tendance à vouloir s'isoler, à affronter le monde soit à notre manière, soit pas du tout. Une profonde attirance pour le silence, les secrets, le repli sur soi. On retient toujours quelque chose, on ne tombe jamais le masque. L'idée tordue selon laquelle l'amour après quoi on court finit par nous emprisonner et nous arracher les libertés imaginaires chèrement acquises. Le terrible blues du mécontentement. La picole et les sorties rituelles au bar. Une misogynie qui n'est rien d'autre que la peur de toutes les femmes fortes, belles et dangereuses dans nos vies, associée à une menace physique implicite et un sens de la torture psychologique censés faire savoir à l'autre qu'en nous sommeille une part sombre à peine contenue – c'est tellement pratique pour intimider ceux qu'on aime. Sans oublier dans notre panoplie… le coup de la disparition : on est là mais on n'est pas vraiment présents, on joue sur l'inaccessibilité, ses plaisirs et ses déconvenues. Le tout conduisant au fantasme noir et séduisant d'une vie naufragée, l'abcès qu'on perce, les masques qui tombent, la longue et interminable chute libre dans un gouffre parfois si tentant… de loin. Bien sûr, quand on cesse de voir les choses sous un angle romantique, on se rend compte qu'on est juste un pauvre salopard de plus, qui sème le chaos et sacrifie la confiance de sa famille adorée sur l'autel de ses « problèmes personnels ». Des abrutis comme ça, on en trouve à la pelle dans toute l'Amérique. Je ne peux pas tout mettre sur le dos de mon père, une bonne partie de mes conneries tient à ma propre faiblesse et à mon incapacité, aujourd'hui encore, à couper les vivres à mes harpies préférées – même si je sais qu'elles peuvent à tout instant revenir papillonner pour grignoter ce que j'ai gagné. En faisant d'énormes efforts et grâce à l'amour précieux de Patti, j'ai réussi à surmonter pas mal de choses, mais pas la totalité. Il y a des jours où mes frontières vacillent, où la noirceur et le blues semblent m'appeler, alors je me soigne avec les moyens du bord. Mais dans mes meilleurs jours, je peux apprécier le lent passage du temps, la douceur de ma vie ; je sens que je fais partie de cet amour qui m'entoure et me traverse ; je suis près de la maison, main dans la main avec ceux que j'aime, passés et présents, au soleil, à l'orée de quelque chose qui ressemble presque au… sentiment d'être libre.

Ceux dont on a tant cherché l'amour sans pouvoir l'obtenir, on les imite. C'est dangereux mais ça nous donne l'illusion d'être plus proches d'eux, de créer *enfin* avec eux une relation d'intimité. Manière de revendiquer ce qu'on était en droit de revendiquer, mais qui nous était refusé. À partir de vingt ans, quand mon écriture et mon univers ont commencé à prendre forme, j'ai cherché quelle voix mêler à la mienne pour raconter. C'est un moment où, par un effort de créativité et de volonté, on peut refaçonner, se réapproprier et réenfanter les voix contradictoires de son enfance, les transformer en quelque chose de vivant, de puissant, en quête de lumière. Je suis un réparateur, ça fait partie de mon boulot. Et donc moi qui n'ai jamais fait une semaine de travail manuel de ma vie (vive le rock'n'roll !), j'ai enfilé le bleu d'ouvrier d'usine – la tenue de mon père – et je me suis mis au turbin.

Une nuit, j'ai fait un rêve. Je suis sur scène, en plein sous les projecteurs, ça se passe super bien. Mon père, mort depuis longtemps, est tranquillement assis sur un siège qui donne sur l'allée. Et puis… je me retrouve agenouillé à côté de lui, dans l'allée, et tous les deux on passe un grand moment à regarder le type déchaîné sur scène. Je lui touche le bras et je lui dis – lui qui pendant des années est resté paralysé par la dépression sur sa chaise : « Regarde, papa, regarde… ce gars sur la scène… c'est toi… c'est comme ça que je te vois. »

SOIXANTE-DEUX

LA FEMME DE L'EST

Partie s'installer en Californie, ma mère n'est revenue dans le New Jersey que trente ans plus tard, après la mort de mon père. Beaucoup d'eau avait coulé sous les ponts, mais pour ma sœur Virginia et moi, la priorité qu'elle avait toujours accordée à son mari était une pilule difficile à avaler. Il passait en premier *systématiquement*. Ma mère aimait profondément ses enfants mais aujourd'hui encore elle vous dira que c'étaient ses choix, qu'elle avait pris ses décisions en son âme et conscience.

Ma mère a épousé mon père à l'âge de vingt-trois ans. Pour sa génération, c'était l'âge où on fondait une famille, où on allait à la guerre, où on volait de ses propres ailes. Quand elle est partie sur la côte Ouest, on avait respectivement dix-huit et dix-neuf ans, ma sœur et moi, et on a vécu dans des conditions pas toujours faciles. Il a fallu qu'on se débrouille tout seuls, qu'on prenne nos vies en main. Peut-être que ma mère se voyait avant tout comme une femme mariée et se disait que mon père avait plus besoin d'elle que nous. Ce qui est sûr, c'est que sans elle, la maladie de mon père aurait pu le tuer ou il aurait pu finir à la rue. Plus probablement, il serait juste revenu à la maison ou n'en serait jamais sorti. Mon père était malade mais malin. Il nous a tous gardés en otages pendant des années – dans le cas de ma mère, jusqu'au bout. Et elle ne lui en a jamais voulu.

L'autre vie pour laquelle ma mère semblait faite, qui aurait pu être la sienne, une vie à s'amuser, danser, rire, une vie de couple adulte, de partage équitable des fardeaux de la vie, elle ne s'est pas sentie obligée de la vivre. On ne souhaite pas toujours ce qui semble le mieux nous convenir, on veut ce dont on a « besoin ». On fait ses choix et on en assume les conséquences. Elle a choisi et elle a assumé.

Ma mère m'a soutenu dans mes rêves les plus fous, elle m'acceptait sans discuter tel que j'étais vraiment et a permis au scénario le plus improbable de se réaliser : j'allais faire de la musique et quelqu'un, quelque part, aurait envie de l'écouter. Elle m'a éclairé de sa lumière, à l'époque où c'était la seule lumière qu'il y avait dans ma vie. Quand le méga-succès m'est tombé dessus, pour ma mère, ce fut comme si les saints s'en venaient et nous récompensaient pour les épreuves qu'on avait endurées. Faut croire que c'est ça, comme dans « When the Saints Go Marching In ».

Entre autres choses, ma mère m'a appris une leçon dangereuse mais précieuse : au-delà de l'amour, il y a un amour qui échappe à notre contrôle, et qui nous aide à vivre nos vies en nous accordant tantôt des moments heureux, tantôt des moments malheureux. Il nous enflamme, nous trouble, nous emmène jusqu'à la passion et à des actes extrêmes, quitte à mater notre côté raisonnable et aimant avec modération. L'amour a beaucoup à voir avec l'humilité. Dans l'amour de mes parents, il y avait de la gentillesse, une compassion au-delà de l'humain, de la colère, une fidélité compulsive, de la générosité et quelque chose d'inconditionnel qui brûlait tout sur son passage. Quelque chose d'exclusif, pas humble pour deux sous. C'était ça leur amour.

Ma mère reste magique ; quand ils font sa connaissance, les gens l'adorent tout de suite. À quatre-vingt-onze ans, luttant contre la maladie d'Alzheimer, elle dégage une exubérance chaleureuse que le monde tel qu'il est ne mérite pas. D'un optimisme à toute épreuve, d'une émouvante ténacité, sans cynisme, avec un formidable humour (pour Noël, elle m'a offert la troisième saison de *Columbo* : « Tu sais, le gars en imperméable ! »). Aujourd'hui encore, le temps d'un simple déjeuner dans un *diner* local, elle arrive à me transmettre sur la vie un authentique et profond sentiment d'espoir. Ma mère est très, très drôle. C'est une comédienne-née, une danseuse, toujours d'une grande élégance, même pour la sortie la plus banale. Elle est démocrate, égalitariste, sans avoir la moindre idée de la façon dont ces termes pourraient s'appliquer à elle. Ce qu'on appelle un grand cœur. Depuis son retour dans le New Jersey, elle a appris (pas facilement) à trouver sa place dans ma famille. On a eu des prises de bec, ça a même bien gueulé un après-midi (très rare chez les Springsteen), et puis je l'ai vue faire des efforts, se contenir, user de son intelligence et de son amour pour s'offrir à nous. Étant donné le côté hors la loi de mes parents, malgré le tempérament chaleureux de ma mère, ce n'était pas évident ! Son opiniâtreté, son âme généreuse et son désir de bien faire la guident encore aujourd'hui. Elle a trouvé ses marques, à la fois comme mère et comme grand-mère. Si vous faisiez sa connaissance, tout ça vous sauterait aux yeux… et vous l'aimeriez immédiatement. Comme je l'adore. C'est une merveille rude et âpre.

Peu après la mort de mon père, j'ai fait la connaissance de Queenie – le sobriquet dont ma mère était affublée petite. Le moment était venu de prendre du bon temps, et ma mère apprécie la bonne vie autant que n'importe qui. Elle a de temps en temps voyagé dans le monde avec nous.

Elle est fière de ce que ses enfants et petits-enfants accomplissent, de la maternité de Pam et de sa carrière dans la photographie, de Virginia, maintenant grand-mère, et de sa vie professionnelle, ainsi que des exploits de son fils guitariste. On évoque les rires, les souvenirs et les peines de l'époque Freehold et on est fiers que notre amour ait survécu.

Quand ma mère n'est pas partie voir ma jeune sœur en Californie où elle vit encore, Virginia et moi, on se joint à elle pour le repas familial du dimanche soir, à son retour du cimetière de Sainte-Rose-de-Lima où elle est allée rendre visite à mon père.

SOIXANTE-TROIS

LE ROI DU NEW JERSEY (PÉRIODE HOLLYWOOD)

On me tape sur l'épaule. Je me retourne et me perds dans une mer bleue. Une voix avec un fort accent du New Jersey me dit : « Il était temps, kid », et Frank Sinatra fait tinter les glaçons dans son verre de Jack Daniel's. Tout en regardant le liquide brun foncé qui tournoie, il chuchote : « C'est pas magnifique ? » C'est ainsi que je fais la connaissance du « Président ». Nous passons la demi-heure qui suit à parler du New Jersey, d'Hoboken, de baignades dans l'Hudson et du Shore. Puis nous nous asseyons à une table pour dîner avec Robert De Niro, Angie Dickinson, ainsi que Frank et sa femme Barbara. Tout cela se passe à Hollywood, à la « Guinea Party » à laquelle Patti et moi avons été invités, grâce à Tita Cahn. Patti et Tita se sont rencontrées quelques semaines auparavant dans un salon de manucure. Elle est la femme de Sammi Cahn, célèbre pour ses chansons « All The Way », « Teach Me Tonight » et « Only the Lonely ». Tita nous a appelés un après-midi pour nous annoncer qu'elle organisait une petite fête privée. Elle avait prévenu que ce serait très intime, ne pouvait pas nous dire qui y serait, mais nous assurait que ce serait très décontracté. Et donc nous nous sommes rendus à cette soirée à LA.

Là, nous sympathisons avec les Sinatra et sommes discrètement invités à pénétrer dans le cercle des plus vieilles stars d'Hollywood. Au fil des ans, nous participerons à quelques très rares événements où Frank et ceux qui restent du clan se retrouvent. Quincy Jones est souvent le seul autre musicien et, à part Patti et moi, il y a peu de rockeurs. Les Sinatra sont des hôtes charmants et nous sommes finalement invités au dîner du quatre-vingtième anniversaire de Frank. C'est une soirée paisible, chez les Sinatra, dans leur maison de Los Angeles. Après dîner, nous nous retrouvons autour du piano de la salle de séjour avec Steve Lawrence, Eydie Gormé et Bob Dylan. Steve est au piano et, avec sa femme Eydie, ils chantent sublimement les grands standards. Patti a été à l'école du jazz avec Jerry Coker, un des grands profs de jazz de la Frost School of Music, à l'université de Miami. Elle y était à la même époque que Bruce Hornsby, Jaco Pastorius et Pat Metheny, et elle y a énormément appris. Chez Frank, elle se met à chanter en douceur sur « My One and Only Love ». Patti est une arme secrète. Quand elle interprète des grandes chansons d'amour, elle est à mi-chemin entre Peggy Lee et Julie London (je ne plaisante pas). Eydie Gormé entend Patti, s'interrompt et dit : « Frank, viens voir. On a une chanteuse ! » Frank s'approche du piano et me voilà à admirer ma femme qui chante la sérénade à Frank Sinatra et Bob Dylan ; à la fin de la chanson, tonnerre d'applaudissements. Le lendemain, on joue à ABC TV pour fêter les quatre-vingts ans de Frank ; je l'accompagne sur scène avec Tony Bennett. C'est une superbe soirée et une célébration méritée pour le plus grand chanteur pop de tous les temps.

Frank est mort deux ans plus tard et nous avons été invités à ses funérailles. Tôt le matin, une journée ensoleillée typique de Los Angeles s'annonçait mais, quand je me suis approché de l'église, la scène m'a paru directement tirée de *L'Incendie de Los Angeles*, de Nathanael West. Des camions de télévision et des caméras partout, avec des journalistes stationnés sur les toits des maisons alentour. Une horde de contestataires était maintenue à distance, ils brandissaient des pancartes accusant Frank de tous les vices, de l'indifférence religieuse au déclin des lacets de chaussure marron. Dans l'église, en revanche, tout était serein. Là, aux côtés de Kirk Douglas, Don Rickles, Frank Jr et des dernières vieilles stars d'Hollywood, nous avons rendu un dernier hommage à Frank, dont la voix emplissait l'église. À la fin de la cérémonie, je suis resté un moment avec Jack Nicholson sur les marches de l'église. Il s'est tourné vers moi et m'a dit : « C'était le Roi du New Jersey. »

SOIXANTE-QUATRE

BRINGING IT ALL BACK HOME

Deux événements m'ont fait songer à réactiver le E Street Band. Un soir d'été, je sortais de Federici's Pizza Parlor, à Freehold, quand deux gamins se sont approchés. Ils se sont présentés, m'ont dit qu'ils étaient super fans du E Street Band mais qu'ils étaient malheureusement trop jeunes pour nous avoir vus sur scène. Ils devaient avoir vingt ans, ce qui voulait dire que, pour le dernier concert du groupe, ils devaient avoir une dizaine d'années. Je me suis rendu compte qu'il y avait une flopée de jeunes qui n'avaient jamais vu ce que je faisais de mieux : UN LIVE… avec le E Street Band. Et puis, alors que j'étais chez mes parents à San Francisco, en ouvrant le journal, j'ai vu que Bob Dylan, Van Morrison et Joni Mitchell donnaient un concert au San Jose Arena, à une heure de là. Quel plateau. J'ai demandé à ma mère si ça la tentait, et nous voilà partis. On a pris place juste au moment où la lumière s'éteignait.

Joni a fait un set magnifique, puis Van a fait swinguer le public comme personne. Van Morrison a toujours été un de mes plus grands héros et une énorme source d'inspiration pour ma musique. C'est de lui que vient la soul blanche des premiers disques du E Street. Sans Van, il n'y aurait ni « New York City Serenade » ni le jazz soul de « Kitty's Back ». Ensuite, Dylan est arrivé, en grande forme. Il jouait avec un groupe avec lequel il travaillait depuis déjà un certain temps ; il avait épuré sa musique pour parvenir à une espèce de poésie de la route. Ces gars-là auraient été aussi à l'aise dans un petit bar que dans cette salle immense. Le groupe faisait groover un blues si joyeux que même le chanteur a un peu dansé ! Cette musique, son bonheur, ces artistes, quel pied ! Et pareil pour ma mère, qui se trémoussait sur son siège, comme tout le monde autour de nous. C'était drôle et un peu déroutant de regarder la foule. J'avais l'impression de m'être assoupi à seize ans en écoutant *Highway 61 Revisited* sur le tourne-disque, dans l'obscurité de ma chambre, et de me réveiller cinquante ans plus tard dans un rêve rock'n'roll, comme Rip Van Winkle dans le conte de Washington Irving. On était tous devenus… VIEUX ! Sur les sièges, des gens d'âge moyen, ridés, pas en forme, qui perdaient leurs cheveux, des fans de rock à la barbe grise tout droit sortis de la chanson « When I'm Sixty-Four » des Beatles. On avait tous l'air un peu… ridicules ! Mais il se passait autre chose. Dans la foule on remarquait de jeunes hipsters et des ados. Il y avait même des enfants amenés par leurs parents venus voir et entendre le grand homme. Certains s'ennuyaient, d'autres dormaient mais beaucoup dansaient aux côtés de papa-maman. Les gens vibraient, ils étaient touchés et émus. J'ai pensé à mes cheveux gris et à mes rides. Je me suis tourné vers ma mère, soixante-douze ans, son visage était une carte attendrie de toutes nos peines et de nos épreuves. Elle avait le sourire jusqu'aux oreilles, son bras passé sous le mien. Et autour de nous, c'était le même bonheur, la même émotion. En contemplant le public, je me suis dit : « Je peux faire ça. Je peux apporter ça, ce plaisir, ces sourires. » De retour chez moi, j'ai appelé le E Street Band…

SOIXANTE-CINQ
REVIVAL

… Enfin, pas tout de suite. D'abord, bien sûr, je me suis trituré la cervelle à peser le pour et le contre, j'ai repoussé l'idée, j'y ai repensé, j'ai reconsidéré les choses, j'y ai encore réfléchi. Je voulais que mon raisonnement soit sain, pas question de monter un show nostalgique pour alimenter le circuit récent des concerts pour vieux (bien que ces concerts me donnent un plaisir fou lorsque les interprètes y mettent tout leur cœur ; si on met du cœur à l'ouvrage, alors ce n'est pas vieux). Il n'empêche, je sortais d'une tournée solo formidablement satisfaisante, tout à fait ancrée dans le *présent*, je n'avais pas joué depuis dix ans avec le groupe, où il y avait encore quelques rancunes et, bref, je me demandais si ça pouvait vraiment fonctionner.

Dans le fond, je me disais, je m'étais donné du mal, j'avais trimé et sué pour acquérir une palette de compétences qui faisaient de moi un des meilleurs au monde dans ma catégorie. Or c'est lorsque j'étais avec un groupe que ça marchait le mieux mais, je m'en étais rendu compte, pas avec n'importe quel groupe. Si on en était arrivés là, c'était grâce au temps, à notre histoire, au souvenir et à notre expérience commune. Avec mon groupe du début des années 1990, j'avais appris que si ça me bottait de jouer avec des nouveaux musiciens – et Dieu sait si je nous trouvais bons –, c'est uniquement – et pour la vie – avec le E Street Band que je partageais un quart de siècle de sang, de sueur et de larmes. C'étaient ces huit-là et personne d'autre. Leur style et leur jeu étaient depuis longtemps taillés à ma mesure. Plus important, quand les fans contemplaient ces visages sur scène, ils se voyaient eux-mêmes : c'étaient leur vie, leurs potes qui, en retour, les regardaient. Dans le nouveau monde numérique dominé par la dure et froide poigne de l'éphémère et de l'anonymat, c'était irremplaçable, ça. C'était quelque chose de réel, on l'avait bâti comme on bâtit une baraque, en prenant du temps, heure après heure, jour après jour, année après année. Conclusion : il allait me falloir une sacrée bonne raison, à l'âge-encore-très-jeune-de-quarante-huit-ans, pour *ne pas* reconstituer ce groupe de musiciens qui attendaient à la maison et recommencer. Je n'en avais pas. Chacun avait poursuivi son bonhomme de chemin, mais personne n'avait trouvé – et personne ne trouverait, ni maintenant ni jamais – un autre E Street Band.

Dans ce groupe, malgré des tensions résiduelles, il y avait bien plus d'amour que dans la plupart de ceux que je connaissais, voire tous. Et… ça faisait dix ans. Nos titres, je ne les entendais plus beaucoup à la radio. Ce qu'on avait fait semblait s'enfoncer dans le passé glorieux mais embaumé du rock. Putain, on était une équipe bien trop épatante pour tirer déjà notre révérence. Et j'avais trop d'ambition, d'ego, d'envie, ajoutés à un sentiment justifié de puissance musicale, pour laisser l'œuvre d'une vie sombrer dans les respectueuses annales de l'histoire du rock. Aussi sûr que la mort, les impôts et la soif de nouveaux héros, ce jour viendrait… mais pas… tout de suite ! Pas si je décidais de relancer la machine. Pas tant que je serais encore là pour brailler mon puissant rock'n'soul déjanté. Pas tout de suite.

C'est parti !

Qu'est-ce qui fait durer un groupe de rock ? C'est simple : le mec ou la fille qui joue à côté de toi est plus important que tu ne le crois – et il ou elle doit faire le même constat à propos de son voisin ou de sa voisine, ou de *toi* ; ou bien vous êtes fauchés, vous vivez bien au-dessus de vos moyens et vous avez besoin de faire rentrer du cash ; ou encore les deux à la fois.

Une décennie à chauffer nos bancs d'ex-dieux du rock'n'roll sans jamais entrer sur le terrain, ça amène à considérer avec mansuétude les rancunes du passé. Ce qui est une bonne chose. Il suffit qu'on se réveille tous un matin – pas nécessairement le même – en se disant : « Tu sais, ce truc que j'avais, c'est un des meilleurs trucs qui me soient jamais arrivés. C'était bon pour ma vie, c'était bon dans ma vie, et si l'occasion devait se représenter un jour… » Eh bien… cette occasion se présentait pour nous, et on n'allait pas louper le coche, quelles que soient les motivations individuelles des uns et des autres.

Dans notre dernière incarnation, il n'y avait pas Steve Van Zandt. Et si on y allait, j'avais envie qu'on y aille tous. Première chose à faire : passer un coup de fil à Nils Lofgren. Nils avait fait bien plus que remplacer Steve pendant des années. C'était devenu pour moi un second responsable, totalement dévoué à sa tâche dans le groupe – il arrivait dans la salle toujours avant tout le monde pour se préparer –, qui donnait tout ce qu'il avait. En plus, ce gars était un compagnon extraordinaire, une présence sûre, calme, stimulante, et un des meilleurs guitaristes au monde. Au sein du groupe, il n'avait aucun problème d'ego. Pas de solo à faire pendant tout un concert ? Aucun problème. L'exemple du mec qui joue collectif. Quel que soit le type de chanson, il me proposait de véritables archives musicales dans lesquelles je pouvais piocher. Il était toujours au point et montrait aux autres les structures d'accords et les arrangements pour les titres spéciaux joués tel ou tel soir. Entre Nils et Max, qui lui aussi était un fin connaisseur de notre répertoire, j'avais toujours une piste où chercher si j'avais la moindre question sur une de mes chansons. J'ai donc appelé Nils pour lui dire que je les voulais tous les deux sur scène, Steve et lui, je lui ai répété combien j'appréciais son travail génial et son investissement formidable dans notre groupe et je lui ai expliqué que sa position dans le E Street restait la même, alors s'il était d'accord... Nils, toujours gentleman et loyal soldat, m'a répondu que si c'était ce qui me paraissait le mieux, il me soutenait. Ensuite j'ai appelé Steve.

Malgré – ou à cause de – notre grande amitié, Steve a une énergie de rouleau-compresseur qui peut, même sans le vouloir, être déstabilisante. Ce que dira Steve de telle ou telle chose fera souvent chez moi pencher la balance d'un côté ou de l'autre. Son point de vue, souvent hilarant, détend constamment l'atmosphère, m'aide à garder les pieds sur terre, et sa simple présence me donne le sentiment que tout va bien se passer. C'est aussi un type qui a une véritable réflexion sur le rock, ce qu'il signifie et l'impact qu'il peut avoir. Bizarrement, c'est souvent quand ça coince ou qu'on se frite qu'il m'est le plus précieux – sauf que par le passé il lui est arrivé, involontairement, de passer les bornes, de se mêler de la politique interne du groupe et de me compliquer la tâche. Et là, il allait falloir qu'on aborde ces questions. On s'est retrouvés chez moi un après-midi et on a eu une discussion amicale mais difficile. Chacun a dit ce qu'il avait sur le cœur, puis on a tourné la page. Après quoi on a pu attaquer les dix-huit meilleures années de notre vie professionnelle et de notre amitié.

Quand j'ai appelé Clarence, il m'a répondu que ça faisait dix ans qu'il poireautait. Qu'est-ce que j'avais fichu pendant tout ce temps ? Comme je l'ai dit, plein de gars s'étaient trouvé une deuxième carrière et avaient parfaitement réussi, mais il y a un truc presque impossible à remplacer : monter sur scène avec vos plus vieux potes devant soixante-quinze mille fans qui hurlent, jouer une musique qui est enracinée en vous. Et ça, mon pote, si tu l'as vécu un soir – *un seul* soir –, impossible de l'oublier. Alors le vivre soir après soir, toute une vie, c'est un plaisir inimaginable, un privilège incommensurable. Après dix ans de séparation, tout ça, on le mesurait et on l'appréciait avec davantage de recul. On était une poignée de neuf personnes sur cette planète à avoir gagné ce privilège. Maintenant qu'on avait tous passé la quarantaine, on comprenait fermement et définitivement ce que ça signifiait. Mais si on devait se lancer là-dedans, si *je* devais me lancer là-dedans, je voulais être certain que ça se passerait « en douceur », qu'on prendrait du plaisir à se remettre au boulot. Et du boulot, on en avait. Il fallait que les tensions du passé soient réglées, que toutes les rancunes, les questions d'argent, les trucs pas digérés, les griefs – réels ou imaginaires – soient derrière nous.

Un exemple. Un jour, un de mes musiciens est venu me dire qu'il allait avoir besoin de plus d'argent s'il devait continuer à travailler pour le groupe. Je lui ai répondu que s'il trouvait, à son poste, un musicien mieux payé, je serais heureux d'augmenter son tarif ; en fait, pas la peine de perdre du temps à chercher, il n'avait qu'à aller se regarder dans une glace, parce que le musicien le mieux payé au monde à son poste, c'était lui. « C'est comme ça que ça se passe dans la vraie vie », je lui ai dit. Alors il m'a regardé droit dans les yeux et, sans une once d'ironie, il a fait : « Qu'est-ce qu'on en a à foutre de la vraie vie ! » C'est là que j'ai compris que j'avais peut-être un peu trop choyé certains de mes partenaires.

Ce que je voulais maintenant, c'était m'amuser avec mes super copains en faisant ce qu'on savait le mieux faire. Si ce n'était pas possible, autant en rester là. On était encore jeunes, mais trop vieux pour se compliquer la vie en s'engageant dans une aventure qui ne serait pas gratifiante et plaisante pour tous.

Je peux être extrêmement confiant (en cas de nécessité), mais je carbure aussi au doute, sous toutes ses formes. Tu gères ça bien et tout se passe à merveille, tu gères ça mal et tu es paralysé. Douter peut être un point de départ pour une pensée critique approfondie. Ça peut t'éviter de te sous-estimer et de sous-estimer ton public, et t'aider à revenir sur le plancher des vaches si nécessaire. Avant le soir de la première à Asbury Park, après dix ans d'absence, j'en ai largement fait l'expérience.

Le Rock and Roll Hall of Fame

J'avais déjà assisté à plusieurs cérémonies lors des débuts du nouveau Rock and Roll Hall of Fame. La deuxième année, j'y étais allé pour introniser Roy Orbison, puis ça avait été Bob Dylan. Être choisi pour leur rendre hommage était un grand honneur pour moi. Après la cérémonie, pendant le jam avec toutes les stars auquel à l'époque participaient tous les musiciens présents, je m'étais retrouvé sur scène aux côtés de Mick Jagger et George Harrison, tous les trois au même micro à chanter « I Saw Her Standing There » des Beatles. « Qu'est-ce qui cloche au tableau ? » je pensais. Comment un gamin du New Jersey se retrouvait-il entre ces deux hommes dont l'œuvre l'avait si profondément marqué qu'il avait dû suivre le chemin qu'ils lui avaient ouvert corps et âme ?

On peut voir les choses comme suit : en 1964, des millions de mômes ont vu les Stones et les Beatles et se sont dit : « Ça me plaît. » *Certains* d'entre eux sont allés acheter un instrument. *Certains* ont appris à en jouer un peu. *Certains* ont atteint un niveau suffisant pour peut-être intégrer un groupe local. *Certains* ont peut-être même enregistré une maquette. *Certains* ont peut-être eu de la veine et décroché un contrat avec une maison de disques. Parmi ceux-là un *petit nombre* a peut-être vendu quelques disques et sorti un petit hit et, parmi eux, un *petit nombre* a eu une brève carrière musicale et réussi à vivoter modestement. *Très peu* sûrement ont réussi à gagner leur vie en tant que musiciens et *très, très peu* à connaître un succès continu qui leur a apporté gloire, célébrité, fortune et satisfaction. Et ce soir-là, c'est un de ceux-là qui se tenait entre Mick Jagger et George Harrison, un des Stones et un des Beatles. En 1964, quelle probabilité y avait-il pour que celui qui décrocherait la timbale soit ce gamin de quinze ans boutonneux, avec sa guitare Kent bon marché, de Freehold, New Jersey ? Mes parents avaient RAISON : j'avais effectivement UNE chance, UNE chance sur un MILLION, sur PLUSIEURS MILLIONS. Et pourtant… j'étais là. Je savais que j'étais doué et je savais que j'avais bossé dur, mais CES DEUX GARS-LÀ, EUX, C'ÉTAIENT LES DIEUX, et moi j'étais, euh… un guitariste qui avait trimé comme un dingue. J'avais en moi – et j'aurai toujours, pour le meilleur et pour le pire – ce côté artisan et quelque chose de banal.

C'était l'époque où la cérémonie du Hall of Fame n'était PAS télévisée. Les gens se levaient et se montraient superbes, odieux, hilarants, méchants, décalqués, dingues et souvent profondément émouvants. Si on était encore empêtrés dans des embrouilles entre artistes, alors le podium du Rock and Roll Hall of Fame était l'ultime chance de faire un doigt d'honneur à ces têtes de Turc. L'intronisation au Hall of Fame – par nature c'était l'occasion de jeter un regard sur le passé – faisait ressortir le meilleur et le pire chez les gens, du coup c'était toujours un divertissement haut en couleur. Mais surtout, comme c'était l'époque où on intronisait encore d'authentiques géants, toi le petit nouveau, tu te retrouvais non seulement entre Mick et George, mais à côté de Keith Richards, Bob Dylan, B.B. King, Smokey Robinson, Jeff Beck et Les Paul. Un vrai et incroyable tableau vivant inspiré de *Rock Dreams* de Guy Peellaert, la série de portraits hyperréalistes mettant en scène le gotha du rock. Ce que ça donnait musicalement était souvent catastrophique, mais il y avait quelque chose de magique dans le simple fait d'en être. Toi tu étais là au milieu de tes rêves, de tes dieux, de tes héros, tel un passager clandestin embarqué pour la plus belle virée de sa vie. Imagine *La Cène* de Léonard de Vinci version rock. On se disait souvent, Steve et moi, qu'on était nés exactement au bon moment. On avait été adolescents dans les années 1960, quand le rock et la radio avaient connu leur âge d'or, quand le meilleur de la musique pop était aussi le plus populaire, quand une nouvelle langue se fabriquait et qu'elle parlait aux jeunes du monde entier, tout en restant un dialecte extraterrestre pour la plupart des parents, une langue qui définissait une communauté d'âmes prises dans l'extase et les confusions de leur époque, mais connectée dans une étroite fraternité grâce à la voix de leur disciple, leur disc-jockey local. On était le début de la troisième génération rock. Nés à temps pour découvrir les meilleurs réinventeurs rock du blues, de la pop et de la soul, la vague britannique, et pourtant suffisamment jeunes pour profiter des pères, les Muddy Waters, Howlin' Wolf, Chuck Berry, Fats Domino, Roy Orbison, Jerry Lee Lewis, Elvis… alors tous encore vivants et surfant sur la crête de la vague des années 1960. Ça a été l'ère du rock la plus vibrante et la plus turbulente. J'ai vu les Doors, Janis Joplin et les Who au Convention Hall d'Asbury Park. Les

Who en première partie de Herman's Hermits. Et précédés d'un groupe de New York, les Blues Magoos, en costumes électriques qui étincelaient dans le noir. Janis avait avec elle un des guitaristes que je vénérais, Danny Weis, du groupe Rhinoceros : Steve et moi, on les suivait à genoux à chaque fois qu'ils venaient dans la région du New Jersey. Toutes ces mains se sont posées sur mon front tremblant de suppliant et j'ai été stupéfait par leur pouvoir. Avec la radio et le pays qui explosaient, il y avait assez de carburant brut pour qu'un pauvre petit gars tienne une vie entière… et c'est d'ailleurs ce qui s'est passé.

Des musiques géniales et inspirantes ont été produites depuis lors, je pense en particulier à l'explosion punk de la fin des années 1970 et au hip-hop des années 1980, mais l'un dans l'autre, on n'a pas tiré le mauvais numéro. C'est en partie ce qui a fait l'unicité de notre groupe : les tensions croisées entre le monde prolo des années 1950 et l'expérience sociale des années 1960 s'entrechoquaient et se mélangeaient dans notre musique. On est des survivants de l'ère pré- et post-années 1960. Un alliage qui disparaîtra avec nous, du moins sous cette forme originale. Le monde et la société changent trop vite et trop radicalement. Les conditions d'émergence des musiciens d'aujourd'hui sont différentes – tout aussi valables mais différentes. Et si les conditions sociales qui ont permis l'avènement de la Motown, de Stax, du blues et du rockabilly s'éteignent, avec ce qui a présidé à l'âge d'or de la radio – l'ère industrielle, la vie locale pré-Internet, la désindustrialisation –, elles vont influencer autrement les héros rock de la prochaine génération. Ça s'est déjà produit plusieurs fois maintenant. Longue vie au rock (quelle que soit sa forme !)

Intronisation

En 1998, j'ai appris que j'allais être intronisé au Rock and Roll Hall of Fame. *Greetings from Asbury Park, N.J.* était sorti vingt-cinq ans plus tôt et c'était un des critères pour pouvoir prétendre à cet honneur. Pour le coup ce serait l'occasion de sortir du placard notre vieux paradoxe. J'avais été signé au départ en tant qu'artiste solo et j'enregistrais sous le nom de Bruce Springsteen depuis vingt-cinq ans. Le règlement du Hall of Fame stipulait qu'on était intronisé sous le nom d'artiste du premier enregistrement. On tournait depuis 1975 sous le nom de Bruce Springsteen and the E Street Band et ce que j'avais accompli était indissociable des membres du groupe. Alors, quelques semaines avant le grand jour, Steve est venu me voir chez moi, à Rumson, pour me demander de convaincre le Hall of Fame d'introniser Bruce Springsteen et le E Street Band parce que, pour reprendre sa formule, « c'était une légende ». Il n'avait pas tort, sauf que ça faisait dix ans qu'on n'avait pas joué sur scène ensemble. J'étais encore très hésitant et la complicité qu'on retrouverait au cours des dix ans à venir n'était pas encore revenue entre nous. Et puis… j'étais très fier d'être entré seul dans le bureau de John Hammond, ce jour de 1972. J'avais mis le groupe entre parenthèses au début des années 1970 et décidé d'être un artiste solo. J'avais monté le plus grand groupe au monde dans ce but et finalement on avait créé quelque chose d'hybride, ni tout à fait poisson ni tout à fait gibier. Mes premiers héros étaient des artistes solos – Frank, Elvis, Dylan – et je m'étais jeté à l'eau avec la volonté de me fabriquer moi aussi une voix solo. Mon modèle c'était le voyageur solitaire, le baroudeur des grands espaces, le bandit de grand chemin, l'aventurier américain torturé, en contact avec la société mais qui ne lui doit rien : John Wayne dans *La Prisonnière du désert*, James Dean dans *La Fureur de vivre*, Bob Dylan dans *Highway 61 Revisited*, rejoints plus tard par Woody Guthrie, James M. Cain, Jim Thompson, Flannery O'Connor – des individus qui évoluaient aux marges de la société pour faire bouger les lignes, créer des mondes, imaginer des possibles qui seraient ensuite assimilés pour devenir un pan de la culture à part entière. J'avais besoin d'un instrument de taille et plus encore d'un engagement total du cœur et de l'âme pour trouver l'espace et le temps de faire la musique que je sentais en moi. Voilà ce que le E Street Band était pour moi.

Le Hall of Fame n'avait pas les armes pour appréhender la zone grise dans laquelle se situaient mon travail et ma collaboration avec le groupe. Il n'y avait pas de structure suffisamment spécialisée pour prendre en compte les subtilités essentielles de notre entité musicale. Steve avait probablement raison, j'aurais pu saisir le Hall of Fame, leur demander de faire une exception concernant l'intronisation. Même si ça ne s'était encore jamais fait, je suis sûr qu'ils auraient accepté. Mais pour ça, il aurait fallu que je sache très clairement ce que je voulais. En 1970, quand j'avais quitté Steel Mill à vingt ans en décidant de ne plus jamais remettre les pieds dans un groupe à structure démocratique, j'avais choisi un chemin différent.

Le 15 mars 1999, j'ai donc été intronisé au Rock and Roll Hall of Fame avec les gars à mes côtés – certains vexés, d'autres contents pour moi, mais globalement ils l'ont accepté. On allait bientôt commencer une tournée qui marquerait le début d'une décennie ultra-productive. Plusieurs nouvelles générations de fans du E Street nous attendaient.

Répétitions

Le 11 mars 1999, on est revenus à nos racines en allant répéter au Convention Hall d'Asbury Park. À cette époque, Asbury ne s'était pas encore remise de décennies de négligence et de corruption, mais aux abords de Cookman Avenue, on sentait une effervescence. Un petit groupe d'artistes pionniers et d'homos avaient quitté New York pour s'installer ici, attirés par les loyers modérés et la tolérance ambiante. Asbury était maintenant une zone en friche, un secteur que la pauvreté et l'abandon avaient vidé – de quoi laisser le champ libre à la création et la nouveauté. Enfin un peu de lumière au bout du long tunnel sinistre de cette ville. Et c'est là qu'on allait travailler à savoir qui on était à présent.

Le premier jour, en emmenant le groupe dans « Prove It All Night », j'ai senti qu'il se passait quelque chose. J'ai été frappé par certaines choses que j'avais oubliées. Mes oreilles avaient perdu leur insensibilité à notre niveau sonore – ça ne tarderait pas à revenir. Le son puissant du groupe, le poids qu'il charriait, étaient à la fois réjouissants et déstabilisants. Si je voulais relancer cette grosse machine, j'avais intérêt à savoir ce que je voulais en faire. En plein milieu de « Prove It », j'ai eu l'impression qu'on avait joué ce morceau à peine deux semaines plus tôt. Ces dix années n'étaient plus qu'un vague souvenir. Ça a été une super journée… mais je suis rentré chez moi pas complètement convaincu. J'ai longuement discuté de mon ambivalence avec Jon. L'ambivalence étant une de mes spécialités, inutile d'espérer que j'aurais pu m'engager dans cette aventure sans livrer un véritable match de catch avec mes propres réticences. Je puisais une bonne partie de notre set dans *Tracks*, une compil de soixante-six titres qui sortirait en même temps que la tournée. Je résistais à la tentation de trop m'appuyer sur les classiques, de peur de me reposer sur le passé plus qu'il ne fallait.

Un soir, avec Jon au Film Center Café sur la Neuvième Avenue, dans Hell's Kitchen, j'ai dressé la liste des titres que je me proposais de jouer. Il l'a regardée et il a fait : « Il manque les chansons qu'au bout de dix ans les gens vont inévitablement avoir envie d'entendre.

– Ah bon ? » J'ai dit que non, je ne pouvais pas… je ne les chanterais pas, pas question… bla bla bla. Puis je lui ai confié que j'avais des doutes : est-ce que le projet tiendrait la route, serais-je capable de « faire vivre » le truc ? « Si tu te pointes avec ton groupe et que tu joues ta meilleure musique, m'a répondu Jon, je te garantis que les gens vont apprécier. » Ah.

L'après-midi suivant, au Convention Hall, j'ai trouvé la répétition assez pénible. On a passé en revue une série de titres qu'on connaissait depuis longtemps et qui d'une certaine manière me paraissaient plombés, sans vie. Je sentais monter l'angoisse en moi, mais pas question de saper la confiance du groupe. Depuis quelque temps, une cinquantaine de fans s'agglutinaient à l'extérieur de la salle, et un jour, alors qu'il ne nous restait plus que quelques chansons à répéter, j'ai demandé à un des gars de l'équipe de les faire entrer. On a vu des mecs et des filles radieux, excités, se ruer vers la scène, j'ai lancé le *One, two, three, four* avant « Promised Land » et là ça a… décollé. Le groupe était à la fois léger comme une plume et profond comme l'océan. J'ai scruté ces visages et j'y ai trouvé ce que je cherchais. Tout était là en moi. Une vague de soulagement a déferlé et soudain j'ai pigé : toutes ces semaines où on s'était acharnés, enfermés dans cette salle du Convention Hall, à essayer d'insuffler de la vie à notre répertoire, ce qu'il nous manquait, c'était *vous*.

Devant ces quelques fidèles, je ressentais non seulement notre histoire commune mais aussi la *dimension présente* de ce qu'on faisait. Ça allait bien se passer.

La veille du premier concert, j'ai apporté une chanson intitulée « Land of Hope and Dreams ». Je voulais une nouveauté pour entamer cette nouvelle phase de la vie du groupe et « Land of Hope » résumait pour une bonne part notre identité nouvelle tout en renouvelant la promesse qu'on faisait à notre public. Il s'agissait d'aller de l'avant et de redevenir une présence vivante dans l'univers de nos auditeurs. Ce soir-là, on a terminé par ce titre ; on était prêts.

Pour notre premier show, le 9 avril 1999 à Barcelone, un des épicentres de notre popularité européenne, on a été accueillis par une incroyable hystérie, qui nous pousserait à revenir dans cette belle cité au cours de la décennie suivante. Plus que des retrouvailles c'était un revival, une vraie renaissance, et avec le groupe, on a aligné comme ça cent trente-trois concerts, pour finir par un show à New York qui a cristallisé notre retour d'une manière, disons, inattendue.

American Skin

Notre première tournée depuis dix ans s'achevait, et j'ai voulu écrire quelque chose de nouveau pour le concert du Madison Square Garden, à New York, une sorte de signal indiquant la direction qu'on prenait. Amadou Diallo, un immigré africain, avait été abattu par un policier en civil alors qu'il s'apprêtait à sortir son portefeuille. Ça en disait long sur la confusion ambiante et les dangers qu'il pouvait toujours y avoir à arpenter les quartiers déshérités de cette Amérique de la fin du XXe siècle lorsqu'on avait la peau noire. En écrivant ce texte qui me tenait à cœur, je voulais non seulement donner le point de vue de la famille Diallo mais aussi celui des flics. J'ai testé la chanson à Atlanta, juste avant le concert du Madison Square Garden à New York. Pour moi ce n'était qu'un titre de plus, dans la tradition de mes chansons d'actualité, et ça a été une sorte de choc quand Steve a déboulé à notre répétition de Fort Monmouth, la veille du gig au Garden, en me tendant un journal : « T'as lu ça ? » En couverture du vénérable *New York Post*, le chef de l'Ordre fraternel de la police me traitait de « sac à merde » et de « pédé flottant ». « Sac à merde », je voyais mais, en cette ère pré-Wikipédia, j'ai dû chercher dans le *Webster* la définition de « pédé flottant ». Rien trouvé. J'ai reçu des lettres, dont une du commissaire divisionnaire me sommant de NE PAS jouer la chanson !… Hein ? Tout ça pour une CHANSON ? Un titre qu'à part le public d'Atlanta personne n'avait entendu, en plus ! Mais la tempête continuait à faire rage sur CNN et dans les éditoriaux des journaux.

Inutile de dire que le soir du show au Garden, l'ambiance était électrique. Le public était nerveux, comme s'il flairait l'odeur du sang. Les policiers dans les coulisses, qui font habituellement partie de mon public, tiraient la tronche sans décrocher un mot. M. et Mme Diallo avaient demandé à être présents. Je les ai rencontrés tous les deux brièvement backstage, deux beaux Africains élégants, qui d'une voix douce m'ont parlé de leur jeune fils et m'ont remercié d'avoir écrit quelque chose sur lui. Malgré le barouf médiatique, je n'avais pas de grand laïus à faire, j'ai simplement intégré la chanson au moment du concert qui me paraissait le plus opportun et j'ai fait mon boulot. J'ai réuni mes partenaires derrière la scène pour leur dire qu'il risquait de se passer quelque chose d'inhabituel, mais qu'on en avait vu d'autres. On s'est tenu les mains, les lumières dans la salle se sont éteintes et on est montés sur scène.

Début de concert tendu – autant à cause de notre appréhension que de celle du public. Ça n'allait pas être une soirée normale, c'était palpable. Première fois que je sentais à ce point les gens attendre, attendre et attendre *une seule* et unique chanson. Finalement, au bout de six morceaux, j'ai fait signe à Roy et Max d'attaquer le riff sombre et lancinant qui accompagnait la rythmique métronomique de l'intro d'« American Skin ». Dans le public, certains se sont mis de manière incongrue à taper dans leurs mains, et j'ai réclamé le silence. Chaque membre du groupe, à commencer par Clarence, a alors psalmodié le début des paroles : *Forty-one shots...* (Quarante et une balles...) Quelques huées se sont fait entendre (j'avais beau ne pas bien distinguer les mots qu'on nous balançait, c'était clairement différent de « Bruuuuuuuce ! »). Il fallait s'y attendre. Plusieurs jeunes types furax, dont un qui brandissait un badge de l'oiseau emblème du New Jersey, se sont plantés juste devant la scène, à nos pieds, pour brailler un moment – mais brailler quoi, allez savoir, en tout cas sûrement pas des mots doux – avant d'être évacués par le service d'ordre. On a continué à jouer comme ça, entre applaudissements d'encouragement et sifflets de colère. J'avais les parents Diallo face à moi. On est allés jusqu'au bout. Après « American Skin », on a enchaîné avec « Promised Land », deux morceaux où il était question de la quête de reconnaissance de chaque homme et du prix à payer pour son déni.

Malgré son côté critique, « American Skin » n'est pas une chanson anti-police, comme certains l'ont cru. Les premiers mots qu'on entend après l'intro adoptent le point de vue du policier : *Kneeling over his body in the vestibule, praying for his life...* (Agenouillé au-dessus de son corps dans le vestibule, priant pour sa vie...). Dans le deuxième couplet, une mère essaie de faire comprendre à son fils que le moindre de ses actes compte dans un quartier où le geste le plus innocent (plonger la main dans sa poche pour attraper son portefeuille) peut être mal interprété et entraîner des réactions irréparables. Dans le pont, les paroles *Is it in your heart, is it in your eyes…* (Est-ce dans ton cœur, est-ce dans tes yeux…) invitent chacun à regarder au fond de lui-même pour s'interroger sur son implication dans les événements. Le troisième couplet évoque la vie au pays de la peur fraternelle : *We're baptized in these waters and in each other's blood… it ain't no secret, no secret, my friend. You can get killed just for living in your American skin.* (On est baptisés dans ces eaux et dans le sang l'un de l'autre… c'est pas un secret, pas un secret, mon pote. Tu peux te faire tuer juste parce que t'es dans ta peau d'Américain.)

Rien que le nombre de balles tirées, quarante et une, disait l'ampleur de notre trahison les uns vis-à-vis des autres. *Forty-one shots… forty-one shots*, c'était comme un mantra que je voulais répéter à l'infini, l'accumulation quotidienne des crimes petits et grands qu'on commettait les uns contre les autres. Mais en m'efforçant de conserver une voix neutre. Foncer dans le tas n'apporterait rien, je le savais. Je voulais juste aider les gens à voir le point de vue de l'autre. Leur dire en gros : « Voilà l'effet sur nos enfants, ceux qu'on aime et nous-mêmes de l'injustice raciale systématique, de la peur et de la paranoïa. Tout ça se paye dans le sang. »

À la fin d'« American Skin », on a senti que le public poussait un soupir de soulagement. Le monde ne s'était pas écroulé. Beaucoup de ceux qui nous avaient hués ont applaudi le reste du spectacle, mais cette chanson-là, plus qu'aucune autre, qui clivait à ce point le public, nous laisserait longtemps sa cicatrice. Un jour, lors d'une de mes virées à moto dans l'ouest de l'État de New York, en m'arrêtant dans un relais routier, je suis tombé sur plusieurs flics, bien imbibés, qui ne se sont pas gênés pour me reprocher mes opinions ; je me suis contenté de reprendre sagement la route. Des années plus tard, quand j'ai joué cette chanson pour la soirée de clôture de notre tournée *Rising*, au Shea Stadium, les forces de police ont refusé de nous accompagner à la sortie de la salle (merci, les gars). Peu importe qu'on ait dû se déplacer sans protection dans les rues bondées, ce qui m'attristait, c'était de constater que ce titre était encore mal compris de braves types qui restaient sur une ligne corporatiste. D'un autre côté, j'ai aussi rencontré des hommes et des femmes qui m'ont montré leur carte de flic et remercié de ce que je disais.

Mon meilleur souvenir de ce fiasco, c'est cette vieille dame noire qui m'a abordé un après-midi où je flânais sur Monmouth Avenue, à Red Bank. Elle m'a dit : « Ils ne veulent juste pas entendre la vérité. » Cette année-là, j'ai reçu une petite plaque de notre NAACP local, l'organisation de défense des droits civiques des Noirs, et je suis heureux qu'« American Skin » m'ait rapproché de la communauté noire que j'aurais aimé davantage servir.

Aucune autre de mes chansons, pas même « Born in the USA », n'a fait l'objet d'un ramdam pareil, ni prêté autant à controverse qu'« American Skin ». C'était la première fois que je mettais les pieds dans le plat sur la question des clivages raciaux. Et cette question, aujourd'hui encore, reste ultrasensible en Amérique.

La première renaissance du E Street était terminée. J'avais retrouvé ma confiance dans le groupe et avec « Land of Hope and Dreams » et « American Skin », j'avais constaté que j'étais capable d'écrire des chansons à la hauteur de celles de notre passé. Il était temps qu'on fasse un grand album moderne.

SOIXANTE-SIX

THE RISING

Après la tournée de 1999, j'ai emmené le groupe en studio pour des enregistrements préparatoires. On est retournés sur nos bonnes vieilles terres de prédilection : le Hit Factory, à New York. Pour amorcer la pompe, j'avais « Land of Hope and Dreams », « American Skin » et quelques chansons coécrites avec Joe Grushecky, le rockeur prolo de Pittsburgh. J'ai réuni notre ancienne équipe de production, dont Chuck Plotkin, et on a passé quelques jours à mettre en boîte ce qu'on avait. J'avais réalisé d'assez bonnes démos de mes nouveaux titres, pour que le groupe puisse s'en inspirer, et on est rentrés à la maison avec un enregistrement rudimentaire de huit morceaux.

En les réécoutant les semaines suivantes, je trouvais qu'il y avait un truc qui ne collait pas. Le groupe jouait bien, la musique avait été enregistrée correctement, mais ça manquait de fraîcheur, d'étincelle, de substance. Bref, pas de quoi faire un *disque*. Tout était plat sur la bande, il ne se passait rien. Dans tous les grands disques de rock, IL SE PASSE UN TRUC, tu le sais en les écoutant ! Un truc incontournable ! Beaucoup de mauvais disques très écoutables retiennent ton attention parce qu'ils ne sont pas fades. Ils ont été composés, construits, arrangés et produits pour te faire tendre l'oreille. Ce n'est peut-être pas de l'art, mais c'est un artisanat qui se respecte. Nous, on n'avait pas ça. Sur ce qu'on avait enregistré, y avait pas à tortiller, ON ÉTAIT FADES ! Je savais que certaines des chansons que j'avais composées étaient tout sauf fades – la preuve : elles avaient déchaîné les foules – mais quelque chose dans notre enregistrement clochait.

Après un quart de siècle de succès, il fallait se rendre à l'évidence : Jon et moi on ne savait plus faire nos disques. La façon de produire – tout un art – avait changé et on était largués ; nos idées et nos techniques n'étaient plus au goût du jour, elles n'accrochaient plus l'oreille, n'étaient plus excitantes… plus pertinentes. On était devenus meilleurs chanteurs, *songwriters*, interprètes et managers que producteurs de disques. Bon, alors à qui le tour ? Comme on avait encore l'un et l'autre envie de faire de grands disques, il allait falloir qu'on ouvre notre petit univers très fermé pour apprendre comment on s'y prenait aujourd'hui.

Plusieurs années auparavant, Donnie Ienner, qui était alors président de Columbia Records, m'avait dit que Brendan O'Brien, le producteur de Pearl Jam et de Rage Against the Machine, aurait bien aimé travailler avec moi. Son nom, ainsi que quelques autres, refaisait à présent surface. Jon m'a calé un rendez-vous avec Brendan, dans mon home-studio du New Jersey, histoire qu'on discute et que je lui fasse écouter un peu ce qu'on avait. On verrait bien ce que ça donnerait. Brendan O'Brien, la trentaine d'allure assez jeune, était un type franc, d'abord simple, avec qui il était facile de discuter, sans prétention et sûr de lui. Je lui ai fait écouter quelques trucs, des enregistrements récents, de vieilles maquettes, d'autres plus récentes. Il s'est concentré sur certains titres, en disant qu'il était venu pour s'assurer que j'étais « toujours moi », et m'a informé que c'était le cas. Alors on a pris un autre rendez-vous et fixé une date d'enregistrement dans son camp de base d'Atlanta. Ce serait l'occasion de faire plus ample connaissance. Mais avant, par une magnifique journée d'automne ensoleillée, un sacré cauchemar allait s'abattre sur la région du grand New York.

Le 11 septembre 2001, au saut du lit, je suis arrivé dans la cuisine et une des dames qui travaillaient chez nous m'a annoncé qu'un avion avait percuté le World Trade Center. En me souvenant qu'un jour de brouillard épais un petit avion avait heurté l'Empire State Building, j'ai d'abord imaginé un incident du même genre. Quel couillon, j'ai pensé, encore un pilote inexpérimenté qui avait perdu le contrôle de son Cessna. Il y avait juste un truc : assis au soleil, à la table du petit déjeuner, je ne voyais pas comment le ciel aurait pu être plus limpide. Aucun problème de visibilité ne pouvait expliquer l'accident. Intrigué, je suis allé dans le séjour allumer la télé. Des volutes de fumée s'élevaient de l'une des tours du Trade Center et c'est alors que j'ai vu un autre avion s'encastrer dans la deuxième tour, en direct. Pas un petit Cessna mais un gros avion de ligne. Comme pour celui de la première tour. Et comme l'appareil qui s'écraserait peu après au Pentagone. Attaqués… on était attaqués. Devant ces images je suis resté pétrifié, comme toute l'Amérique, hypnotisé par un écran de télé où l'inimaginable se produisait, en proie au sentiment que maintenant absolument N'IMPORTE QUOI pouvait ou allait arriver. La vision de ces tours qui s'effondraient était si hallucinante et les circonstances de cette catastrophe si effroyables que le journaliste sur place, estomaqué, était incapable de rendre compte de ce qui se passait.

En fin d'après-midi, j'ai pris la voiture pour aller au pont Rumson-Sea Bright. De là, habituellement, les Twin Towers se dressaient à l'horizon comme deux flèches au sommet du pont. Aujourd'hui, des torrents de fumée s'élevaient de la pointe de l'île de Manhattan, à une vingtaine de kilomètres en bateau de là où j'étais. Je me suis arrêté sur la plage la plus proche de chez moi et j'ai marché jusqu'à l'eau ; au nord, une ligne grise de poussière et de cendre planait au-dessus de la surface. En ce jour d'automne, on aurait dit le bord taché d'un drap bleu replié en suspension au-dessus de l'Atlantique.

Je suis resté assis un long moment seul. La plage était vide, le calme sinistre, le ciel silencieux. Comme on habite sous un gros couloir aérien, on entend constamment des avions passer au-dessus de la côte, juste avant de se poser à JFK ou Newark, et ce grondement sourd fait autant partie de notre paysage sonore que le clapotis des vagues. Mais pas ce jour-là. Tout le trafic était interrompu. Et dans le silence surnaturel de cette plage, je me serais cru dans l'univers post-apocalyptique du *Dernier Rivage*.

Au bout d'un moment, je suis rentré retrouver Patti pour aller chercher nos enfants à l'école. Sur le parking du beach-club, je me préparais à me fondre dans la circulation d'Ocean Boulevard quand une voiture est arrivée en trombe du pont Rumson-Sea Bright, vitre baissée ; son conducteur, me reconnaissant, a hurlé : « Bruce, on a besoin de toi ! » J'ai cru comprendre ce qu'il voulait dire, mais…

Sur le trajet du retour, impossible ou presque de replacer cette matinée dans son contexte. La seule référence à laquelle je pouvais me raccrocher était ce jour où j'avais vu un gars traverser comme une bombe le parking de la cafétéria en hurlant. Je me revois en tenue de sport, sur le terrain de foot du lycée, et je revois mon visage appuyé contre le grillage lorsque j'avais entendu : « Le président a été assassiné, Kennedy s'est fait tirer dessus ! » Je me suis garé devant l'école Rumson Country où une horde de parents, dans un silence tétanisé, se dépêchaient de récupérer leurs enfants. J'ai embarqué Evan, Jessie et Sam, et retour à la maison.

Le comté de Monmouth avait perdu cent cinquante habitants, maris, frères, fils, épouses, filles. Pendant des semaines, on a vu de longues limousines noires stationner devant les églises et des veillées aux bougies illuminer le parc de notre quartier. À Rumson, où beaucoup de gens travaillaient à Wall Street, presque tout le monde connaissait quelqu'un ayant perdu un proche. Un concert de bienfaisance a été organisé au Count Basie Theatre avec des musiciens du coin, afin de récolter de l'argent pour les familles touchées. C'est là que j'ai été présenté aux Jersey Girls, quatre veuves qui feraient bientôt pression pour que le gouvernement réponde ouvertement des événements ; leurs efforts conduiraient à la constitution de la commission d'enquête parlementaire sur les attaques terroristes contre les États-Unis, dite Commission du 11 Septembre. La nation leur doit beaucoup.

The Rising a pour origine le téléthon national auquel on a été invités la semaine suivant le 11 Septembre. J'ai écrit « Into the Fire » en vue de cette émission – finalement, comme je ne l'ai pas terminée à temps, j'ai interprété « My City of Ruins », que j'avais écrite un an plus tôt pour Asbury Park. Parmi les nombreuses images tragiques de cette journée, il y en avait une qui m'obsédait : celle des services d'urgence qui *montaient* les marches des tours alors que tous les autres les descendaient pour se mettre à l'abri. Le sens du devoir, le courage, une ascension vers… quoi ? La symbolique religieuse de l'ascension enflammait mon imagination, le fait de franchir la ligne entre deux mondes, celui du sang, du travail, de la famille, l'air qu'on respire, le sol où on marche, tout ce qui est la vie, et puis… l'autre monde. Pour qui aime un tant soit peu la vie, l'ampleur du sacrifice de ces gens est de l'ordre de l'impensable, de l'incompréhensible. Pourtant, ce qu'ils laissaient derrière eux était tangible. La mort, avec son cortège de colère, de chagrin et de malheur, ouvre un champ de possibles pour les vivants. Un voile est levé, celui que l'« ordinaire » tend insidieusement devant nos yeux. Une vision plus claire, voilà le dernier cadeau d'amour que fait le héros à ceux qui restent.

Le téléthon semblait être une façon bien modeste, pour une communauté protégée et préservée, de dire merci à ceux – et à leurs familles – qui assument ce fardeau quotidiennement.

Est-ce que je devais ou pas écrire sur ces événements ? La question ne se posait même pas. Je l'ai fait, point barre. Je suis descendu à Atlanta avec « Into the Fire » et « You're Missing ».

Brendan apportait une nouvelle énergie et une direction plus claire au son et au jeu du groupe. Quand je lui ai montré mes compos, il a juste dit : « C'est bon, ça. Maintenant rentre chez toi et écris-en d'autres. » Je savais depuis le début que si je devais continuer à écrire sur cette thématique, mes chansons ne pouvaient pas se contenter d'être liées à l'actualité. Elles avaient besoin d'avoir leur vie propre, leur cohérence interne devait être parfaitement intelligible, même sans le 11 Septembre. Et donc j'ai composé des morceaux rock, des chansons d'amour, des chansons de rupture, des spirituals, du blues, des hits, pour que mon thème et les événements actuels respirent et s'ajustent à l'intérieur du cadre que j'avais créé. De retour chez moi, je suis allé chercher mon cahier de chansons inachevées et je me suis remis au boulot. « Waitin' on a Sunny Day », je l'avais depuis un an environ, et il a trouvé sa place parmi ces nouveaux titres. On a repris « Nothing Man », en attente depuis 1994 (comme « Secret Garden », il était initialement prévu pour mon album *Streets of Philadelphia*), une évocation de la difficulté et de l'isolement de ceux qui luttent pour leur survie. *I don't remember how I felt… I'd never thought I'd live…* (Je ne me souviens pas de ce que j'ai ressenti… Je ne pensais pas que je vivrais…) Et enfin, dernière de mes compos, « Empty Sky ». Mon directeur artistique m'avait envoyé une photo de nuages dans un ciel vide et, en quelques jours, assis au bord de mon lit d'hôtel à Atlanta, j'avais écrit la chanson. Pour « Worlds Apart », je voulais des voix et des situations qui ne soient pas américaines. Le 11 Septembre était une tragédie internationale. Il me fallait des voix de l'Orient, la présence d'Allah. Et un lieu où les mondes se rencontreraient et entreraient en collision. C'est mon vieil ami Chuck Plotkin qui m'a fait découvrir le chant qawwali pakistanais d'Asif Ali Khan et son groupe. « Let's Be Friends »… de la musique de plage ! « Further On »… le groupe qui casse la baraque. « The Fuse »… des images de la vie domestique en temps de guerre, juste après le 11 Septembre.

Le disque monte en puissance jusqu'à « Mary's Place », une musique de grosse bringue festive où se cache du blues. Je voulais un peu de la chaleur et de la convivialité de *The Wild, the Innocent and the E Street Shuffle*, ce sentiment d'être à la maison, réconforté par ce que la musique et l'amitié peuvent apporter dans les moments difficiles. « The Rising » a été écrit sur la fin de l'enregistrement, pour faire pendant à « Into the Fire ». Les stations d'un chemin de croix profane, les étapes d'un devoir dont on ne revient pas, la vie et l'amour laissés derrière soi, le ciel qui s'ouvre… « Paradise », écrit plus tard, passait en revue diverses visions de la vie après la mort. Dans le premier couplet, un jeune kamikaze palestinien revoit ses derniers instants sur terre. Dans le deuxième, la femme d'un soldat de la marine pleure son mari disparu au Pentagone, elle dit le manque terrible, l'absence de contact physique, d'odeurs, le désir humain de revenir à la plénitude d'antan. Dans le dernier couplet, mon personnage évolue en eaux profondes, entre deux mondes, il se trouve face à l'être aimé, dont les yeux sont « aussi vides que le paradis ». Les morts vaquent à leurs propres occupations, comme les vivants. Et on bouclait la boucle avec « My City of Ruins », inspiré du gospel soul de mes disques préférés des années 1960, qui n'évoque pas seulement Asbury mais aussi, j'espère, d'autres lieux et d'autres pays. C'était tout ça mon nouveau disque.

Depuis le temps, notre groupe avait montré qu'il était de taille à résister aux périodes difficiles. Quand des sujets et des événements quotidiens ou extraordinaires préoccupaient les gens, on trouvait une langue, des mots pour en parler. On était là dans ces moments. J'espérais que cette langue serait toujours source d'inspiration, de plaisir, de consolation et de révélation. Le professionnalisme, l'art de tenir une scène, les heures de boulot, tout ça c'est très important, mais j'ai toujours considéré que c'était cet échange qui était au cœur de notre relation durable avec le public. *The Rising* marquait un renouveau de ce dialogue et des idées qui avaient façonné notre groupe.

L'année suivante, en sillonnant le pays, on a essayé de concert en concert de replacer dans son contexte l'incontextualisable. Mais la musique ne pouvait peut-être rien face à l'horreur, peut-être que l'art en général était incapable de communiquer, d'expliquer, de guérir ou même de commenter. Je ne sais pas. Qu'est-ce qui m'a poussé à écrire ces chansons ? Le fait d'habiter une région où les gens avaient été si durement frappés, d'avoir discuté avec des pompiers qui étaient intervenus à Ground Zero, avec des capitaines de Sandy Hook Bay qui avaient ramené des survivants dans leur ferry au pont complètement recouvert de cendres, mon propre désir d'utiliser la langue que j'avais apprise en tant que musicien, pour trier ce que j'avais dans la tête. D'abord tu écris pour toi… toujours, pour essayer de comprendre quelque chose à ce qui se passe et au monde qui t'entoure. En tout cas pour moi c'est essentiel pour ne pas devenir fou. Toutes nos histoires, nos livres, nos films sont un moyen de faire face au chaos aléatoire et traumatisant inhérent à la vie. Quand ce gars m'a crié : « Bruce, on a besoin de toi » près de la plage, c'était faramineux ce qu'il demandait, mais je le comprenais ; moi aussi j'avais besoin de quelque chose, de quelqu'un. Alors, quand je suis rentré chez moi, ce matin-là, pour retrouver mes enfants, ma femme, les miens, et vous, je me suis tourné vers la seule langue capable à chaque fois, je le savais, de tenir à distance les terreurs nocturnes – réelles ou imaginaires. C'est tout ce que je pouvais faire.

SOIXANTE-SEPT

LE FAR EST

Après deux tournées consécutives avec le E Street Band reconstitué, j'ai voulu revenir à la musique que j'avais écrite durant la tournée *Tom Joad*. J'ai écrit une nouvelle chanson, « Devils and Dust », et Brendan O'Brien m'a aidé à terminer le disque que j'avais commencé dans ma ferme, à la fin de *Joad*. Brendan voulait qu'on enregistre les titres en repartant de zéro, mais j'aimais beaucoup les versions enregistrées à la maison et j'ai décidé de les garder. On a ajouté des fioritures, quelques arrangements discrets de cordes et de cuivres, Brendan a mixé le tout, et emballé c'est pesé. J'ai enchaîné avec une tournée solo de concerts acoustiques et je suis revenu à la maison.

J'avais toujours rêvé d'avoir un terrain à moi à proximité de ma ville natale. Il y avait un coin en particulier, devant lequel je passais à moto depuis que j'avais la trentaine. J'avais souvent fantasmé devant cette allée somptueuse en me disant : « Un de ces jours, peut-être… » À la mort de l'artiste qui y vivait, la propriété a été mise en vente. On y a longuement réfléchi Patti et moi, et puis on s'est décidés à l'acheter.

Depuis qu'on se connaissait Patti me disait qu'elle adorait l'équitation – moi, la dernière fois que j'étais monté sur un cheval, j'étais en uniforme de louveteau. On avait envie de voir des animaux dans ces prés. Quelques semaines après notre emménagement, un van s'est arrêté devant notre pin ponderosa récemment planté, transportant des chevaux de l'hippodrome de Saratoga. Le gentleman chargé de la vente nous a aimablement annoncé que c'étaient des bêtes de race et que même un chimpanzé bourré pourrait réussir à les monter. D'accord. Donc moi qui n'y connaissais rien en équitation, je pouvais y aller les yeux fermés. J'avais vu un million de westerns, ça ne devait pas être si difficile que ça.

Tu parles d'un rodéo ! On aurait dit que tous ceux que j'essayais étaient les rejetons de Secretariat, le cheval le plus rapide au monde. Je me suis fait secouer aux quatre coins de la ferme jusqu'à en trouver un qui obéisse *à peu près* à mes ordres approximatifs. Au fil des mois qui ont suivi, on s'est constitué tout un manège, allant de braves chevaux qu'on pouvait monter facilement à des fous furieux plutôt conseillés pour les candidats au suicide.

LEÇON N° 1 : Ne jamais monter sur un cheval qui s'appelle Éclair, Tonnerre, Faiseur de Veuve, Pompe Funèbre, Acid Trip, Ouragan ou Mort Subite.
LEÇON N° 2 : Prendre quelques leçons.

Un prof d'équitation m'a fait faire mes premiers pas et mes premiers trots sur un de nos canassons. Pas fameux, le résultat. J'avais super mal au dos et je ne savais jamais où la demi-tonne qui me portait risquait de m'embarquer. Et puis miracle, Patti a trouvé un vieux palomino. Dès que j'ai été en selle, je me suis senti à l'aise. Il avait une allure légère, somptueuse, il était soyeux comme une Cadillac, extrêmement calme, genre papy placide, il inspirait confiance et les coups de bride maladroits du néophyte qu'il avait sur le dos ne le perturbaient pas le moins du monde. Je l'ai baptisé Cadillac Jack. Ce cheval m'a appris à monter jusqu'à ce que j'arrive à l'emmener au grand galop – pour un peu, on aurait pu concourir à l'hippodrome de Monmouth Park ! Dans les bois, les cerfs et les petits animaux ne l'effrayaient pas, le vent ne l'énervait pas, l'obscurité ne lui faisait pas presser le pas pour rentrer à l'écurie. Un jour, après de fortes pluies, j'étais en selle lorsqu'il s'est enfoncé jusqu'aux hanches dans la boue d'un ruisseau habituellement peu profond. Mes deux pieds ont touché le sol. Je suis calmement descendu, il s'est patiemment extirpé du bourbier et on est repartis.

Ces premières années à la ferme, qu'est-ce que j'ai pris comme gadins ! Pas grave, je m'époussetais, et je remontais sur la bête – n'empêche que je suis bien content d'avoir fait mon apprentissage avant mes cinquante ans, à l'époque où j'étais encore souple et au top de ma forme. En tout cas je rejoignais toujours allègrement l'étalon qui m'avait éjecté. Avec un peu de chance, il n'était qu'à quelques mètres. Dans le cas contraire, retour à l'écurie. Pas mal de nos compagnons se sont attiré des surnoms. Un superbe hongre genre Black Beauty a dû être rebaptisé Celui-qui-a-peur-des-petits-animaux : si un lapin, une taupe, un renard ou un écureuil traversait sa route, c'était courage fuyons et il m'envoyait mordre la poussière, l'herbe ou la boue. Avant d'arriver à la quarantaine, j'avais fait du judo, j'avais appris comment tomber – c'est un art. Pendant deux ans, je m'étais retrouvé plus d'une fois en apesanteur, à hauteur d'épaules, avant d'atterrir sur le tapis ; à force j'avais pigé comment amortir ma chute sur le tatami. Et ça, ça m'a drôlement servi quand j'ai voulu jouer au cow-boy ! On en avait un autre qui s'appelait Cal, un formidable cheval de parade et de saut d'obstacles, bien entraîné. Cal alias Celui-qui-n'aime-pas-avoir-des-choses-à-côté-de-sa-tête. C'était le cheval le plus génial que j'aie jamais eu, l'amour de ma vie pour ce qui est des chevaux, sauf que… il y avait juste un petit souci. Quand il était poulain, quelqu'un avait dû le frapper fort sur le côté de la tête ; depuis, tout objet passant à proximité de son œil le faisait détaler. Après avoir oublié une ou deux fois cette particularité, j'ai compris qu'il était préférable de respecter sa frousse.

Un après-midi, pour une de nos grandes fiestas où étaient venus s'amuser une centaine de parents et amis, on avait engagé un orchestre de vingt mariachis de New York. Le chanteur a demandé à être pris en photo à côté d'un « vaillant coursier », et on est donc allés chercher mon champion, Cal. Le gars est monté dessus, mais comme il avait oublié son sombrero, il a demandé à un de ses collègues de le lui passer… avant que j'aie pu le prévenir que ce n'était pas une super idée. Trop tard. Au moment où il attrapait son sombrero à hauteur de la tête de Cal, mon fidèle canasson s'est écarté dans la direction opposée. Le chanteur s'est mis à faire des moulinets avec les bras pour ne pas perdre l'équilibre ; comme il tenait le sombrero à la main, Cal le voyait passer et repasser devant ses yeux. Ce qui, bien sûr, l'a incité à tourner sur lui-même comme une toupie. Mon *amigo*, les yeux révulsés, a fini par se faire éjecter façon roquette de la NASA, avant d'atterrir dans un nuage de poussière aux pieds de ses *compañeros* hilares. Il s'est relevé calmement en s'époussetant et il a rejoint la fête. Tout le groupe a alors entonné « Guadalajara ! », suivi d'une « Macarena » reprise en chœur par tous les invités.

On organisait régulièrement des petits rodéos avec des cavaliers pros qui montaient des broncos, du *barrel racing* – une course de vitesse à cheval autour de barils disposés en triangle – et du *team penning* auquel tout le monde pouvait participer. Le principe du *team penning* est assez simple. On aligne des petits verres de tequila sur la clôture et on numérote les vaches à attraper. On tire un numéro et, avec un partenaire, on sépare la vache correspondante du troupeau pour l'emmener dans un petit enclos. L'équipe qui s'acquitte de sa mission le plus vite a gagné. Les autres s'enfilent les verres. Autant dire qu'il y a vite de l'ambiance.

El Charro

La plupart de nos événements rodéo étaient organisés par Juan Marrufo Sanchez. En 1994, il avait été désigné dans son pays meilleur cow-boy mexicain. Marié à une *Jersey girl* en vacances au Mexique, il vivait à présent dans un appartement de Brick, New Jersey. Immigré de fraîche date, il était pénalisé par son fort accent hispanique et n'avait d'autre choix que de travailler dans les fermes de la région à décrotter les stalles et s'occuper des chevaux – sans pouvoir exploiter ses grandes qualités de cavalier. Un jour, pour ma chanson « Reno », j'ai demandé à mon assistant Terry Magovern de faire des recherches sur une région du Mexique. Terry m'a répondu qu'un de ses voisins à Brick était un *charro*, un authentique cow-boy mexicain. « Tu pourrais peut-être discuter avec lui, non ? » Quelques semaines plus tard, Juan est venu nous voir à la ferme. Il m'a donné quelques livres sur les sujets qui m'intéressaient et on a discuté un moment. Mais surtout il m'a montré comment monter à la manière d'un *charro*. Juan était aussi passé maître dans l'art du lasso et grâce à lui, avec mon cousin Ricky, on a réussi à devenir assez bons en manip de cordes.

Un soir, alors qu'on faisait rentrer les vaches, l'une s'est échappée.

Mon beau-frère Mickey a voulu littéralement prendre le taureau – ou la vache en l'occurrence – par les cornes, mais il s'est vite rendu compte que c'était plus facile à dire qu'à faire. Ces bestioles sont vigoureuses et, d'un bon mouvement de la tête, elles sont capables de vous envoyer valser. Celle-là a écarté Mickey avant de foncer vers la Route 34, qui bordait notre propriété à l'ouest. C'était un week-end d'été. Sur la 34, un défilé de SUV ramenant de la plage papa-maman-les-gosses-et-mamie. Juan, entre-temps, avait disparu dans la grange. Il en est ressorti au galop, un lasso à la main, sur Ranger, son cheval de voltige. Branle-bas de combat. J'ai sauté dans un quad. Avec le père de Juan et Jay, le fils de Max Weinberg, huit ans, on s'est lancés à la poursuite de la fugueuse qui se dirigeait vers un bosquet. Au-delà c'était deux voies de bitume saturées de bagnoles. J'ai vu la catastrophe arriver. J'imaginais déjà les gros titres : « Un quatre-quatre de touriste percuté par le taureau du Boss ! » À quinze mètres des arbres, j'ai vu Juan et Ranger passer à l'action. Juan a levé un bras, le lasso prêt, Ranger a accéléré, le trait fin d'une corde a dessiné un arc dans le ciel et… chlac, le lasso a atterri pile poil sur les cornes de l'animal, l'autre bout arrimé à la selle du cheval. La vache, ça l'a bloquée net. Le père de Juan a sauté du quad et lancé en douceur une autre corde autour des cornes, puis j'ai triangulé la bête avec une troisième. On n'était pas trop de trois pour ramener, trempés de sueur, cette petite vache robuste à sa remorque sous le soleil. C'est Jay Weinberg qui a eu le mot de la fin. En regardant Juan il a fait : « Waouh. Un vrai cow-boy. »

SOIXANTE-HUIT
LES SEEGER SESSIONS

En 1997, j'ai enregistré « We Shall Overcome » pour la compil *Where Have All the Flowers Gone. The Songs of Pete Seeger*. Biberonné au rock'n'roll, je ne connaissais pas grand-chose à la musique de Pete et à l'étendue de son influence. Mais dès que j'ai commencé à l'écouter, j'ai été ébloui par la profusion des chansons, leur richesse et leur force. Ça a complètement changé ce que je croyais savoir de la musique folk. Par l'intermédiaire de Soozie Tyrell, j'ai rencontré un groupe de musiciens de New York que j'ai invité à venir de temps en temps jouer chez nous, à la ferme. Accordéon, violon, banjo, contrebasse, washboard – voilà le son que j'envisageais pour le projet Pete Seeger. On s'est assis côte à côte dans le séjour (les cuivres dans le couloir), *one, two, three, four* et on s'est lancés dans « Jesse James ». On a enregistré une demi-douzaine de titres – qui sont restés dans un tiroir pendant presque dix ans, mais de temps en temps j'avais envie d'y revenir. Ça ne ressemblait à rien de ce que j'avais enregistré jusque-là et la spontanéité de ces morceaux me paraissait intéressante. J'ai organisé une autre session en 2005, puis une troisième en 2006. Tout ce qui figure sur le disque a été enregistré lors d'une de ces trois journées de 1997, 2005 et 2006, pratiquement toujours à la première prise ou à la seconde, le tout en live, et avec un groupe que je n'avais jamais pratiqué avant. Le Sessions Band était né.

De tous les concerts, celui de La Nouvelle-Orléans reste mémorable, pas seulement parce que c'est un des meilleurs de ma vie au plan musical, mais aussi pour sa valeur symbolique.

J'ai été invité à jouer en tête d'affiche au premier New Orleans Jazz and Heritage Festival post-Katrina. J'avais enfin un groupe qui me semblait capable de tenir la route dans le contexte de ce festival. Je comprenais l'importance que cette manifestation artistique aurait pour la ville cette année-là, et je tenais absolument à être à la hauteur. La Nouvelle-Orléans avait vécu l'enfer, perdu la moitié de sa population, la ville était détruite : les gens qui viendraient ne prendraient pas les choses à la légère, et ça, il fallait en tenir compte.

Peu avant notre départ pour la Louisiane, j'ai repensé à l'hymne officieux de la ville, « When the Saints Go Marching In ». En lisant la *totalité* des paroles, ce que je trouvais impératif, je me suis rendu compte que la plupart n'avaient jamais été entendues et que c'était un morceau bien plus profond qu'on le pensait habituellement. J'ai ralenti le tempo jusqu'à en faire une méditation sur la résilience, la survie et la force de croire en un rêve qui résiste à la tempête, au naufrage et à la ruine. La version paisible qu'on a donnée de cet hymne-prière était notre façon de remercier et rendre hommage à la ville qui avait enfanté le blues, le jazz, le rock et tant d'œuvres épiques de la culture américaine.

Le jour du concert, il fallait qu'on soit sur scène à huit heures et demie du matin pour la balance. C'est inhumain pour des musiciens, mais bon, pas le choix. Après tout, c'était la première prestation de notre nouveau groupe et je devais être sûr que les musiciens seraient à l'aise et quitteraient la scène en sachant qu'on pouvait assurer. The Edge, le guitariste de U2, était là, au point du jour. Les gars de U2 étaient des potes de longue date, on s'était vus pour la première fois dans un club de Londres en 1981. Je me sens très lié à eux. C'est Bono qui avait joué les maîtres de cérémonie pour mon intronisation au Rock and Roll Hall of Fame. Non seulement c'est l'un des derniers groupes de rock toujours prêts à mettre toute la gomme, mais, à mes yeux, ces mecs sont parmi les plus sympas du *music business*. Des années plus tard, ils continuent à me soutenir et à venir régulièrement à nos concerts. Et donc ce jour-là ça m'a fait plaisir de voir la barbichette et le sourire de The Edge sur le côté de la scène.

Il a plu à verse toute la matinée, le champ était si détrempé qu'on se serait crus au Pays des mille lacs. Il faisait un froid glacial, l'air était saturé d'humidité. On a attaqué avec « How Can a Poor Man Stand Such Times and Live » et d'emblée j'ai remarqué que l'acoustique était pourrie. Les sons s'éparpillaient dans la nature et, dans ce cas, la musique perd de son homogénéité, les reliefs sont gommés ; ça peut même entamer toute la dynamique du groupe. Si on n'a aucune idée de ce qu'entend le public, difficile d'être réactif. C'est fréquent dans les concerts en plein air. Pour le public, le son est clair et non filtré par l'écho du site, mais le groupe peut avoir l'impression d'être coupé des spectateurs, et moi je trouve ça toujours pénible. Le seul truc à faire : t'adapter. Tu te concentres et tu tentes *tout ce qu'il faut* pour créer ce pont entre le public et toi. Après y a plus qu'à compter sur la poussée d'adrénaline du concert pour faire le reste.

Après la balance, on avait le sourire. Ça allait fonctionner. Dans les coulisses, j'ai félicité chacun de mes partenaires et je leur ai dit qu'on allait passer un super après-midi.

Concert à La Nouvelle-Orléans

Allen Toussaint, le père spirituel de La Nouvelle-Orléans (mort en novembre 2015), était programmé juste avant nous. Quelle première partie ! Pas facile de prendre le relais. Une fois son set terminé, il est venu voir le groupe. En « maire » affable et élégant de la ville, il nous souhaitait la bienvenue chez lui. Maintenant, place aux « gamins ». Notre arrivée sur scène a été saluée par de sympathiques applaudissements – rien de tumultueux, un accueil bienveillant – et on a commencé avec « Mary Don't You Weep ». Ça n'allait pas être facile, je l'ai senti tout de suite. On proposait quelque chose que même nos fans venus nous encourager ne connaissaient pas ; une grande partie du public était là pour voir d'autres artistes formidables programmés ce jour-là, alors il a fallu se retrousser les manches. Parfois, les choses ne vont pas de soi, les deux entités que sont le public et le groupe doivent chercher comment se positionner et prendre leurs marques. Comme ce jour-là. Et je savais que pour y arriver, il fallait se contenter de baisser la tête et de jouer sa musique. Faire confiance à toute la réflexion et toutes les répétitions qui vous ont amené sur scène. N'empêche que c'est toujours un peu déstabilisant.

Ça a été finalement un après-midi merveilleux. Le temps était à présent splendide, jusqu'au coucher du soleil. Petit à petit, l'ambiance s'est réchauffée, les gens se sont mis à danser, à vibrer, et on s'est laissé porter. On a eu le culot de balancer « Jersey Dixieland » à Dixieland même ! Le public nous jaugeait mais il était généreux. Pour « How Can a Rich Man » j'ai pris soin de prononcer les paroles le plus distinctement possible, pour être bien compris. On jouait depuis une heure et quart, je tirais le plus possible notre rythme vers un tempo rock tout en laissant le groupe swinguer. Lentement je sentais que ces deux entités s'emboîtaient. Et puis il y a eu « My City of Ruins » : voilà ce qu'il fallait, cette reconnaissance mutuelle des souffrances et des moments difficiles qu'on avait traversés les uns et les autres.

On a fini au moment précis où le soleil se couchait, boule rouge suspendue à l'horizon, à l'orée du champ. Dans cette lumière magique, plus belle que celle de n'importe quels spots, je me suis avancé sur le devant de la scène, et j'ai senti que le groupe et le public tombaient dans les bras l'un de l'autre. Au moment de « Saints », notre prière finale, on a vu des milliers de mains agiter des mouchoirs blancs dans les derniers rayons dorés. Il y a eu des larmes, à la fois dans le public et sur la scène. Déjà la fraîcheur du soir tombait et la foule se dispersait dans les rues de la Ville croissant.

Des concerts, j'en ai beaucoup à mon actif, vraiment beaucoup, mais comme celui-là, très, très peu. Il a fallu que je rame comme un malade pour emmener le groupe avec une conviction que je n'étais pas certain d'avoir moi-même. Mais peut-être que c'était précisément l'enjeu de cette soirée : tâcher de surmonter l'incertitude du moment et trouver quelque chose de solide sur quoi se reposer. Ces dates-là, on ne peut pas les programmer, les fabriquer ni les inventer. C'est la conjonction entre un moment, un lieu, le besoin et le désir de servir, à la hauteur de ses modestes moyens, les circonstances. À La Nouvelle-Orléans, la tâche était colossale. Les notes fugaces qui se sont déversées de la scène pour aller flotter dans les rues de la ville ce jour-là semblaient bien dérisoires par rapport à la ruine et au malheur. Et pourtant, aussi futile que la musique puisse paraître, elle arrive très bien à accomplir certaines choses. Lorsque les gens se rassemblent et bougent à l'unisson, ça crée une communion, une énergie qui vous porte. C'est quelque chose de très beau.

Pour moi ça reste un concert exceptionnel. Je ne sais pas si on a été si bons que ça, mais je sais que la soirée a été mémorable. Il y a des moments qui demandent qu'on fasse du bon boulot, c'est tout.

Dans les années 1970, je suis allé à un concert des Grateful Dead dans une petite université. J'ai vu le public danser et entrer en transe mais je me sentais très extérieur à tout ça. Pour moi – qui n'avais ni bu ni pris de drogue, qui n'étais pas mystique ni vraiment hippie – ils n'étaient pas meilleurs qu'un groupe de bar lambda. Je suis rentré chez moi assez perplexe. Géniaux ou pas, ce qui était sûr en tout cas, c'est que les Grateful Dead faisaient un truc génial. Des années plus tard, quand j'ai fini par apprécier leur subtile musicalité, le jeu de guitare magnifiquement lyrique de Jerry Garcia et la pureté folk de leurs voix, j'ai compris que j'étais passé à côté. Ils avaient ce don unique de construire une communauté, et parfois ce qui compte ce n'est pas ce que tu fais mais ce qui se passe pendant que tu le fais. En Louisiane cette année-là, notre présence à l'affiche a pu paraître saugrenue, mais on a assuré ; La Nouvelle-Orléans a fait le reste.

Pour une bonne partie, ce que fait le E Street Band est un truc classique transcendé par la volonté, la force et une communication intense avec notre public. Parfois il n'en faut pas davantage. Je me souviens d'un article sur un groupe qui collectionnait les hits : « Ils font toutes les choses sans importance très bien », disait le journaliste. Je comprends exactement ce qu'il voulait dire. Le rock, en fin de compte, *est* une force religieuse et mystique. Tu peux jouer comme un manche, chanter comme une casserole ou presque, si quand tu te retrouves avec tes potes devant *ton* public tu balances *ton* boucan, celui qui vient des tréfonds de ton être, du mélange de divin et de caniveau qu'il y a en toi, de l'infinitésimal point de genèse de l'univers… c'est du rock et toi tu es une *star* du rock'n'roll dans tous les sens du terme, tu peux en être sûr. Ça, les punks en ont eu l'intuition et ils s'en sont servis pour lancer la troisième révolution. De manière générale c'est un élément essentiel à l'équation de toute grande unité musicale, de tout groupe de rock'n'roll, même le plus terre à terre.

SOIXANTE-NEUF

MAGIC

J'avais écrit quelques chansons sur la route pendant la tournée *Rising*. Brendan O'Brien est venu me rendre visite une nouvelle fois. Je lui ai joué ce que j'avais et on est partis de là. Je me souviens avoir travaillé à une bonne partie de *Magic* chez moi, à Rumson, à ma table, mais cette fois j'avais tendance à écrire un peu n'importe où. Contrairement à mes premières années, il m'arrivait de composer de nouveaux titres pendant les tournées, dans ma loge, avant les concerts, ou après, dans ma chambre d'hôtel. C'est devenu une façon de méditer avant ou après une soirée agitée. Dans le calme, perdu dans mes pensées, voyageant dans des endroits où je n'étais jamais allé, je voyais le monde avec les yeux de ceux que je n'avais jamais rencontrés, je rêvais des rêves de réfugiés et d'étrangers. Ces rêves étaient aussi les miens. Je ressentais leurs peurs, leurs espoirs, leurs désirs, et quand c'était bon, je décollais au-dessus de ma piaule d'hôtel et me retrouvais sur quelque autoroute métaphysique, en quête de vie et de rock'n'roll. *Magic* était mon manifeste contre la guerre en Irak et les années Bush.

Mon objectif dans cet album, c'était de mêler le politique et le personnel. On peut écouter tout le disque sans même songer à l'actualité politique, mais on peut aussi l'entendre en filigrane, omniprésente.

Comme de nombreuses tournées auparavant, celle de *Magic* a débuté au Convention Hall d'Asbury Park. C'est là que jeune musicien j'avais vu les Doors avec Jim Morrison, dont la présence scénique m'avait médusé. En 1966, j'avais réussi à louper les Rolling Stones quand ils y étaient passés. J'avais vu les Who démolir leur matos dans un nuage de fumée devant des ados scotchés, avec papa-maman derrière eux qui attendaient la tête d'affiche : Herman's Hermits. Après ce concert des Who, je m'étais empressé de dégoter un stroboscope et une bombe fumigène pour mon concert suivant avec les Castiles. Et là, à la fin de notre dernier set à la CYO, dans le sous-sol de Sainte-Rose-de-Lima, un samedi soir, j'avais allumé le strobo, enclenché les fumigènes, et en montant sur une chaise j'avais fait tomber par terre un vase de la classe de CP. Bon, j'étais loin du geste nihiliste de Pete Townshend qui explosait sa guitare contre son ampli Vox fumant, mais mon budget était limité, pas question de sacrifier ma bonne guitare.

Le Convention Hall a été le premier théâtre de mes rêves rock'n'roll. Là c'est un monde plus vaste qui m'attendait, avec de vrais magiciens, et tout pouvait arriver. Combats de catch entre nains, salons nautiques avec des yachts grands comme un jardin, expositions de vieux tacots, courses de patins à roulettes et baptêmes rock'n'roll, tout ça courait dans les veines de cette modeste salle de concert que je voyais aussi vaste que le Madison

Square Garden. On traversait d'abord le hall d'entrée, bordé de part et d'autre de stands de barbe à papa, de T-shirts bon marché, de coquillages, de jeux d'arcade, de toutes sortes de babioles et gadgets, qui vous accompagnaient jusqu'aux grandes portes en cuivre de la salle proprement dite, promesse d'absurdité et de transcendance. Ça n'a pas vraiment changé.

Pour moi, aujourd'hui, c'est juste ma maison. J'y suis chez moi. C'est au *boardwalk* d'Asbury que j'emmène mon groupe pour qu'on se ressource, qu'on resserre nos liens et qu'on se prépare pour toute nouvelle aventure. C'est ici, sur le *boardwalk*, que je joue maintenant le rôle du fantôme des Noëls passés, tandis que la ville poursuit son excitante évolution. Il y a même un buste ridicule de moi quelque part en ville, bien lustré, idéal pour accueillir les fientes de mouettes. Et pourtant, le soir en été, je m'y sens chez moi, je foule ces planches vêtu de ma cape ninja d'invisibilité – une casquette de baseball – et je passe presque autant inaperçu qu'en 1969. J'ai encore le sentiment d'être parmi des amis, parmi les miens. Ce coin que j'adore, c'est toujours chez moi et je continue de m'en nourrir. Et donc, par un matin frais de septembre, on a chargé le matos et quitté Asbury direction Hartford, Connecticut. On était partis.

C'est la première fois que la maladie empêchait un des membres du groupe d'assurer certains concerts lors d'une tournée. Danny Federici avait un mélanome et maintenant besoin d'un suivi médical sérieux. D'abord mal diagnostiqué, le cancer se développait à présent dans son organisme. Il était soigné en toute discrétion depuis déjà un certain temps, mais désormais il ne pouvait plus cacher la situation au reste du groupe. Charlie Giordano, du Sessions Band, a été briefé pour le remplacer, et il a pris en douceur sa place à l'orgue pendant que Danny était en traitement.

Un soir, lors d'un de ses brefs retours parmi nous, Dan est entré dans ma loge avant le concert et s'est assis en face de moi. Il m'a expliqué qu'en gros les choses ne se présentaient pas très bien. À un moment, semblant ne plus trouver ses mots, il a plaqué ses deux paumes l'une contre l'autre en cherchant comment m'annoncer ce que je savais déjà. Ses yeux se sont embués, et on est restés là face à face, à se regarder… ça faisait trente-cinq ans. Je lui ai fait les promesses que je pouvais pour l'apaiser. On s'est levés, on s'est serrés dans les bras un long moment et on est sortis de la loge pour monter sur scène. Peu après, le 20 mars 2008, on jouait au Conseco Fieldhouse, à Indianapolis. Dans le groupe, on savait tous que c'était la dernière fois qu'on voyait Danny sur scène.

Danny croyait au monde tel qu'il était. On n'a jamais discuté des paroles ou des idées qu'il y avait dans les centaines de chansons que j'ai écrites. Ces chansons que ses doigts et son cœur savaient d'instinct et comme par magie colorer à la perfection. C'est les soirs où Danny me trouvait au trente-sixième dessous qu'on était le plus proches. Il ne jugeait jamais, il se contentait d'observer et de soupirer. J'ai toujours eu le sentiment que c'était une mauvaise façon de combler le fossé entre nous deux. Et effectivement ça l'était. Mais quand j'essayais de m'y prendre autrement, de demander à Danny d'assurer et de prendre ses responsabilités, je me faisais l'effet d'être un patron s'adressant à son employé – ou son vieux, avec un balai enfoncé tellement profond dans le cul que c'en était gênant.

Quand tu diriges un groupe, même un groupe de rock, il y a toujours une petite ambiguïté, un côté *padrone* dans la définition de ton poste, c'est délicat. Et les membres du groupe avec qui j'ai trop pleinement joué ce rôle s'en sont en général le plus mal sortis. Mais Danny a fait d'énormes efforts. Il a réussi à vaincre son alcoolisme, il est resté assez fidèle à son programme des Alcooliques anonymes et il a tout fait pour que sa vie ne parte pas en vrille. Mais finalement, pour lui, rien n'a été facile.

Un après-midi de printemps, on a été quelques-uns à se réunir dans un hôpital de Manhattan, autour du lit de Danny. On s'est tenu la main et chacun a dit une prière et fait ses adieux.

Danny est mort le 17 avril 2008. Il laissait son fils Jason, deux filles, Harley et Madison, et sa femme Maya. Le 21, il y a eu une très belle cérémonie en son honneur à l'église méthodiste unifiée de Red Bank. Énormément de monde, ce jour-là, pour évoquer sa mémoire et lui rendre hommage, notamment en musique.

J'ai vu Danny triompher de sales addictions. Je l'ai vu lutter pour reprendre sa vie en main et, la dernière décennie, quand le groupe s'est reformé, je l'ai vu s'épanouir, assis derrière son gros orgue B3. Je l'ai vu batailler contre son cancer sans se plaindre, avec beaucoup de courage et d'esprit. C'était un fataliste qui voyait toujours le bon côté des choses. Il s'est battu jusqu'au bout, sans jamais baisser les bras.

Avant ce dernier concert dans l'Indiana, je lui ai demandé ce qu'il avait envie de jouer. « Sandy », il m'a répondu. Il voulait prendre l'accordéon et revisiter le *boardwalk* de notre jeunesse, les soirs d'été, quand on se promenait sur les planches, avec toute la vie devant nous. Il voulait jouer une fois encore cette chanson qui évoque en même temps la fin de quelque chose de merveilleux et le début de quelque chose d'inconnu et de nouveau.

Pete Townshend a dit un jour : « Un groupe de rock'n'roll c'est un truc de fou. Tu rencontres des gens quand tu es gamin et, contrairement à n'importe quelle autre activité au monde, tu restes coincé avec eux le restant de ta vie, peu importe qui ils sont et les trucs dingues qu'ils font. » Si on n'avait pas joué ensemble, avec le E Street Band, on ne se connaîtrait sans doute pas. On ne serait pas ensemble dans une même salle. Mais on est ensemble… on joue ensemble et, tous les soirs, à vingt heures, on monte ensemble sur scène, et ça, mes amis, c'est un endroit où se produisent des miracles… des miracles anciens et des nouveaux. Et ceux avec qui tu es quand il y a des miracles, tu ne les oublies jamais. La vie ne vous sépare pas. Ceux avec qui tu es et qui font des miracles pour toi, comme Danny l'a fait pour moi chaque soir, tu es honoré d'être parmi eux.

Bien sûr, on grandit tous, et on apprend que *it's only rock'n'roll*… mais en fait, non ! Après une vie à regarder un type accomplir ce miracle pour toi, soir après soir, il semblerait bien que ça ressemble terriblement à de l'amour.

SOIXANTE-DIX

LE DIMANCHE DU SUPER BOWL

Six Thunderbird de l'US Air Force passent dans un fracas assourdissant au-dessus de la zone backstage, nous donnant l'impression, à tout le E Street Band et moi, de voler au ras de nos têtes. On a encore vingt minutes. Je suis assis dans ma caravane et je me demande ce que je vais mettre comme pompes. J'ai une chouette paire de bottes de cow-boy, mais j'ai peur qu'elles ne soient pas très stables. Au Super Bowl, il n'y a pas d'auvent pour se protéger. Deux jours plus tôt, on a répété sous la pluie. On a tous été trempés comme des soupes et la scène est devenue une vraie patinoire. Tellement glissante que j'ai percuté Mike Colucci, notre cameraman, à la fin de ma glissade sur les genoux ; sans sa caméra pour me retenir, je me retrouvais dans la gadoue. Quand notre « arbitre » pour « Glory Days » est arrivé en courant, il n'a pas pu s'arrêter et s'est payé une des chutes les plus douloureusement parfaites dans la catégorie glissade-sur-peau-de-banane. Ce qui nous a valu le plus grand fou rire de notre vie. On en riait encore en regagnant nos caravanes.

Bon, je ferais mieux de mettre mes rangers habituelles. La pointe arrondie me donnera une meilleure capacité de freinage que le bout pointu des bottes de cow-boy. J'ajoute deux semelles à l'intérieur, pour être confortablement calé, je fais quelques pas dans la caravane, OK, je suis bien dedans. Un quart d'heure… Je suis tendu. Ce n'est pas le trac habituel d'avant concert. Plutôt une semi-terreur du genre cinq-minutes-avant-atterrissage-sur-la-plage dans *L'Étoffe des héros* : « Seigneur, fais que je ne foute pas tout en l'air devant cent millions de spectateurs. » Ça ne dure qu'une minute… Inspection des cheveux, un dernier coup de laque transforme mes tifs en béton, et je sors.

J'aperçois Patti qui sourit. Toute la semaine, elle a été mon roc. Je passe le bras autour de ses épaules, et on y va. On nous emmène dans une voiturette de golf jusqu'à un tunnel qui donne direct sur le terrain, où on nous fait attendre avant de monter sur scène. Le problème c'est qu'il y a un monde fou là-dedans : caméras télé, médias en tout genre, le bordel total. Soudain, une file d'une centaine de personnes passent devant nous en nous criant des encouragements : nos fans… qui sont aussi, ce soir, les bénévoles qui ont monté la scène. Ça fait deux semaines qu'ils sont là, à leurs frais, à s'entraîner à monter, démonter et remonter toutes les parties de notre scène, avec théoriquement une précision toute militaire. Cette fois-ci, c'est la bonne. J'espère que leur truc tient bien mais pour le moment, sur le terrain illuminé par les projecteurs du stade où on est accueillis par la complainte hurlante de soixante-dix mille fanatiques de football américain, il n'y a rien… Pas de sono, pas de spots, pas d'instruments, pas de scène, rien d'autre que ce terrain vert ultra-éclairé. Soudain une armée de fourmis surgit de tous les côtés de ce qui semble être nulle part, apportant sur des chariots à roulettes un morceau de notre scène : notre terre. Ce qui, en temps normal, prend huit heures est effectué en cinq minutes. Incroyable.

Tout notre univers est là… enfin on espère. On se rassemble à quelques pas de la scène, on se tient les mains tous ensemble, je prononce quelques mots qui sont engloutis par la foule et tout le monde a le sourire. J'ai souvent été dans des situations de gros enjeux comme aujourd'hui – encore que, jamais *exactement* comme aujourd'hui – avec cette bande-là. C'est stressant, mais notre groupe est taillé pour ça… ça va commencer… et donc, en joyeux guerriers, on monte sur scène.

Le régisseur de la NFL me fait signe qu'on démarre dans trois minutes… deux minutes… une… un type n'a pas fini d'aplanir à coups de pied certains endroits de la scène et de s'assurer que tout est d'équerre et stable sur la pelouse du terrain… trente secondes… un bruit blanc strident s'échappe de nos retours… ils en sont encore à tester toutes les enceintes et la sono… dis donc, c'est limite-limite. Les éclairages du stade à peine éteints, la foule entre en éruption et Max attaque la rythmique de « Tenth Avenue ». Je sens qu'une lumière blanche nous fait un instant apparaître en ombres chinoises, Clarence et moi. J'entends le piano de Roy. Je tapote la main de C. Je suis lancé, je jette ma guitare, qui monte et décrit un arc de cercle, avant d'être réceptionnée par Kevin, mon *backliner* et… « Ladies and gentlemen, durant les douze minutes qui vont suivre, on va faire entrer dans vos foyers la force juste et puissante du E Street Band. Je vais vous demander de vous écarter du pot de guacamole. De poser vos nuggets ! Et de monter le son de la télévision À FOND ! Mais avant de démarrer, il y a juste UNE chose que je voudrais savoir : Y A QUELQU'UN DE VIVANT ICI ?! ». J'ai l'impression d'avoir reçu un shoot d'adrénaline en plein cœur. Me voilà sur le piano (merci mes bonnes vieilles chaussures). Je redescends. *One… two… three…* Genoux au sol devant le micro et je me penche en arrière jusqu'à avoir le dos presque à plat sur la scène. Je ferme les yeux un moment et quand je les rouvre je ne vois que le ciel bleu nuit. Pas de groupe, pas de foule, pas de stade. J'entends et je sens le tout sous la forme d'un grand mugissement de sirène qui m'englobe et, le dos toujours au sol, je ne vois rien d'autre que ce superbe ciel nocturne bordé d'un halo de milliers de soleils.

J'inspire profondément plusieurs fois et le calme m'envahit. Depuis les débuts du groupe, ça a toujours été notre ambition de jouer pour tout le monde. On a accompli beaucoup de choses, mais pas ça. Notre public reste une tribu… c'est-à-dire essentiellement blanc. De temps en temps – le concert pour l'investiture d'Obama, la tournée en Afrique de 1988 ou pendant la campagne du président Obama, en particulier à Cleveland – j'ai levé la tête et chanté « Promised Land » pour ceux à qui la chanson était destinée : les jeunes, les vieux, les Blacks, les Blancs, les basanés, de toutes religions et de toutes classes sociales. Je chante pour eux aujourd'hui. Aujourd'hui on joue pour *tout le monde*. Gratos ! Je me relève en m'appuyant sur le pied de micro, retour dans le monde, dans ce monde, mon monde, celui qui n'exclut personne, et le stade, la foule, mon groupe, mes meilleurs amis, ma femme, tous surgissent dans mon champ de vision pour « Teardrops on the City ».

Pendant « Tenth Avenue », je raconte l'histoire de mon groupe – entre autres – … ça défile, puis c'est la glissade sur les genoux. Trop d'adrénaline, une descente au sol un peu tardive, et me voilà, Mike, j'arriiiiiive… BOUM ! Je percute sa caméra, l'objectif me rentre entre les cuisses, je me retrouve avec une jambe dans le vide. Je me sers de la caméra pour me relever et… dites-le, allez, dites-le, dites-le… BLAM ! « BORN TO RUN »… mon histoire… Quelque chose de lumineux et chaud explose derrière moi – un feu d'artifice, comme je l'apprendrai plus tard. À part celui qui éclate dans ma tête, je ne vois rien. Je suis à bout de souffle. Calmer le jeu. Aucune chance. J'entends déjà le public chanter les dernières mesures de « Born to Run »… ensuite on enchaîne direct sur « Working on a Dream »… votre histoire…

et la mienne, j'espère. Steve est à ma droite, Patti à ma gauche. Je capte un sourire, les Joyce Garrett Singers, les merveilleux choristes qui m'accompagnaient à Washington au concert d'investiture, sont derrière nous, je me retourne pour voir leurs visages et écouter le son de leurs voix... *working on a dream*. C'est fait. Puis on se lance dans « Glory Days »... la fin de l'histoire, une dernière fête baignant dans un joyeux fatalisme et quelques rires avec mon vieux pote Steve. L'arbitre évite une nouvelle gamelle, ce soir, il brandit juste le carton jaune parce qu'on a débordé de quarante-cinq précieuses secondes... on touche au but. On est maintenant tous alignés sur le devant de la scène. Du coin de l'œil, j'aperçois les cuivres levés haut en l'air, ma guitare retenue par la sangle tournoie autour de moi au septième coup de batterie, c'est décollage pour Disneyland. En fait je suis déjà bien plus loin, dans un endroit bien plus amusant que ça. Je nous contemple : on est vivants, c'est fini, on se tient par les bras, on s'incline, déjà la scène commence à être démontée sous nos pieds. Et c'est de nouveau le bordel pour revenir à la caravane.

La théorie de la relativité se confirme : sur scène, l'euphorie est directement proportionnelle au vide au-dessus duquel tu danses. Ce concert dont je doutais un peu, et dont je me méfiais a priori, s'est révélé étonnamment chargé d'émotion et fortement symbolique pour mon groupe et moi. Un moment fort, inoubliable, qui compte parmi les plus grands shows de notre vie professionnelle. Ce soir-là, la National Football League nous a organisé une fête d'anniversaire exceptionnelle, avec feux d'artifice et tout le bataclan ! Au milieu de leur match, ils nous ont laissés marteler une petite partie de notre histoire. J'adore jouer longtemps et donner de moi-même, mais là on devait raconter trente-cinq ans en douze minutes... c'était ça le truc. Tu commences ici, tu finis là, point final. C'est le temps qui t'est imparti pour donner tout ce que tu as… douze minutes… à une poignée de secondes près.

Grâce au Super Bowl on a vendu quelques disques de plus et attiré quelques nouvelles paires de fesses sur les sièges de cette tournée, mais l'essentiel n'était pas là : mon groupe restait un des plus puissants du pays et je voulais que vous le sachiez. On voulait vous montrer… tout simplement parce que c'était dans nos cordes.

Sur le coup de trois heures du matin, j'étais chez moi, tout le monde dormait à poings fermés. Assis dans le jardin, devant un feu, je contemplais les étincelles qui s'envolaient dans le ciel noir, mes oreilles sifflaient un peu, c'était bon. *Oh yeah, it's all right.*

SOIXANTE ET ONZE

ON CONTINUE

Le reste de l'année 2009 a été consacré à la sortie de notre album *Working on a Dream* et à la tournée. Le fils de Max, Jay, a remplacé son père, employé sur l'émission télé de Conan O'Brien. À dix-huit ans, Jay était seulement le deuxième à s'asseoir à cette batterie en trente-cinq ans. Après des débuts un peu chaotiques, il révélait la force, la précision, les oreilles, la discipline, l'éthique de travail de son père et la volonté d'apprendre. Et il apportait un sang neuf, une énergie punk qui boostait notre répertoire. Et pourtant un truc clochait. J'ai fini par réaliser que Jay, avec toute sa technique et sa puissance, jouait « par-dessus » le groupe, qu'il surfait sur nos arrangements. On a fait une pause. Je suis allé le voir pour lui expliquer calmement que la batterie n'était pas un exosquelette de ces arrangements. La batterie c'est l'âme et le moteur enfoui qui respire à l'intérieur du groupe. Le batteur ne joue pas par-dessus le groupe mais dedans, en immersion. Sa force, il la projette de l'intérieur. « Souffle un peu, descends d'un cran et joue en profondeur, j'ai dit à Jay. Une fois que tu auras trouvé la bonne position, que tu auras placé la rythmique correctement, alors tu te fondras tout naturellement dans le groupe. »

Mine de rien, c'était une notion pas facile à intégrer, en particulier pour un gamin de dix-huit ans qui jusque-là avait essentiellement joué devant une trentaine de personnes dans un club local. Mais bon, tel père tel fils.

Cet après-midi-là, Jay Weinberg a pris sa pelle et il a vraiment fait son trou dans la section rythmique – un trou si profond que la question de savoir qui prendrait le tabouret derrière les fûts a été réglée. Jay a apporté au groupe le feu, la jeunesse, l'intensité et son propre sens du spectacle. Quand on est montés sur scène devant cinquante mille fans déchaînés, il a cassé la baraque.

Plus tard cette année-là, pour les vingt-cinq ans du Rock and Roll Hall of Fame, on s'est éclatés à accompagner Darlene Love, Sam Moore et Billy Joel. J'ai chanté « I Still Haven't Found What I'm Looking For » avec U2 et « Because the Night » avec ma deuxième *Jersey girl* préférée, Patti Smith.

Il nous restait trois semaines de tournée. Et un gros souci : la santé de Clarence. Son état général se dégradait depuis un bon moment. D'abord les genoux, puis les hanches, puis le dos, et tout a empiré. Clarence voyageait avec un soigneur et quelqu'un qui le suivait de près. Malgré ça, il a été obligé de jouer assis pendant une grande partie de la tournée *Working on a Dream*. Le simple fait de monter sur scène et d'en descendre nécessitait toute une logistique. On a construit un monte-charge. On arrivait sur scène ensemble, qu'il puisse s'appuyer sur moi. Par contre sa force intérieure, sa passion et son envie de jouer restaient intactes. Il s'était fortement calmé avec l'âge, mais c'était un lion assoupi – même si ce n'était plus la terreur d'autrefois, valait quand même mieux ne pas lui chatouiller les moustaches…

Clarence gardait une méga-présence et une volonté en acier trempé. C'est grâce à ça qu'il était encore là : la force de sa volonté. Ça n'aurait tenu qu'à lui, il aurait voulu mourir sur les planches. Ce qui m'inquiétait toujours. Il consultait avant chaque tournée des médecins qui lui faisaient faire un bilan de santé complet. Allez savoir comment, le Big Man était toujours en état de jouer. Je lui disais : «J'ai besoin de savoir exactement ce que tu peux faire et ce que tu ne peux pas faire», mais il se mettait en rogne si je fourrais un peu trop mon nez dans ses problèmes médicaux. Pendant la tournée *Dream*, il s'est fait accompagner d'un jeune métis qu'il a présenté comme son assistant. Je me suis dit que c'était un de ses potes – il était constamment entouré de gens aux petits soins avec lui, qui lui rendaient je ne sais quels services. En fait, il s'agissait de Jake Clemons, son neveu, lui-même saxophoniste, bien que n'en jouant jamais, à l'exception d'un soir où il avait rejoint C sur « Tenth Avenue Freeze Out ».

Clarence était toujours le dernier du groupe à quitter la scène. Je soutenais ce corps imposant, soir après soir, tandis qu'on descendait l'escalier. Arrivé en bas, il me chuchotait souvent : « Merci de me permettre d'être là. » Moi aussi j'étais content qu'il soit avec nous. Même diminué, Clarence était une présence solide comme un roc et essentielle pour moi. On a pris l'avion pour Buffalo, dans l'État de New York, où on a joué pour la première fois l'album *Greetings from Asbury Park* du début à la fin. C'était le dernier concert de la tournée, tout le monde l'attendait avec impatience, il régnait une atmosphère de camaraderie et d'excitation : une aventure s'achevait, dans une fête à tout péter. De vieux fantômes étaient au rendez-vous. Mike Appel nous a accompagnés au concert, il a participé à notre rituel préparatoire, quand on se tient par la main, et ça nous a tous fait super plaisir. On était vivants et on avait fait du chemin. C'était bon de retrouver ses gloussements et son énergie de bateleur. Quel pied cette soirée ! Dans l'avion, alors qu'on approchait de Newark, Clarence a levé son verre et, de son siège, il a déclaré : « Je voudrais faire une annonce… Je pense que ça pourrait être le début d'un gros truc. » On a tous éclaté de rire.

N'empêche que c'est exactement l'impression qu'on avait. Le groupe jouait bien et on abordait cette partie de notre vie avec grâce et énergie. La moitié de notre set était composée de chansons des dix dernières années et on était encore super contents d'être ensemble. On adorait toujours la musique, notre groupe et notre public. Et dans cet avion qui nous ramenait au bercail, alors que les lumières de la côte Est scintillaient en contrebas, on savait qu'on avait bossé dur et qu'on avait eu de la chance.

SOIXANTE-DOUZE

WRECKING BALL

Un après-midi, au retour de mon rade local, je me suis mis à chanter au volant : *You put on your coat, I'll put on my hat, you put out the dog, I'll put out the cat*… (Tu mets ton manteau, je mettrai mon chapeau, tu sors le chien, je sortirai le chat…) « Easy Money ». Déclic… la muse s'est matérialisée sur le bord de la route. Cette chanson sur l'« argent facile » était la clé d'un disque qu'il fallait que je fasse.

Depuis le krach de 2008, j'étais furieux de voir qu'une poignée de boîtes de Wall Street pouvaient provoquer des dégâts d'une telle ampleur. *Wrecking Ball* était un coup de gueule face aux injustices qui se répandaient et se multipliaient avec les dérégulations, le dysfonctionnement des agences de réglementation et le capitalisme devenu fou, aux dépens d'honnêtes travailleurs américains. La classe moyenne ? Écrasée. La disparité entre les revenus s'était accrue alors qu'on avait vécu un âge d'or. Voilà sur quoi j'avais envie d'écrire.

Ça faisait trente-cinq ans que je suivais le traumatisme de la désindustrialisation américaine et que j'écrivais des chansons sur la destruction de notre tissu industriel et de la classe ouvrière. Alors au boulot. J'avais quelques chansons qui attendaient dans mon carnet : « Jack of All Trades », écrite dans une colère folle, « We Take Care of Our Own » et « Wrecking Ball ». Puis j'ai écrit « Easy Money », « Death to My Hometown » et « This Depression ». J'avais composé « Shackled and Drawn » et « Rocky Ground » pour un projet de film gospel, et ces deux titres collaient parfaitement. Restait à trouver une chanson pour clore l'album. J'avais « Land of Hope and Dreams », sur laquelle on galérait pour essayer de faire mieux que notre version live, jusqu'à ce que Bob Clearmountain nous sorte un mix transcendant. Mais il nous manquait quand même un titre qui mettrait en scène les voix nouvelles de l'immigration, le mouvement des droits civiques et tous ceux qui avaient déjà relevé la tête pour revendiquer une justice digne de ce nom – et s'étaient fait démolir ou tuer pour la peine. Où étaient-ils ? J'ai réalisé qu'ils étaient tous là et qu'ils parlaient à ceux qui voulaient bien les écouter. Ces esprits ne disparaissent pas. D'outre-tombe, ils vous hantent et continuent de semer le trouble. On ne les a jamais fait taire et on ne les fera jamais taire. La mort leur a donné une voix éternelle. Il suffit de tendre l'oreille. Voilà le message de ma dernière chanson : « We Are Alive ». Écoutons les âmes et les esprits qui nous ont précédés et entendons ce qu'ils ont à nous apprendre.

Je savais que c'était ça qu'il fallait que je compose comme musique à présent. C'était ma mission. J'avais le sentiment que le moment était critique, que le pays était à la croisée des chemins. Si on pouvait s'en prendre à ce point-là aux citoyens lambda sans que personne ait de comptes à rendre, alors la partie était jouée et le voile fin de la démocratie se révélait n'être que le masque d'une ploutocratie désormais installée.

Wrecking Ball a reçu un accueil bien moins favorable que ce que j'avais imaginé. J'étais persuadé d'avoir mis dans le mille – et je le suis encore aujourd'hui. Est-ce que mon succès a compromis ma voix ? Je ne crois pas. J'ai bossé dur, et longtemps, sur ces sujets et je les connais bien. Pour moi une chose était sûre : *Wrecking Ball* était un de mes albums les plus contemporains et les plus accessibles depuis *Born in the USA*. Comme je ne suis pas adepte de la théorie du complot, je me suis contenté de constater que même si ces idées, présentées sous cette forme, avaient un intérêt puissant, elles s'adressaient à un public limité, particulièrement aux États-Unis. Les années qui ont suivi, on a tourné dans le monde entier et rencontré des publics déchaînés, notamment en Europe où comme toujours ça a été la folie. Là, il y avait un intérêt véritable et constant pour les affaires américaines et les artistes qui en parlaient. En interview, les questions étaient politiques, sensibles aux enjeux que j'avais en tête au moment où j'avais composé l'album. Il fallait se rendre à l'évidence : en Amérique, le pouvoir du rock à véhiculer ces idées avait diminué. Au profit d'un nouveau genre de super-pop, de hip-hop et de toutes sortes d'autres genres musicaux excitants, davantage en phase avec l'esprit du temps. Attention, ne croyez pas que je me plaigne. *Wrecking Ball* s'est quand même classé numéro un et a eu un beau succès aux États-Unis. Des foules de gens qui nous appréciaient et nous comprenaient sont venus nous voir partout. Mais j'étais convaincu que c'était un de mes disques les plus puissants et j'étais déterminé à partir sur la route pour le prouver.

SOIXANTE-TREIZE

PERDRE LA PLUIE

C'était un jour de pluie et de vent, j'étais au studio, à la ferme, lorsque j'ai reçu un coup de fil de Clarence. J'avais essayé de le joindre pour qu'on cale une séance de sax pour une nouvelle version de « Land of Hope and Dreams » sur l'album *Wrecking Ball* à venir. Il appelait de Los Angeles, où il venait juste de se produire dans l'émission *American Idol* avec Lady Gaga. Il avait fait un super solo sur son single « The Edge of Glory » et il apparaissait aussi dans son clip. Je lui ai demandé comment il allait, il m'a dit qu'il avait comme un engourdissement dans la main, qui gênait son jeu et l'inquiétait beaucoup. Du coup, il devait me faire faux bond – c'était la première fois de notre histoire – pour retourner en Floride voir un neurologue et se faire ausculter la main. Pas de problème, je lui ai dit, il pourrait enregistrer notre session plus tard, je l'appellerais d'ici une semaine pour prendre de ses nouvelles.

Là-dessus Patti et moi on est partis quelques jours à Paris pour notre anniversaire de mariage. Le troisième jour, je crois, Gil Gamboa, qui est chargé de notre sécurité, a frappé à la porte de notre chambre. J'ai tout de suite vu qu'il avait les larmes aux yeux. D'une voix étranglée, il m'a annoncé que Clarence avait fait une attaque très grave et qu'il avait été hospitalisé. J'ai pris illico l'avion pour la Floride.

Clarence avait fait un très grave AVC, toute une partie de son cerveau était en berne. Je me suis rendu au Saint Mary's Medical Center, à West Palm Beach, où j'ai été accueilli par Bill, le frère de C, Jake, son neveu, et Victoria, sa femme. On m'a amené au chevet du Big Man. Il respirait difficilement dans la pénombre de sa chambre. Une armada de tubes et de fils sortait de sous sa blouse. Ses paupières, qui m'évoquaient depuis toujours de douces portes d'acier, s'ouvrant et se fermant avec langueur, étaient lourdement fermées. Victoria lui a dit que j'étais là. Je lui ai pris la main, lui ai chuchoté quelques mots et j'ai senti une légère pression. Une partie de lui, quelque part, réagissait. Clarence avait des mains comme des battoirs, mais lorsqu'il vous les posait sur les épaules, vous vous sentiez envahi corps et âme par un sentiment de réconfort et d'apaisement. Très, très fort et excessivement doux – voilà comment était C avec moi.

Le personnel de Saint Mary a eu la gentillesse de mettre à notre disposition une petite chambre où Bill, ses neveux, enfants et amis pouvaient se réunir, faire un peu de musique et parler de lui. La chambre était suffisamment à l'écart pour qu'on ne dérange pas les autres malades et on a pu passer plusieurs jours et plusieurs nuits à jouer du sax, de la guitare et à chanter en attendant de voir comment Clarence réagissait aux efforts des médecins. Les examens, les consultations s'enchaînaient, mais un après-midi, le docteur attitré de C m'a confié que ça tiendrait quasiment du miracle s'il reprenait conscience. Et que si c'était le cas, il serait probablement hémiplégique, condamné à la chaise roulante. Son élocution, son visage et ses mains ne fonctionneraient plus normalement. Alors jouer du saxo… Je me demande comment Clarence aurait fait. C'était une force de la nature, douée d'une énergie vitale prodigieuse, mais je sais qu'il aurait énormément souffert de ne pas jouer, et de ne pas jouer dans le groupe. C'était impensable. Clarence avait toujours été d'un naturel excessif, il avait vécu à cent à l'heure, sans jamais vraiment prendre soin de lui, en fonçant droit devant.

Une semaine a passé, son état continuait d'empirer. Tout ce qui pouvait être tenté l'avait été.

Le soleil matinal parait d'un voile rose le parking de Saint Mary lorsqu'on est entrés par la porte de derrière et qu'on s'est réunis dans la petite chambre, à son chevet. Sa femme, ses fils, ses neveux, Max, Garry et moi, on s'est préparés à lui dire au revoir. J'ai délicatement gratté « Land of Hope and Dreams » à la guitare et là, un truc inexplicable s'est produit. Quelque chose de grandiose et intemporel, de beau et déconcertant a disparu. Quelque chose s'était évaporé… s'évaporait pour de bon.

Il n'y a pas de preuve de l'existence de l'âme hormis sa soudaine absence. Le néant fait son entrée, s'installant là où jusqu'alors il y avait quelque chose. Une nuit sans étoiles tombe et, un moment, recouvre tout dans la chambre. Le corps massif de Clarence s'est immobilisé. Il venait d'être rappelé. On a tous beaucoup pleuré et prié, jusqu'à ce que l'infirmière qui s'était occupée de lui nous demande gentiment de sortir. Bill s'est effondré. Le silence a été rompu. Dans le couloir, on s'est consolés les uns les autres, on a parlé un moment, on s'est embrassés et puis chacun est tout simplement rentré chez soi.

Dehors, c'était une magnifique journée ensoleillée de Floride, exactement le genre de temps que Clarence adorait pour ses sorties de pêche. Je suis retourné à mon hôtel, j'ai senti le besoin d'aller nager dans la mer, loin, longtemps, jusqu'à ne plus avoir le bruit du rivage dans les oreilles.

J'essayais d'imaginer mon monde sans mon ami. Puis, sur le dos, j'ai laissé le soleil me brûler le visage et j'ai regagné la plage. Je suis remonté dans ma chambre et me suis endormi tout mouillé sur mon lit.

L'air épais de Floride nous remplissait les poumons de coton quand on est entrés dans la Royal Poinciana Chapel. Tout le E Street était au rendez-vous, à côté de Jackson Browne, les femmes de Clarence et ses enfants, ainsi qu'Eric Meola, qui avait pris la fameuse photo du Big Man et moi pour la pochette de *Born to Run*. Victoria a prononcé des mots magnifiques sur C et elle a lu ses dernières volontés : il voulait que ses cendres soient dispersées à Hawaii en présence de son épouse et de toutes les autres femmes «spéciales» de sa vie – il n'y avait que lui, vivant ou mort, pour imaginer un truc pareil.

La première fois que j'avais vu sa carrure massive apparaître dans un bar à moitié vide d'Asbury Park, je m'étais dit : «Voilà mon frère.» Le Big Man avait beau être taillé comme une armoire à glace, il était aussi très fragile. Et, d'une drôle de manière, chacun de nous deux était devenu le protecteur de l'autre ; je crois avoir peut-être protégé C d'un monde où ce n'était pas toujours si facile d'être costaud et black. Le racisme avait la vie dure – toutes ces années passées ensemble, on avait pu le vérifier – et la célébrité et le gabarit de Clarence ne l'en protégeaient pas toujours. Je pense que lui me protégeait peut-être d'un monde où ce n'était pas non plus toujours facile d'être un blanc-bec angoissé, bizarre et maigrichon. Quand on était ensemble, on était des durs, toujours, capables d'affronter le monde entier. Et on déboulait dans votre ville pour vous secouer et vous réveiller.

Ensemble, on a raconté une histoire qui transcendait celles que j'avais écrites. Une histoire sur ce que l'amitié peut vous apporter, une histoire que

Clarence portait dans son cœur. On la portait l'un et l'autre. C'était l'histoire de Scooter et Big Man qui faisaient exploser la ville dans « Tenth Avenue Freeze Out ». On mettait tout sens dessus dessous, puis on *refaisait* la ville, on lui redonnait forme pour qu'elle devienne un lieu où notre amitié ne serait plus une anomalie. Je savais que c'était ça qui allait me manquer : la chance de me tenir à côté de Clarence et de renouveler ce vœu chaque soir. Voilà le *truc* qu'on avait bâti ensemble.

Clarence était un des types les plus authentiques que j'aie jamais rencontrés. Avec lui, pas de foutaises postmodernes. En dehors de mon paternel, véritable personnage à la Bukowski, qui avait passé sa vie le cul sur un tabouret de bar, je n'avais jamais rencontré quelqu'un d'aussi vrai que Clarence Clemons. Sa vie a souvent été un foutoir sans nom. Il était capable de dire les pires conneries et d'y croire, mais quelque chose en lui hurlait qu'il était VIVANT et que c'était lui le maître de cérémonie ! Il a été extrêmement heureux et s'est rendu atrocement malheureux, il m'a obstinément tenu tête et a béni mes décisions, il pouvait être absolument poilant et toujours à deux doigts du psychodrame. Il collectionnait autour de lui une galerie de personnages à peine croyables. Il était sexuellement mystérieux et vorace, mais aussi incroyablement charmant. C'était mon ami. Par contre, pas question d'aller traîner avec lui. Ça aurait ruiné ma vie. Avec lui, tout était toujours excessif. Mais le temps qu'on passait ensemble était plein d'émotion et de rigolade. On était physiquement à l'aise l'un avec l'autre, on se serrait facilement dans les bras. Le corps de Clarence, c'était en soi tout un monde, une espèce de roc-citadelle qui avançait dans la tempête.

Mon ami me manque. Mais j'ai encore l'histoire qu'il m'a donnée, qu'il m'a chuchotée à l'oreille, qu'on a racontée ensemble, celle qu'on vous a aussi chuchotée à l'oreille, et ça va continuer. Si j'étais mystique, je dirais que pour être si liés tous les deux, on avait dû se connaître en d'autres temps, des temps plus anciens, le long d'autres rivières, dans d'autres champs, et accomplir côte à côte notre modeste part de l'œuvre de Dieu.

Clarence était essentiel dans ma vie et depuis que je l'ai perdu, c'est comme si j'avais perdu la pluie. Les derniers jours, il marchait difficilement jusqu'à la scène, mais dès qu'il y était, il redevenait le Big Man.

Je suis retourné dans le New Jersey et j'ai remis les pieds en studio. Mon producteur Ron Aniello était là, il travaillait sur *Wrecking Ball*. Il m'a présenté ses condoléances et m'a dit qu'en apprenant la mort de Clarence, il n'avait d'abord plus su quoi faire. Et puis, pendant un séjour à LA, il avait soigneusement monté le solo de C à partir d'une version live, pour qu'il colle avec notre nouvelle version de « Land of Hope and Dreams ». Je suis resté assis là, à écouter le saxo de C emplir la pièce.

SOIXANTE-QUATORZE

LA TOURNÉE *WRECKING BALL*

Un jour, lors d'une négociation, Clarence m'avait dit qu'il aurait dû être payé non seulement pour jouer mais aussi pour être Clarence. J'ai dit non et c'était drôle… n'empêche, il y avait du vrai là-dedans. En existait-il un autre ? Oh que non. Ce gars-là était unique. En vérité, il était effectivement payé pour être Clarence, dans la mesure où il avait été le musicien du E Street Band le mieux payé depuis pratiquement les débuts du groupe. Bon, alors qu'est-ce qu'on fait maintenant ? Notre tournée approchait et je n'avais que cette question à l'esprit.

Ed Manion, notre saxophoniste de longue date – qui avait joué pour Southside Johnny and the Asbury Jukes, le E Street et les Seeger Sessions – était un musicien extra, un type adorable, et il s'acquitterait assurément du job. Sauf que le job était délicat. Ce qui était à pourvoir c'était surtout un poste mystique, nécessitant des qualités chamaniques bien particulières. Il y avait aussi un gars à Freehold que j'avais pratiqué et avec qui ça s'était bien passé ; il captait bien l'essence de C et il était super sur scène, mais…

J'ai reçu une petite collection de CD de types capables de faire des merveilles au saxo, mais on n'avait pas non plus besoin de John Coltrane. Ce qu'on cherchait, c'était un saxo qui soit rock'n'roll jusqu'à l'os. Et tandis que, un matin, je passais en revue ces saxophonistes, Patti à côté de moi donnait son verdict : « Non, non, non, non. » Par curiosité, je suis même allé sur Internet regarder les meilleurs groupes « de reprises » pour voir ce que ça donnait… Encore non.

Jake

Il avait eu beau voyager avec le groupe pendant la majeure partie de la tournée *Magic/Dream*, je n'avais vraiment entendu Jake jouer qu'aux funérailles de Clarence, dans une très belle version d'« Amazing Grace ». Physiquement costaud comme son oncle – au premier coup d'œil, ses frères et lui pouvaient passer pour une tribu de guerriers maoris –, ce jeune gars à lunettes était aussi doux et posé. Il avait dû avoir une gentille maman parce qu'il rayonnait littéralement la plupart du temps, comme C irradiait dans ses bons jours. Il était doué, c'était un bon *songwriter* et un bon chanteur, il adorait la musique et voulait aller loin, et je percevais en lui une graine de star.

Pendant plusieurs mois après la mort de C, Jake et moi sommes restés en contact de manière informelle. Chacun savait ce que l'autre avait derrière la tête mais on n'abordait jamais la question. Dans la rue mes copains et mes fans me demandaient régulièrement : « Quèstuvasfaire ? » C'est toujours comme ça que ça sortait. Une pensée, un mot, une question épineuse, existentielle, essentielle, du genre « Il faut que je sache MAINTENANT parce que ça me rend DINGUE que ce truc que j'adorais puisse ne plus exister !!! ». Et chaque fois que j'entendais : « Quèstuvasfaire ? », ma réponse était toujours la même : « On va trouver une solution. »

Pour Steve, aucun doute à avoir : « Jake est black. Il joue du saxo. Il s'appelle Clemons. C'est lui ! Ça ne peut être que lui ! » Remplacer le Big Man par un… Blanc ? Impossible d'après lui. Je voyais bien ce qu'il entendait par là : ce « truc », cet univers, cette possibilité dont Clarence était le symbole depuis nos débuts dans un Asbury Park où Noirs et Blancs vivaient séparés, c'était incontestablement lié à la couleur de sa peau. Et ce « truc » était effectivement un élément crucial de la philosophie vivante du E Street Band. J'étais d'accord avec Steve mais, dans la mesure où de toute façon il n'y avait qu'*un* véritable Big Man, dont on ne retrouverait chez personne ni le jeu, ni la stature, ni même la manière unique d'être black, cette histoire de couleur de peau n'avait pas vraiment d'importance… enfin peut-être pas. Je savais que le groupe avait changé à la minute où C avait poussé son dernier souffle. Que cette version du E Street Band Avait Disparu à Jamais. On ne *remplacerait* pas Clarence Clemons. La vraie question, là, c'était : et ensuite ? Ensuite… là, maintenant.

En tant que candidat « naturel », Jake était en première position. En plus, j'avais déjà joué avec les autres gars à qui je pensais et Jake était le seul sur lequel je m'interrogeais sérieusement : il fallait que je sache ce qu'il avait dans le ventre. Et donc, plusieurs mois après ces jours passés dans cette petite chambre de Saint Mary à faire tourner la guitare, je l'ai appelé – ce coup de fil, il devait l'attendre. Je lui ai expliqué la situation : on allait se retrouver pour une audition, lui et moi seulement, et on verrait s'il y avait matière à pousser plus loin.

En tournée, certains avaient exprimé des doutes sur la maturité de

Jake. D'après mon expérience il avait tendance à la fanfaronnade mais après avoir discuté avec lui pendant la maladie de Clarence, j'estimais que ça valait le coup de creuser. Le moment était venu d'être fixé.

Jake a eu la mauvaise idée de se présenter avec une heure de retard à notre rendez-vous. J'étais fumasse. « Tu avais quelque chose de plus important à faire ? » Non, non, c'est juste qu'il s'était perdu. Et on s'est mis tout de suite au boulot.

Au téléphone, je lui avais indiqué quatre ou cinq chansons avec lesquelles se familiariser, dont « Promised Land » et « Badlands ». Je voulais entendre sa patte, son phrasé et me faire une idée sur sa capacité à apprendre. En arrivant, il les connaissait « à peu près ». Leçon numéro un : dans le E Street Band, on ne fait RIEN… « à peu près ». James Brown était mon père spirituel, mon dieu et mon héros en tant que chef de groupe. Je me suis aussi beaucoup inspiré de Sam Moore. Au sommet de leur art, ces mecs ne pouvaient pas se permettre de déconner. Sur scène, avec leurs groupes, c'était PAS DE QUARTIER !

On me demandait toujours comment faisait le groupe, soir après soir, pour jouer avec une constance presque assassine, sans JAMAIS patiner, toujours à fond les manettes. Deux réponses à ça. Premièrement, les musiciens aimaient leur boulot, ils s'aimaient les uns les autres, ils aimaient leur leader et le public. Deuxièmement… avec moi, ils n'avaient PAS LE CHOIX ! Ne sous-estimez pas le deuxième point. J'avais besoin que Jake comprenne bien tout ça, alors je lui ai dit : « Soyons clairs. Tu viens à une audition pour le poste de Clarence Clemons dit le Big Man, au sein du E Street Band – et ce poste, je te le signale au passage, c'est pas un boulot mais une putain de mission sacrée. Tu vas jouer les plus célèbres solos de Clarence pour Bruce Springsteen (oui, j'ai parlé de moi à la troisième personne), le type qui a été à ses côtés pendant quarante ans, qui a créé ces solos avec lui, et tu me sors que tu les sais *à peu près* ? Non… mais… tu te crois… où ? Je vais te le dire, moi, où tu es : dans une CITADELLE DU ROCK'N'ROLL. Alors ne t'avise pas de te pointer devant Bruce Springsteen sans maîtriser sa musique SUR LE BOUT DES DOIGTS ! Non seulement tu te tapes la honte mais tu me fais perdre un temps précieux. »

Je n'ai pas l'habitude de parler sur ce ton, et j'exagérais un peu – mais pas tant que ça – parce que c'était lui, et parce que c'était moi. J'avais besoin de savoir qui *était* Jake. Parce que même s'il était capable de jouer dans le E Street Band, qu'il était fondamentalement, ce qu'il avait dans le bide, son degré de compréhension émotionnelle des enjeux pour lesquels on jouait, TOUT ÇA ÉTAIT À PRENDRE EN COMPTE, PUTAIN ! Ça n'avait rien d'un truc intellectuel. Dan Federici était tout en instinct, mais il comprenait la fraternité. Est-ce que Jake pigeait ça ?

Au bout de quelques tentatives, je lui ai dit de retourner dans sa chambre d'hôtel et d'y rester tant qu'il ne maîtriserait pas ces solos. Je lui ai dit qu'il ne mettrait pas les pieds dans le groupe avant de les jouer à la perfection d'abord juste pour nous deux, lui et moi. Ensuite il jouerait et enregistrerait sur une bande live du E Street en pleine bourre. Ensuite, et seulement ensuite, je l'amènerais devant mes musiciens. Il m'a appelé un ou deux jours plus tard pour me dire qu'il était prêt. Et cette fois, effectivement, il l'était.

Les jours suivants, j'ai découvert en Jake un jeune saxophoniste sensible et bûcheur qui m'a beaucoup plu. Je l'ai encouragé, j'étais à fond pour lui, pour nous. Clarence était carrément dans la pièce avec nous. Il nous rapprochait. Il m'avait parlé de son neveu quand il était malade et je savais que ça l'aurait fait sourire de savoir le gamin avec moi. J'avais l'impression d'avoir sa bénédiction. Bien sûr, ça n'aurait eu aucun sens si Jake n'avait pas eu l'étincelle. Une armée de Clemons au même look que C, et jouant du sax aussi bien que lui auraient pu postuler, s'ils n'avaient pas senti *pourquoi* on était embarqués dans cette histoire, ça n'aurait rien donné. Jake avait l'âme du E Street dans le sang. C'était un grand gaillard doué et beau gosse, et ça c'est cool. On veut des stars, et Jake en possédait l'assurance. Il allait bientôt en avoir besoin. Je savais aussi qu'il était prêt à mettre son talent, corps et âme, au service de notre groupe et de nos idées, et nous, en retour, on allait… changer sa vie.

Certains membres du groupe qui avaient déjà joué avec lui le trouvaient indiscipliné et restaient sceptiques. Il allait falloir que Jake et moi on dissipe ces doutes de manière imparable. On est allés tous les deux rejoindre le E Street à la base militaire abandonnée de Fort Monmouth, où le groupe louait un théâtre pour les répétitions, on est entrés, on a salué les gars, j'ai annoncé le titre des chansons qu'on allait faire tourner, on s'est mis à jouer et Jake a fait carton plein. Pour Steve et d'autres, c'était réglé. Restait une petite minorité qui demandait à entendre d'éventuelles autres options. Au départ, la ressemblance physique entre Jake et C angoissait Jon Landau : « On dirait Clarence jeune », il était consterné en disant ça. Moi, ce n'est pas ce que je voyais. Je voyais que quelqu'un, là-haut, qui m'avait à la bonne m'avait envoyé ce gamin charmant avec tout ce qu'il fallait pour soigner ce qui était sans doute la blessure la plus grave infligée à notre tribu, et nous aider à aller de l'avant. À ce poste-là, aucun musicos cachetonneur, aucun mercenaire même pétri de bonnes intentions n'aurait pu faire l'affaire, du moins pas sur cette tournée, pas maintenant.

L'Apollo Theater… le Saint des Saints de la soul. La scène la plus sacrée pour tout apôtre de la rock'n'soul. C'est ici que le E Street Band nouvelle génération va faire ses débuts, ce qui semble justifié mais n'en reste pas moins effrayant. On arrive pour faire la balance, les techniciens nous disent bonjour, nous remercient d'être venus, nous montrent la fameuse souche d'arbre côté jardin, que tout aspirant Apollon touche pour qu'elle lui porte bonheur avant l'heure de vérité. Je suggère à Jake de sacrifier à la tradition lui aussi. Voilà la scène où James Brown a mis le feu sur « Sex Machine », où plus un siège n'était sec à la fin du concert de Smokey, où Joe Tex a aimé les femmes aux « jambes fines et tout » avant de sagement conseiller à ses adeptes de « s'en tenir à ce qu'ils avaient ». Ce soir, après quarante ans à bosser sur la route, on est des aspirants comme les autres. On a juste envie de mériter ce bref moment sur les planches de l'un des plus hauts lieux de la musique.

Ici, Sam and Dave ont enseigné à leur public les qualités nécessaires pour devenir un *soul man*. *Soul man*… c'est exactement ça. Je ne serai jamais un chanteur de R&B, mais *soul man* est un terme bien plus large qui englobe ta vie, ton travail, et la manière dont tu abordes l'un et l'autre. Joe Strummer, Neil Young, Bob Dylan, Mick et Keith, Joey Ramone, John et Paul – autant de petits Blancs qui méritent ce titre. *Soul man*, c'est une notion qui comprend tout, et je serais parfaitement heureux d'avoir juste ces deux mots gravés sur ma tombe.

À la balance, je replace Jake au cœur de la section cuivres. L'essentiel c'est d'éviter de le mettre en position de devoir à tout prix endosser l'héritage de Clarence. Le rôle de C ne sera pas repris par un autre saxo et il faudra bien que notre public s'habitue à l'absence du Big Man. C'est pour ça que Jake joue avec les cuivres, ou à sa place à lui. Il y a là un espace qui ne demande qu'à être revendiqué. Mais il va jouer *ces* solos. Je lui ai bien fait comprendre que ces solos sont des compositions, des collaborations entre Clarence et moi, qui sont gravées dans le cœur de nos fans. « Pas besoin de faire un truc extraordinaire, contente-toi de les jouer. Essaye d'avoir le meilleur son possible, prends ta respiration là où C respirait, et joue-les comme ils ont été composés et enregistrés. » Le boulot de Jake doit venir de l'intérieur. Connaître les notes c'est facile, n'importe quel saxophoniste digne de ce nom est capable de les sortir. Mais les *comprendre* – savoir ce qu'elles *signifient*, connaître leur pouvoir à l'intérieur de la chanson –, c'est ça qui fait la différence.

Avec le temps, au fur et à mesure que notre musique imprégnait les âmes de nos fans, l'entrée de Clarence dans nos titres les plus connus était presque toujours accueillie par un tonnerre d'applaudissements. Pourquoi ? Il ne jouait rien de difficile, mais il faisait pourtant quelque chose de difficile et de singulier. Il y mettait toute sa conviction. Comme le dit Branford Marsalis dans le magnifique essai qu'il a écrit à la mort de Clarence, C avait cette immense qualité d'avoir « une puissance d'intention musicale ».

Ces solos en eux-mêmes sont superbes. Ils sont simples, élégants, j'imagine, mais ce n'est pas avec ça qu'on décrochera une médaille au Berklee College of Music, à moins de comprendre combien c'est compliqué de créer, à l'intérieur d'un cadre aux limites strictes, quoi que ce soit de légèrement nouveau sous le soleil. Clarence a réinventé le saxophone rock'n'roll des années 1970 et 1980. Bien sûr qu'il avait King Curtis, Junior Walker, Lee Allen et bien d'autres mentors de Clarence, mais pour moi Clarence figure parmi les meilleurs – et je lui dois en grande partie d'être là où je suis aujourd'hui.

Là-dedans, la mission de Jake, son service, c'est de comprendre ces notes, d'en être convaincu. Ensuite il aura sa place dans cette collaboration, et pour ça, impossible de faire semblant. C'est tout ou rien. Techniquement,

Jake est un bon saxophoniste, et quand il assure, il redonne à ces solos leur lustre étincelant. C lui-même, sur la fin, avait du mal à les jouer, à cause de sa maladie, alors c'est un bonheur d'entendre Jake les reprendre avec la vitalité de la jeunesse.

Je vais voir Jake à la fin de la balance. À côté de lui, je ne peux pas m'empêcher de sourire. Je m'avance de six pas jusqu'à un petit palier. C'est là qu'il jouera ses solos. « Dans deux heures, je lui dis, voilà les marches qui changeront ta vie, pour le meilleur et pour le pire », et je lui tapote l'épaule. Il me décoche ce sourire mille watts qui est l'une de ses armes les plus puissantes et il hoche la tête.

Le concert va commencer. Jake arrive en backstage sans ses lunettes. « Qu'est-ce que t'en as fait ? je lui demande.

– J'ai mis mes lentilles.

– Remets tes lunettes. Tu es l'étudiant. »

Sur « We Take Care of Our Own », pas de solo. Arrive « Badlands ». Il y a comme un appel d'air dans la salle, puis les deux douzaines de notes du solo jaillissent du sax de Jake et déferlent dans tout l'Apollo. Dans le public, après un infime silence, c'est une explosion d'applaudissements et de hurlements. Gagné ! Jake ne sera plus jamais en retard.

Avant l'Apollo, j'ai expliqué à Jake que là on était engagés dans une grande danse avec notre public. C'est lui qui nous dirait ce qu'en tant que duo on pourrait faire ou ne pas faire. Le tout c'était de regarder et d'écouter. Au début, je n'ai pas mis Jake dans les fameuses postures de scène qu'on prenait Clarence et moi – pas d'épaule contre épaule ni rien de toutes nos positions devenues iconiques. On a fait attention à y aller en douceur, respectueusement, mais Jake a été lui-même dès le début. Il a réussi à se laisser pénétrer de l'esprit de C sans pour autant renoncer à sa propre identité. Lentement, la plupart de nos règles sont tombées et on a commencé, avec l'approbation de notre public, à faire simplement ce qui nous paraissait naturel. Cette tournée serait non seulement l'occasion de présenter la nouvelle version du E Street, mais un au revoir international, une veillée à la fois joyeuse et triste pour le Big Man. C'est comme ça que ça s'est passé à chaque étape. La présence de Clarence nous accompagnait sans jamais freiner notre marche en avant. Voilà le cadeau d'adieu qu'il nous faisait.

SOIXANTE-QUINZE

DE ZÉRO À SOIXANTE EN UN ÉCLAIR

Le blues ne vous saute pas immédiatement à la gorge. C'est insidieux. Peu après mon soixantième anniversaire, j'ai fait une dépression. Je n'avais rien vécu de tel depuis cette fameuse nuit, dans la poussière du Texas, trente ans plus tôt. Ça a duré un an et demi et ça a été l'enfer. Quand cette humeur lugubre s'abat sur moi, personne ne s'en rend compte – en tout cas ni M. Landau, ni aucun collègue de travail, ni le public, jamais, ni, heureusement, les enfants –, personne sauf Patti. Elle, dans ces moments, elle sent que le train de marchandises lancé à pleine vitesse et chargé de nitroglycérine va dérailler. Pendant ces périodes, je peux être infect : je cavale, je fais semblant, j'esquive, je disparais, je reviens, le tout sans m'excuser ou presque, et tout ce temps Patti monte la garde dans le fort où moi j'essaie de mettre le feu. Jusqu'au jour où, suffit les conneries, elle m'emmène voir le toubib pour qu'il me donne un traitement. Ça fait plus de douze ans que je suis sous antidépresseurs. Ces médocs – avec le même genre d'effets que pour mon père, mais dans une moindre mesure – me permettent d'avoir une vie que je n'aurais pas pu avoir sinon. Ça marche. Alors je reviens sur terre, chez moi, auprès de ma famille. Le pire de mon comportement destructeur est évité et mon humanité revient. Laminé pendant quasiment deux ans, j'ai eu une année de répit avant de replonger entre soixante-trois et soixante-quatre ans. Pas terrible, hein.

Pendant cette période, beaucoup de copains et de membres de la famille sont morts autour de moi : Clarence, Danny, ma tante Eda et ma tante Dora, Tony Strollo, mon ami et entraîneur pendant dix ans, qui avait lui-même sombré dans la dépression, et Terry Magovern. Terry aura été mon assistant pendant vingt-trois ans ; c'est lui qui, quarante ans plus tôt, nous avait refusé un gig régulier au Captain's Garter, à Steve et moi. Il y a des gens qui emportent avec eux tout un monde lorsqu'ils disparaissent. Terry Magovern, c'était ça. Ancien des forces spéciales de la marine de guerre, Terry était le dernier grand symbole de la scène enragée des bastringues du Shore des années 1960 et 1970. Gérant de bar, videur redouté, maître-nageur sauveteur, père, grand-père, ami loyal et compagnon fidèle de boulot – voilà ce qu'était Terry. C'est pour lui que j'ai écrit « Terry's Song » dans *Magic*.

Au début, j'ai cru que c'était à cause de tous ces décès dans mon entourage. C'est vrai que tous ces gens m'étaient très chers, mais la mort, je suis capable de l'affronter. Non, le problème c'est autre chose. C'est ce *truc* que j'ai analysé et contre lequel je me suis battu pendant une bonne partie des soixante-cinq années écoulées. Il s'insinue en moi dans le noir ou en plein jour, sous un masque chaque fois légèrement différent, si subtil que certains de ceux qui comme moi l'ont déjà identifié et combattu plusieurs fois l'accueillent comme un vieil ami. Et puis, une fois de plus, ce *truc* élit domicile dans mon esprit, mon cœur, mon âme, avant d'être délogé non sans avoir laissé derrière un beau boxon.

Pas facile de traiter une dépression. À un moment donné, je me suis rendu compte que les médocs que je prenais n'étaient plus efficaces. Ça arrive. L'effet des médicaments varie dans le temps en fonction de la chimie du corps et souvent il faut procéder à des ajustements. Après la mort du docteur Myers, qui m'avait suivi pendant vingt-cinq ans, je voyais un nouveau médecin avec qui j'obtenais de très bons résultats. D'un commun accord, on a décidé d'arrêter le médicament que je prenais depuis cinq ans et de voir venir… DEATH TO MY HOMETOWN !! J'étais aussi dévasté que la ville en ruine de la chanson. J'ai plongé, tel le cheval de foire qui se jetait à l'eau du vieil embarcadère d'Atlantic City, dans un océan de tristesse et de larmes. Je n'avais encore rien vécu de tel. Quand ça me tombe dessus, je ne tiens pas à être plaint et je cache mon jeu ; je me débrouille pas mal pour dissimuler l'ampleur de ma détresse à mon entourage, y compris mon toubib. Souvent je m'en sortais bien, sauf pour une chose : ces foutues LARMES ! Des larmes à n'en plus finir, qui dégringolaient sur mes joues, comme les chutes du Niagara, à n'importe quelle heure du jour. À croire qu'un petit malin avait ouvert les vannes et s'était tiré avec la clé. Et PAS moyen d'arrêter le torrent. Des larmes comme celles qu'on verse devant *Bambi*… ou *Fidèle Vagabond*… ou *Beignets de tomates vertes*… Il pleuvait ? C'était parti pour les grandes eaux. Il faisait beau ? Pareil. Je ne retrouvais pas mes clés ? Des larmes. Au moindre petit incident du quotidien, au moindre accroc sur la route des sentiments, j'étais au trente-sixième dessous. Ça aurait pu être comique, sauf que ça ne l'était pas.

Les choses les plus insignifiants devenaient prétexte à des crises existentielles qui faisaient exploser mon monde et m'emplissaient d'un sentiment atroce et profond de tristesse et d'appréhension. Ça y est, tout était perdu… tout… il ne me restait plus rien… l'avenir s'annonçait sinistre… et la seule chose qui me soulageait un peu c'était de monter sur ma bécane et de rouler à fond, ou de me mettre en danger autrement. Ce qui me réussissait pas trop mal, c'était de m'épuiser physiquement. Je me faisais de très grosses séances de muscu – juste pour avoir un peu de répit, j'ai dû faire l'équivalent de la traversée de l'Atlantique en paddle. Bref j'étais prêt à tout pour que le « chien noir » de Churchill retire ses crocs de mon cul.

Pendant l'essentiel de cette période, aucune tournée programmée. J'avais pris une année et demie de congé pour pouvoir rester près de ma famille – mon plus jeune fils terminait le lycée. Sûr qu'on n'a jamais été aussi proches, mais ça signifiait aussi que je ne pouvais pas compter sur la forme d'automédication qui marchait le mieux pour moi : les concerts. Je me souviens du jour où, après m'être épuisé comme une bête le temps d'un aller-retour Sea Bright-Long Branch en paddle sur un océan assez houleux, j'ai fini par craquer et appeler Jon : « Trouve-moi des concerts, n'importe où, je t'en supplie. » Et bien sûr, je me suis mis à chialer comme une madeleine. Bizarre qu'on ne m'ait pas entendu jusque dans le sud de Manhattan. Une vieille dame qui promenait son chien sur la plage est gentiment venue me voir pour me demander si elle pouvait faire quelque chose pour moi. Et vas-y que je brame de plus belle. Pour la remercier je lui ai offert des places pour le concert. J'avais déjà vu ce syndrome chez mon père : après son attaque, il avait souvent les larmes aux yeux. Dans l'ensemble, mon paternel était plutôt du genre impénétrable à la Robert Mitchum, alors ça me plaisait quand il pleurait, ça me faisait du bien. Il pleurait quand j'arrivais, il pleurait quand je repartais, il pleurait quand je parlais de notre vieux chien… Maintenant c'était mon tour.

J'ai dit à mon toubib que je ne pouvais pas vivre comme ça. Je gagnais ma vie en donnant des concerts, des interviews, j'étais observé de près. Et pour peu que quelqu'un prononce devant moi le nom de Clarence… Alors il m'a envoyé chez un spécialiste. Patti et moi avons fait la connaissance d'un gentleman d'une soixantaine d'années, cheveux blancs, bienveillant, professionnel. À peine assis, bien sûr, j'ai commencé par fondre en larmes. Je lui ai fait comprendre d'un geste de la main : « Vous voyez, c'est ça, c'est pour ça que je suis ici. Je n'arrête pas de pleurer ! » Il m'a dit : « On peut arranger ça. » Trois jours et un cachet plus tard, fini les chutes du Niagara, d'un coup. Incroyable. Je suis redevenu moi-même. Plus besoin de suer sang et eau en paddle et en salle de muscu, ou de tenter le diable à moto. Je n'avais même plus *besoin* de partir en tournée. Je me sentais normal.

SOIXANTE-SEIZE

GARAGE LAND

Le téléphone sonne. Mick Jagger au bout du fil. Adolescent, je rêvais de recevoir un appel comme ça, mais non, les Rolling Stones n'ont pas besoin d'un ex-boutonneux pour leur prochain concert. En fait C'EST QUASIMENT AUSSI BIEN : ils jouent à Newark, New Jersey, et se sont dit qu'un chanteur-guitariste du New Jersey en plus sur « Tumbling Dice », ça ferait swinguer les petits culs du coin.

Arrivé à cinquante ans, j'avais rencontré pas mal de mes idoles (Sinatra, Dylan, Morrison, McCartney, Orbison), chaque fois j'étais super heureux, mais j'avais quand même tendance à les éviter. Ils étaient encore trop importants pour moi, et moi encore trop impressionné. Et ça m'allait très bien comme ça. Mais le lendemain soir, me voilà dans la lumière crue de la réception d'un studio de répétition à New York. La nana à l'accueil hoche la tête et m'indique une porte. J'entre dans une salle de taille assez modeste. Les gars sont là, alignés contre un mur, en formation *garage band*.

Deux guitares, une basse, une batterie, un orgue B3 dans un coin. Le chanteur s'approche, me décoche un sourire qui illumine encore toute la pièce. Bienvenue à la répétition. Keith, Ronnie et Charlie (de derrière sa batterie) me saluent aussi chaleureusement.

Ils ont mis leurs petits amplis Fender côte à côte, exactement selon la disposition qu'aurait choisie n'importe quel groupe au Fort Monmouth Teen Club un samedi soir des années 1960. Pas de pédales d'effets mirobolantes, pas de murs d'amplis, juste le matos minimum pour faire le même rock pur et intemporel. Il y a quelques techniciens, pas d'entourage, et me voilà soudain transporté dans la petite salle à manger où je répétais tous les jours avec les Castiles, sauf que là… ce sont ces gars qui ont INVENTÉ mon job ! Ils ont gravé leur empreinte dans mon cœur depuis le jour où les accords massifs de « Not Fade Away » sont sortis du 45 tours que j'avais acheté chez Britt's, dans le premier centre commercial de notre région.

Après quelques civilités d'usage, je remarque les deux pieds de micro placés côte à côte, à quelques pas devant le groupe. Mick, pragmatique, s'avance jusqu'à celui de gauche. Je prends celui de droite, il lance le *One, too, three* et Keith, l'homme grâce à qui j'ai appris mon premier solo de guitare, lance le premier riff de « Tumbling Dice ». Au cours de mes pérégrinations, j'en ai rencontré beaucoup des gens chez qui soufflait l'esprit, mais aucun n'a la beauté spectrale de Keith Richards. Quelques années auparavant, Patti avait fait des chœurs pour les Stones et sur le premier album solo de Keith. Un soir, j'étais allé le voir en studio. Il avait pris la main de Patti, m'avait regardé dans les yeux et avait dit, avec un grand respect pour elle : « Ah… ah… celui-là. »

À ma gauche, de cette voix qui a fait mouiller des millions de petites culottes, retentit le premier vers de la chanson : *Women think I'm tasty, but they're always trying to waste me…* (Les femmes me trouvent à leur goût, mais avec elles je me prends toujours des coups)… Pour moi, pas facile de faire comme si j'étais de la bande. Je n'en mène pas large quand Mick me fait signe de prendre le deuxième couplet. Mais je me sens bien. C'est dans mes cordes et si je ne m'en sors pas avec « Tumbling Dice », autant retourner à mes chères études.

Un grand groupe, c'est toujours une histoire d'alchimie. Vue de près, l'alchimie qu'il y a entre ces musiciens est unique. La guitare de Keith répond toujours à la batterie de Charlie, créant un swing qui remet le *roll* dans le *rock*. C'est le dernier des groupes de rock'n'roll. Créateur d'un des répertoires les plus sous-estimés de l'histoire du rock. Les Stones ont toujours eu plusieurs longueurs d'avance sur leurs concurrents, et ce n'est pas près de changer.

Je m'éclate tellement et je ne peux le dire à personne ! *You got to roll me… You got to roll me…* On se renvoie la balle, Mick et moi, comme deux Sam and Dave blancs, et puis voilà, terminé. « C'était super », me dit Mick.

On a joué la chanson une fois en tout et pour tout.

En rentrant chez moi, je n'arrêtais pas de me dire : « IL FAUT QUE J'APPELLE STEVE ! Lui, il va carrément kiffer. Ce truc cent pour cent rock'n'roll. » Et pour kiffer, il a kiffé.

Le lendemain soir, on jouait à Newark devant vingt mille habitants du New Jersey. C'était fabuleux mais il n'y avait pas le souffle magique que j'avais senti la veille dans cette petite salle, avec juste ces quatre gars, le PLUS GRAND *GARAGE BAND* DU MONDE, dans mon petit coin de paradis rock'n'roll.

SOIXANTE-DIX-SEPT
HIGH HOPES

En tournée, j'emporte souvent une série de chansons inachevées. Des titres que je n'ai pas terminés, sur lesquels je reviens tard dans la nuit, après le concert, et que je réécoute. J'essaye de voir s'il y a des choses qui me parlent. Il me restait encore une belle série de morceaux des sessions avec Brendan et, d'un soir sur l'autre, ces chansons m'appelaient, elles cherchaient une maison. Quand Tom Morello a rejoint le groupe, il a proposé qu'on dépoussière « High Hopes », des Havalinas, un groupe de LA, qu'on avait reprise dans les années 1990. « Je pourrais vraiment m'éclater là-dessus », il disait. Pour notre première répétition en Australie, au début de la tournée *Wrecking Ball*, j'ai proposé des arrangements qui me semblaient fonctionner. C'était la première fois que Tom remplaçait Steve – retenu sur un tournage –, alors je voulais qu'il puisse imprimer sa patte dans le show. Ce qu'il a fait. Les arrangements ont fonctionné du feu de Dieu en live et on a décidé de les enregistrer dans un studio de Sydney, avec la reprise de « Just Like

Fire Would », un titre que j'adorais du groupe australien The Saints. Avec les enregistrements studio qu'on avait faits d'« American Skin » et « The Ghost of Tom Joad », un véritable album commençait à prendre forme ; j'ai ensuite enregistré Tom Morello sur les pistes de Brendan O'Brien et ça s'est mis à avoir vraiment de la gueule. Tom s'est révélé être un remplaçant fabuleux et fascinant de Steve, il se fondait sans heurt dans l'esprit du groupe tout en enrichissant notre palette sonore.

Restaient quelques trucs à régler avant de reprendre les concerts. Depuis au moins cinq ans, j'avais remarqué que les doigts de ma main gauche s'affaiblissaient à chaque tournée. Sur un long solo, ma main s'épuisait, et c'était parfois délicat de continuer. J'avais mis au point une série d'astuces pour y remédier sans que mon jeu en souffre – hors de question que le public s'en aperçoive. Mais au début de notre tournée *Wrecking Ball*, c'était devenu un vrai problème que je ne pouvais plus ignorer.

Depuis que j'avais passé la quarantaine, disons, j'avais des petits pépins de santé à chaque tournée. Une fois c'était le genou, une autre fois le dos, puis des tendinites au coude à force de bourriner à la guitare. Des désagréments qui apparaissent et disparaissent fréquemment dans la dernière partie d'une vie professionnelle, rarement graves. Je trouvais un moyen de gérer ça et je continuais. Mais cette paralysie de la main qui jouait de la guitare était autrement préoccupante. Elle s'accompagnait d'un engourdissement et de démangeaisons le long du bras gauche – d'ailleurs, j'avais remarqué en salle de muscu que j'avais nettement perdu de la force du côté gauche.

J'ai consulté plusieurs médecins, passé une IRM. Bilan : j'avais des problèmes de disques cervicaux qui créaient un pincement de certains nerfs contrôlant mon côté gauche, à partir de l'épaule et plus bas. J'ai trouvé un excellent chirurgien à l'Hospital for Special Surgery de New York et on a fixé la date de l'opération. En gros, on vous met K-O, on vous incise la gorge, on vous écarte les cordes vocales, on entre là-dedans avec une clé, un tournevis et du titane, on vous prélève un bout d'os de la hanche et on reconfigure les disques endommagés. Ça a marché ! Comme tout ça se passe à proximité des cordes vocales, vous n'avez plus de voix pendant deux mois assez stressants. Et puis vous devez porter une minerve un certain temps. Mais effectivement, conformément aux pronostics du toubib, trois mois plus tard j'étais de nouveau apte au boulot. Avec mes disques cervicaux tout neufs et ma voix recouvrée, on est partis dans l'hémisphère Sud avec une seule recommandation du médecin : pas de *crowd surfing* ! Mais ce n'est pas au vieux singe qu'on apprend à faire des grimaces. Dès le premier soir, je me laissais vaillamment porter par la foule. Nickel.

À propos de ma voix. Soyons clairs : je n'en ai pas vraiment. J'ai la puissance, la tessiture et la résistance d'un barman, mais je n'ai ni une belle couleur ni une finesse vocale particulière. Cinq sets par soir, pas de problème. Trois heures et demie de concert, non plus. Et quasiment aucun besoin de m'échauffer. Mais c'est un outil d'artisan, pas un instrument raffiné qui vous emmènera au septième ciel. J'ai besoin de mettre tous les atouts de mon côté pour m'en tirer et communiquer avec subtilité. Pour arriver à vous convaincre, il faut que j'écrive, que j'arrange, que je joue, que j'interprète et, oui, que je chante au maximum de mes possibilités. Je suis la somme de toutes mes parties. J'ai appris assez tôt que je n'avais pas à m'inquiéter. Tout interprète a ses points faibles. Pour tirer son épingle du jeu, il doit d'abord savoir quoi faire avec ce qu'il a et quoi faire avec ce qu'il n'a PAS. Comme dit Clint Eastwood : « Un homme doit connaître ses limites. » Ensuite, il faut les oublier et avancer.

Au sein des Castiles, on se moquait constamment de ma voix, j'étais considéré comme un piètre chanteur. Pendant longtemps, ça ne m'a pas posé le moindre problème. George Theiss était un super chanteur et j'étais parfaitement content de me focaliser sur ma guitare. De toute façon, je me suis toujours vu avant tout comme un guitariste *lead*. Et puis j'en suis arrivé à pouvoir tenir une mélodie et, du moins pour mon oreille, sortir un chant potable. George et moi, on a commencé à se répartir les parties chantées. Quand le groupe s'est arrêté et que je suis passé au suivant, Earth, j'ai assumé pleinement le double rôle de guitariste et chanteur *lead*. Je n'arrivais pas à la cheville de Clapton et Hendrix, mais bon, je me défendais, je me chargeais de toutes les parties vocales. Ensuite je me suis mis à composer en acoustique et je passais mes soirées libres à chanter en solo, m'accompagnant uniquement de ma douze cordes Ovation, dans les cafés du coin. J'ai beaucoup composé et je me suis habitué, pour assurer le show, à compter sur ma voix, autant que sur la qualité de mes compos et de mon jeu. Il me semblait que je m'en sortais plutôt bien. Et puis un après-midi, George, mon éphémère producteur new-yorkais, m'a invité chez lui, il avait un magnéto deux pistes. Il m'a dit : « Enregistrons tes chansons. » Devant le magnéto, j'ai trouvé que j'étais vachement bon. Puis je me suis réécouté. On aurait dit un chat avec la queue en feu. C'était faux, amateur, bêta et naïf. Le son qui est sorti du magnéto a tué le peu de confiance que j'avais dans ma voix. Franchement démoralisant.

Mais je n'avais pas le choix. Cette voix, c'était la mienne. Et j'avais décidé qu'après les Castiles, je ne dépendrais plus jamais d'un autre chanteur *lead*, je voulais le maximum d'indépendance. Et donc j'ai appris que le son qu'on a dans la tête n'a pas grand-chose à voir avec le son qu'on produit réellement. De même qu'on se croit plus beau qu'on ne l'est jusqu'au jour où la photo de tatie Jane fait l'effet d'une douche froide. L'enregistrement a une fonction identique pour la voix. C'est un impitoyable détecteur de casseroles. Après ça, on ne peut plus se faire d'illusions. Ça, mon vieux, C'EST ta voix. Il faut faire avec.

Dans ces conditions, me suis-je dit, il allait vraiment falloir que j'apprenne à écrire et que je sache en tirer le meilleur profit. Il allait falloir que j'apprenne toutes les techniques, la voix de poitrine, la voix de gorge, le soutien, en travaillant le phrasé, la dynamique. J'ai noté que beaucoup de chanteurs avaient un instrument vocal limité mais qu'ils arrivaient à être convaincants. J'ai étudié tous ceux que j'adorais et qui me paraissaient authentiques, dont les voix m'enthousiasmaient et m'émouvaient. Soul, blues, Motown, rock, folk, j'ai écouté et j'ai appris. J'ai appris surtout que la chose la plus importante c'est d'être le plus crédible possible. D'habiter au maximum sa chanson. Si ça vient du cœur, alors un mystérieux facteur X repousse au second plan les limites techniques. Beaucoup de chanteurs avec une belle voix, une voix magnifique même, ne seront jamais convaincants – on en voit partout dans les émissions de téléréalité pour « nouvelles stars » et dans les salons des Holiday Inn de toute l'Amérique. Ils savent tenir une mélodie, ils sont d'une justesse irréprochable et arrivent à monter super haut dans les aigus, mais ils passent à côté de l'émotion. Parce qu'ils ne chantent pas avec toute leur âme.

Si tu as la chance d'être né avec un organe vocal exceptionnel et que tu sais instinctivement quoi en faire, tant mieux pour toi. En dépit de mon succès, j'envie Rod Stewart, Bob Seger, Sam Moore et bien d'autres grands qui chantent magnifiquement et utilisent leur voix à bon escient. Mes imperfections vocales m'ont obligé à bûcher davantage sur les compos, sur mon statut de leader au sein du groupe, sur mon interprétation et mon chant. Tous ces aspects que j'ai appris à perfectionner, je les aurais sans doute négligés si j'avais eu une voix parfaite. Ma capacité à assurer des concerts de plus de trois heures, depuis plus de quarante ans (ce qui en soi en dit long sur mon insécurité maniaque : j'ai toujours peur de ne pas être à la hauteur) et mon endurance de pur-sang me viennent d'un simple constat : il faut que je donne tout ce que j'ai si je veux emmener mes fans là où je veux qu'on aille. Tes atouts et tes défauts sont souvent les deux faces d'une même pièce. Il n'y a qu'à voir toutes les voix excentriques du rock qui ont fait des disques historiques et continuent de chanter. Ensuite, ne ménage pas tes efforts, tu seras étonné des merveilles que ton cœur peut produire par son chant.

Une fois le E Street Band reconstitué et au top de sa forme, on a fait le grand tour en passant dans des endroits où on n'était jamais allés. Dix jours en Amérique du Sud où on n'avait pas remis les pieds depuis la tournée Amnesty, puis ça a été l'Afrique du Sud où on n'avait jamais joué. En Australie où on s'est arrêtés au retour, on a surfé sur notre succès de l'année précédente aux antipodes. Cette fois, on avait Steve *et* Tom, et on attaquait chaque soir par les titres fétiches des Australiens, « Highway to Hell », « Friday on My Mind » et « Stayin' Alive », avec une section cordes entièrement féminine. Après une dernière halte en Nouvelle-Zélande, on a enquillé une petite série de concerts aux USA, puis on a replié le chapiteau de la tournée la plus réussie et la plus populaire que le E Street Band ait jamais faite.

SOIXANTE-DIX-HUIT

SUR LE FRONT DOMESTIQUE

À la fin de la tournée, au lieu de rentrer, j'ai rejoint en Europe Patti et Jessica, qui disputait des concours équestres de saut d'obstacles. Tous mes enfants avaient fini leurs études, ils vivaient leur vie, s'en sortaient bien et, dans l'ensemble, n'habitaient plus à la maison. Vingt années d'éducation avaient passé, notre avis en tant que parents était maintenant surtout consultatif.

Evan, diplômé de l'université de Boston, s'est lancé dans le *music business*, il vit dans le Village, à quelques rues seulement du Café Wha ?, mon ancien secteur de prédilection. Il travaille à la radio comme directeur de programme et responsable de festival et est devenu un plutôt bon auteur-compositeur. Indépendant, créatif et intelligent, il est d'une grande rigueur morale et trace fièrement son chemin. Sam a étudié l'écriture à l'université de Bard. Après un an, il a arrêté, désireux de trouver une activité qui ait un impact plus direct sur la vie des gens. Il est devenu pompier, réintégrant le monde des prolétaires que j'ai si bien connu. Lors de son admission officielle à l'académie des sapeurs-pompiers, près de ma ville natale de Freehold, parmi mes vieux amis et voisins, je peux vous dire que son papa et sa maman, tout fiers, avaient la larme à l'œil. Il a aussi été à l'origine d'un projet qui permet de faire venir des vétérans à chacun de nos concerts. Il les accueille pour le show et une soirée amicale. Jessica, elle, diplômée de Duke, a pris la voie de la célébrité, c'est aujourd'hui une athlète de classe internationale, elle a gagné l'American Gold Cup à Old Salem, dans l'État de New York ; en 2014, elle faisait partie de l'équipe américaine qui a remporté la Coupe des Nations à Dublin, en Irlande, au stade RDS où le E Street Band s'était jadis illustré. Patti gère nos vies, joue dans le groupe, compose de la musique de son côté et fait en sorte qu'on tienne le coup. Le succès de nos enfants est largement dû à sa force, à sa grande compassion et à l'intérêt profond qu'elle a pour ce qu'ils font et ce qu'ils sont vraiment.

On peut généralement s'attendre à une légère phase de dépression au retour d'une tournée. Au mois de juin, j'ai senti que quelque chose clochait. Les concerts sont une incroyable bouffée d'euphorie : tous ces gens qui t'adulent, l'ambiance sur la route, le fait d'être au centre de l'attention… Quand la tournée s'arrête, tout s'arrête, tu retrouves ton quotidien de père et mari, sauf que maintenant tes gosses conduisent et tu n'es plus qu'un chauffeur sans passagers. Il est normal d'avoir un petit coup de déprime, mais ce que je ressentais cette fois-ci n'avait rien à voir avec les fois précédentes. Les symptômes étaient différents, nouveaux pour moi et difficiles à expliquer. J'ai appris que c'était une crise de « dépression agitée ». Pendant cette période, j'étais tellement mal dans ma peau que je ne voulais qu'une seule chose : EN SORTIR. C'est une sensation dangereuse, qui charrie toutes sortes de pensées indésirables. Tout me mettait mal à l'aise. Rester debout… marcher… rester assis. Tout déclenchait des vagues d'une anxiété fébrile que je passais mon temps à essayer de surmonter. J'étais assailli de pensées morbides et mon seul répit était le sommeil. Les heures de veille, je m'échinais à trouver une position qui, pendant quelques minutes, ne serait pas trop pénible. Ce n'est pas que j'étais surexcité, en fait j'étais trop déprimé pour me concentrer sur quoi que ce soit.

Je faisais les cent pas, à la recherche des trente centimètres carrés de tapis où je respirerais. Si j'arrivais à me motiver pour une petite séance de muscu, ça pouvait me procurer un bref soulagement, mais tout ce que je voulais vraiment c'était dormir, dormir – dormir pour perdre conscience. Et je me réfugiais des heures au fond de mon lit, les couvertures remontées jusqu'au nez, à attendre que ça s'arrête. Lire ou même regarder la télé : au-dessus de mes forces. Tout ce que j'aimais faire d'habitude – écouter de la musique, regarder des films noirs – était infaisable et ça provoquait en moi une anxiété insupportable. À partir du moment où je me suis coupé de mes activités préférées, celles qui font que je suis qui je suis, j'ai senti que je me désagrégeais dangereusement. Comme si je devenais étranger à moi-même, prisonnier d'un corps et d'un esprit d'emprunt qui refusaient de m'obéir.

Ce cirque a duré six semaines (on était encore en Europe à cette période). Ça m'affectait physiquement, sexuellement, affectivement, spirituellement, de toutes les manières possibles et imaginables. Tout fichait le camp. Dans ces conditions, impossible d'espérer remonter un jour sur scène. J'avais l'impression que le feu en moi s'était éteint, je me sentais intérieurement lugubre et creux. C'était le festival des idées noires. « Si je ne peux pas travailler, comment je vais subvenir aux besoins de ma famille ? Et si je restais cloué au lit jusqu'à la fin de mes jours ? Putain mais je suis qui ? » Dans ces moments tu sens l'extrême finesse du voile de ton identité, et la panique t'attend au tournant.

Non, je ne pouvais pas vivre comme ça, pas éternellement. Pour la première fois, j'ai senti que je comprenais ce qui poussait les gens vers l'abîme. Comprendre ça, le *ressentir* en moi, ça me vidait le cœur et me plongeait dans une épouvante glacée. Pas de vie possible, là, juste une angoisse existentielle exaspérante, qui ne me lâchait pas. J'exigeais des réponses que je n'avais pas. Impossible de trouver le plus petit instant de répit. Dès que j'ouvrais un œil, ça se mettait en branle. Et donc... j'essayais de dormir – douze, quatorze heures par jour, mais ce n'était jamais assez. Je détestais la lumière grise du matin, qui annonçait le début d'une nouvelle journée. Les gens se réveillaient, allaient au boulot, mangeaient, buvaient, baisaient. Au moment où on est censé démarrer du bon pied, avec des projets, des choses à accomplir, moi je n'arrivais même pas à sortir de mon lit. Merde, je n'arrivais même pas à bander. J'avais l'impression que mon énergie légendaire, cette énergie que j'avais dû contenir toute ma vie, m'avait été volée. Je n'étais plus qu'une coquille vide.

Patti essayait de me pousser à me lever, à me bouger. Elle me soutenait à bout de bras, faisait tout pour me redonner confiance, me convaincre que tout allait rentrer dans l'ordre, allez, ce n'était qu'un mauvais moment à passer... Sans sa force et son calme, je ne sais pas ce que j'aurais fait.

Un soir, en Irlande, on est sortis dîner avec un groupe d'amis. Je me suis efforcé de faire illusion, mais dans un état pareil, ce n'est pas facile. J'étais obligé de quitter la table régulièrement pour lâcher la bride à mon esprit qui partait dans tous les sens (ou au contraire le retenir). Finalement, en pleine rue, j'ai appelé le médecin chargé du dosage de mes médicaments.

Ça n'allait pas du tout, je lui ai dit, à ce train-là je ne tiendrais pas. « Est-ce qu'il y a quelque chose qui vous soulage ?

– Prendre un Klonopin, j'ai répondu.

– Prenez-en un. »

J'en ai pris un et ça s'est arrêté. Enfin, le soulagement, ouf, oui il y a un Dieu, ça s'est arrêté. Après une brève période sous Klonopin, j'ai pu arrêter sans que l'agitation revienne. Mais je n'oublierai jamais cette terrifiante plongée dans la souffrance mentale, à laquelle je ne crois pas que j'aurais pu résister encore longtemps. Tout ça ramenait le fantôme de la maladie mentale de mon père et de nos antécédents familiaux ; malgré tout ce que j'avais fait, tout ce que j'avais accompli, je risquais de suivre le même chemin. C'est uniquement grâce à Patti que j'ai pu tenir le coup. Aux heures les plus sombres, il n'y avait que son amour, sa compassion et sa conviction pour m'empêcher de sombrer et me tirer de cet enfer.

Mentalement, c'est au moment où je pensais pouvoir profiter en douceur de la vie que je me suis retrouvé en pleine tourmente. Je suis revenu aux États-Unis légèrement changé, toujours en lutte au jour le jour contre moi-même. Mais avec le temps les choses se sont stabilisées petit à petit. Ça fait belle lurette que je n'ai plus de mal à sortir du lit et que j'ai recouvré mon ardeur au travail. Le bien que ça fait ! Deux ans après, j'ai l'impression que cette crise n'a jamais vraiment eu lieu. Je n'arrive plus à me souvenir exactement de l'état dans lequel j'étais, juste à me demander : « Bordel, mais qu'est-ce qui s'est passé ? Ça ne me ressemble pas, ça. » Mais c'est en moi, chimiquement, génétiquement ou peu importe comment, alors vigilance, mon vieux… Encore une fois, le seul rempart contre ce trou noir a été l'amour.

Se raconter est une drôle d'affaire. En fin de compte, c'est juste une histoire de plus qu'on raconte, l'histoire qu'on choisit parmi les événements de sa vie. Je ne vous ai pas *tout* dit sur moi. Une certaine retenue et la volonté de ne pas froisser certains me l'interdisent. Mais dans un projet comme celui-ci, l'auteur fait une promesse : laisser le lecteur entrer dans sa tête. C'est ce que j'ai essayé de faire au fil de ces pages.

SOIXANTE-DIX-NEUF
LONG TIME COMIN'

My father's house shines hard and bright
It stands like a beacon calling me in the night
Calling and calling so cold and alone
Shining cross this dark highway
Where our sins lie unatoned…

« My Father's House »

(La maison de mon père brille, solide et lumineuse / Elle se dresse comme un phare qui m'appelle dans la nuit / Elle m'appelle et m'appelle, si froide, si seule / Elle brille au-delà cette autoroute sombre / Où gisent nos péchés qui n'ont pas été expiés…)

If I had one wish in this godforsaken world, kids
It'd be that your mistakes will be your own
Your sins will be your own…

« Long Time Comin' »

(Si j'avais un souhait en ce monde misérable, les enfants / Ce serait que vos erreurs soient les vôtres / Que vos péchés soient les vôtres…)

« My Father's House » est probablement la meilleure chanson que j'aie écrite sur mon père, mais sa conclusion me laissait sur ma faim. Dans « Long Time Comin' », j'exprimais ce que je souhaitais pour mes enfants. On honore nos parents en n'acceptant pas comme équation finale les caractéristiques les plus perturbantes de notre relation. J'ai décidé qu'entre mon père et moi, la somme de nos ennuis ne résumerait pas ce qu'avait été notre vie ensemble. En analyse, on travaille à transformer les fantômes qui nous hantent en ancêtres qui nous accompagnent. Ça exige de gros efforts et beaucoup d'amour, mais c'est ainsi qu'on allège les fardeaux que nos enfants ont à porter. C'est en insistant sur notre propre expérience, la somme de notre amour, de nos ennuis, de nos épreuves et, si on a de la chance, d'un peu de transcendance, qu'on revendique nos vies de fils et filles, en âmes indépendantes sur un terrain qui est le nôtre. Bien sûr, ce n'est pas toujours possible. Il y a des vies irrécupérables et des péchés qui ne souffrent nulle rédemption, mais pouvoir prendre du recul, voilà ce que je souhaite aux vôtres et aux miens.

Je m'emploie à être un ancêtre pour les miens. J'espère que mes fils et ma fille sauront, avec l'aide de notre famille, et les conseils de leurs fils et leurs filles à eux, faire le bilan de ce qu'a été ma vie. Le matin où mon père a débarqué chez moi à Los Angeles m'apparaît à présent comme un moment essentiel entre nous. Il venait avec une requête : réévaluer les heures tristes et sombres par lesquelles étaient passées nos vies. Si c'était possible, il venait chercher un miracle dont il sentait les braises dans son propre cœur, avec l'espoir insensé qu'elles brûlaient aussi quelque part dans le cœur de son fils.

En fait, il me demandait d'écrire une nouvelle fin à notre histoire et j'ai travaillé dans ce sens – sauf que ce genre d'histoire n'a pas de fin. Elle circule dans notre sang et se transmet à ceux qu'on aime, qui en sont les héritiers. Et en étant racontée elle est altérée, comme toute histoire, par le temps, la volonté, la perception, la foi, l'amour, le travail, l'espoir, la tromperie, l'imagination, la peur et la foultitude d'autres variables qui influent sur nos récits individuels. Si elle continue à être racontée c'est qu'en même temps que le germe de sa propre destruction, elle charrie pour ceux qui l'entendent la graine du renouveau, d'une destinée différente de celle, douloureuse, que mon père et moi on a dû endurer. Peu à peu, une nouvelle histoire émerge de l'ancienne, constituée de vies accomplies différemment, des vies bâties sur l'expérience brute de ceux qui nous ont précédés mais pas freinées par les vieilles carcasses du passé. Les bons jours, c'est ainsi qu'on vit. C'est ça l'amour. C'est ça la vie : la possibilité de trouver dans la saison qui s'annonce des racines, une sécurité et un épanouissement.

L'arbre croît, ses branches se fortifient, bourgeonnent, fleurissent. Il porte en lui les cicatrices de l'éclair, les secousses du tonnerre, de la maladie, des événements humains et de la main de Dieu. Noirci, il grandit, s'élance vers la lumière, s'élève vers le ciel, tout en s'enfonçant plus profondément, plus fermement, dans la terre. Conservant son histoire et sa mémoire, plus présent que jamais.

Un soir de novembre, dans la période où j'écrivais ce livre, j'ai pris une fois de plus la voiture pour retourner dans le quartier de mon enfance. Les rues étaient paisibles. L'église au coin de ma rue était silencieuse, ce soir-là ni mariage ni enterrement. En roulant cinquante mètres de plus, j'ai constaté que mon grand hêtre pourpre majestueux avait été coupé au ras du sol. Mon cœur s'est arrêté… puis j'ai mieux regardé. Oui, il avait disparu, mais il était encore là. Dans l'air vibraient encore la silhouette, l'âme et la présence apaisante de mon vieil ami. À présent, ses feuilles et ses branches étaient traversées par les étoiles et le ciel nocturne. Sur ce carré de terre odorante découpé dans le bitume du parking, en bordure du trottoir, quelques racines serpentaient, à demi recouvertes de terre et de poussière, et là la trajectoire de mon arbre, de ma vie, était exposée au grand jour. Aucun décret municipal, aucune tronçonneuse ne pouvait mettre fin à la vie de mon grand arbre. Son histoire, sa *magie* étaient trop anciennes et trop fortes. Tout comme mon père, ma grand-mère, ma tante Virginia, mes deux grands-pères, mon beau-père Joe, mes tantes Dora et Eda, Ray et Walter Cichon, Bart Haynes, Terry, Danny, Clarence et Tony, ma propre famille partie de ces maisons à présent occupées par des inconnus – nous sommes encore tous là. Dans l'air, dans l'espace vide, dans les racines qui affleurent de la terre et plongent dans le sol, dans l'écho et dans les récits, dans les chansons du temps et du lieu où nous avons vécu. Mon clan, mon sang, les miens, chez moi.

À l'ombre du clocher, alors que je me tenais là une fois de plus, à sentir l'âme ancestrale de mon arbre, de ma ville peser sur moi de tout son poids, les mots d'une prière me sont revenus. Je les avais psalmodiés tant de fois par cœur, sans y réfléchir, répétés indéfiniment, dans le sempiternel blazer-vert-chemise-ivoire-et-cravate-verte de tous les disciples malgré eux de Sainte-Rose. Ce soir-là, ces mots me sont revenus mais ils ne s'écoulaient pas de la même manière. Notre père, qui es aux cieux, que ton nom soit sanctifié. Que ton règne vienne, que ta volonté soit faite, sur la terre comme au ciel. Donne-nous aujourd'hui notre pain de ce jour, pardonne-nous nos offenses comme nous pardonnons à ceux qui nous ont offensés, ne nous soumets pas à la tentation et délivre-nous du mal… pour les siècles des siècles, amen.

Je me suis battu toute ma vie, j'ai étudié, joué, travaillé parce que je voulais entendre et savoir toute l'histoire, mon histoire, notre histoire, et la comprendre le mieux possible. La comprendre à la fois pour m'affranchir de ses effets nocifs, de ses forces malveillantes, et pour célébrer, honorer sa beauté, sa puissance – et être capable de bien la raconter à mes amis, à ma famille, et à vous. Je ne sais pas si j'ai réussi, et le diable n'est jamais loin, mais je sais que j'ai tenu la promesse que je m'étais faite, que je vous avais faite à vous. Cette histoire, je l'ai composée comme un service à rendre, une longue et sonore prière, mon tour de magie. J'espère qu'elle vous touchera au plus profond de votre âme, puis que vous en transmettrez l'esprit, j'espère qu'elle sera entendue, chantée et altérée par vous et les vôtres. Peut-être qu'elle vous aidera à renforcer la vôtre et à la rendre intelligible. Allez la raconter.

ÉPILOGUE

Quelques semaines avant Thanksgiving, le soleil brille sur cette journée de fin d'automne dans le Central Jersey. Il fait quinze, seize degrés, je vais au garage chercher ma moto et je pars faire une balade, la dernière de la saison. Direction le chenal du Manasquan Inlet, au sud. Le vent du nord-est qui a soufflé pendant deux jours vient juste de se calmer, mais l'océan est monté jusqu'aux herbes sur la dune, à la lisière du *boardwalk*. Une bonne partie de mon ancienne plage a été emportée par la mer encore déchaînée, aux vagues coiffées d'écume blanche. La jetée de rocher noir sur laquelle autrefois ma sœur et moi avancions prudemment dans la nuit, en fin d'été, est recouverte d'une dizaine de centimètres de sable humide, si bien que naviguer sur cette surface visqueuse et fuyante avec des bottes de moto est en soi une petite aventure.

Ici, en novembre, le soleil se couche au sud-ouest, à Point Pleasure, au bord du chenal ; il darde ses rayons chatoyants qui, comme une épée, s'enfoncent dans les eaux grises, côté Manasquan. Je m'assois sur la jetée, au bout de l'épée. Les vagues clapotent sur les rochers et la pointe de l'épée se brise en mille éclats de lumière dorée sur les eaux, en contrebas, mille mini-soleils qui sont autant de reflets de la source divine d'où émane la vie de notre planète. Autour de moi, des gens me saluent, des amis, d'autres que je connais de vue, d'autres pas du tout. Cela tient au lieu, bien entendu. Une ribambelle de sympathiques écoliers, des personnes âgées avec leurs détecteurs de métaux, des chiens, des surfeurs, des pêcheurs, des habitants de Freehold dont le Manasquan Inlet a toujours été l'échappatoire sur le Shore, des mômes assis au comptoir du Carlson's Corner, une foule d'anonymes qui attendent dans leurs voitures alignées face au chenal. Là, derrière les vitres d'une de ces voitures, côté conducteur, qui sait s'il n'y a pas le fantôme perplexe de mon père, rêvant d'une autre vie, ailleurs, loin de toute la bonté forgée par ses soins et de ses magnifiques trésors. C'est moi qui viens désormais ici, encore un trait doux-amer que j'ai hérité de lui.

Tandis que le soleil disparaît derrière une chaîne de nuages bleu-gris, je remets mon écharpe autour du visage, j'attache mon casque et je redémarre. Au revoir, Manasquan. Quand je rejoins la circulation de dix-sept heures sur la Route 34, le soleil est couché et la soirée fraîchit. À un feu rouge, je remonte la fermeture éclair de mon blouson et remarque que le talon de ma botte est posé sur le pot d'échappement brûlant ; j'y laisse un peu de caoutchouc et un ruban de fumée s'élève en une volute bleutée dans l'air vif de l'automne. Le feu passe au vert, la route gronde sous mes roues et je sens une petite secousse chaque fois que je passe sur une bande de bitume dilatée par la chaleur de l'été, puis refroidie, qui fait sur la chaussée un bourrelet irrégulier, comme un minuscule ralentisseur, à la jonction entre deux plaques. Grondement, grondement, grondement… secousse… grondement, grondement, grondement… secousse. À chaque secousse je rebondis sur ma selle à ressorts et soudain je me revois, gamin, faire des tours de vélo dans mon quartier, passer sur l'allée en ardoise bleue devant le couvent de Sainte-Rose et attendre, attendre, une fois de plus, que retentisse la voix de ma grand-mère qui m'appelle à la nuit tombante. Je tends l'oreille. Mais ce soir le passé se dissipe, il n'y a que des bruits bien présents, les étincelles du moteur et les pistons en action… douce mécanique bien huilée.

Je croise un flot de phares roulant en sens inverse : des voitures de banlieusards qui rentrent chez eux en fin de journée, et passent à quelques centimètres de ma poignée gauche. Je roule vers le nord jusqu'à ce que la circulation se fluidifie. À présent mes phares illuminent la route déserte et les pointillés de la ligne blanche défilent, défilent, défilent… Avec mon guidon surélevé façon *ape hanger*, j'ai les bras à hauteur des épaules, tendus vers le ciel. Du coup, je me retrouve avec une forte prise au vent – rude comme étreinte – tandis que mes mains gantées se crispent sur les poignées, avec pour toile de fond le ciel qui se couvre de nuit. La Voie lactée commence à scintiller dans le crépuscule au-dessus de moi. Je n'ai pas de carénage et un vent de cent kilomètres-heure me pilonne obstinément, me repoussant un peu en arrière sur mon siège, menaçant discrètement de m'éjecter de ces trois cents kilos de métal lancés à toute blinde, me rappelant que l'instant d'après n'est jamais garanti… mais que là tout va bien, qu'il fait bon vivre aujourd'hui, dans cette vie, que j'ai eu de la chance, que j'ai de la chance. Je quitte la nationale et me voilà sur une petite route de campagne, dans le noir. Pleins phares, je scrute les champs des fermes alentour, pour m'assurer qu'il n'y a pas de cerfs. La voie est libre. J'accélère et, se précipitant dans mes bras, la maison est là.

REMERCIEMENTS

Ce livre, je l'ai écrit sur une période de sept ans, à la main, dans un calepin. Il m'est arrivé de laisser le projet reposer quelque temps, parfois un an ou plus, lorsqu'on enregistrait ou qu'on tournait. Je n'étais pas pressé, je n'avais pas de délais à tenir. Cela me permettait de revenir au livre avec un regard neuf et une distance critique sur ce que j'avais écrit. Mon histoire s'est lentement déployée jusqu'à une longue session d'écriture, sur la fin. Puis, avec l'aide de ceux que je cite ensuite, j'y ai mis un point final.

Tout mon amour et mes remerciements à Patti pour m'avoir donné la place et la compréhension grâce auxquelles j'ai pu raconter l'histoire que j'avais besoin de raconter.

Merci à Jon Landau, un de mes tout premiers lecteurs, pour son enthousiasme, ses conseils et ses encouragements.

Un grand merci à Jonathan Karp, qui a tout d'abord travaillé avec nous sur *Outlaw Pete*, et qui nous a accueillis. Son regard et ses conseils m'ont guidé dans mon écriture et ont permis à ce livre de voir le jour.

Un merci tout particulier à Mary Mac, qui m'a accompagné tout au long d'interminables heures de réécriture, tandis que nous retranscrivions mes gribouillis sur l'ordinateur de la maison.

Merci à Michelle Holme, qui s'est chargée du cahier photo et à Frank Stefanko pour la photo de couverture.

Merci à mon ami et vieux camarade de groupe George Theiss qui m'a rafraîchi la mémoire sur certains aspects de nos aventures avec les Castiles.

J'aimerais remercier Jon Landau, Allen Grubman, Jonathan Ehrlich et Don Friedman, qui se sont occupés de tout avec Simon & Schuster ; un merci tout particulier à Les Moonves pour son aide dans ce secteur également.

Merci à Barbara Carr, qui a suivi tout le projet avec le plus grand dévouement et la plus grande efficacité.

Merci à Marilyn Laverty, qui s'occupe de mes relations publiques depuis trente-sept ans, et à Tracy Nurse qui nous représente à l'international depuis trente ans.

Merci à tous ceux chez Simon & Schuster qui ont contribué à cet effort, plus précisément Marie Florio, Cary Goldstein, Richard Rhorer, Stephen Bedford, Jonathan Evans, John Paul Jones, Aja Pollock, Erica Ferguson, Lisa Erwin, Ruth Lee-Mui, Meryll Preposi, Kristen Lemire, Allison Har-zvi, Megan Hogan, Jackie Seow, Elisa Rivlin, Chris Lynch, Michael Selleck, Gary Urda, Paula Amendolara, Colin Shields, Sumya Ojakli, Dennis Eulau, Craig Mandeville, Jeff Wilson, John Felice, Liz Perl, Wendy Sheanin, Sue Fleming, Jofie Ferrari-Adler, Adam Rothberg, Irene Kheradi, Dave Schaeffer, Ian Chapman, Kevin Hanson, Iain McGregor, Rahul Srivastava, Dan Ruffino et Carolyn Reidy.

Merci à Greg Linn et Betsy Whitney, chez Sony Music, pour leurs efforts continus. Et enfin, merci à tous ceux au bureau du management, qui ont donné un coup de main : Jan Stabile, Alison Oscar et Laura Kraus.

Remerciements

Le traducteur tient à remercier Jim Carroll, de la librairie San Francisco Books (Paris), et Gary Lippman (New Jersey) pour leur aide précieuse.

TABLE

LIVRE TROIS
LIVING PROOF

LÉGENDES ET CRÉDITS PHOTOGRAPHIQUES

PAGE 1

Born in the USA.

PAGE 2

Mon grand-père au magasin de matériel électrique.

Le mariage de mes parents.

PAGE 3 (de gauche à droite et de haut en bas)

Dimanche de Pâques, Atlantic Highlands, NJ.

Pete le hors-la-loi.

L'été à Manasquan.

Avec ma frangine Virginia.

Maman et papa au *diner.*

Époque glorieuse, Freehold, New Jersey.

PAGE 4

En concert au Surf and Sea Beach Club.

George Theiss et moi (en début de concert, perché sur une chaise de sauveteur).

PAGE 5

Steel Mill.

Moi et ma tignasse, en train de jouer à la fabrique de surfs de Tinker.

Ma petite sœur Pam en route pour la Californie, 1969.

Dans l'appartement de mes parents, à San Mateo, en Californie.

PAGE 6

Mon album entre les mains pour la première fois.

E Street, première mouture.

PAGE 7

Première consécration au Bottom Line.

PAGE 8

Double carton.

Le Big Man et moi à la séance photo d'Eric Meola pour *Born to Run*.

PAGE 9

Photos de Frank Stefanko pour *Darkness on the Edge of Town*.

L'envol (vignette à droite).

Aux studios Record Plant (en bas).

PAGE 10

New York, *The River*.

Monsieur Landau et l'artiste.

Nebraska.

PAGE 11

Mes muscles ont pris du muscle.

Avec ma rousse.

Le succès phénoménal.

PAGE 12

Traversée de l'Amérique en voiture en 1982.

Les frères Delia.

À Las Vegas.

Aux studios Sun.

Sous le soleil de l'Arizona.

PAGE 13

Madame Patti et Cody.

Sur la Route 66.

À Monument Valley.

PAGE 14

Lune de miel au chalet.

PAGE 15

Evan joue au foot américain avec papa.

Sam, le maire de Sea Bright Beach.

Le premier poney de Jessie.

PAGE 16

Fiesta et rodéo à la ferme.

Crédits photographiques

Collection personnelle de l'auteur : p. 1, 2, 3, 4, 5 (les trois photos en bas uniquement), 12, 13, 14, 15, 16.

Billy Smith Collection : p. 5 (en haut).

Art Maillet : p. 6 (en haut).

David Gahr : p. 6 (les deux photos en bas), 7 (en haut à droite), 10 (milieu à gauche), 11 (les trois photos en haut).

Roz Levin : p. 7 (en haut à gauche, milieu droite, bas de page).

Peter Cunnigham : p. 8 (en haut, à gauche).

Eric Meola : p. 8 (en bas).

Frank Stefanko : p. 9, 10 (en bas, à droite et à gauche).

Joe Bernstein : p. 10 (en haut).

Neal Preston : p. 11 (en bas).

Bruce 9/23/49

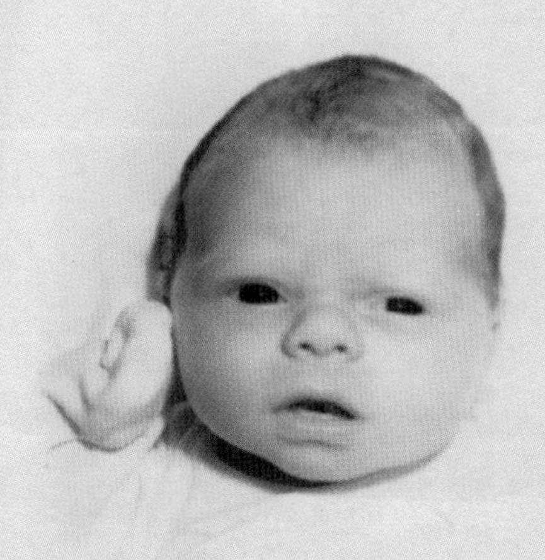

Born In The U.S.A.

my Grandfather's Electrical shop

my parents' wedding day

Easter Sunday, Atlantic Highlands, N.J.

Outlaw pete

Summer in Manasquan

me and my sis Virginia

Mom and Pop at the diner

glory days, Freehold, N.J.

THE CASTILES

(Left to Right) George Theiss, Bruce Springsteen Curt Fluhr, Paul Popkin, Vince Manniello.

playing at the Surf'n Sea beach club

George theiss and myself (show opener perched on a lifeguard stand)

Steel Mill

me and my hair playing at Tinker's surfboard factory

my little sis Pam California bound 1969

At my mom and dad's apartment in San Mateo, California

Checking out my record for the first time

early E Street

breakin' out at the Bottom Line

Double whammy!

me and the Big MAN at the Eric Meola photo shoot for Born to Run

Frank Stefanko photos from Darkness On the Edge of Town

Taking flight?!

AT the Record plant

N.Y.C. the River

Mr. Landau and the Artist?

Nebraska

my muscles got muscles...

me and my redhead

the Big big Time

driving cross country in '82

the Delia brothers

In Las Vegas

At Sun Studios

in the Arizona sun

ms. Patti and Cody

On Route 66

in Monument Valley

Honeymoon log cabin

Evan, playing football with Dad

Sam, the Mayor of Sea Bright Beach

Jessie's first pony

Farm fiesta and rodeo